L'homme
devant la mort

II

Du même auteur

Les Traditions sociales
dans les pays de France
Nouvelle France, 1943

Histoire des populations françaises
et de leurs attitudes devant la vie
depuis le XVIIIᵉ siècle
éd. du Seuil
coll. « Points Histoire », 1971

Le Temps de l'Histoire
éd. du Rocher, 1954
réédition éd. du Seuil, 1986
avec une préface de Roger Chartier
coll. « L'univers historique »

L'Enfant et la Vie familiale
sous l'Ancien Régime
Plon, 1960
éd. du Seuil, coll. « L'univers historique », 1973
coll. « Points Histoire », 1975

Western Attitudes towards death
The Johns Hopkins University Press
Baltimore, 1974

Essais sur l'histoire de la mort en Occident
du Moyen Âge à nos jours
éd. du Seuil, 1975
coll. « Points Histoire », 1977

Un historien du dimanche
éd. du Seuil, 1980

Images de l'homme devant la mort
éd. du Seuil, livre album, 1983

Philippe Ariès

L'homme
devant la mort

II. La mort ensauvagée

Éditions du Seuil

La première édition de *l'Homme devant la mort*
a paru en un seul volume, dans la collection
« L'univers historique »

ISBN 2-02-008945-9, livre II
ISBN 2-02-008943-7, éd. complète
ISBN 2-02-004731-4, 1re publication

TROISIÈME PARTIE

LA MORT LONGUE ET PROCHE

6

Le reflux

Un changement discret

Nous avons suivi à travers le Moyen Age les progrès d'une sensibilité qui donnait à la mort réelle une valeur toujours plus forte, une place toujours plus grande. Ce mouvement qui remonte aux inquiétudes monastiques de l'époque carolingienne s'est développé chez les *litterati* et s'est étendu en même temps que leur influence. Il s'est poursuivi pendant plusieurs siècles avec constance et, à la fin du Moyen Age, il a atteint une intensité qui s'est traduite par les images effrayantes des arts macabres. Il aboutissait à une concentration des pensées et des sens sur le moment même de la mort physique. Parvenu à ce degré, il s'est apaisé et il a comme reculé.

C'est ce reflux qu'il nous faut maintenant considérer. Il commence à peu près avec la Renaissance et se poursuit jusqu'au xviie. Difficile à saisir dans la trame des faits, il faut le deviner sous des apparences de stabilité et respecter sa discrétion et son ambiguïté. En effet, les choses vont demeurer comme elles étaient dans le passé médiéval : même genre de littérature que les *artes moriendi,* mêmes danses macabres *, voire plus de têtes de mort et de tibias dans les églises, même obligation de tester, même caractère sacré reconnu au testament. Pas de changements très visibles, on peut s'y tromper et croire que rien n'a interrompu la continuité séculaire. Et pourtant, sous cette permanence, une attitude nouvelle transparaît ou, sinon une attitude nouvelle, une dévaluation à peine avouée des attitudes anciennes.

Car la distance prise alors à l'égard de la mort ne coïncide pas avec la grande rupture qui a ébloui des générations d'historiens, et qui est de nature théologique et ecclésiastique, donc plus ou moins « élitiste », entre les deux réformes chrétiennes, et peut-être, si on en croit quelques-uns, entre religion du passé et libre pensée de l'avenir. Nous mélangerons les sources catholiques et protestantes de documents. Leurs différences, quand elles existent, ne se situent pas au niveau de la psycholo-

---

* Cinq sur onze danses macabres en France sont du xvie et du xviie siècle. 18 sur 26 en Allemagne sont des xvie, xviie et xviiie siècles, et l'une est encore de 1838 [1].

gie collective, celle-ci étant presque la même dans les deux camps. Le moment même de la mort nous servira de point de référence pour mesurer le changement. Certes, pendant le second Moyen Age, dans la réalité vécue, la mort ne fait ni plus ni moins peur qu'auparavant; les *litterati,* comme le peuple, se conforment à la tradition. Mais, et c'est cela qui importe, si elle ne faisait pas encore peur, elle faisait question. Et moralistes, spirituels, moines mendiants ont profité de cette brèche dans la familiarité coutumière pour s'introduire dans la place et exploiter à des fins de conversion ce souci nouveau. Une littérature d'édification, répandue par l'imprimerie naissante, a développé alors les thèmes des souffrances et des délires de l'agonie comme une lutte des puissances spirituelles où chacun pouvait tout gagner ou tout perdre.

A partir du XVIe siècle, le moment même de la mort, dans la chambre et au lit, va perdre de son importance relative. Si cet instant est délaissé par la piété, au moins par la piété savante, c'est que celle-ci traduit ici, à l'avance, une tendance secrète de la sensibilité collective [2].

Dévaluation de l'*hora mortis*

Le rôle capital de l'avertissement s'atténue et même disparaît : on n'est plus averti.

Chez Érasme, la maladie joue encore ce rôle à l'occasion. Il l'a expérimenté, ce grand égrotant, qui trouva encore le moyen de tomber de cheval ajoutant les souffrances de l'accident à celles du calcul rénal. Sa maladie l'invite à la retraite : « Il tourne dans ma tête comment je pourrais consacrer ce qui me reste à vivre (je ne sais combien de temps) [il n'a pas 40 ans, en 1506] tout entier à la piété et au Christ [3]. » Ce désir d'une retraite — la retraite au désert du Misanthrope de Molière — peut paraître conforme à la tradition et elle l'est sans doute. Il ne s'agit pas pour Érasme de l'ascétisme du couvent : il restera dans le monde, mais pour méditer, et toute méditation ramène à la mort. En effet, si nous en croyons Platon, la philosophie est toujours *meditatio mortis*. Mais qu'il faut recevoir de coups pour assimiler cette philosophie! C'est ce qui est arrivé à Érasme lui-même, qui a tant souffert d'un calcul qu'il a souhaité la mort. Le calcul est le Maître : *Monitor calculus,* c'est lui, notre philosophie, il est *vere mortis meditatio*.

Bellarmin, de son côté, constate avec une sorte de brutalité que la vieillesse elle-même ne dispose pas l'homme au repentir et à la pensée du salut. Elle n'est plus entendue comme un avertissement car il n'y a pire sourd qui ne veut entendre, et les vieillards ne veulent rien savoir : « Ils ne pensent qu'à vivre, et quoique la mort soit proche, c'est à quoi ils pensent le moins[4] », observe l'auteur d'un *Miroir de l'âme pécheresse,* réédité au xviiie siècle.

Nous ne sommes plus au temps des vieillards à la barbe fleurie qui taillaient en deux leurs ennemis, commandaient les grandes batailles, présidaient sagement leur cour. Nous sommes à l'époque des « Ages de la vie », répandus par la gravure, où les derniers degrés sont occupés par des infirmes somnolents, gâteux et peu appétissants.

Le malade est au lit gisant. Il va bientôt mourir et, pourtant, il ne se passe alors rien d'extraordinaire, rien qui ressemble aux grands drames qui envahissent la chambre dans les *artes moriendi* du xve siècle.

Les souffrances elles-mêmes sont suspectes. En 1561, le puritain anglais Thomas Becon, auteur du *The Mannes Salve,* trouve qu'elles ont été décrites avec trop de complaisance par la rhétorique médiévale. « L'amertume de l'agonie » est vraiment une « peine brève et légère » à côté des supplices des martyrs, des prophètes. L'agonie est chose naturelle qu'il ne faut pas dramatiser : *It is naturally to dye, why then labour we to degenerate and growe out of kind?* (Il est naturel de mourir, pourquoi alors nous efforçons-nous de sortir de la nature et de vivre hors d'elle[5]?) On reprend l'idée stoïcienne de voyage, si tant est qu'elle ait jamais disparu de la conscience populaire ainsi qu'en témoigne le mot français *trépas.*

Un siècle après, dans la même Angleterre, Taylor, auteur de *The Rule and Exercises of Holy Dying,* 1651, qui n'était pas un sectaire et s'inspirait sans honte de la littérature catholique issue de saint Ignace, tenait carrément les visions du lit de mort pour des « phantasmes » de Satan, des *abused fancies* de malades déprimés et neurasthéniques.

Bellarmin s'étonne que les hommes consacrent tant de temps à leurs procès, à leurs biens, à leurs affaires et si peu à leur salut, ou, plus précisément, qu'ils remettent le soin de leur éternité au moment où ils ne seront plus maîtres d'eux-mêmes, écrasés, presque inconscients : *vix sui compos.* Si tant est qu'il prenne en considération les affres de l'agonie, il n'y voit que leurs côtés négatifs, la destruction de la volonté et de la conscience, et il n'a aucune tendresse, aucune piété naturelle pour les restes que la vie vraie a déjà abandonnés. L'imagerie médiévale préservait plus longtemps la liberté de l'être, et sa capacité de donner et de recevoir, dans ce corps qui devient cadavre. Bellarmin est aussi dur pour le moribond que pour le vieillard.

Les auteurs spirituels sont unanimes à reconnaître que la mort n'est pas cette caricature hideuse qu'ils ont héritée du Moyen Age finissant. Si les catholiques le font avec plus de précaution, les protestants — et notamment Calvin[6] — n'ont pas leur timidité : « Nous l'avons en horreur [la mort] parce que nous l'appréhendons non telle qu'elle est en soy, mais triste, have et hydeuse, telle qu'il plaist aux peintres [auteurs des danses macabres] de les représenter ès parois. Nous fuyons devant elle, mais parce que, estant occupez de telles vaines imaginations, nous ne nous donnons pas loisir de la regarder. Arrestons nous [c'est le temps de la méditation], demeurons fermes, regardons-la entre les deux yeux et nous la trouverons tout autre qu'on ne nous la peint et en tout autre visage que nostre misérable vie. »

Mais qu'est-elle alors devenue, la mort, si elle n'est plus le gisant au lit malade, suant, souffrant et priant? Elle devient quelque chose de métaphysique qui s'exprime par une métaphore : la séparation de l'âme et du corps, ressentie comme la séparation de deux époux, ou encore de deux amis, chers et anciens. La pensée de la mort est associée à l'idée de rupture du composé humain, à une époque qui est celle du tombeau d'âme, où le dualisme commençait à pénétrer la sensibilité collective. La peine de la mort est mise en relation, non avec les souffrances réelles de l'agonie, mais avec la tristesse d'une amitié brisée.

Les nouveaux arts de mourir :
vivre avec la pensée de la mort

Ce n'est donc pas au moment de la mort ni dans la proximité de la mort qu'il faut penser à elle. C'est pendant toute la vie. Pour le Lyonnais Jean de Vauzelles qui publiait en 1538 le texte d'une danse macabre de Holbein le Jeune, que Nathalie Z. Davis a étudié, la vie terrestre est la préparation à la vie éternelle, comme les neuf mois de la grossesse sont la préparation à cette vie-ci [7]. L'art de mourir est remplacé par un art de vivre. Rien ne se passe plus dans la chambre du mourant. Tout, au contraire, est réparti dans le temps de la vie et dans chaque jour de cette vie.

Mais quelle vie? Pas n'importe laquelle. Une vie dominée par la pensée de la mort, et une mort qui n'est pas l'horreur physique ou morale de l'agonie, mais l'anti-vie, le vide de la vie, incitant la raison à ne pas s'attacher à elle : c'est pourquoi il existe une relation étroite entre bien vivre et bien mourir.

> Pour mourir bienheureux, à vivre il faut apprendre.
> Pour vivre bienheureux, à mourir faut apprendre.

Ces vers ignaciens sont du calviniste Duplessis-Mornay [8]. Celui qui a toute sa vie fait confiance à Dieu, comme le souhaite Érasme, est prêt à mourir et n'a pas besoin d'autre préparation :

> Celuy qui s'est toujours en Dieu fié
> Il vit en Foy si uny en la vie
> Que mort le rend sans mort déifié (Duplessis-Mornay).

D'autre part, il n'est pas possible de vivre dans le monde, c'est-à-dire hors de la protection des clôtures monastiques, si on ne sait pas se persuader de la vanité des choses au milieu desquelles on doit vivre, qu'on agite et dont on tire profit. C'est pourquoi la méditation sur la mort est au centre de la conduite de la vie. « Les images de la Mort, écrivait Jean de Vauzelles, c'est le vray et propre miroir duquel on doibt corriger les difformitez de péché et embellir l'Ame. » Dans les traités de spiritualité des XVIᵉ et XVIIᵉ siècles, il ne s'agit donc plus, ou du moins il n'est pas primordial, de préparer des mourants à la mort, mais d'apprendre aux vivants à méditer sur la mort.

Il y a des techniques pour cela, une éducation de la pensée et de l'imagination dont le maître est saint Ignace, avec ses *Exercices spirituels*. Elles sont bien connues. Nous devons en retenir ici que la mort est devenue dans cette économie nouvelle le prétexte à une méditation métaphysique sur la fragilité de la vie, afin de ne pas céder à ses illusions. La mort n'est plus qu'un moyen de mieux vivre. Elle pourrait être l'invitation au plaisir des épicuriens : elle est, au contraire, le refus de ce plaisir. Pourtant, le squelette est le même sur les gobelets des épicuriens jouisseurs de Pompéi et sur les gravures des *Exercices spirituels*.

Le réformé français, le théologien anglican parlent comme le cardinal romain. Il y a sur ce point dans l'élite chrétienne unanimité. On est désormais convaincu, même chez les catholiques traditionalistes et conservateurs, pour lesquels le témoignage des moines médiévaux reste toujours valable, que, sauf intervention d'une grâce exceptionnelle, dont il ne faut d'ailleurs pas préjuger, ce n'est pas le moment de la mort qui donnera à la vie passée son juste prix et qui décidera de son destin dans l'autre monde. Il est trop tard alors, ou du moins il ne faut pas prendre ce risque. L'illumination du dernier instant ne viendra pas arracher à la damnation une vie adonnée tout entière au mal : « Il n'est raisonnable ni juste que nous commettions tant de péchés toute nostre vie et que nous ne veuillons que ung jour ou une seule heure pour les plorer et s'en repentir[9]. » Il faut être à tout moment de la vie dans l'état où les *artes moriendi* du Moyen Age veulent mettre le mourant : *in hora mortis nostrae,* comme dit la seconde partie de l'*Ave Maria* qui est justement devenu populaire au XVIᵉ siècle.

Cette doctrine est illustrée par deux anecdotes. L'une appartient à la Contre-Réforme. Elle est attribuée par la tradition jésuite à saint Louis de Gonzague. Un jour où le jeune saint jouait à la balle, on lui demanda ce qu'il ferait s'il savait qu'il allait mourir. On imagine ce qu'un moine du Xᵉ au XVᵉ siècle aurait répondu : qu'il cesserait toutes ses activités du monde, qu'il se consacrerait entièrement à la prière et à la pénitence, qu'il s'enfermerait dans un ermitage où rien ne pourrait plus le détourner de la pensée de son salut. Et un laïc : qu'il fuirait dans un cloître. Mais le jeune saint de la Contre-Réforme répondit simplement qu'il continuerait à jouer à la balle.

L'autre anecdote provient d'un humaniste anglais de 1534, gagné
aux idées de la Réforme[10]. Inspiré par le stoïcisme, il reprenait de
Sénèque le récit de la mort de Canius pour la proposer en exemple.
Le philosophe Canius avait été condamné à mort par Caligula. Quand
le bourreau vint s'emparer de lui pour le conduire au supplice, il le trouva
en train de jouer aux échecs, comme saint Louis de Gonzague jouait
à la balle. Il était même en train de gagner!

Pour un homme prêt, tous les moments sont semblables à celui du
départ. « Qu'en pleine santé, nous dit Calvin[11], nous ayons toujours la
mort devant les yeux [si bien que] nous ne facions point notre conte de
tousjours demeurer ici bas, mais que nous ayons *comme un pied levé,*
ainsi qu'on dict. »

Dans un de ses colloques, Érasme montre comment il voyait, dans la
vie de tous les jours, l'effet concret de cet état d'esprit : au cours d'un
naufrage, marins et passagers s'affolaient. Tandis que la plupart invo-
quaient les saints et chantaient des cantiques, se réfugiant dans la prière
et attendant une intervention surnaturelle, comme y invitaient les pratiques du temps, une jeune femme courageuse et raisonnable, au lieu de
perdre la tête, se conduisit sans crainte ni bravade, avec bon sens. « De
nous tous (...), la personne qui faisait la meilleure contenance était une
jeune femme portant dans ses bras un enfant qu'elle allaitait (...). Elle
était seule à ne pas crier ni pleurer, à ne pas faire de vœux. Elle se bornait
à prier tout bas, en serrant le petit sur son giron. » Une prière qui était
comme la suite de sa prière habituelle, qui ne demandait aucune faveur
exceptionnelle liée à l'événement. Son sang-froid et sa simplicité la servirent, puisqu'elle arriva la première au rivage : « Nous l'avions mise sur
une planche recourbée où elle était bien attachée (...). Nous lui remîmes un
espars dont elle devait user comme d'un aviron; puis avec une fervente
prière, nous la confiâmes aux vagues (...) et cette femme, tenant son petit
de la main gauche, ramait de l'autre main. » Elle ramait comme le saint
jésuite Louis de Gonzague jouait à la balle, et comme le stoïcien Canius
jouait aux échecs. « Que fait le Christ, commente Érasme, sinon nous
inviter à vivre en montant bonne garde, comme si nous devions trépasser
à l'instant, et à nous attacher à la pratique de la vertu, comme si nous
étions destinés à vivre éternellement[12]. »

Mais cette attitude exemplaire de la femme naufragée, Érasme croit,
ou plutôt veut croire, qu'elle était exceptionnelle à son époque. C'est
que la peur de la mort et les recettes quasi magiques pour en triompher
sont devenues trop fréquentes, grâce à la propagande scandaleuse des
moines mendiants. « Combien de chrétiens n'ai-je pas vu faire une fin
misérable! Les uns placent leur confiance dans les choses qui n'en méritent
guère [c'est l'*avaritia*], d'autres, conscients de leur scélératesse et bourre-
lés de doutes, sont à leur dernier soupir tellement tourmentés par des
ignares [les « amis spirituels » de Gerson] qu'ils rendent l'âme presque

en désespérés [et pourtant le désespoir était l'une des tentations classiques de l'agonie dont les amis spirituels connaissaient bien le danger et qu'ils s'efforçaient d'éviter, si l'on en croit les vieux *artes moriendi*]. » « Je réprouve les criminels et les superstitieux ou, pour tempérer mon langage, les naïfs et les ignorants qui enseignent aux fidèles à mettre leur confiance en ces cérémonies [de la mort] et à négliger précisément ce qui nous transforme en vrais chrétiens. »

Érasme trouve superstitieuse la croyance dans les vertus des dernières cérémonies pour les mêmes raisons que J. de Vauzelles, cité plus haut, et bien d'autres encore du XVIIᵉ siècle, parce qu'elles paraissent avoir pour but de permettre à une vie dissolue de se sauver *in extremis*. « Quand enfin sonne leur dernière heure, des cérémonies sont encore prêtes pour la circonstance. Le mourant fait sa confession générale. On lui administre l'extrême-onction et le viatique. Voici les cierges et l'eau bénite. On n'a garde d'oublier les indulgences. On déploie une bulle du pape devant l'agonisant, au besoin même on la lui vend. Puis on règle le dispositif pompeux des funérailles. On arrache au mourant son ultime engagement solennel. Quelqu'un lui vocifère à l'oreille et hâte sa fin, comme il arrive souvent, soit par des clameurs excessives, soit par une haleine puant le vin. »

C'est, caricaturée, la scène traditionnelle de l'absoute du mourant, reprise de manière plus dramatique et plus cléricale (aussi devint-elle intolérable à Érasme) par les *artes moriendi*. L'Église de la Contre-Réforme en gardera l'essentiel, en réduisant les dévotions parasites et en réservant la place essentielle au viatique et à l'extrême-onction. Mais la piété commune restera fidèle aux psaumes de la pénitence, aux recommandaces.

D'ailleurs Érasme admet que tout n'est pas mauvais dans ces usages : « Je concède que ces choses sont bonnes, principalement celles que nous a léguées la tradition de l'Église [essentiellement les sacrements]. Mais je soutiens qu'il y en a d'autres plus discrètes [sans doute plus personnelles, inspirées par la relation personnelle entre Dieu et l'homme] grâce auxquelles nous quittons ce monde l'âme légère, avec une confiance chrétienne. »

L'élite réformatrice des Églises, catholique comme protestante, n'a cessé de se méfier, à la suite des humanistes, des repentirs tardifs arrachés par la peur de mourir. Sans doute y aura-t-il au XIXᵉ siècle dans l'Église catholique un retour en arrière, en deçà de la Contre-Réforme, sous l'influence des coutumes populaires qui avaient persisté. C'est pourquoi à partir du XVIᵉ siècle, les réflexions provoquées par la subtile transformation des *artes moriendi* constituèrent un genre nouveau quoiqu'il gardât les anciennes étiquettes; il ne s'agissait plus de manuels du mourir, mais d'une nouvelle catégorie de livres de piété pour la dévotion de chaque jour : une piété désormais banale.

Certes, ils conservent encore une section consacrée à la visite des

malades, aux soins à donner aux mourants, aux derniers rites et sacrements. L'Église romaine reconnaît leurs pouvoirs. En revanche, un auteur
anglican, pourtant aussi peu radical que Taylor, les admet seulement
comme des usages. S'il donne quelques conseils pour les derniers
moments, il admet franchement que la scène de la mort n'a plus pour lui
rien de l'intensité dont il reste encore beaucoup chez les auteurs catholiques comme Bellarmin. La cérémonie traditionnelle est devenue un rite
de civilité sans valeur religieuse ni moralité. « Un repentir sur notre lit
de mort est comme la toilette du cadavre, *it is cleanly and civil,* mais cela
ne change rien en dessous de la peau [13]. »

En France, ce qui était offert en plein XVIIIᵉ siècle à la piété la plus commune n'était pas différent de ce que nous avons trouvé chez les humanistes,
chez Taylor et chez Bellarmin. *Le Miroir du pécheur et du juste pendant
la vie et à l'heure de la mort* [14] nous dit bien, par son titre, qu'il s'agit
autant et plus d'un art de vivre que d'un art de mourir. Il oppose la destinée du pécheur et du juste dans un contraste dramatique. Livre de piété
au demeurant médiocre et plat, on y retrouve l'inspiration ignacienne et
le recours à l'imagination. Il recommande de se représenter sa propre
mort : « Il est donc certain que je dois mourir dans deux heures (...). Mon
corps ne sera plus qu'un cadavre affreux qui va faire horreur à tout le
monde [Bellarmin se dispensait de ces évocations, peut-être parce qu'elles
faisaient partie des méthodes classiques de méditation]. On me jettera dans
une fosse qu'on remplira de terre. Mon corps sera mangé de vers, pour-
rira [14]. » Encore une fois, ces images présentées à la méditation sont données comme des moyens éprouvés d'obtenir à long terme une bonne
mort par les bonnes résolutions qu'elles inspirent; elles ne sont pas destinées à préparer directement une mort naturelle.

En revanche, l'auteur s'oppose avec vigueur à l'erreur dénoncée par
Jean de Vauzelles au XVIᵉ siècle, et toujours répandue de son temps, qu'on
peut compter sur une bonne mort pour racheter une mauvaise vie : « Vous
êtes sans doute persuadés que pour mourir chrétiennement il suffirait avant
que de mourir de recevoir des sacrements, de baiser le crucifix, d'être
assisté à la mort par un prêtre et de prononcer après lui les actes de religion qu'on fait faire ordinairement aux malades. Si cela suffisait votre
imprudence serait moins coupable, mais il s'en faut bien que cela suffise.
L'Enfer est peuplé de damnés qui sont morts après avoir fait tout cela.
Mourir de cette façon, c'est mourir d'une mort consolante à la vérité pour
les païens, mais ordinairement funeste au mourant, quand il n'a pas
apporté d'autres préparations. (...). Les pécheurs, à la mort, crieront Seigneur, Seigneur, c'est-à-dire qu'ils recevront, si vous voulez [curieuse
figure de concession], les Sacrements, mais qu'ils n'entreront pas pour
cela dans le Ciel. Car s'il ne fallait que faire à la mort quelques actions
chrétiennes pour mériter le Ciel, il s'ensuivrait que Jésus-Christ aurait
dit faux. Il faut s'y prendre de loin, c'est-à-dire qu'il ne faut pas moins de

toute la vie pour se préparer à l'état qui convient à une bonne mort et où des présomptieux espèrent parvenir d'un seul coup, au moment où elle s'annonce [14]. »

Les dévotions populaires de la bonne mort

Aussi les mêmes moralistes réformateurs n'ont-ils cessé de dénoncer les pratiques superstitieuses qui promettaient la connaissance merveilleuse des choses cachées, afin d'en profiter et de sauver son âme au dernier moment, comme d'un coup de dé dont on serait sûr. « En aucunes Heures, écrit le père Doré, un jésuite, en 1554, sont imprimées oraisons à Notre-Dame et aux sainctz où ès tiltres qui sont dessus, sont escrits plusieurs choses apocryphes comme : qui dira telle oraison sçaura l'heure de sa mort [une vieille curiosité à laquelle répondait parfois la divination des magiciens du Moyen Age], car Nostre-Dame s'apparaîtra à luy quinze jours avant (...). Les oraisons sont bonnes mais il ne se fault fier à telles inscriptions non authentiques [15]. »

Mais l'Église romaine n'a pas vraiment proscrit dans sa pratique toutes les dévotions de la bonne mort condamnées par son élite. En fait, de telles dévotions remplissaient ses églises, et attiraient le peuple qui leur restait obstinément fidèle, très attaché notamment au scapulaire et au rosaire : le scapulaire donnait à celui qui le portait pendant sa vie la certitude d'une bonne mort, et à tout le moins, d'un allègement de son temps de Purgatoire. G. et M. Vovelle ont bien montré l'association du scapulaire de saint Simon Stock ou du rosaire qu'on attribuait alors à saint Dominique avec la dévotion très répandue, à la fin du XVIIIe siècle et au XIXe siècle, aux âmes du Purgatoire. L'un et l'autre étaient des attributs souvent représentés dans les retables qui ornaient la chapelle réservée aux âmes du Purgatoire [16]. Sur un tableau de l'église de Perthuis, l'âme qu'un ange enlève au ciel hors des flammes porte le scapulaire serré dans ses mains. A l'église de Pelissane, l'âme sauvée tient un rosaire enroulé à son poignet.

Sans doute est-ce alors, quand s'est répandue la dévotion post-tridentine du rosaire, que les mains du mort, comme celles de l'âme du Purgatoire, déjà jointes dans l'attitude traditionnelle du gisant médiéval, ont été entourées d'un chapelet, et il en a été ainsi jusqu'à nos jours.

Des croyances tenaces avaient encore cours au XIXe siècle sur les vertus du scapulaire. Nous en trouvons un témoignage inattendu, mais pathétique, là où on ne l'aurait pas cherché, dans une œuvre de jeunesse de Charles Maurras, qu'il a plus tard désavouée. Le conte intitulé « la Bonne Mort » fait partie de la première édition du *Chemin du Paradis,* livre un peu scandaleux, publié en 1891, et il fut retiré de la réédition de

1924[17]. C'est l'histoire du suicide d'un élève d'un collège religieux, à peine adolescent, qui ressemble à Maurras comme un frère. Il s'est pendu parce qu'il était tenté par le péché de la chair et qu'il craignait, en y cédant, de mourir damné. Un cas pour Julien Green. En effet, il avait la certitude, tant qu'il portait le scapulaire, d'être sauvé par la Vierge, quelle que fût la gravité de ses fautes. Il risquerait plus tard de négliger le port du scapulaire, et alors, entraîné par quelque folie, il irait à sa perte éternelle. Mieux valait profiter de son actuelle sécurité, se tuer tant qu'il portait sur lui la merveilleuse amulette et gagner ainsi l'éternité. Histoire étrange, mais dont le fond était fourni par des souvenirs vrais d'un adolescent tenté par le suicide, et à qui ses maîtres religieux, ou sa mère, avaient appris les vertus surnaturelles du scapulaire.

Il semble bien qu'un compromis s'est établi entre les croyances carrément rejetées comme superstitions, mais persistant cependant, et le rigorisme des réformateurs. On le constate dans les retables des âmes du Purgatoire; ceux-ci associent des croyances populaires à un dogme qui fut longtemps limité à une petite élite de théologiens, comme saint Thomas d'Aquin, ou d'écrivains philosophes, comme Dante : celui du Purgatoire. Le Purgatoire n'apparaît guère dans l'opinion commune avant le milieu du XVIIᵉ siècle (on le trouve rarement dans les testaments parisiens avant 1640). Mais il devient alors populaire, en même temps d'ailleurs que le tombeau d'âme, le tableau de fondation. Il y a là à la fois l'acceptation des idées radicales des réformateurs, et leur adoucissement par le maintien d'anciennes pratiques. On devine le même compromis dans les testaments. Les doctrines dominantes ne parvinrent pas à éliminer le souci du dernier jour et la croyance enracinée dans toutes les possibilités extraordinaires de ce moment qui n'est pas comme les autres. En 1652, « une fille jouissant de ses droits » et « en bonne santé » décide de faire son testament. Or le temps sera peut-être long entre le moment où elle teste et le dernier jour de sa vie. Cette distance, désormais recommandée par les moralistes réformateurs, l'inquiète, on le sent : « elle demande donc que Dieu me fasse la grâce que à la fin de mes jours je puisse faire une bonne confession et contrition de tous mes péchés et qu'il me fasse la grâce que je meure en bonne et véritable chrétienne, et renonce dès à présent [pardevant notaire!] à toutes les tentations qui me pourraient survenir[18] ». On sent qu'elle n'est pas parfaitement tranquille malgré toutes ses précautions.

Un prêtre en 1690 : « Mon âge avancé et de très grandes maladies qui m'arrivent très fréquemment m'*avertissent* que la mort est proche [avertissement traditionnel] et que je puisse mourir à toute heure [il a attendu l'avertissement, ne cédant pas trop à l'usage nouveau auquel s'est conformée la jeune fille de 1652]. Je me suis obligé pour n'être pas surpris [car le testament reste toujours une obligation essentielle, tant dans les traités protestants que catholiques] de faire le plus tôt qu'il me sera possible ce que je voudrais avoir fait au dernier moment de ma vie [peut-être est-ce mieux de le faire alors, mais on sait maintenant que c'est très risqué] où peut-être je ne serai plus en état de rien faire à cause de la faiblesse où mon esprit et mon cœur seront réduits [19]. »

Il est évident que dans la vie quotidienne la mort reste un temps fort. Mais les hommes de la doctrine, du XVIe au XVIIIe siècle, répugnent à l'admettre et tentent au contraire de diminuer son intensité *. Cette attitude des humanistes et des réformateurs va peser de plus en plus lourd sur les mœurs. Les historiens d'aujourd'hui la confondent facilement avec la modernité, et sans doute ont-ils raison. Il nous faut maintenant nous interroger sur les effets de cette attitude et sur son sens profond.

Les effets de la dévaluation de la bonne mort : la mort non naturelle; la modération; la mort belle et édifiante

Le premier effet du découronnement, de la désacralisation de la mort, est que celle-ci perd ses pouvoirs quasi magiques, et en tout cas irrationnels, chargés d'une sauvagerie primitive. Cela vrai dans les cas de la mort soudaine et de la mort violente. L'une et l'autre se sont banalisées. Ni Salutati, ni Érasme ni Bellarmin ne voient plus de danger particulier dans la *mors improvisa,* les deux premiers la préfèrent aux longues maladies qui dégradent et font souffrir : les souffrances du calcul rénal poussent Érasme à souhaiter la mort et il pense alors aux *graves auctores* de l'Antiquité, qui « non sans raison disent que la mort subite était le plus grand bonheur de la vie ». « En effet, l'âme qui s'est confiée une fois pour toutes à la volonté divine est prête à supporter un millier de morts. »

L'attitude des réformateurs à l'égard de l'exécution des condamnés à mort est aussi surprenante. Chez eux — mais certes pas dans la réalité vécue — le supplice a perdu son caractère de sacrifice solennel et compensateur. La victime n'est plus à leurs yeux la personnification effroyable du mal, accablée par toutes les forces humaines et divines qu'elle a bravées. Peu leur importe que, dans les cas graves, la mise à mort soit célébrée en public comme une liturgie. Pendant longtemps, au Moyen Age, l'opinion commune inclinait à croire que le supplicié était une créature diabolique, déjà entrée dans l'Enfer. Toute consolation spirituelle lui apparaissait

---

* Cependant, dans la seconde moitié du XVIIIe siècle, on observe, en France, un retour des apologistes chrétiens et de leurs adversaires, les philosophes athées ou même déistes, à l'*hora mortis,* comme le montre R. Favre (*La Mort au siècle des Lumières,* Lyon, Presses universitaires de Lyon, 1978, p. 186 *sq.*). Ce retour s'explique par le sens nouveau désormais reconnu à la bonne mort, c'est-à-dire à la mort paisible, quand l'opposition, nouvelle, du croyant et de l'incroyant a remplacé celle, traditionnelle, du juste et du pécheur. Désormais, le croyant et l'incroyant revendiquent chacun pour soi la bonne mort et réservent à l'adversaire, quel qu'il soit, la mort furieuse et révoltée.

alors comme inutile, interdite, sinon sacrilège. L'Église, qui n'avait jamais accepté cette opinion, avait imposé la présence du confesseur à côté du bourreau.

Bien plus, pour Bellarmin et les écrivains qui le suivirent, le condamné était réellement réhabilité par sa souffrance et son repentir. Sa piété avait transformé son supplice en une expiation, et sa mort devenait une bonne mort, meilleure que beaucoup d'autres. « Quand ils ont commencé à mourir à la vie mortelle », écrit Bellarmin des suppliciés avec une sorte d'admiration, « ils commencent à vivre dans la béatitude immortelle. »

Le second effet de la dévaluation de la mort « exacte », de l'heure de la mort, peut-il être interprété comme une réévaluation de la vie, ainsi que le suggère finement A. Tenenti? Celui-ci y voit, si je le comprends bien, la seconde étape d'un mouvement plus ancien dont la première manifestation aurait été la réaction macabre. J'admets que le langage macabre a bien traduit un amour immense des choses et des êtres, en revanche je crois que le détournement de la mort, objet de notre analyse actuelle, n'est pas une deuxième phase de ce même sentiment, mais exprime au contraire une autre conception de la vie, plus ascétique sinon plus sombre.

L'attitude du second Moyen Age devant le monde et les biens du monde, devant Mammon, a été double : d'une part un amour condamnable que les auteurs du XVIᵉ siècle traitent d'immodéré, et qu'on appelait l'*avaritia;* d'autre part la rupture définitive, la renonciation totale, la distribution des biens aux pauvres et la retraite dans un cloître. C'est tout l'un ou tout l'autre, et le seul compromis consiste en un complexe système de réassurance où les richesses matérielles sont garanties par les richesses spirituelles qu'elles entretiennent (voir chapitres 3 et 4).

A partir de la Renaissance, et en même temps que la mort est détournée en aval de l'agonie vers la vie longue, d'autres conduites apparaissent, qui se traduisent par une évaluation différente des vertus et des vices.

L'homme, ceci est bien établi, doit vivre dans le monde, quoiqu'il ne soit pas du monde. Le refuge du cloître n'est plus présenté comme l'attitude chrétienne absolue. Il est normal et recommandé à l'homme d'user des biens, comme l'ont fait Abraham ou Salomon, mais qu'il sache qu'il ne possède pas la richesse, qu'il en est seulement l'usufruitier. Cette considération morale n'est pas une singularité d'auteur pieux, elle se retrouve souvent dans la pensée et les testaments des hommes quelconques des XVIᵉ et XVIIᵉ siècles. Nous l'avons déjà rencontrée [20]. Bellarmin a, sur ce point, une opinion bien arrêtée : dans ses relations avec les autres hommes, chacun est maître de son bien. Il n'est pas question de mettre en doute la légitimité de la propriété. Mais dans sa relation à Dieu, qui est essentielle, *comparatus Deo*, il n'est plus qu'un administrateur.

Cette notion d'usufruit a pour effet une nouvelle vertu dont le nom est ancien, mais le sens et la couleur tout à fait nouveaux : la *sobriété.*

« Cette vertu, écrit Bellarmin, non pas dans un quelconque traité de morale, mais dans son *De arte bene moriendi*, n'est pas seulement le contraire de l'ébriété * », elle est synonyme de modération et de tempérance, tandis que l'*avaritia* est dénoncée comme *amor immoderatus*. Sobre, « l'homme évalue selon la raison, et non pas selon son plaisir, les choses qui sont nécessaires au soin et à la conservation de son corps ». Bellarmin ajoute que cette vertu est très rare.

Ainsi dans un monde où le chrétien doit vivre et se sanctifier, la modération n'est pas simplement une conduite sage. Elle devient une vertu cardinale qui commande tout le comportement. On comprend alors son importance dans la morale sexuelle en général, et dans le mariage en particulier. Elle implique une réflexion et une prévision qui n'étaient pas usuelles auparavant.

Dès lors, l'*avaritia* devient le plus redoutable des péchés. Elle inclut toujours, notons-le bien, l'amour des êtres qui nous paraît aujourd'hui le plus légitime. Marguerite de Navarre parle ainsi de la bonne mort et du trépassé fidèle et joyeux :

> Car *sans regret de père, mère ou sœur,*
> N'ay mémoire avoir de rien ça bas.
> Mon âme print à soy mon redempteur [21].

L'*avaritia* est l'amour immodéré du monde. Plus qu'un péché dont on a honte et remords, elle est haine de Dieu, *odium Dei,* qui pousse à l'endurcissement et au défi, à l'alliance avec le Diable. Ceux qui la pratiquent sont des obstinés, sûrs d'eux.

L'*odium Dei,* auquel est consacré un chapitre important des tentations qui agressent l'homme aux XVIe-XVIIe siècles, a deux aspects dans le traité de Bellarmin, deux faces d'un même vice. Le premier est la sorcellerie : Bellarmin ne parle pas du pacte avec le diable, mais il analyse la psychologie rationnelle des hommes qui sont persuadés (à tort ou à raison) qu'ils jouiront dans l'autre monde, et sans doute dès celui-ci, des pouvoirs immenses du Diable. C'est pourquoi ils font preuve d'une telle assurance devant les tortures et les supplices; d'ailleurs, le fait est bien connu des Inquisiteurs, le Diable leur donne une insensibilité physique qui l'assure qu'ils ne se repentiront pas. L'autre face de l'*odium Dei* est l'*avaritia.*

Il est très significatif que l'*avaritia* et la sorcellerie soient réunies dans une même généralité. En effet, elles ont en commun l'idée, claire ou confuse, directe ou indirecte, que le Diable ou le non-Dieu a des pouvoirs sur le monde. Pour exercer ces pouvoirs, dans ce monde ou dans l'autre, l'homme n'a pas besoin de Dieu. Bien plus, Dieu les lui refuserait au nom de sa Providence!

---

* Comme au XVe siècle, l'*avaritia* n'était pas seulement la peur de manquer et la répugnance à dépenser qu'elle est devenue aujourd'hui.

Un monde où la modération doit régner prend ainsi peu à peu la place d'un monde de l'excès où alternent un amour et un renoncement également sans mesure. Dans ce monde nouveau, la mort n'a plus le même pouvoir de tout remettre en cause par la force de son ombre, quand elle commence à s'étendre. La mort aussi est soumise à la loi commune de la mesure.

Le dernier effet du phénomène étudié ici est un modèle de la bonne mort, la mort belle et édifiante, qui succède à celui de la mort des *artes* médiévaux, dans la chambre envahie par les puissances du ciel et de l'enfer, par les souvenirs de la vie et les délires diaboliques. C'est la mort du juste, celui qui pense peu à sa propre mort physique quand elle vient, mais qui y a pensé toute sa vie : elle n'a ni l'agitation ni l'intensité de celle des *artes moriendi* du second Moyen Age; elle n'est sans doute pas exactement celle de Roland, du laboureur de La Fontaine ou des paysans de Tolstoï, et cependant elle lui ressemble. Elle en a la tranquillité et la publicité (la mort des *artes moriendi* était au contraire dramatique et intériorisée : tout se passait hors de la vue de la *corona amicorum*).

Le modèle apparaît dès la fin du XIVe siècle, et dure jusqu'au XVIIIe siècle. A. Tenenti en donne quelques exemples anciens.

Le premier est proposé par Salutati dès 1379 [22]. C'est la mort d'Hermès Trismegiste qui meurt en public, au milieu de ses amis, comme Socrate. « Jusqu'ici pèlerin exilé, maintenant je reviens dans la patrie [*migro revocatus in patriam*]. Ne me pleurez pas comme si j'étais mort. Je vous attendrai chez le Souverain Créateur du monde. »

Plus touchant et plus proche de la sensibilité commune des temps modernes jusqu'à la fin du XVIIIe siècle, est ce récit d'une bonne mort, extrait d'une lettre de Francesco Barbara à sa fille [23]. La mourante est une sainte femme, « dans la fleur de l'âge », c'est-à-dire très jeune. Une épouvantable maladie l'a brisée, couverte d'ulcères, torturée. Elle offre ses souffrances à Dieu « qui nous frappe pour nous sauver et nous tue pour que nous ne mourions pas ». Au moment où elle sent qu'elle va mourir, selon l'avertissement traditionnel, après avoir reçu le sacrement, elle se lève, et s'agenouille sur le sol nu *.

Luchina, c'est le nom de la jeune femme, était à ce moment « si épuisée que, quoique encore vivante, elle paraissait déjà envahie par la mort, incroyablement défigurée, elle qui avait été en son temps si belle, si majestueuse. Et voici qu'après qu'elle se fut endormie dans le Seigneur, la lividité et la tension s'effacèrent de son visage. Ses traits perdirent leur

---

* Cette attitude du mourant, je la pense inconnue du Moyen Age : à cette époque, le mourant etait étendu sur sa civière, dans la position du gisant. Il se met ici dans la position du priant, qui, nous le savons, a succédé au gisant : mimétisme surprenant du vivant qui s'attache à la ressemblance du mort, mais du mort bienheureux. Il ne doit pas être facile à un mourant à l'agonie de se redresser ainsi pour plier ses membres rompus *(quassi)!* Bellarmin, quoique avare de détails de ce genre, recommande aussi cette position, mais il se croit obligé de fournir quelque justification : Dieu, dit-il, donne souvent aux moribonds la force extraordinaire de faire ce dernier geste de foi et d'offrande. En effet, il arrive que les représentations de la mort de la Vierge, si fréquentes à la fin du Moyen Age et pendant tous les temps modernes, montrent la Vierge ainsi agenouillée.

rigidité, leur aspect repoussant, et une noble beauté, une dignité majestueuse gagnèrent son visage. Si belle et non plus déformée, on ne croyait pas qu'elle était morte, on croyait qu'elle dormait *(non mortua sed dormiens creditur)* ». Nous voici ramenés, dans ce milieu d'humanistes érudits et raisonneurs, mais sensibles et facilement mystiques, au modèle traditionnel du gisant dormant, in *somno pacis*. Mais un accent nouveau est mis sur la beauté, l'indicible beauté qui apparaît après les derniers effrois de l'agonie. Cette beauté est ici comprise parmi d'autres manifestations quasi surnaturelles qui étaient observées sur les corps des saints et servaient à prouver leur sainteté dans les enquêtes de béatification : conservation du corps et suavité de son odeur. Le corps résiste à la corruption universelle et à ses horreurs physiques.

« Alors, sans aucun secours de la médecine, toutes les plaies dont son corps était couvert furent instantanément guéries et refermées, une délicieuse odeur remplaça la puanteur de ses plaies, et chacun, dans la chambre et au-dehors *(domi* et *foris)*, était frappé d'admiration. »

L'épistolier qui écrit à sa fille explique le fait par le triomphe d'une âme pure sur le corps affligé. Luchina avait vécu *in fide, vix in carne*. Aussi son corps pourtant déchiré, couvert d'ulcères, sentant mauvais, parut-il après sa mort guéri, resplendissant, parfumé, à cause de la beauté de son âme. « Comme si la *nobilitas* de son âme l'avait habillée d'un vêtement de beauté. »

Merveilleuse transformation du corps après la mort! Elle apparaîtra cependant de moins en moins miraculeuse à mesure qu'on avance dans le temps. Ce qui est encore ici caractère exceptionnel de la mort du Juste deviendra au XIXe siècle un aspect banal, mais réconfortant, de la mort de l'être aimé. Combien de fois, même aujourd'hui, les visiteurs, quand il y en a encore, murmurent avec admiration devant le mort exposé : « On dirait qu'il dort. » *Sed dormiens creditur*.

On le voit, la mort belle et édifiante des modèles pieux des XVIe-XVIIe siècles annonce de loin la mort romantique, mais ne la sollicitons pas. Elle est encore plus proche de la mort traditionnelle, ou mort apprivoisée.

Dans le même registre simple et familier, on placera la mort réelle du jésuite anglais Parson, telle qu'elle fut rapportée par ses confrères. Auteur d'un art de mourir assez compliqué, comportant pas mal de considérations et d'actions, lui-même, comme le fait remarquer son biographe [24], est mort in *typically Jesuit fashion :* « doucement, sans tapage *(undramatically)* et en plein travail ». Il aura cependant l'idée, qui nous paraît étrange, de demander que pendant la récitation des recommendaces, c'est-à-dire pendant l'agonie, on lui passe autour du cou la corde qui avait servi au supplice du martyr jésuite Campion [24]!

La fin de Parson confirme l'impression que nous a laissée le récit de Luchina. La mort belle et édifiante, fin d'une vie juste et sainte passée

dans le monde, est semblable à la mort traditionnelle familière et confiante
(ou résignée), mais avec, en outre, un peu de drame et de mise en scène où
les connaisseurs reconnaîtront le signe de l'âge baroque. Cet élément
dramatique, discret jusqu'à la fin du xviiie siècle, s'étalera dans la grande
rhétorique du romantisme néo-baroque.

La mort du libertin

Ce modèle de la mort fondé sur la considération sereine de la mortalité
s'oppose à celui du Moyen Age d'une vie hantée par la conversion du dernier moment. Mais la suppression de cette hantise pouvait avoir un autre
effet, moins favorable à la piété; en écartant l'angoisse de la mort physique, on risquait de trop bien réussir, d'oublier tout à fait le sens métaphysique de la mortalité, on s'exposait à l'indifférence et même à l'in-
croyance.

C'est bien ce qui est arrivé. Les cas ne sont plus exceptionnels ni
aberrants, sans qu'il faille toutefois y voir l'origine d'une évolution irré-
versible vers l'athéisme ou le refus scientifique de l'immortalité et de
l'au-delà!

Quand Érasme tombait malade, il reconnaissait dans le calcul ou l'accident de cheval un signe de la Providence qui l'invitait à penser à la mort
et au salut. J.B. Gelli, dont A. Tenenti a analysé la pensée et cité des
textes, réagissait autrement dans les mêmes circonstances. Il ne croyait pas
à l'avertissement, et s'en vantait : « Je me rappelle que j'ai eu une maladie
qui m'a conduit jusqu'aux portes de l'autre monde et en aucune façon je
n'ai pensé que j'allais mourir. Je me moquais quand on voulut me faire
confesser [nous ne sommes pas loin de l'*odium Dei* de Bellarmin]. Si
j'étais mort alors, je serais bien parti sans y penser et sans aucune
peine [25]. »

Partir sans savoir, oublier que la mort existe, c'est bien ce qui peut
arriver de meilleur! C'est d'ailleurs ce qui fait la supériorité de la bête sur
l'homme. Dans l'île de Circé, Ulysse, d'après Gelli, demande à l'un de ses
compagnons transformé en porc pourquoi il ne veut pas redevenir
l'homme qu'il était. L'animal qu'il est devenu répond que le grand malheur
de l'homme est la connaissance de la mort, la peur qui suit cette connaissance, et le sentiment de la fuite du temps. Les animaux n'ont ni cette
connaissance ni ce sentiment. Aussi les meilleurs instants de la vie sont-ils
ceux pendant lesquels sa conscience de la durée est suspendue, comme
le sommeil.

Ailleurs Gelli rapporte les propos de deux amis qui se demandaient ce
qu'il y a après la mort. L'un dit : « Je me recommande à celui qui
dans l'au-delà peut le plus, Dieu ou Diable. » L'autre, croyant que l'âme
est peut-être bien mortelle, s'écria avant de mourir : *Presto saro fuori d'un*

gran fosse. Chez Gelli apparaît donc, comme a noté Tenenti, un grand scepticisme à l'égard de l'au-delà et du salut. Pour lui la seule notion qui compte est « l'amour du prochain en quoi consiste toute la religion chrétienne ». Un homme des Lumières, déjà [25] ?

De telles idées pourraient paraître exceptionnelles, anachroniques et peu représentatives, si elles n'étaient recoupées et confirmées par le témoignage de Bellarmin, et Bellarmin ne parlait pas en l'air et il n'aurait pas, en les citant, donné une importance dangereuse à des cas trop rares pour être redoutés.

Il raconte, d'après Baroccius, comment un régent de collège a été saisi par la mort alors qu'il ne croyait plus à la Trinité : il apparut *totus ardens* à son ami du même collège, pour le mettre en garde.

Mais le cas le plus intéressant est un témoignage personnel de Bellarmin. Il a été lui-même appelé au chevet d'un mourant qui lui a dit de sang-froid, *constanti animo et sine ullo metu :* « Monseigneur j'ai voulu vous parler, mais ce n'est pas pour moi, c'est à cause de ma femme et de mes enfants, car moi, je vais tout droit aux enfers et il n'y a rien que vous puissiez faire pour moi. Et il dit cela d'un air tranquille, comme s'il parlait d'aller à sa villa ou à son château. » Bellarmin confesse son étonnement devant cette froide assurance. Il met cet avocat avide et injuste parmi les sorciers à cause du trait commun de leur obstination.

La mort à prudente distance

Toutes les observations précédentes sont inspirées d'un petit fait de nature religieuse et particulièrement pastorale : les hommes d'Église ont cessé de solliciter la conversion *in articulo mortis* pour imposer la considération de la mort à la piété quotidienne la plus commune.

Ce petit fait doit-il être interprété comme un fait de l'histoire religieuse, dû à l'initiative d'une élite d'humanistes et de clercs réformateurs? Dans ce cas il signifierait surtout un changement des conceptions religieuses supérieures, le passage volontaire d'une religion médiévale, où le surnaturel l'emportait, à une religion moderne, où la morale a dominé. Ou, au contraire, ce petit fait appartient-il à l'histoire de la culture globale, et est-il la traduction dans le code des hommes d'Église d'une réaction élémentaire de la sensibilité collective devant la vie et la mort? Je préfère cette seconde interprétation, convaincu que je suis que les auteurs spirituels, dans la plupart des cas, exploitent les tendances de leur temps plutôt qu'ils ne les créent.

Au second Moyen Age, ils avaient mis au centre de leur pastorale le moment de la mort, parce que celui-ci faisait question et suscitait l'intérêt passionné de leurs contemporains. En revanche, à partir de la Renaissance, ils délaissent le thème, parce qu'il fait moins question, à moins qu'il ne commence, au contraire, à inquiéter pour de bon, mais d'une inquiétude si viscérale et mystérieuse que les hommes d'Église la craignent et préfèrent l'ignorer au profit d'une méditation douce-amère sur la vie fragile et son écoulement.

Ainsi expriment-ils à leur manière un gauchissement du sentiment médiéval de la mort et de la vie, qu'il faut décrypter pour comprendre.

Voici ce que nous apprenons alors : l'homme des temps modernes a commencé à éprouver de la réticence à l'égard du moment de sa mort. Une réticence jamais exprimée, probablement jamais conçue clairement. Elle a déterminé une tendance à affaiblir ce moment autrefois privilégié, et ce grâce aux Églises, par le truchement des livres de piété, à une époque où ils étaient multipliés par l'imprimerie. Ce fut seulement une petite mise à distance, discrète, qui n'a pas été — ou n'a pu aller — jusqu'à une volonté de refus, d'oubli, d'indifférence, tant restaient puissants la pratique familière de la mort et ce qu'elle charriait de traditions et d'expériences.

La mort a été, alors, remplacée par la mortalité en général, c'est-à-dire que le sentiment de la mort, autrefois concentré dans la réalité historique de son heure, était désormais dilué dans la masse entière de la vie, et perdait ainsi toute son intensité.

La vie s'en trouvait subtilement changée : jadis morcelée en segments courts par des pseudo-morts — la mort réelle mettant fin au dernier segment [26] —, elle est désormais pleine, dense et continue, et la mort, toujours présente, n'y a de place qu'à une extrémité lointaine et facile à oublier, malgré le réalisme des *Exercices spirituels*. Une vie sans interruption. La tunique est voulue sans couture ; ce n'est pas pour autant le vêtement du bonheur et du plaisir, mais au contraire un vêtement de travail, taillé dans un tissu rude, pour les tâches de longue haleine. Cette vie d'où la mort est éloignée à prudente distance nous paraît moins amoureuse des choses et des êtres que celle dont la mort était le centre.

Un débat sur les cimetières publics entre catholiques et protestants

La prudente distance que nous venons de découvrir dans les nouveaux *artes moriendi* se retrouve peut-être dans les cimetières. Là aussi il se passe quelque chose de nouveau aux XVIᵉ et XVIIᵉ siècles, quelque chose de très subtil qu'il faut maintenant interpréter : dans les villes, il semble bien que les cimetières aient alors changé de site.

Dans un libelle de la fin du XVIᵉ siècle, intitulé *Plaintes des Églises réformées* [27], les protestants français, dont l'existence publique était alors reconnue, se plaignaient des entraves que les catholiques mettaient à leur droit de choisir librement leur sépulture. Ils les ont troublés « en l'usage de ceux [des cimetières] qui leur avaient été donnés cy devant par la justice ou qu'ils auraient acquis pour leur usage propre et particulier ». En vérité les faits particuliers n'étaient pas le plus grave. Ils protestaient surtout contre « la dénégation qui leur est faite de la communication des cimetières sacrez des catholiques ». Voilà qui leur importait vraiment.

Ainsi les réformés ne se contentaient pas des cimetières autorisés par le régime de l'Édit : peut-être s'y croyaient-ils « en terre profane ». « En la plupart des villes où vous êtes les maîtres, vous ne vous contentez pas seulement des *cimetières publics,* mais encore vous voulez être enterrez dans les églises esquelles vous ne pouvez empêcher que les catholiques ne fassent leur exercice. » C'est contre cette prétention que l'évêque Henri de Sponde rédigea un petit livre intitulé *les Cimetières sacrez,* paru en 1598 à Bordeaux.

Malgré son penchant pour la polémique, l'évêque ne parvient pas à masquer un embarras. Il n'ose pas contester de front le droit des protestants à une sépulture dans un cimetière *public.* L'expression utilisée ici, et qui semble toute nouvelle, indique combien un caractère public était désormais reconnu au cimetière, non seulement par la pratique de la vie quotidienne, mais par une volonté consciente. Certains lieux comme le cimetière symbolisaient l'appartenance à la communauté, une appartenance à laquelle les réformés tenaient, et qui était plus forte que leur répugnance à une promiscuité papiste.

Pour Sponde, le terrain n'est pas sûr. Il préfère recourir à des arguments d'ordre pratique. En mêlant ainsi les catholiques aux protestants, « on risquerait séditions et querelles ». Il faut les séparer des autres, dans la mort comme dans la vie. Que chacun ait ses cimetières séparés. Les catholiques pourraient bien prendre l'initiative et faire eux-mêmes ce qu'en définitive Sponde demandera aux protestants : qu'à « chaque bout de champs, nous [catholiques] dressions un nouveau cimetière, que nous le fassions consacrer et y transporter les corps des nôtres qui seront en ceux que vous avez occupés ». C'est donc (si je peux faire parler ces catholiques du XVIe siècle) que nous n'y voyons pas d'inconvénient de principe. Nous ne tenons pas tant à ces sites que vous croyez traditionnels, et nous allons voir qu'ils ne le sont même pas. Non, nous vous les abandonnerions sans scrupule. Seulement, « que gaignerons-nous? Car vous voudriez tout aussitôt y avoir part et si on ne vous y en donne, vous crierez à la barbarie, à l'inhumanité et à la vengeance ».

Mais pourquoi donc les protestants tiennent-ils donc tant à être enterrés dans les lieux publics? « Pourquoy ne vous contentez-vous pas de vos cimetières? Mais encore quel grief trouvez-vous à n'estre point enterrez ès cimetières des catholiques? » Comment cette promiscuité ne vous fait-

elle pas horreur? « Voudriez-vous qu'au jour de la résurrection vous fus-
siez veu sortir tous ensemble pesle-mesle avec les catholiques d'un même
cimetière, d'une même fosse? »

« Vous avez horreur d'entrer vivants et dans les églises et dans les
cimetières, et cependant vous ne craignez plus de vous faire enterrer morts
dans les cimetières et dans les églises. » Il faut une bien grande raison
pour en arriver à de telles contradictions!

Cette raison, les protestants l'ont donnée, et Sponde nous la fait
connaître : « *Ce sont les sépulcres et cimetières de nos pères* », nous ne
voulons pas en être séparés. Réponse grave et impressionnante, dont on
peut se demander si elle aurait pu être formulée, aussi précise, un siècle
plus tôt? N'exprime-t-elle pas un attachement nouveau qui favorisait alors
la concession de chapelles familiales dans les églises et sous les charniers (cf. chapitre 5)?

C'était un sentiment déjà commun à l'époque, et Sponde se garde bien
de le contester. Il l'admet. Il se contente de dire qu'on se trompe de but,
et voilà qui nous intéresse beaucoup. Vous, protestants, pense-t-il, vous
êtes le jouet d'une illusion. Ces cimetières publics d'aujourd'hui, vous les
croyez les cimetières de vos pères. Ils ne le sont plus, et d'ailleurs, par
votre faute : « Vous avez fouey la terre où vos pères reposaient et fouillé
de vos groins impurs dans les tombeaux pour vous saouler de leur chair
et de leurs os et les brûler ou vous en jouer avec toute la mocquerie
et désordre du monde. » Vous avez profané les cimetières traditionnels.

C'est pourquoi ceux-ci ont changé de place pendant les guerres de religion. « Ces sépulcres et cimetières qui paraissent aujourd'hui et lesquels
vous voudriez usurper ne sont plus les anciens que vous imaginez. *Vous
avez abattu ces anciens-là et nous avons élevé ces nouveaux-ci.* (...) Vous
n'avez plus rien icy faire. »

D'ailleurs, soit dit en passant, pourquoi tiennent-ils tant à être « enterrez ensemble », puisque le cimetière de leurs pères a été détruit à tout
jamais? « Où est le texte de l'Évangile (puisque vous ne croyez qu'à
l'Évangile) qui dit que nul ne puisse être enterré particulièrement en son
bois, ou son champ, en sa maison, comme furent Abraham (...) et généralement quasi par les anciens tant juifs que d'autres? » C'est « pourquoy,
si vous en voulez, cherchez-en d'autres que ceux-ci ausquels vous n'avez
plus aucun droit ni de nature [ils ne sont plus ceux de vos pères], ni d'humanité [on peut enterrer n'importe où], ni de religion ».

De ce texte nous pouvons tirer deux leçons. La première est équivoque :
un sentiment pousse les membres d'une même famille et d'une même
« patrie », c'est-à-dire d'une même petite communauté, à rassembler leurs
morts dans un même lieu dont le caractère public, autrefois confondu avec
le caractère religieux et ecclésiastique, est devenu plus conscient. Raison de
plus, sans doute, pour que ce lieu reste sacré, comme il l'avait toujours

été. Toutefois, prenons-y garde, ce qui est sacré pour Sponde est moins la collectivité des sépultures, à laquelle il tient cependant assez pour en exclure les protestants, que la sépulture seule, « particulière », telle qu'il la propose à ses adversaires. On a le sentiment d'une hésitation entre des courants d'opinion encore mal déterminés.

La seconde leçon à tirer du texte est, elle, très claire. Au moins dans les villes, et là où il y a eu conflit entre catholiques et protestants, les cimetières ont changé de place. Sponde est sûr du fait, et nous n'avons aucune raison de mettre en doute son témoignage. Il en attribue la cause aux destructions des guerres de religion. Son observation est juste, son interprétation plus contestable.

Déplacement des cimetières parisiens.
Les agrandissements de l'église post-tridentine

Nous avons au contraire de bonnes raisons de croire que les guerres de religion ne sont pour rien dans l'affaire. Si nous nous en tenons à Paris, le déplacement des cimetières était sans doute commencé à la fin du XVIe siècle, puisqu'il avait alors frappé Sponde, mais il n'apparaît vraiment qu'au XVIIe, pour continuer au XVIIIe. Il est dû à l'agrandissement des églises, rendu nécessaire par les nouvelles pratiques de dévotion et de pastorale, à la suite du concile de Trente. Cette transformation de l'espace, et surtout le détachement, le peu de soin à l'égard des morts qui l'ont entourée, ont un sens psychologique.

Pour préparer le transfert des cimetières hors de la ville, dans le cadre d'une politique générale d'hygiène publique, les commissaires-examinateurs du Châtelet furent chargés en 1763 par le procureur général du Parlement de procéder à une enquête sur l'état des cimetières parisiens. Nous possédons les procès-verbaux de leurs visites, et les rapports que leur remirent les curés et marguilliers [28]. Dans chaque cas, le commissaire-enquêteur s'est préoccupé de faire préciser la date de la création du cimetière.

Ces documents m'inspirent les quelques observations suivantes. D'abord, et nous nous attendions à cela, beaucoup d'églises n'avaient plus de cimetière propre et envoyaient leurs morts aux Innocents. En revanche, à la fin du XVIIIe siècle, les fabriques entretenaient sous les églises de véritables cimetières souterrains, des caveaux voûtés, qui avaient d'abord été concédés avec les chapelles familiales, mais qui étaient devenus une forme banale de sépulture pour les riches.

Il semble bien que les églises, même celles qui envoyaient aux Innocents, aient toutes disposé d'un aître ou de charniers. Quelques-uns demeuraient encore et continuaient d'être en usage en 1763 : ceux de Saint-Séverin, de Saint-André-des-Arts, de Saint-Gervais, de Saint-Nicolas-des-Champs. Ce dernier avait été bénit en 1223, parce que les moines ne toléraient plus que les paroissiens fussent enterrés dans leur cour comme c'était l'habitude jusqu'alors. « On y enterre depuis un temps immémorial », déclarèrent, non sans fierté, curés et marguilliers.

Or, et c'est un phénomène remarquable, un grand nombre de ces premiers cimetières avaient disparu, ou avaient été détruits, et remplacés à des dates qu'on connaît et qui ne sont pas très anciennes, par d'autres, qui n'étaient plus « adjacents ». En dehors des Innocents, la plupart des grands cimetières du Paris du xviiie siècle datent seulement du xviie. En 1763, ils n'avaient pas plus d'un siècle d'âge : Saint-Eustache, 1643 (le cimetière Saint-Joseph); Saint-Sulpice, 1664 (le Vieux-Cimetière); Saint-Benoît, 1615; Saint-Jacques-du-Haut-Pas, 1629; Saint-Hilaire, 1587; Saint-Étienne-du-Mont, 1637; Saint-Martin, 1645; Saint-Côme et Saint-Damien, 1555; Saint-Laurent, 1622; Saint-Jean-en-Grève vers 1500; Sainte-Marguerite, 1634; Saint-Roch, 1708; La-Ville-l'Évêque, 1690. C'est, si j'ose dire, la première génération du cimetière moderne, distinct du cimetière médiéval. La seconde est du xviiie siècle. Si les cimetières de la première génération ne sont pas « adjacents » à l'église, ils n'en sont pas éloignés, tandis que ceux de la deuxième génération sont carrément excentriques : on cherche des terrains bon marché. Saint-Eustache ajoute en 1760 un autre cimetière à celui de 1643, et celui-là est situé rue Cadet. Le deuxième cimetière de Saint-Sulpice, bénit en 1746, sera du côté de Vaugirard. D'ailleurs les curés se plaignent des inconvénients dus à cet éloignement.

On se demande alors ce que sont devenus les cimetières antérieurs. Nous savons que quelques-uns ont été remplacés par des marchés, tels Saint-Jean et La-Ville-l'Évêque, transformation conforme, d'ailleurs, au modèle traditionnel et qui n'a pas toujours entraîné la disparition du mot de cimetière, comme en témoigne le cimetière Saint-Jean. Mais dans la plupart des cas, le cimetière a été absorbé par les agrandissements de l'église, dont quelques-uns sont dus à l'édification des chapelles latérales, et qui, dans ce cas, peuvent alors remonter au xvie siècle, comme à Saint-Germain-le-Vieil : « Il y a environ 300 ans, ils en avaient un [cimetière] adhérent à leur église, lequel ayant été supprimé pour l'agrandir, le terrain en fait aujourd'hui partie. »

A Saint-Gervais, le cimetière n'avait pas été détruit mais seulement réduit et il était donc devenu insuffisant pour les besoins : « Les huit chapelles latérales, les charniers et la chapelle de la communion ont été prises dessus. » On notera la chapelle de la Communion. Dans la plupart des cas, en effet, les constructions parasites du cimetière sont des chapelles ou oratoires correspondant à des dévotions nouvelles — comme celles du

Saint-Sacrement —, à la pratique plus régulière de la communion et de la confession, ou à des services — comme le bureau des marguilliers, la sacristie (inexistante auparavant), le presbytère, la maison de prêtres vivant en communauté séculière, les salles servant au catéchisme, aux Petites Écoles, aux retraites, etc. *.

On se rend compte combien, avant le concile de Trente, les fonctions pastorales du clergé étaient limitées, en dehors de la prédication réservée aux moines. La Contre-Réforme a accru son action, mais pour ses nouvelles missions il fallait de la place, qu'il prit sans aucun scrupule sur le cimetière. Ceci explique la création des cimetières du XVIIᵉ siècle.

Les créations du XVIIIᵉ siècle répondent à des impératifs démographiques : face au développement de la population, les paroisses ont eu, ou voulu avoir, deux cimetières, l'un adjacent, ou au moins proche, pour les riches, qui transitaient par l'église où l'on célébrait un service, le corps présent, et un autre, éloigné, pour les pauvres qui ne passaient pas par l'église et allaient directement du lieu du décès à la fosse commune. La séparation topographique dans la mort des riches et des pauvres était ainsi accusée : aux uns les églises et les cimetières adjacents ou proches; aux autres le cimetière éloigné et suburbain; ségrégation qui annonce la période contemporaine [29].

Affaiblissement du lien église-cimetière

Il y a donc eu, pendant les deux derniers siècles de l'Ancien Régime, destruction de cimetières anciens pour des raisons de politique ecclésiastique, et création de cimetières nouveaux, de plus en plus éloignés.

La première constatation qui s'impose est la rupture du couple église-cimetière qui était déjà presque consommée dans l'esprit de Sponde. Il n'y eut aucune réticence à édifier un cimetière physiquement séparé de l'église, et, en ville, ce cas devint le plus fréquent. Les seuls inconvénients de l'éloignement étaient d'ordre pratique : fatigue, perte de temps pour le clergé qui assurait le service des funérailles. Cela devait changer à la fin du siècle quand on envisagea de supprimer tous les cimetières paroissiaux au profit d'un grand cimetière général. La sensibilité que nous analysons ici est celle de l'époque des déplacements du XVIIᵉ et du début du XVIIIᵉ siècle. Celle de la fin du XVIIIᵉ siècle est autre (chapitre 11).

---

* A Saint-Jean-en-Grève, il y avait, « à côté de l'église et dans la proximité de l'Hôtel de Ville [un petit cimetière] lequel, attendu la petitesse de l'église, a été supprimé depuis environ quarante ans (début du XVIIIᵉ siècle) pour y construire la chapelle de la communion ».

Saint-Roch en 1708 ouvrit un nouveau cimetière; à la place de l'ancien, la fabrique a construit une chapelle du Calvaire (nouvelle dévotion d'origine franciscaine : le chemin de croix) « pour les instructions, les catéchismes, retraites et pour la plus grande partie des confessionnaux ».

En effet, les déplacements furent organisés par les fabriques elles-mêmes. Ils aboutirent pourtant à faire du cimetière un espace spécialisé dans les sépultures, ce qu'il n'était pas depuis un millénaire! Sans rien dire, sans même s'en apercevoir, on cessait d'enterrer *ad sanctos,* sauf les riches, et encore pas tous : car il est probable que le nombre des enterrements « particuliers » dans les cimetières de plein air a augmenté dans la seconde moitié du xviiie siècle (sans que les enterrements dans les églises aient pour autant diminué). Les demandes dans ce sens devinrent plus fréquentes, et les curés les citent dans leurs rapports de 1763 comme des cas non exceptionnels. Dès le xviie siècle, de petits cimetières de plein air furent aménagés comme des prolongements de la chapelle familiale, ainsi celui du chancelier Séguier à Saint-Eustache, « son cimetière qui était à sa bienséance ».

Il n'y a pas de doute qu'au cours du xviie siècle, le lien ombilical entre l'église et le cimetière s'est relâché, sans encore se rompre. Une histoire sans paroles qui pourrait passer tout à fait inaperçue, qui pourrait être interprétée dans le sens d'une laïcisation, alors qu'elle est l'œuvre de l'élite dévote au sein de laquelle se recrutaient le clergé et les marguilliers parisiens des xviie et xviiie siècles.

Et cependant la séparation silencieuse, encore très incomplète d'ailleurs, de l'église et du cimetière n'est pas le seul aspect de ce phénomène. Il faut imaginer toutes les exhumations, mélanges, écrasements de restes humains que supposent les destructions de cimetière : on ne se donnait pas la peine de retirer les os et de les mettre à l'abri. On tassait un sol d'os et de terre pour asseoir dessus les constructions nécessitées par la piété nouvelle. Ainsi les chevaliers de Malte à La Valette au xvie siècle ont-ils construit leur oratoire privé sur le cimetière de leurs anciens. Clergé et population laïque ont été indifférents au traitement qu'ils faisaient subir aux dépouilles de leurs pères. Cette indifférence ne ressemblait plus à la familiarité précédente des vivants et des morts dans le décor des charniers, parmi les os qui affleuraient. On n'était plus tenté de cueillir un crâne au passage dans ce jardin macabre, comme Hamlet. Le crâne aurait été rejeté ou utilisé comme matériau... à moins qu'il ne servît à quelque fin inavouable et ésotérique (chapitre 8).

7

Vanités

Une volonté de simplicité des funérailles et du testament

Ce chapitre continue le précédent, et illustre autrement le même phénomène : la mise à distance d'une mort qui reste, néanmoins, toujours proche. On s'attachera à suivre les progrès, à la fin du XVIIe siècle, au XVIIIe siècle et surtout dans la seconde moitié du XVIIIe siècle, d'une volonté de simplicité dans les choses de la mort. Cette volonté exprime d'abord, mais avec plus de conviction que par le passé, la croyance traditionnelle dans la fragilité de la vie et la corruption du corps. Elle révèle ensuite un sentiment crispé du néant que l'espérance de l'au-delà, pourtant toujours affirmée, ne parvient pas à détendre. Elle aboutit enfin à une sorte d'indifférence à la mort et aux morts, qui signifie abandon à la nature bienfaisante chez les élites lettrées et négligence oublieuse dans les masses urbaines. Tout au long des XVIIe et XVIIIe siècles, une pente entraîne la société vers les abîmes du néant.

Cette volonté de simplicité est affirmée dans les testaments. Elle n'en avait d'ailleurs jamais été absente : nous avons déjà vu qu'il s'était toujours trouvé une catégorie de testateurs pour renoncer, avec une humilité parfois un brin ostentatoire, au faste coutumier des sépultures. Mais à partir de la fin du XVIIe siècle, ce type de testament devient fréquent, et surtout, plus encore que le nombre des références à la simplicité, c'est leur banalité qui est significative. Au début (XVIe-XVIIe siècles) la simplicité est plutôt affectée et s'accompagne de prescriptions qui la contredisent; puis (XVIIe-XVIIIe siècles), elle est très souvent invoquée, et enfin (au XVIIIe) elle devient clause de style.

Les grands n'y échappent pas, quand ils n'en sont pas les précurseurs : Élisabeth d'Orléans, une fille de Gaston d'Orléans, dans son testament de 1684 (elle mourut en 1696), ne voulait pas être veillée après sa mort, sauf par les deux prêtres chargés de la lecture du psautier, et seulement parce que cette lecture faisait partie de la liturgie des funérailles. « Que l'on me laissera sur une paillasse dessus le lit où je mourray avec un drap au-dessus moy [au lieu d'être exposée comme une représentation], *que mes rideaux seront fermés* [elle sera dérobée aux regards], une table au pied de mon lit aura un crucifix et deux chandeliers dans quoy il y aura deux cierges jaunes [c'est peu pour une si grande dame, princesse du sang], aucune tenture noire [nous verrons plus loin la diminution du deuil], deux prêtres [seulement] de ma paroisse [sans aucun des quatre mendiants] qui diront le psaultier, et *aucunes dames ne me garderont,* ne méritant pas d'être traitée autrement. Je prie mes sœurs de ne pas s'y opposer, je leur demande cette marque de leur amitié, puisque, ayant renoncé au monde et à ses pompes à mon baptême [non pas conversion tardive, mais acceptation stoïcienne d'un état de vie], je sois enterrée comme je devrais avoir vécu. C'est pourquoy j'ordonne que je seray enterrée à ma paroisse S. Sulpice, dans le caveau sous ma chapelle, *sans aucune cérémonie* [1]. »

En 1690, Françoise Amat, marquise de Solliers, qui prévoyait deux mille messes dont mille le jour de son décès, demanda elle aussi, comme mademoiselle d'Alençon, de n'être gardée que par un prêtre. « Je prie la charité [chargée des enterrements des pauvres] de la paroisse où je mourray comestre un prêtre pour être auprès de mon corps pour me garder led. tant *(sic)* » et de l'enterrer « dans le cymetière de la charité, à *leur manière acoustumée* », c'est-à-dire sans passer par l'église, tôt le matin ou tard le soir [2].

Un chanoine de Paris en 1708 : « Je recommande très expressément que toute cette cérémonie de mes funérailles se fasse avec beaucoup de simplicité et même pauvrement. (...) Qu'il y ait en cette cérémonie et office plus de cierges sur le Saint Autel qu'autour de mon *misérable* corps [l'accent est bien mis sur la misère du corps corruptible]. Qu'on supprime en cette cérémonie la sonnerie et les autres frais et dépenses qui ne sont pas absolument nécessaires et dont il y a exemple qu'on les ait supprimés à l'enterrement de quelque dignité ou chanoine de l'Église de Paris. » L'humilité du chanoine ne doit pas nuire à la dignité du chapitre et du bénéfice [3].

Vers le milieu du XVIIIe siècle, la mention de la simplicité devient une formule banale qui comporte peu de variantes. Alors qu'à la fin du XVIIe siècle on disait encore qu'on voulait être enterré « avec le moins de cérémonie qu'il se pourra », au XVIIIe siècle, on dit : « Je veux être enterré avec la plus grande simplicité à 7 heures du matin »; « je veux être enterré le plus simplement qu'il sera possible. » Dans les testaments anglais : *decent funerals.*

Les testaments olographes, les « beaux testaments » de M. Vovelle, ne sont pas beaucoup plus bavards : « Je souhaite et veux, écrit en 1723 Jean Molé, conseiller au Parlement de Paris, qu'après ma mort les convois et les transports et enterrements de mon corps soient faits sans pompe avec une très petite dépense » : cela n'en vaut pas la peine! Même le duc de Saint-Simon, qui ne peut parler simplement de rien, dans son testament de 1754, qui est un témoignage solennel d'amour conjugal, prescrit que son tableau funéraire, placé près de son caveau, soit fait « sans nulle magnificence ni rien qui ne soit modeste ». S'il se laisse aller à dicter une inscription plus bavarde, c'est que celle-ci est destinée au cercueil et que, sous la terre, personne ne la lira plus [4].

C'est aussi à la fin du XVIIe et surtout au XVIIIe siècle que les testateurs renoncent à prendre des décisions pour leurs funérailles et s'en remettent plus volontiers à leur exécuteur testamentaire. Cette confiance est d'ailleurs équivoque. Elle a eu sans doute deux sens. Le premier est le désintéressement : le contexte indique clairement qu'on n'a pas donné d'autres instructions et qu'on refuse de donner plus d'attention au sort de sa dépouille terrestre. Ainsi un bourgeois de Paris en 1660 [5] élit sa sépulture à Saint-Germain-l'Auxerrois sa paroisse au pied du Crucifix — car sur ce point il importe de ne rien laisser à la discrétion de personne; en revanche « pour ses obsèques et funérailles, il s'en rapporte aux exécuteurs (...), les suppliant humblement qu'elles soient simples avec toute la modestie chrétienne ».

Un autre, un « noble homme, bourgeois de Paris », en 1657 [6] demande à être enterré aux Innocents (preuve d'humilité) où ses parents reposent déjà; il ajoute : « J'ordonne que mes obsèques et funérailles soient telles que le désireraient pour le mieux les exécuteurs de mon présent testament (...) m'en rapportant de tout à eulx. »

L'abandon à l'exécuteur testamentaire changera de sens à la fin du XVIIIe siècle — sans qu'on s'en aperçoive à la seule lecture des textes. Il passera d'une volonté de dépouillement à un témoignage de confiance affectueuse — la volonté de dépouillement n'étant d'ailleurs pas nécessairement exclue.

L'impersonnalité du deuil

Enfin une certaine sécheresse dans les manifestations du deuil doit être rapprochée de cette tendance à la simplicité. La sécheresse du deuil! Peut-on parler ainsi d'un temps qui fut celui des grandes pompes funèbres baroques? Mais celles-ci étaient, à vrai dire, un théâtre qui amplifiait les effets d'un cérémonial beaucoup plus ancien, celui de la représentation et du catafalque, qui se prêtait aux exercices spirituels et plaisait au goût du spectacle. Pourtant, pour peu qu'on s'éloigne de la Cour ou des grands offices du royaume, il n'est pas si rare que des testateurs demandent par humilité que les pompes du deuil soient supprimées à la maison, à l'église; cela va avec leur requête de simplicité. « Quant à son convoy et enterrement, elle désire que ce soit à moindre frais que l'on pourra, ne voulant point d'armoiries et tout ce qui ne sera pas nécessaire » (1648). « Je défends toute tenture à la cérémonie de mon convoy, service et enterrement » (1708). Ou encore ils dispensent leurs héritiers, quand ils sont pauvres, de porter un deuil coûteux, comme cette veuve parisienne de 1652 : « Donne et lègue à sa servante et à son garçon chacun 500 livres, ne désirant pas qu'ils soient habillés de deuil [6]. »

Reconnaissons, cependant, que l'importance de ces cas ne doit pas être exagérée. Ils ne mettaient pas en cause la pratique générale du deuil ni au moment de la mort, ni pendant la cérémonie, ni pendant la période qui suit le décès. Les manifestations du deuil étaient scrupuleusement respectées, en particulier quand elles touchaient le statut social de la personne, parce qu'elles le confirmaient ou que leur négligence l'aurait mis en doute. C'était le cas à la Cour où un détail de toilette, si on « drapait » le deuil ou non, impliquait une place dans la hiérarchie.

Ce qui nous frappe aujourd'hui est justement le caractère social ou rituel, le caractère obligatoire, des manifestations qui prétendaient exprimer à l'origine la douleur du regret, le déchirement d'une séparation. Certes, cette tendance à la ritualisation est ancienne, bien antérieure au XVIIe siècle. Elle date du milieu du Moyen Age quand les prêtres, les moines mendiants, puis, plus tard, les confrères et les pauvres prirent la place de la famille et des amis éplorés à la maison, au convoi, à l'église. On a vu que cette transformation a épargné le Midi méditerranéen, l'Espagne, une partie de la France d'oc, l'Italie du Sud. Nous savons qu'il aurait pu y avoir des pleureuses à l'enterrement de Chimène, d'après le *Romancero*. Des bas-reliefs funéraires espagnols du XVe siècle représentant des scènes d'absoute montrent très clairement les gestes dramatiques de l'entourage, en particulier des femmes, qui simulent la spontanéité. Le deuil à pleureuses subsistait encore au XVIIIe siècle. Un médecin écrivait en 1742 : « J'observai que l'usage des lamentations n'est point encore perdu en France. Il est au moins suivi en Picardie, non dans les villes, si ce n'est parmi le peuple, mais seulement dans les campagnes où, lorsqu'on est prêt d'enlever le cercueil, toutes les femmes se jettent dessus en faisant des hurlements affreux et appellent le mort par son nom, sans verser une larme et même sans envie de le faire; elles en font autant pour les plus indifférents quand le hasard veut qu'elles se trouvent dans la maison mortuaire lorsqu'on enlève le corps (...). Une fille domestique, interrogée sur ces hurlements, répond qu'elle l'avait vu toujours pratiqué dans ces circonstances [7]. »

Ces traditions, particulièrement vivaces dans le Midi méditerranéen, ont subsisté encore jusqu'à nos jours en Sicile, en Sardaigne [8], en Grèce. Toutefois, au fil du temps, elles apparaissaient de plus en plus comme des pratiques rituelles d'où la spontanéité était tout à fait absente. C'est ainsi que les présente le médecin du XVIIIe siècle, c'est ainsi qu'elles sont ressenties par Coraly de Gaïx dans les campagnes rustiques du XIXe siècle. Cette ritualisation était d'ailleurs consommée à la fin du Moyen Age. Le XVIIe siècle a encore renforcé l'impersonnalité et le ritualisme de la période précédente, peut-être un peu relâchés au XVIe siècle.

A quel point les dépenses de deuil étaient considérées comme des nécessités sociales, et non pas comme l'expression personnelle du malheur, cette procédure le prouve qui, en 1757, opposait à Toulouse la marquise de Noë à sa belle-sœur après la mort de son mari [9]. Elle demande à la succession 8 000 livres pour la rembourser de son deuil. Pour sa belle-sœur, « l'offre de 3 000 livres que je lui ai faite pour les habits de deuil remplit tout ce qu'elle est en droit de prétendre à cet égard ». La veuve développe ses arguments dans un mémoire : « La *décence publique* exigeant que les femmes portassent le deuil de leurs maris, il était juste de leur donner pour la répétition *(sic)* de leurs habits de deuil le même privilège que pour les frais funéraires (...). Les habits de deuil qu'on fournit à la veuve ne sont pour elle ni un avantage ni un gain nuptial. *Assujettie par la loi à la nécessité du deuil*, ne devant pas en faire les frais, c'est à l'héritier du mari à le lui fournir. »

Cela ne veut pas dire qu'il n'y ait pas de regret, quoique, dans ce XVIIe siècle où l'on a à l'évanouissement facile, les nouvelles des morts sont accueillies très froidement. Qui perd sa femme ou son mari cherche à le remplacer au plus tôt, sauf le cas de femmes incasables, ou si le survivant s'est retiré du monde et attend sa propre fin. Cette impassibilité, qui confine à la sécheresse, est parfaitement tolérée, mais le phénomène n'est pas général. Il souffre maintes exceptions. Nombreux sont ceux qui sont attristés et tiennent à le manifester mais, même dans ce cas, leur affliction est canalisée par un rituel dont elle ne doit pas sortir. L'expression de la douleur sur le lit de mort n'est pas admise; elle est en tout cas passée sous silence, au moins en pays d'oïl, dans la bonne société, et chez les vrais chrétiens. En revanche, elle est recommandée depuis le XVIe siècle, et elle ne cessera de l'être jusqu'en plein XIXe, dans les inscriptions tumulaires, poèmes d'adieu à un époux, à une épouse, à un enfant, « tombeaux », « élégies ». Après la période de deuil la coutume ne tolère plus de manifestations personnelles : celui qui est trop affligé pour revenir à une vie normale après le bref délai accordé par l'usage n'a d'autre ressource que de se retirer au couvent, à la campagne, hors du monde où il est connu. Ritualisé, socialisé, le deuil ne joue plus toujours, ni tout à fait — au moins dans les classes supérieures et à la ville — le rôle de défoulement qui avait été le sien. Impersonnel et froid, au lieu de permettre à l'homme d'exprimer ce qu'il ressent devant la mort, il l'en empêche et le paralyse. Le deuil joue le rôle d'un écran entre l'homme et la mort.

La volonté de simplifier les rites de la mort, de réduire l'importance affective de la sépulture et du deuil a bien été inspirée par une cause religieuse, par un exercice de l'humilité chrétienne, mais celle-ci s'est vite confondue avec un sentiment plus ambigu que Gomberville appelle, lui aussi, comme les dévots, un « juste mépris de la vie ». Cette attitude est encore chrétienne, mais elle est également « naturelle ». Le vide que la mort a creusé au cœur de la vie, de l'amour de la vie, des choses et des êtres, est dû autant à un sentiment de la Nature qu'à une influence directe du christianisme.

L'invitation à la mélancolie : les vanités

Ce sentiment n'est pas limité à l'heure des testaments, aux moments critiques où le vivant pense à la mort; il est diffus et irradie toute la vie quotidienne. Les hommes du XVᵉ siècle ont aimé s'entourer chez eux, dans leur chambre et leurs études, de tableaux et d'objets qui suggéraient la fuite du temps, les illusions du monde, et jusqu'au *taedium vitae*. On les appelait, d'un mot de moraliste et de dévot qui traduit bien leur goût de cendres, des *vanités*.

Les vanités des XVIᵉ et XVIIᵉ siècles — elles deviennent plus rares au XVIIIᵉ — sont la combinaison de deux éléments, l'un anecdotique qui fournit le sujet, le thème (portrait, nature morte...), l'autre symbolique, une image du temps et de la mort.

Auparavant confinées dans un domaine religieux — les murs des églises et des charniers, les tombeaux, les livres d'heures —, les images macabres ont vite débordé ce cadre, elles se sont insinuées à l'intérieur des maisons. Sécularisées, elles font désormais partie du décor domestique, là où une aisance suffisante permet à la fois qu'il y ait existence privée et décor. Mais quelques gravures pénétraient aussi les salles communes où subsistait la promiscuité de la vie collective.

En passant de l'église et du cimetière à la maison, le macabre a changé de forme et de sens. Le but du thème macabre n'est plus de dévoiler l'œuvre souterraine de la corruption. Aussi l'horrible transi rongé par les vers, déchiré par les serpents et les crapauds, a-t-il été remplacé par le beau squelette propre et luisant, la *morte secca* avec qui les enfants jouent encore aujourd'hui, en Italie le jour des Morts, au Mexique tout le temps. Il ne fait pas si peur, il n'est pas si méchant. Il a cessé d'apparaître comme l'auxiliaire et l'allié des démons, comme le fournisseur de l'Enfer. Le squelette est, aux XVIᵉ-XVIIᵉ siècles, *finis vitae*, un simple agent de la Providence aujourd'hui, de la Nature demain; dans ses rôles allégoriques, il est aussi bien remplacé par le Temps, un bon vieillard vénérable sans arrière-pensées suspectes; sur des retables d'église, il s'est substitué au saint patron, derrière le donateur, dans la même attitude de protection (Bruxelles, XVIᵉ s.). Sur des tombeaux du XVIIIᵉ siècle, il enlève au ciel le portrait du défunt, à la place des anges chargés généralement de cette mission d'apothéose. A l'église Jésus-et-Marie du Corso, à Rome, deux tombes symétriques de deux frères encadrent la porte d'entrée : la principale différence entre elles est que le Temps occupe dans l'une la place du squelette dans l'autre. C'est à l'ombre grise et noire, sans corps, ou au revenant drapé qu'il appartiendra désormais, dès le XVIIᵉ siècle, d'inspirer la peur, et non plus au squelette.

D'ailleurs, celui-ci n'a pas besoin d'être entier pour jouer son rôle. Il est désarticulé, débité en morceaux, et chacun de ses os possède la même valeur symbolique. Ces bouts d'os sont plus faciles à placer à la surface d'une petite peinture ou de quelque objet. Leurs dimensions et leur immobilité font d'eux des objets parmi des objets, qui ne bouleversent pas le petit monde en équilibre de la chambre ou de l'étude, comme pourrait le détruire l'extravagance du squelette animé. Le crâne et les tibias ont été ainsi détachés, multipliés comme une sorte d'algèbre ou d'héraldisme, combinés d'ailleurs avec d'autres signes : le sablier, l'horloge, la faux, la bêche du fossoyeur... Ces signes ont envahi alors, non seulement l'art funéraire, mais ces objets familiers que sont les vanités.

Une vanité peut être aussi un portrait. Maintenant que le modèle n'est plus représenté dans l'attitude hiératique du priant agenouillé, il lui arrive souvent de se faire peindre, sculpter ou graver devant un crâne ou tenant un crâne dans sa main : le crâne a pris la place de la scène religieuse qui était autrefois associée au donateur. Peut-être cette disposition a-t-elle été imitée des scènes du désert, avec sainte Marie-Madeleine ou saint Jérôme? Ce genre de portrait est très fréquent. Me trompé-je? Mais il me semble que le crâne est plus souvent porté par l'homme que par la femme! On trouve la même disposition sur des tombeaux muraux du XVIᵉ siècle qui sont mis en page comme des tableaux, en particulier des tombeaux d'humanistes. Sur celui de J. Zener à Berlin, le défunt est en buste, il tient dans la main gauche une tête de mort, et dans la main droite une montre, signe, comme le sablier, de l'écoulement du temps.

L'homme ne porte pas la tête de mort seulement quand il est seul. Il la conserve à la main dans les portraits de groupe. Un portrait de J. Molenaer [10] (1635) présente une famille, composée de trois couples et de quatre générations : chez le couple des anciens, la femme tient un livre et l'homme une tête de mort, chez le couple un peu mûr (la quarantaine d'aujourd'hui, peut-être la trentaine d'alors), l'un joue du luth, l'autre du clavecin; dans le couple de jeunes, à l'âge des amours, le garçon offre des fleurs à la fille, et enfin des enfants jouent avec des fruits et des animaux. Le portrait est traité aussi comme une allégorie des âges de la vie où le crâne, le squelette, sont les attributs de la vieillesse. La tête de mort a une place de choix dans le *studiolo,* dans l'étude, car les occupations sédentaires de la lecture, de la méditation et de la prière sont réservées à l'âge mûr et vieillissant, tandis que les activités physiques de la chasse, de la guerre, de la marchandise, du travail de la terre définissent la force de l'âge, et que l'amour revient à la jeunesse. Dans les gravures très répandues des Degrés des âges, le squelette est le dernier état de l'homme, ou bien il est tapi sous la pyramide des âges comme au fond d'une grotte, au cœur du monde.

La présence du crâne fait du portrait de vanité un intermédiaire entre l'allégorie et la scène de genre.

Cette dernière s'inspire aussi de l'opposition entre la jeunesse et la vieillesse, comme entre la vie et la mort.

Une peinture de Gregor Erhart du musée de Vienne, du début du XVIe siècle, représente un jeune couple, beau et nu, et à côté, non pas encore un squelette bien sec, mais, dans une tradition médiévale qu'on retrouvera trois siècles plus tard chez Goya, une vieillarde laide, édentée, desséchée.

A la manière flamande et hollandaise, Gérard Dou, dans un tableau figurant une opération, met en scène un intérieur — celui du chirurgien ou de son patient —; sur une étagère, entre des plats et des pots d'étain, une tête de mort [11].

Dans la peinture italienne, la découverte d'un tombeau solitaire, à la campagne, se rattache à cette même inspiration. Sous sa forme la plus ancienne — on la trouve dans le songe de Polyphile —, elle est traitée comme un *Memento mori*. C'est le thème des Bergers d'Arcadie. Il a été exploité par Guerchin : des hommes jeunes et insouciants entourent un sarcophage. *Et in Arcadia ego* — mais ces mots, comme l'a montré Panofsky, sont prononcés par la mort, dont le crâne parlant est posé sur la tombe. Dans la version de Poussin de la même scène, le sentiment s'est déplacé du *Memento mori* traditionnel vers la vanité. Dans une première approche, Poussin avait conservé le crâne. Dans une seconde, celle du Louvre, il l'a supprimé. Dès lors, les bergers déchiffrent l'épitaphe du sarcophage, et c'est non plus la mort symbolique et impersonnelle, mais le mort qui leur transmet son message et leur dit : Moi aussi, comme vous, j'étais en Arcadie — « La pensée de la mort vient alimenter à la fois le sentiment de la précarité et celui du prix de la vie [12] » (A. Chastel).

La vanité peut être enfin, et c'est plutôt dans ce sens qu'on l'entend d'habitude, une nature morte où les objets, soit par leur fonction, soit par leur usure, évoquent la fuite du temps et la fin inévitable. Les exemples sont nombreux et bien connus. Je n'en citerai qu'un, particulièrement significatif, de L. Bramer, du milieu du XVIIe siècle, au musée de Vienne. Sur une table sont exposés de vieilles armures rouillées, de vieux livres déchirés, de la vaisselle brisée; à côté de la table, un vieillard à la Rembrandt; enfin, au fond d'une cave, on aperçoit deux squelettes. On ne peut mieux suggérer le rapprochement de la mort de l'homme et de l'usure des choses.

Les signes de la fin de la vie et des choses ne sont pas seulement les thèmes, parfois accessoires, des tableaux ou des gravures. Ils sortent des murs où ils sont suspendus, et descendent se mêler aux meubles et aux habits. Savonarole recommandait de porter sur soi une petite tête de mort en os qu'on regarderait souvent. Jean de Dinteville, dans un portrait de Holbein (Londres, National Gallery), la portait à son chapeau. Dans l'Angleterre du xvi⁣ᵉ et du début du xvii⁣ᵉ siècle, des bagues étaient ainsi décorées de motifs macabres.

Une Anglaise de 1554 léguait à sa fille sa bague « avec un œil qui pleure » *(with the weeping eye)* et à son fils, une autre « avec la tête de mort » *(with the dead manes head)*. « Vends quelques-uns de tes habits pour t'acheter une tête de mort et la mettre à ton médius », dit l'auteur élisabéthain Massinger [13].

On trouve dans les collections des musées des bijoux de ce genre — au musée de Cluny à Paris, à Yale, à Baltimore (galerie Walters), des bagues du xvii⁣ᵉ siècle au chaton orné de la tête de mort et des deux os croisés; ces bagues de deuil étaient distribuées avec des gants aux assistants des enterrements dans la Nouvelle-Angleterre [14]; au musée d'Amiens, on voit une montre de la même époque gravée d'une tête de mort; à Londres, au Victoria and Albert Museum, des broches en forme de cercueil. A la maison même, des objets familiers, des meubles étaient destinés à inspirer les mêmes réflexions. On pouvait poser sur le cabinet de son étude un petit squelette comme celui, du xvi⁣ᵉ siècle, qui est exposé au musée Walters de Baltimore.

Il était d'usage de graver sur les manteaux des cheminées des sentences qui rappelaient la brièveté et l'incertitude de la vie. É. Mâle en a cité plusieurs [15]. On peut en voir une au musée Calvet d'Avignon avec l'inscription : *Sortes meae in manu Dei sunt.* J'ai aperçu, chez un antiquaire parisien, un secrétaire de la fin du xviii⁣ᵉ siècle, de style nordique ou germanique, un meuble de mariage. Il portait, dessinés en marqueterie, des initiales et un squelette. Encore au milieu du xix⁣ᵉ siècle, le squelette appartenait au décor d'assiettes de faïence.

Ainsi avait-on chez soi, sur soi, les mêmes motifs, les mêmes formules qui s'offraient au regard dans la rue, sur le mur de l'église, autour du cadran solaire : *Respice finem. Dubia omnibus [hora] ultima multis.*

Tous ces objets invitaient à la conversion, mais ils disaient aussi bien la mélancolie de la vie incertaine. Ils associaient l'une à l'autre, comme les peintures de paysage ont commencé par combiner la nature avec une scène de genre qui leur servait d'alibi.

Il arriva aux vanités, comme aux paysages, de prendre leur indépendance. Elles délaissèrent alors les apparences du discours religieux; la mélancolie essentielle fut goûtée pour elle-même, douce et amère, fruit trop mûr de l'arrière-saison, elle traduisait le sentiment permanent de cette présence constante et diffuse de la mort au cœur des choses, jetant sur toute vie un voile d'émotion. Ce n'est plus jamais cette émergence soudaine hors d'un monde souterrain de monstres, de cadavres et de vers. Aussi, la mort de cette deuxième ère macabre est-elle à la fois présente.et lointaine : on ne la montre plus sous les aspects d'un homme décomposé, mais sous une forme qui n'est plus celle de l'homme : soit d'un être aussi fantastique que le squelette intelligent et animé, soit, plus souvent encore, d'un symbole abstrait. Et encore, même sous des traits rendus aussi rassurants, elle échappe; elle va et vient, elle monte à la surface et retourne aux abîmes, ne laissant plus qu'un reflet comme dans cette toile du peintre allemand Furtenagel, où deux époux se regardent dans un miroir au fond duquel apparaît, comme au fond des eaux, une tête de mort (musée de Vienne).

C'est une présence jamais évidente, jamais clairement lue, grâce aux apparences qui se referment sur elle sans jamais l'occulter tout à fait. Dès lors, la présence de la mort ne peut être visible que dans le reflet intermittent d'un miroir magique. Holbein le Jeune l'a cachée dans les rébus de ses anamorphoses : on ne la voit que si on la regarde sous un certain angle. Elle s'efface dès qu'on se déplace.

La mort est donc fondue dans l'être fragile et vain des choses tandis qu'au Moyen Age elle venait du dehors.

La mort au cœur des choses. La fin de l'avaritia

On comprend alors la différence capitale qui sépare le sentiment de la vie et de la mort des XVIᵉ-XVIIᵉ siècles et celui du second Moyen Age, sans que rien, ou du moins très peu, ait changé dans les coutumes et les rites de la mort.

Il est remarquable que la vanité du XVIIᵉ siècle soit le négatif de la nature morte d'origine médiévale, telle qu'elle perdure encore à la même époque malgré le courant contraire que nous analysons ici. La nature morte, nous l'avons dit au chapitre 3, traduisait un amour passionné — immodéré selon les moralistes dévots — de la vie et des choses, l'*avaritia*. La vie était trop naïvement désirable pour qu'on se résolût à la laisser, et pour qu'on ne souhaitât pas continuer d'en jouir après la mort dans le royaume du Diable, prince de ce monde.

Dans les vanités, comme dans les dernières générations des *artes moriendi*, la situation est inversée. Ce monde si aimable et si beau est pourri, branlant. La mort qui se cache dans ses plis et ses ombres est au contraire le port heureux, hors des eaux agitées et des terres tremblantes. La vie et le monde ont pris la place de pôle de répulsion que les derniers médiévaux et les premiers Renaissants avaient ensemble confiée à la mort. La mort et la vie ont échangé leurs rôles.

Les vanités nous ont permis de découvrir une idée nouvelle, non plus de la mort, mais de la vie mortelle. Une idée qui est devenue ce que j'appellerai ici une *idée commune,* comme il y a des lieux communs. Une culture, surtout une culture écrite comme la moderne ou contemporaine, comporte quelques-unes de ces idées communes, proposées, sinon imposées, comme une vulgate à l'ensemble de la société. Elles sont des éléments forts du conditionnement qui donne à une société sa cohésion. Elles n'ont pas besoin, pour être efficaces, d'être reconnues et avouées ni même d'être unanimement admises. Il suffit qu'elles existent comme des banalités, des lieux communs, dans l'air du temps.

Pour me faire comprendre, je prendrai un exemple contemporain. Nous avons connu depuis la Seconde Guerre mondiale quelques-unes de ces idées communes colportées par la presse, les moyens de masse, les conversations. Par exemple l'idée du manque de communication entre les hommes, de la solitude de l'homme dans la foule. Elle a, cette idée, des origines nobles et personnelles, des pères philosophes comme Sartre, Camus et bien d'autres. Mais elle s'est vite émancipée, et les intellectuels qui l'ont inventée ou élevée ne la reconnaissent plus sous la forme sommaire et anonyme imposée par la vulgarisation et l'usure qui l'a suivie. Le succès de ces idées communes vient justement de ce qu'elles expriment avec facilité des sentiments simples et profonds qui agitent aujourd'hui de véritables masses et qui animaient jadis de vastes groupes d'influence.

L'idée de la vanité de la vie est de ce genre. Elle est sortie du discours des hommes d'Église pour passer dans l'inconscient collectif et inspirer un comportement nouveau, une relation nouvelle avec les richesses et le plaisir. Il faut la prendre comme nous l'avons débusquée des angles cachés de la littérature morale et de l'art, toute simple et nue. Ses origines sont sans doute religieuses, mais pas ses vraies racines.

Sous le voile de mélancolie qui les recouvre, les richesses ne sont plus désirables pour elles-mêmes, pour le plaisir qu'elles procurent. La jouissance inquiète, qu'elle soit mystique ou sensuelle. Le monde, infiltré par une solution de mort, est devenu suspect d'un bout à l'autre.

Certes, cette idée commune n'a pas été le seul élément d'une civilisation en quête de sa complexité, comme était l'Occident au XVIIe siècle, mais elle a eu de grands effets sur les mœurs : le capitalisme n'aurait pu s'imposer si la recherche du plaisir et la jouissance immédiate des biens, c'est-à-dire l'*avaritia* ou l'amour immodéré de la vie, avaient conservé leur pouvoir du Moyen Age. L'entrepreneur capitaliste a dû accepter de reporter sa jouissance dans l'avenir et de cumuler ses profits. La richesse acquise devenait aussitôt source d'autres investissements, créateurs à leur tour d'autres richesses.

Un tel système de cumulation à terme imposait que soient remplies bien des conditions socio-économiques et culturelles. Mais l'une au moins de ces conditions était de nature psychologique, et elle était nécessaire pour l'amorçage du capitalisme : la fin de l'*avaritia,* et son remplacement par une relation plus ascétique à la vie et aux choses de la vie. Chose curieuse et qui paraîtra peut-être paradoxale, la vie a cessé d'être aussi désirable dans le même temps que la mort a cessé de paraître aussi ponctuelle et aussi impressionnante.

La simplicité des tombeaux :
le cas des rois et des particuliers

A la mélancolie douce-amère des vanités, qui sourd tout au long du XVIIᵉ siècle, correspond un changement subtil dans les tombeaux et les cimetières, si subtil et lent qu'il a été peu remarqué par les contemporains ou par les historiens. La mort des tombeaux et des cimetières, comme celle des arts de mourir et des vanités, va devenir à son tour silencieuse, discrète, et appelée à être « éliminée », comme le suggère M. Vovelle [16].

Un premier phénomène ne devrait pas manquer de frapper un Français : les rois de la plus grande couronne d'Europe, les plus fiers de leur rang et de leur renommée, au faîte de leur puissance, n'ont pas de tombeaux et n'en ont pas vraiment voulu. Les Valois avaient une chapelle, les Bourbons n'en ont pas, et ils ont d'ailleurs laissé détruire celle de leurs prédécesseurs dont le mobilier a été transporté dans l'église même de Saint-Denis. Certes, il n'a pas été décidé tout d'un coup que les Bourbons n'auraient pas de grands monuments funaires. Au contraire, à plusieurs reprises, il a été question d'élever une chapelle pour leur sépulture. Le Bernin fut consulté, d'autres encore. Le fait est que tous ces projets ont échoué. Un grand bâtisseur comme Louis XIV ne s'y est pas intéressé. On aura beau dire que le château de Versailles ou la Place Royale rayonnant autour de la statue du souverain ont joué au XVIIᵉ siècle le rôle du grand tombeau mémorial, il n'en reste pas moins que l'absorption des cercueils royaux par les caves de Saint-Denis, sans plus rien d'apparent au-dessus du sol, a quelque chose de frappant et de troublant.

Là où elles existent (à Nancy, à l'Escorial, à Vienne), les chapelles funéraires dynastiques ont pris un caractère original qui permet de mieux comprendre l'attitude radicale des Bourbons. L'Escorial est particulièrement intéressant : il nous apparaît comme une transition entre ce qu'a été la chapelle des Valois et ce que sera le caveau des Bourbon de Saint-Denis. Il est en somme une sorte de chapelle des Valois par-dessus un caveau à la manière de Saint-Denis. Un caveau, il est vrai, bâti en grande architecture souterraine, ce qui n'a pas été tenté à Saint-Denis. Dans l'église, en effet, émerge la partie constamment visible du tombeau-chapelle. Des deux côtés du maître-autel sont assemblées la famille de Charles-Quint et celle de Philippe II. Leur attitude très traditionnelle est celle de priants, comme l'étage supérieur d'une tombe à deux ponts. Ils suivent la messe. Mais ils vont rester seuls, comme des héros illustres et inimitables. Aucun de leurs successeurs ne viendra s'agenouiller à leurs côtés. Ils finiront ici, pourtant, mais c'est en dessous de l'église, dans le caveau, que les morts royaux vont descendre jusqu'au XXᵉ siècle, en respectant un protocole subtil. Ce caveau, qu'on appelait le Panthéon, fascinait le visiteur du XVIIᵉ siècle. Saint-Simon a voulu le voir, quand il est venu en Espagne en 1721. Écoutons-le : « En descendant au Panthéon, je vis une porte à, gauche à la moitié de l'escalier. Le gros moine qui nous accompagnait nous dit que c'était le *Pourrissoir*. » On y enfermait le cercueil dans la muraille. On y abandonnait peut-être ceux des princes de peu de réputation, comme le laisse entendre cette mauvaise langue de Saint-Simon. Les rois et les reines « lesquelles ont eu des enfants » étaient transportés dans « les tiroirs du Panthéon ». Les infants et les reines mortes sans enfants étaient transportés dans un caveau adjacent au Pourrissoir qui a l'air d'une bibliothèque. « Le bout opposé à la porte et les deux côtés de cette pièce [sans fenêtre] qui n'a d'issue que la porte par où on y entre sont accommodés précisément en bibliothèque, mais au lieu que les tasseaux d'une bibliothèque sont accommodés à la proportion des livres qu'on y destine, ceux-là le sont aux cercueils qui y sont rangés les uns auprès des autres, la tête à la muraille, les pieds au bord des tasseaux qui portent l'inscription du nom de la personne qui est dedans. Ces cercueils sont revêtus, les uns de velours, les autres de brocart. (...) Puis nous descendons au Panthéon. »

Le Panthéon est un octogone dont un côté est occupé par la porte et quatre autres par quatre rangées de niches superposées. Chaque sarcophage renferme un cippe de marbre noir, destiné à recevoir les ossements du Pourrissoir. A gauche les rois, à droite les reines qui ont laissé une succession. « On me fit, poursuit Saint-Simon, la singulière faveur d'allumer environ les deux tiers de l'immense et admirable chandelier qui pend du milieu de la voûte, dont la lumière nous éblouit et faisait distinguer dans toutes les parties du Panthéon, non seulement les moindres traits de la plus petite écriture, mais ce qui s'y trouvait de toute part de plus délié [17]. »

Ce columbarium gigantesque, on y pense devant les niches superposées des cimetières des pays méditerranéens ou d'Amérique du Sud, non plus cette fois sous terre, mais en plein air.

A Vienne, dans l'église des Capucins où les Habsbourg d'Autriche ont élu sépulture, la partie visible de l'Escorial a disparu. Tous les monuments sont réunis dans le caveau, le *Kaisergruet,* un simple souterrain qui n'a rien de la grande architecture du Panthéon, mais les cercueils n'y sont pas non plus abandonnés loin de tous les regards, comme ceux des Bourbons à Saint-Denis qui y sont comme dans la terre. C'est un caveau qu'on peut visiter et qui vaut la visite. Les monuments sont des cercueils, ou du moins en ont-ils l'apparence. Le visiteur d'aujourd'hui n'a pas de doute. Il n'est pas dans une chapelle ou un cimetière où émerge la partie visible et stérilisée de la mort, mais au fond d'un tombeau, au milieu des corps : les cercueils sont alignés les uns à côté des autres. Les plus anciens et les plus récents sont nus. Au contraire, ceux de Marie-Thérèse et de ses parents disparaissent sous des dentelles rococo; au-dessus et autour, leur portrait, leurs insignes, les anges qui s'agitent, les femmes qui pleurent, les génies qui embouchent la trompette de la renommée, et toutes sortes de symboles macabres. Un seul, celui de Marie-Thérèse et de son époux, représente sur son couvercle les deux gisants, accoudés comme sur une tombe étrusque. Mais quelque ornés qu'ils soient, ces tombeaux restent des cercueils, des cercueils de plomb comme il y en avait beaucoup, et la sculpture qui les tord dans tous les sens est de la même matière que celle des bassins de Versailles — du Versailles de plomb.

Dans les trois cas, presque tout se passe sous la terre, et à Saint-Denis, il n'y a même plus rien à voir, sauf ce qu'on peut voir dans n'importe quelle cave d'une quelconque chapelle de famille. Les rois ont pensé comme Bossuet quand celui-ci prêchait le Samedi saint dans la chaire du collège de Navarre : « Quand nous venons à considérer les riches tombeaux sous lesquels les grands de la terre semblent vouloir cacher la honte de leur pourriture, je ne puis assez m'étonner de l'extrême folie des hommes qui érigent de si magnifiques trophées à un peu de cendres et à quelques vieux ossements [18]. »

Les rois ont donné l'exemple, ils ont lancé la mode. Il y aura encore des sépultures somptueuses et compliquées — à commencer par celles des papes —, des chapelles funéraires où des anges agités enlèvent au ciel des portraits, où des allégories grandeur nature entourent une pyramide, un obélisque et miment quelque histoire, comme on en voit dans la chapelle des Sangro à Naples, sur le tombeau du comte d'Harcourt à Paris, ou celui du maréchal de Saxe à Strasbourg; la cathédrale Saint-Paul de Londres est, elle aussi, pleine de sépultures de ce genre. Peut-être rappellent-elles les projets monumentaux de la fin du Moyen Age, et annoncent-elles les scènes théâtrales du romantisme, mais elles sont devenues étrangères aux mentalités des XVIIᵉ et XVIIIᵉ siècles : Ce qui reste de grand et d'ambitieux dans les monuments funéraires est œuvre singulière, création sans lendemain d'un artiste qui tend à l'originalité. De la succession de ces chefs-d'œuvre, il ne se dégage pas un nombre suffisant de traits communs susceptibles de créer une série et un modèle comme ceux du Moyen Age (chapitre 5).

A la place des modèles médiévaux, il n'y a plus que deux séries de tombes banales : des cercueils de plomb dans les caves et des dalles très modestes, héritières simplifiées de la plate-tombe, morceaux du dallage du sol.

Les évêques de la Contre-Réforme avaient bien tenté de revenir à l'usage ancien d'enterrer au cimetière, mais ils durent se contenter d'exiger que la sépulture à l'église ne dépassât pas le niveau du sol. Cette disposition répondait d'ailleurs à la tendance de l'époque à la simplicité des funérailles. Et ceux qui restaient attachés à la tradition de faste n'étaient pas pris au dépourvu. Pour être basses, leurs tombes n'étaient pas humbles, et sans doute l'obligation de la tombe au ras du sol fit-elle la fortune des mosaïstes qui tapissèrent de leurs jeux de marbre les sols des églises au

Gesu à Rome ou chez les chevaliers de Malte à La Valette; ces merveilleuses combinaisons multicolores, dernier éclat de l'art de la mosaïque avant les salles de bains d'aujourd'hui, utilisaient l'armoirie comme thème ornemental.

Mais ces grands dessins plats de marbre multicolore, tombes de princes et de cardinaux, étaient tout de même rares. Le pavage de Saint-Jean-des-Florentins, à Rome, est composé d'une alternance grise de cercles et de rectangles monochromes. Les rectangles sont tous des tombeaux individuels avec de très simples inscriptions. Devant le maître-autel, un grand cercle : il ferme le caveau de la confrérie de la nation des Florentins. Ces simples dalles s'insinuent hors de l'église, dans les cloîtres et les cimetières (par exemple au cloître de Santa Annunziata à Florence). La simplicité extrême de la dalle funéraire reste pratiquée en Italie jusqu'au milieu du XIXe siècle, époque pourtant des tombes grandiloquentes à statues, portraits, scènes théâtrales du Campo santo de Gênes.

Il en était ainsi ailleurs, mais ces humbles dalles sans caractère artistique ont disparu avec les remaniements impitoyables du sol aux XIXe et XXe siècles. Quelques-unes sont restées dans les régions pauvres et reculées. Ainsi à Bozouls, en France, dans une petite église romane de l'Aveyron, le sol est-il toujours presque complètement couvert de dalles funéraires du XVIIIe siècle d'une extrême simplicité due, peut-être, à la proximité des protestants : y figurent le nom seul, ou le nom et la date ou, plus rarement, le nom, une date, et une fonction (notaire, etc.), quelquefois le dessin de la croix sur le calvaire; la tombe des prêtres (PRT) est symbolisée par l'image d'un livre ouvert. Il se dégage de ce dallage presque nu une forte impression de sécheresse et de dépouillement.

La réhabilitation du cimetière en plein air

Toutefois, l'innovation la plus frappante de cette époque dans le domaine des sépultures est le retour au cimetière. Un plus grand nombre de gens de qualité qui, au XVIe et au début du XVIIe siècle, se seraient fait enterrer à l'église, se font enterrer au cimetière de plein air à la fin du XVIIe et au début du XVIIIe siècle.

En France, on a choisi le cimetière pour la même raison que d'autres à l'église ont préféré la dalle à ras le sol, par humilité. Du moins est-ce ainsi qu'on légitimait un choix qui n'avait jamais été complètement abandonné.

L'enquête de 1763 du procureur général du Parlement, dont nous nous sommes déjà servi au chapitre précédent, donne quelques indications précises. Les sépultures au cimetière sont alors assez nombreuses pour que les curés les utilisent comme argument dans leurs considérations sur le déplacement des cimetières hors de Paris. A Sainte-Marie-Madeleine de la Cité : « Leur paroisse n'a d'autre cimetière pour enterrer [non pas les pauvres, mais] ceux des paroissiens qui, par esprit d'humilité, ne désiraient point être mis dans la cave de leur église, que celui des Innocents [19]. »

Le curé et les marguilliers de Saint-Sulpice, inquiets des projets de déplacement des cimetières hors de la ville, insistent sur la nécessité de conserver leur cimetière de la rue de Bagneux : « Il ne peut incommoder aucun voisinage (...), mais il est d'autres motifs particuliers à la paroisse Saint-Sulpice qui les lui rendent nécessaires [les cimetières]. Premièrement, elle renferme dans sa vaste étendue *nombre* de citoyens de la plus grande considération qui, par piété et par humilité, demandent à être enterrés dans des cimetières. »

Enfin à Saint-Louis-en-l'Ile, la fabrique redoutait pour la même raison « l'éloignement du cimetière ». Elle « engagerait plus fréquemment les familles des décédés à demander leur inhumation dans les caves de l'église (au lieu du cimetière), sans qu'il fût possible pour lors de déférer aux dernières volontés de plusieurs personnes de recommandation dont la piété et l'humilité leur feraient désirer d'être enterrées dans le cimetière au milieu des plus pauvres, dont les exemples sont fréquents en la paroisse Saint-Louis ». Le lieutenant général de police La Reynie était de cette espèce. Dans le portrait qu'il fait de lui, O. Ranum écrit : « La Reynie fut même amené par sa sincère dévotion religieuse à un acte extraordinaire d'humilité : il demanda dans son testament d'être enterré de façon anonyme, sans monument funéraire, dans un petit cimetière auprès de Saint-Eustache [20]. »

Quelques-uns de ces paroissiens de la région parisienne choisissaient aussi le cimetière pour des raisons de civisme, de sens du bien-être collectif, et non pas par humilité, du moins est-ce la raison qu'ils donnaient, comme le chancelier d'Aguesseau : l'obélisque, en face de l'église d'Auteuil à Paris, est un reste de son tombeau de plein air.

A la campagne, il se pourrait qu'il y eût, au XVIIIe siècle, une prise de conscience de la communauté en faveur de son cimetière, contre le curé qui donnait une place trop privilégiée aux morts enterrés à l'église. Un procès, remarqué par Y. Castan, a opposé en septembre 1735 le curé de Viviers, près de Mirepoix, à l'une de ses paroissiennes et à son mari. « Le lendemain de la fête du lieu (9 septembre), rapporte le greffier, elle s'écria qu'il n'était pas coutume de chanter le *Libera* dans l'église. Elle ôte le livre au chantre, pousse le peuple dehors et lui dit : " Allons, venez au cimetière. " Son mari dit qu'elle a parlé " au nom des femmes " et qu'elle a voulu faire " respecter l'usage des prières au cimetière " [21]. »

Il faut reconnaître, cependant, que le renouveau du cimetière en France, s'il est bien attesté, est tardif, difficile à repérer et à imaginer : il n'en reste aujourd'hui presque aucune tombe visible.

En Angleterre, il en est tout autrement. Certes, comme en France, il reste très peu de tombes de plein air de la fin du Moyen Age et du début des temps modernes. Celles qui subsistent ont une forme de stèle verticale et étroite, terminée par un disque sur lequel une croix est sculptée, types semblables à ceux que nous avons rencontrés sur le continent au XVI⁰ siècle (chapitre 5). Au contraire, les tombes d'églises, gisants sculptés ou gravés, y sont nombreuses et mieux conservées qu'en France, ce qui indique que les habitudes étaient bien les mêmes, et que nobles, marchands, notables se faisaient aussi enterrer à l'église. Toutefois on a des preuves que, dès la fin du Moyen Age, le cimetière a été moins déserté en Angleterre (chapitre 2).

Mais c'est après la « Restauration », dans la seconde moitié du XVII⁰ siècle, que les témoignages deviennent nombreux. En 1682, John Evelyn notait dans son Journal que son beau-père voulait être enterré dans le *churchyard,* et non pas dans l'église, « étant très indigné par le nouvel usage [nouveau par rapport à celui de l'Église primitive et au droit canon] d'enterrer n'importe qui à l'intérieur de l'église [22] ».

Beaucoup de stèles verticales de cette époque subsistent aujourd'hui, sinon toujours à leur place primitive, du moins rangées contre le mur de l'église ou contre la clôture. Leur nombre donne une idée de ce que pouvait être un *churchyard* à la fin du XVII⁰ et au début du XVIII⁰ siècle : une sorte de pré – où paissaient les bêtes du ministre – hérissé de *headstones* souvent richement décorées. Peut-être bien que quelques-unes, parmi les plus anciennes, provenaient de modèles en bois. Mais la plupart dérivent plutôt du type très banal du tableau mural à inscriptions, détaché de son support traditionnel d'église et planté dans la terre. Elles en ont conservé l'inscription, le cadre orné et même, dans certains cas, la scène religieuse (la Création et la Chute – la Résurrection de la chair – l'Ascension de l'âme sous la forme d'un ange). Ainsi ce n'est pas la forme de la tombe qui donne au cimetière de plein air anglais son originalité, c'est sa fréquence et son ancienneté. Il est curieux de retrouver des stèles du type des *headstones* dans des cimetières juifs d'Europe centrale comme celui de Prague.

Qu'est-ce qui poussait les Anglais de qualité à se faire ainsi enterrer au cimetière ? Quelque chose d'un peu différent de l'humilité radicale et ostentatoire, à la manière janséniste, qu'on affectait en France, quelque chose qui tiendrait le milieu entre l'indifférence absolue des puritains et la volonté traditionnelle de conserver un rang posthume et de laisser une mémoire. C'est ce que laisse entendre cette inscription de 1684 : « Sous le porche de cette église gît le corps de William Tosker qui a préféré être le gardien *(door keeper)* de la maison de son Dieu plutôt que d'établir sa demeure dans le tabernacle de l'immortalité [23]. »

Cette inclination psychologique était assez répandue pour que les émigrants anglais l'aient importée en Amérique comme un trait de leur culture

profonde. Dans les colonies anglaises d'Amérique, le lieu habituel de la
sépulture est le cimetière, et les historiens américains ne se rendent peut-
être pas bien compte de l'originalité, de la nouveauté et de la précocité du
fait. Dans la Nouvelle-Angleterre puritaine, il n'est pas question de tombeau à l'église et c'est toujours au cimetière que se passent les actions
funéraires, solennelles et mémorables [24].

En Virginie, dès le milieu du xviie siècle, les notables de la colonie se
faisaient enterrer en plein air, dans la nature, soit dans leurs plantations,
soit dans le *churchyard* *. Il subsiste une collection copieuse de ces monuments qui a été inventoriée et étudiée par P.H. Butler. Sans vouloir entrer
dans tous les détails, on notera trois catégories de tombes, car la morpho-
logie, ici, est significative :

1. Les *box-tumbs*, ou tombes à coffre ou à socle, dérivées des tombes
médiévales à gisant, sans le gisant, et dont il ne resterait plus que le
socle. On en trouvait aux Innocents, au xvie siècle, comme en témoigne
le tableau du musée Carnavalet déjà cité. Bien entendu, il en existait aussi
en Angleterre : on en voit au petit cimetière des Invalides de Chelsea, à
Londres. En Virginie, ces tombes étaient réservées à des personnages
importants, leurs panneaux étaient décorés d'abord dans le style baroque,
ensuite dans le style classique. Des modèles plus rustiques, dans la
seconde moitié du xviiie, étaient bâtis en brique. P.H. Butler en a photo-
graphié de 1675, 1692, 1699, 1700.

2. Plus nombreuses et plus banales, quoique également ornées, et parfois importées d'Angleterre, sont les plates-tombes ou *slabs* et :

3. les stèles ou *headstones* qui reproduisent de ce côté de l'Atlantique
le *churchyard* de la fin du xviie siècle. La plus ancienne *headstone* relevée
dans le travail de Butler remonte à 1622. On retrouve la même abondance
de *headstones* en Nouvelle-Angleterre, qui en a même exporté dans la
Virginie du xviiie siècle.

Seule l'iconographie distingue les tombes anglicanes de Virginie des
tombes puritaines de Nouvelle-Angleterre. En Virginie, comme en Angleterre, deux thèmes occupent simultanément le sommet des stèles, c'est-
à-dire l'endroit réservé à la scène religieuse et à l'effigie du défunt dans le
tableau mural d'église. Le premier est l'ange, ou la tête d'ange ailée,
symbole de l'âme immortelle et de son ascension au ciel. Le second est
la tête de mort et les os entrecroisés, signes de la déchéance du corps.
Ce thème macabre l'emportait en Nouvelle-Angleterre.

A vrai dire, la présence des chérubins paraît plus chargée de sens que
l'algèbre macabre, devenue à cette époque si banale dans tout l'Occident.
Le chérubin ailé n'existe guère en France. En Italie il se perd parmi les

* En Virginie on a parfois enterré aussi dans les églises, mais pas exclusivement et de moins en moins; les
plates-tombes ou les tableaux muraux commencent en 1627, et ils s'arrêtent au milieu du xviiie siècle : c'est
là un phénomène remarquable (P.H. Butler).

autres éléments décoratifs. Il a au contraire en Amérique une saveur et
une intensité originales : on n'avait pas oublié qu'il représentait l'âme
immortelle. C'est pourquoi au XVIIIe siècle, dans la Nouvelle-Angleterre
où le sens de la mort changeait et où les puritains cessèrent tardivement de
cultiver son effroi, la tête de mort ailée s'est alors transformée en tête
d'ange ailée, par une modification quasi cinématographique du visage qui
est devenu progressivement plus plein et plus doux [25].

Ainsi donc, aux XVIIe et XVIIIe siècles, en Angleterre et dans ses colonies d'Amérique, il s'est constitué autour de l'église un espace qui n'est
plus le cimetière des fosses anonymes, le cimetière sans tombes visibles
des pauvres et des humiliés. Il est piqueté de monuments simples, mais
souvent aussi très décorés, où l'on suit sans peine l'influence des grands
courants de l'art, où le classicisme néo-palladien succède au baroque et
précède le romantisme, traduisant peut-être l'aspiration générale à moins
de pompe et à plus de dépouillement.

Cette image du cimetière n'est pas absolument absente hors d'Angleterre. Encore aujourd'hui, le hasard la fait resurgir là où on s'y attend le
moins, par exemple dans le petit cimetière d'un village catalan, tout près
de la frontière espagnole; j'ai été surpris d'y trouver de vieilles tombes simplement marquées par une stèle gravée à la tête et par une pierre nue aux
pieds. En effet, en Angleterre et en Amérique la sépulture était délimitée
par la *headstone* et la *footstone* : cet usage témoigne d'un souci nouveau
de dessiner un emplacement à la surface du sol, mais il ne paraît pas
remonter haut dans le XVIIIe siècle. Dans les premières années du XIXe siècle,
c'était le modèle commun, même des riches.

Emily Brontë, dans *Wuthering Heights,* évoque un petit cimetière de
campagne. Deux familles importantes vivent sur le même terroir dans
deux maisons d'aussi noble apparence. L'une a son tombeau dans l'église,
c'est celle du *squire;* l'autre dans le *churchyard.* La femme du *squire,* à
son lit de mort, a demandé à être enterrée, non pas dans l'église, mais au
cimetière. Son mari renonce alors à la sépulture de ses ancêtres pour reposer près de son épouse, dans un coin du cimetière près du mur de clôture.
Ils auront l'un et l'autre une seule *headstone « and a plain grey block at
their feet, to mark their grave »* (et une simple pierre grise à leurs pieds
pour marquer leur tombe).

Le *churchyard* de campagne, ses pierres étendues ou dressées en pleine
nature, témoigne d'une attitude sereine et un peu distante, où les espoirs
et les craintes sont également amortis. C'est ce cimetière-là que contemplait Thomas Gray, au début du XVIIIe siècle, et qui inspirait encore les
romantiques quand ils découvraient une autre manière d'être et de sentir
devant la mort.

La tentation du néant dans la littérature

On penserait atteindre un certain équilibre de simplicité mélancolique en ce début du XVIIIe siècle, dont le symbole serait le cimetière anglais et américain. Mais déjà le sentiment doux-amer où baignait cette culture était menacé par l'un de ses effets. Il est arrivé qu'on passe alors de la vanité au néant. Pas toujours, pas nécessairement, mais assez souvent pour caractériser le style de l'époque. Il y a là comme un retour dramatique d'une vie mélancolique à son centre vide. Le moment de ce retour a été sans doute le temps de la retraite, de la solitude au « désert ».

Dans sa *Vie de Rancé,* Chateaubriand parle de Mme de Rambouillet qui mourut à quatre-vingt-deux ans, en 1655. « Il y avait déjà longtemps qu'elle n'existait plus, à moins de compter des jours qui ennuient. Elle avait fait son épitaphe :

> Et si tu veux, passant, compter tous ses malheurs,
> Tu n'auras qu'à compter les moments de sa vie. »

A cet âge, il convenait de se retirer du monde pour penser à la mort, car il ne restait plus d'autre occupation à un vieillard. Mais cette retraite n'était plus aussi absolue que celle du cloître médiéval. L'un des « exercices » pratiqués était d'écrire ses mémoires. « M. Fumaroli voit dans les Mémoires du XVIIe siècle [si nombreux... et généralement écrits au moment où l'auteur quitte la vie active et profane] des exercices spirituels » (à la manière de saint Ignace). Ces mémorialistes sont « à la recherche du temps perdu, où le temps se retrouve uniquement comme support de vanité, comme vacuité, comme néant [26] ».

Cette tendance au néant est à rapprocher des progrès déjà constatés de la croyance dans la double composition de l'être. Certes, on croyait à la résurrection de la chair, elle était parfois rappelée sur les épitaphes et le défunt l'attendait, mais elle n'était plus au cœur de la spiritualité et ne répondait plus aux inquiétudes de la sensibilité. L'opposition du corps et de l'âme aboutit à l'anéantissement du corps.

« Tant que nous sommes chez nous *(at home)* dans notre corps », écrit, en 1721, Increase Mather, rejeton d'une famille de grands pasteurs de la Nouvelle-Angleterre, « nous sommes privés du Seigneur (...). Nous préférons être privés de notre corps et être chez nous avec le Seigneur. »

Le corps qui reste après la mort n'est plus rien pour le puritain anglais. « Ton corps, quand l'âme est partie, devient une horreur pour tous ceux qui le contemplent, un spectacle très répugnant et horrible. Ceux qui l'aimaient le plus ne peuvent plus alors trouver dans leur cœur la force de le regarder, à cause des affreuses déformations que la mort lui a infligées. Il est destiné à tomber dans un abîme de charogne et de dégradation. Couvert de vers, incapable de bouger seulement le petit doigt pour éloi-

gner la vermine qui le ronge et se nourrit de sa chair. » Tandis que l'âme :
« quand [elle] a quitté cette vie, (...) elle n'emporte rien avec elle que la
beauté, la grâce de Dieu et une bonne conscience[27] ».

Bossuet ne parle guère autrement que le non-conformiste anglais quand
il dit dans le « Sermon sur la mort » : « Me sera-t-il permis aujourd'hui
d'ouvrir un tombeau devant la cour et des yeux si délicats ne seront-ils pas
offensés par un aspect si funèbre? »

Cette méditation sur la mort, Bossuet l'avait pourtant commencée
quand il avait vingt ans (« Méditation sur la brièveté de la vie ») : « Ma
vie est de 80 ans tout au plus (...) Que j'occupe peu de place dans ce grand
abîme des ans. » Il reprend mot pour mot l'expression dans le « Sermon
sur la mort » : « Si je jette la vue devant moi, quel espace infini où je ne
suis pas! Si je la retourne en arrière, quelle suite effroyable où je ne suis
plus, et que j'occupe peu de place dans cet abîme immense du temps. »

Nous reconnaissons là le sentiment de la vanité, de la brièveté de la vie,
de la fuite du temps, de la petitesse de l'homme dans l'étendue des âges et
des espaces. Sentiment pascalien. Dès 1648, dans la « Méditation sur la
brièveté de la vie », Bossuet passera de ce peu de place au rien. « *Je ne suis
rien.* Ce petit intervalle n'est pas capable de me distinguer du néant où il
faut que j'aille. Je ne suis venu que pour faire nombre; encore n'avait-on
que faire de moi. » Texte également repris mot pour mot dans le « Sermon
sur la mort ».

Je ne suis rien. N'avait-on que faire de moi? Un moi pourtant si considérable que les trésors de l'Église étaient mobilisés pour son salut personnel, que ses succès ou ses échecs mettaient à l'épreuve la communauté
tout entière, que des fêtes célébraient les grands passages de sa vie. Cette
vie n'est plus considérée que comme « une chandelle qui a consumé sa
matière » par Bossuet, une fumée dans un coup de vent, par l'Allemand
Cryphius (1640), « une gouttelette de rosée qui est tombée sur une fleur de
lys », par Binet *(Essay des Merveilles),* « une goutte de rosée » ou « une
bulle d'eau et de savon », pour l'Anglais Crashaw, *homo bulla.*

Jean Rousset a cité et traduit un extraordinaire poème latin de Crashaw
qui est une méditation sur la bulle :

> Sphère non pas de verre
> Mais plus que verre brillante
> Mais plus que verre fragile,

fragile comme la vie. Merveilleuse aussi comme les illusions de la vie :

> Je suis une bigarrure
> De neige et de roses,
> D'eau, d'air et de feux
> Peinte, gemmée et dorée[28].

Mais toute cette merveille lumineuse comme un plafond baroque n'est rien, ainsi le dit la chute intraduisible de ce poème :

O sum, scilicet, o nihil.

Figures de rhétorique, dira-t-on, images d'un poète. Ces mêmes mots, Bossuet les utilisera, non plus en chaire, mais dans une simple lettre à l'abbé de Rancé où il lui annonce l'envoi des oraisons funèbres de la reine d'Angleterre et de Madame : « J'ay laissé l'ordre de vous faire passer deux oraisons funèbres qui, parce qu'elles font voir le néant du monde, peuvent avoir place parmi les livres d'un solitaire, et qu'en tout cas il peut regarder comme deux têtes de mort, assez touchantes [29]. »

La tentation du néant dans l'art funéraire

Qu'elles soient familières ou pompeuses, ces variations sur le *nihil* sont aujourd'hui enfermées dans des livres peu fréquentés. Ce néant est un peu refroidi. Nous pouvons passer sans l'apercevoir et faire semblant de l'oublier. Ce pourrait être tout au plus un exercice d'érudition. Pourtant, aujourd'hui encore, le néant peut nous interpeller avec la même force qu'aux XVIIe et XVIIIe siècles. Il se dissimule dans des églises; les tombeaux et leurs épitaphes nous le jettent à la figure comme un gros mot, et qui l'a entendu ne pourra plus l'oublier. Extraordinaire puissance d'expression de l'art funéraire.

La meilleure illustration de ce que je veux dire est le tombeau des Altieri, le mari et la femme, dans une chapelle latérale de Santa Maria in Campitelli, à Rome. C'est un monument particulièrement beau et émouvant. Les tombeaux, car il y en a deux séparés, datent de 1709. Ils sont semblables et symétriques, placés de part et d'autre de l'autel de la chapelle.

Chaque tombeau est constitué, en bas, d'un énorme sarcophage de marbre rouge. Sur le couvercle du sarcophage, deux anges tristes portent une torche renversée et tiennent une inscription où un seul mot est écrit, immense, en lettres d'or qui se détachent comme les grands caractères d'une affiche de publicité. Ce mot est *nihil* sur la tombe du mari et *umbra* sur celle de la femme.

Nihil et *umbra,* dernier aveu d'hommes qui ne croient plus à rien, pourrait-on penser si on arrêtait sa vue au bas étage du tombeau, comme si on prenait Bossuet au mot, séparé du contexte. Mais qu'on regarde plus haut, au-dessus du titre terrible, et tout change et nous retrouvons des formes bien connues et rassurantes. Les deux morts sont agenouillés dans l'attitude traditionnelle du priant au ciel. L'homme a les mains croisées sur la poitrine et sa prière est proche de l'extase. Il regarde l'autel qui est à la fois celui de sa paroisse terrestre et celui de la demeure céleste. Son épouse, au contraire, penche la tête, regarde de l'autre côté, vers l'entrée de la chapelle. Elle tient son livre de prières à moitié fermé avec le doigt. Elle a une expression de mélancolie, comme si elle attendait. Deux sentiments apparaissent dans cette œuvre magnifique. D'une part la mélancolie de l'ombre qui n'est pas la nuit obscure ni la sécheresse du néant; d'autre part, mais dans un monde tout à fait séparé, la béatitude de l'au-delà. L'opposition est violente et crue.

Elle existe aussi sur le tombeau de G.B. Gisleni à Santa Maria del Popolo, à Rome, quoiqu'elle soit atténuée par une inspiration plus traditionnelle et une rhétorique plus bavarde. L'idée du néant est retenue par la doctrine, mais elle fuse à travers les images [30]. Le tombeau, tout en hauteur, est de 1672. En haut, le portrait peint du défunt enfermé dans un cadre rond, avec la légende : *neque hic vivus*. En bas, et c'est la partie la plus impressionnante de l'œuvre, un squelette nous regarde derrière des barreaux : *neque illic mortuus*. Pourquoi ces barreaux? Entre le portrait et le squelette, des épitaphes, des inscriptions, des symboles d'immortalité comme le phénix et le papillon sortant de sa chrysalide. Sans doute ces inscriptions très orthodoxes répètent-elles le thème paulinien que le mort est le vrai vivant, que le vivant n'est vraiment qu'un mort. Mais le passant auquel s'adresse le tombeau néglige les détails des scénettes symboliques et leurs commentaires rassurants. Il ne voit, il n'entend que le squelette derrière sa grille.

Plus simple et plus banale, donc moins expressive, mais peut-être plus représentative du sentiment moyen, une dalle funéraire à simple épitaphe, de la fin du xvie siècle à San Onofrio, toujours à Rome (cette Rome baroque est la Cité du Néant!). Sur cette dalle, tout aussi équivoque que les deux tombes précédentes, l'idée du néant est juxtaposée à celle de l'immortalité bienheureuse. Elle commence par affirmer de but en blanc que vivre n'est rien : *Nil vixisse juvat*, puis la brutalité de la déclaration est ensuite corrigée. Il est *stabile et bonum* de vivre au ciel. Mais toute la force de l'expression est reportée, grâce au génie du latin, sur le *Nil* du début, et le reste de la phrase perd de sa vigueur. En outre l'épitaphe est surmontée, comme un titre en tête d'une page, par cet autre mot : *Nemo*. Rien ni personne. Beaucoup d'autres inscriptions de la même époque ne s'embarrassent pas de subtilités théologiques et ne s'obstinent pas à équilibrer des vérités contradictoires. Elles affirment en une courte phrase que le monde n'est que rien, sans qu'aucune allusion au salut, au Christ, à quelque céleste consolateur, ne fasse contrepoids. Ainsi cette épitaphe napolitaine (San Lorenzo Maggiore) :

Qu'est-ce que le monde?
Ce qu'il est? Rien.
S'il n'est rien, pourquoi le monde?
Le monde est comme rien *.

Ou cette autre épitaphe également napolitaine (San Domenico) : « La terre recouvre la terre ** . » On ne soupçonnera pas d'athéisme le cardinal Antonio Barberini, mort en 1631, en pleine Contre-Réforme, il a pourtant retenu pour son épitaphe romaine la même idée qui nous paraît désespérée : « Ci-gisent cendre et poussière [signes traditionnels de la pénitence, mais le dernier mot tombe comme un couperet] *et nihil* [31]. »

Chez ces chrétiens du XVIIᵉ et du début du XVIIIᵉ siècle, certainement pleins de foi, la tentation du néant était très forte. Sans doute parvenaient-ils à la contenir mais l'équilibre devenait fragile quand les deux domaines, celui du néant et celui de l'immortalité, étaient trop éloignés et sans communication. Il suffisait d'un fléchissement de la foi (la déchristianisation?) ou plutôt, comme je le pense, d'un fléchissement du souci eschatologique à l'intérieur de leur foi, pour que l'équilibre fût rompu et que le néant l'emportât. Les vannes sont ouvertes par où peuvent passer toutes les fascinations du néant, de la nature, de la matière.

La Nature rassurante et terrifiante.
La nuit de la terre : le caveau

C'est ce qui est arrivé au XVIIIᵉ siècle, mais alors le néant n'a pas été vu dans sa nudité absolue, privilège sans doute du milieu du XXᵉ siècle, il a été tout de suite confondu avec la Nature et corrigé ou atténué par elle. Cela est certain pour la seconde moitié du XVIIIᵉ siècle, quoique déjà sensible chez Gomberville, en 1646. Dans sa *Doctrine des mœurs*, il évoque la mort pour repousser son travestissement macabre depuis le Moyen Age. « L'homme sage » refuse ses images. Au contraire, il donne à la mort « en sa pensée la véritable figure qu'elle doit avoir, la considère de la même sorte qu'il regarde son *origine* ».

La notion d'origine est en effet capitale : « Nous retournerons tous dans l'état où nous étions auparavant que d'être », dit, plus d'un siècle après Gomberville, le curé Meslier dans son *Testament*. Il est remarquable que le monde de l'origine fournisse aujourd'hui à nos contemporains des monstres plus vraisemblables et plus repoussants que le vieux bestiaire infernal. Quand les peintres des années 1950 voudront rendre les horreurs

---

  * *Quid omnia/Quid omnia nihil/Si nihil cur omnia/Nihil ut omnia.*
 ** *Terra tegit terram.*

de la guerre, des massacres collectifs, des tortures, ils remplaceront le squelette et la momie par le fœtus, image de l'origine incomplète et monstrueuse.

Certes pour Gomberville, l'origine n'est pas le fœtus répugnant, mais une origine métaphysique, sereine et rassurante. Elle est à la fois fin et origine, c'est la Nature : « Il faut que nous rendions à la Nature ce qu'elle nous a presté. Il faut retourner d'où nous venons [32]. »

Cette nature où tout finit a deux aspects. L'un, nous le connaissons, c'est le cimetière, le *churchyard,* le cimetière de campagne de Thomas Gray et des élégiaques anglais du XVIIIe siècle. C'est l'aspect heureux. L'autre, c'est l'ombre de la nuit et de la terre, c'est le *caveau,* image concrète du néant.

Le deuxième tome de *la Doctrine des mœurs* de Gomberville se termine par une planche gravée qui représente le cimetière, et qui est l'allégorie de la *Finis vitae.* Ce n'est pas un vrai cimetière du temps de Gomberville. Il annonce, en 1646, les imaginations de Piranèse, de Boullée et des visionnaires froids de la fin du XVIIIe siècle où les cimetières de ces urbanistes seront des nécropoles fermées au monde de la lumière. Le cimetière de Gomberville est un caveau allongé, un cryptoportique comme on en découvrait à Rome et qu'on imitait dans les villas italiennes, mais sans fenêtres. Les murs sont tapissés d'urnes funéraires. Au sol, des sarcophages sont ouverts, des squelettes gisent à terre, et, seuls éléments mouvants, des ombres passent.

Les XVIIe et XVIIIe siècles ont ainsi apporté une autre image de la mort, le caveau souterrain : grand espace fermé, qui n'est pas comme l'Enfer, un autre monde; il appartient à la terre, mais il est privé de lumière : *huis clos.*

Dans ces conditions, on comprend mieux comment les tombeaux des rois aux XVIIe et XVIIIe siècles, au lieu de s'élever comme ceux du XIVe au XVIe siècle, se sont enfoncés et sont descendus sous la terre, on saisit pourquoi le caveau est devenu — avec le cimetière de campagne — l'image forte de la mort au XVIIIe et au début du XIXe siècle, en particulier dans l'Angleterre préromantique.

Dans les années 1740 parurent deux poèmes parmi bien d'autres, l'un sur le cimetière de plein air, celui de Thomas Gray, l'autre sur un caveau, celui de Robert Blair, *The Grave* (1743).

The dread thing, c'est un caveau sombre et profond, « *Where nought but silence reigns, and night, dark night* ». Sous ses voûtes trempées de mousse, la lumière tremblante des torches rend la nuit encore plus sinistre.

Lets fall a supernumerary horror.

Le thème du caveau a été utilisé par le roman noir de Mrs Radcliffe, de Lewis, pour corser des situations plus ou moins érotiques et sadiques.

L'art funéraire aussi s'est emparé de l'image du caveau, il l'a associée aux symboles d'immortalité déjà anciens comme l'apothéose du défunt dont le portrait est enlevé au ciel par les anges, ou à d'autres plus nouveaux venus d'une Égypte de fantaisie, comme la pyramide et l'obélisque.

Certains pays — l'Angleterre et l'Amérique notamment — où s'est définitivement imposée l'autre image, celle du cimetière dans la nature, ont à la fin repoussé le modèle du caveau souterrain dans la réalité quotidienne (chapitre 10).

Le symbolisme du caveau n'est pas général. Là où il existe il est saisissant. Nous le reconnaissons au tombeau de l'archiduchesse Marie-Christine, morte en 1805, aux Capucins de Vienne, œuvre de Canova. La *mort* est ici une descente solennelle sous la terre. La porte, symbole repris de l'iconographie funéraire romaine, n'est pas ouverte sur le ciel mais sur les ténèbres.

L'âme-portrait a beau continuer de monter au ciel sur bien d'autres tombes plus traditionnelles, l'imagination créatrice nouvelle n'est plus sollicitée vers le haut, mais vers le bas. Le mort descend. Un ange (qui n'est plus le chérubin des apothéoses baroques, mais un éphèbe nu, symbole de la jeunesse et de l'amour) garde l'entrée de la porte noire. Toutefois, comme chez Gomberville, le néant est associé à la nature, la froide nuit du caveau est atténuée par l'allure presque champêtre du cortège qui accompagne la morte, ornée de fleurs, comme un lointain souvenir dionysiaque. Le tombeau ouvre sur le néant, mais il est dans la nature, quoiqu'il soit encore à l'intérieur d'une église : aussi l'artiste a-t-il représenté, devant la porte du caveau, le sol de la campagne. Le jour est venu où cette nature ne sera plus simulée autour du tombeau, mais où le tombeau sera lui-même transporté dans la nature vraie.

Les sépultures abandonnées à la Nature

Quel rapport existe-t-il entre tout ce que nous venons de dire ici sur les vanités et le néant, et ce phénomène de la prise de conscience du mauvais état des cimetières et de leur danger pour la santé publique qui apparaît dans tout l'Occident vers la seconde moitié du XVIIIe siècle?

Ce nouvel état d'esprit — que nous étudierons dans la quatrième partie de ce livre (chapitre 11) –, je ne le ferai intervenir ici qu'incidemment, à cause des compléments qu'il apporte à notre connaissance de l'attitude vis-à-vis de la Vanité, du Néant, de la Nature.

Il présente deux aspects généraux, pas toujours reliés. L'un est de police et d'hygiène publique (la menace d'épidémie). L'autre est moral et religieux (il est honteux d'enterrer des hommes comme des animaux).

C'est dans l'Angleterre de la seconde moitié du xviie siècle qu'on relève les premières dénonciations complètes et motivées d'un état de choses insupportable : « Nous avons vu plusieurs tombes ouvertes et les os entassés par-dessus[33] » (1685). Un fait tout à fait normal qui se produisait dans tous les cimetières sans soulever jusqu'alors de protestation. Ce qui est nouveau et significatif est l'association alors constatée par les auteurs anglais et protestants entre l'abandon des cimetières et le laisser-aller des funérailles.

Pierre Muret, dans un livre écrit en français, *Cérémonies funèbres de toutes les nations* (Paris 1679), et traduit en anglais dès 1683 *(Rites of funerals)*, s'indigne de la manière anglaise d'enterrer les morts. Il se souvient qu'autrefois on rappelait chaque année la mémoire des trépassés. Aujourd'hui on ne parle plus d'eux, cela sentirait trop le papisme. Rencontre-t-on un convoi? Ceux qui accompagnent le corps se conduisent avec une telle indécence, plaisantant tout le long du chemin, qu'on croirait qu'ils vont à la comédie plutôt qu'à un enterrement. Autrefois les tombes étaient décorées de fleurs *, depuis, il n'en est plus question. « Il n'y a rien de plus désolant qu'un cimetière, et à voir ces tombes, on dirait plutôt qu'elles ont servi à enterrer les carcasses d'un cochon ou d'un âne. »

Les contemporains ont attribué l'état des cimetières à l'influence des non-conformistes et aux destructions des puritains iconoclastes. Comme toujours, ils avaient tendance à expliquer un phénomène diffus dont ils ne percevaient pas la généralité par une cause particulière. Peu importent les raisons avancées. Il est remarquable qu'ils ont été les premiers à dénoncer l'état des cimetières comme un intolérable fait de mœurs, qui portait atteinte à la dignité de l'homme.

En France, les premières observations sont aussi du début du xviie siècle (enquête et plaintes se multiplieront surtout vers le milieu du xviiie siècle), mais elles concernent seulement l'hygiène publique et témoignent de la hantise des épidémies : « Les calamités affreuses (infection, pestilence), qu'il faut empêcher et prévenir avec diligence et bon règlement, faisant promptement enterrer les corps vraiment morts (!) dans des fosses fort profondes, mesmement quand il y en aura un grand nombre, comme il advient par la guerre et autres mortalités de la multitude ou s'ils sont suspects de lèpre ou de venin. » Cette citation est extraite de la *Grande et Nécessaire Police* de 1619. On sait que les « pestes » furent alors fréquentes et cruelles, notamment en France.

Il arrive qu'on s'indigne de l'inconvenance qu'il y a à transformer les églises en cimetières et en cimetières mal tenus[35]. La dignité du sanctuaire

---

* Cette observation de Muret fait penser à cette note d'Érasme dans les *Colloques :* « J'ai vu le tombeau de saint Thomas (de Cantorbéry) surchargé de pierres précieuses. J'estime que ce grand saint aurait préféré voir sa tombe ornée de feuillages et de fleurs[34]. » Une fresque de Bologne montre le corps des martyrs couronnés de fleurs. Indices rares d'une habitude de fleurir les tombes, peut-être introduite tardivement à l'imitation de l'Antiquité.

est violée et quelques-uns commencent à s'en affecter. Toutefois, c'est le sanctuaire, et non les morts, qui suscite pitié et sollicitude. L'aspect moral et social est laissé de côté, soit que les cérémonies catholiques aient été plus décentes que les funérailles non conformistes, soit que les Français fussent plus indifférents à cet aspect des choses, ce qui expliquerait leur retard à faire entrer le cimetière de plein air dans leur culture.

D'une manière générale, nous avons aujourd'hui l'impression que la prise de conscience d'un phénomène ancien et permanent, la mauvaise tenue des cimetières, s'est accompagnée d'une aggravation de ce même phénomène.

Dans les colonies d'Amérique, qui sont d'intéressants laboratoires socio-logiques, la négligence des funérailles et l'abandon des cimetières ont été dénoncés comme allant de pair, et ce avec d'autant plus d'indignation que d'une part le cimetière rural américain était comme neuf, indemne des souillures dues en Europe à un très long usage, que d'autre part il était choisi aussi par les notables, et qu'enfin il était, surtout en Nouvelle-Angleterre, le lieu où la communauté affirmait sa cohésion. Pour répondre aux protestations, des lois ont imposé l'enfouissement des corps à une profondeur minimum, et contrôlé la décence des funérailles — alors que d'autres lois de type somptuaire devaient, au contraire, modérer le luxe des cérémonies mortuaires. A New York, à la fin du XVIIᵉ siècle, des mesures furent prises pour contraindre les voisins du défunt à suivre le convoi et à s'assurer que les fossoyeurs ne se débarrassaient pas du cer-cueil en cours de route au lieu de le porter au cimetière.

D'autres phénomènes, moins scandaleux, ont été observés, en Angle-terre et en France, qui prouvent à la fois la désinvolture et un certain ressentiment devant cette désinvolture. On s'insurge, par exemple, contre les curés qui usent du cimetière comme d'un pré où ils auraient droit de pacage.

En France, à Montapalach, près de Saint-Antonin dans le Languedoc, un procès opposa un curé aux syndics de ses paroissiens en 1758. Il lui était reproché « au mépris de la religion et du respect dû aux cendres des fidèles » d'avoir « entrepris de faire construire une grange dans le cime-tière de lad. paroisse [36] ». En réalité, une seule sépulture avait été attestée à cet emplacement, celle de la sœur d'un brassier qui, selon le greffier, a refusé d'aller sur place constater les faits « pour ne pas avoir occasion de redoubler sa douleur ». C'est Greuze ou Marmontel au village !

On note, à la faveur de cette anecdote de la fin du XVIIIᵉ siècle, un mélange d'indifférence ou de positivisme de la part du curé et de sentimen-talité de la part de la population [37].

En Angleterre, en 1550, un *parson* fut poursuivi pour avoir fait parquer ses moutons dans l'église (ou sous le porche). En 1603, en revanche, un vicaire édifia très tranquillement une grange dans son cimetière, comme le curé de Montapalach au XVIIIᵉ siècle.

Les évêques français du XVIIIe siècle multiplièrent les obligations de clôture et les interdictions de parquer les animaux au cimetière. C'est l'époque où les tombes particulières furent souvent entourées d'une petite grille privée, pour les protéger des déprédations des animaux dont on ne pouvait empêcher le parcours.

En France, ou bien les évêques furent obéis, le cimetière étant alors entretenu, fermé et interdit aux animaux, comme il le devint au XIXe siècle, ou bien il resta dans l'état où il était depuis le Moyen Age, lieu de passage des hommes et des bêtes.

En Angleterre, au contraire, au XVIIIe siècle, le droit de pâturage fut reconnu au *parson* et la présence des moutons n'indisposa plus les contemporains, non pas par indifférence, mais parce que cette pratique correspondait à une nouvelle image campagnarde du romantisme.

Un autre cas intéressant est celui des protestants français au XVIIIe siècle, après la révocation de l'Édit. Ayant perdu le droit, que leur reconnaissait l'Édit, d'avoir un cimetière à eux, comme celui de Charenton, ils n'avaient d'autres ressources légales — puisqu'ils n'avaient plus d'existence légale — que de se faire enterrer dans les cimetières publics qui étaient catholiques (nous avons vu que, dès la fin du XVIe siècle, ils revendiquaient ce droit). Certains ont dû se soumettre, mais au XVIIIe siècle, beaucoup d'autres y répugnèrent et préférèrent alors renoncer au caractère public de la sépulture auquel ils tenaient encore au temps de H. de Sponde.

L'abbé de Saint-Maximin, grand vicaire d'Alais, a écrit en 1737 un mémoire dirigé contre les « faux convertis » qui fréquentent l'église quand ils ne peuvent pas faire autrement, et encore en manifestant leur dérision : « Dès qu'ils croient pouvoir secouer le joug des amendes (sanctions de l'absence aux offices), alors ils ne se gênent plus et nous ne les revoyons plus à l'église que lorsqu'il est question de mariage. » Ils font baptiser leurs enfants pour que ceux-ci aient un état civil ; « ils ont une si grande répugnance à y venir [à l'église] que bien des pères ne veulent pas même [les] y accompagner ». Ils pourraient aussi bien y revenir une dernière fois, à l'occasion de leur mort, comme les catholiques saisonniers de G. Le Bras. Mais non. « Le malade meurt toujours plein de confiance [sans l'assistance du curé] et *est enterré furtivement* [sans convoi ni cérémonie et bien entendu sans tombe visible], sans que sa mort soit constatée par aucun monument public, ce qui n'empêche pas que sa succession ne soit partagée, son testament exécuté, ni que sa veuve se remarie [38]. »

Enfin un dernier cas, à la fois utopique pour le XVIIIe siècle et déjà anachronique pour l'année 1806, est celui du testament rédigé avec sérieux et conviction par le Divin Marquis. Il témoigne d'une confusion complète des deux opinions jusqu'alors proches, mais séparées, le mépris du corps et le refus radical de l'immortalité. Sitôt sa mort, Sade demande « qu'il sera envoyé un exprès au sieur Le Normand marchand de bois (...) pour le prier de venir lui-même, suivi d'une charrette, chercher mon corps pour être transporté sous son escorte et dans lad. charrette, au bois de ma terre de Malmaison (...) près d'Épernon où je veux qu'il soit placé sans aucune cérémonie, dans le premier taillis fourré qui se trouve à droite dans led. bois en y entrant du côté de l'ancien château par la grande allée qui le partage [la même précision que pour situer le lieu d'une sépulture dans une église]. La fosse pratiquée dans le taillis sera ouverte par le fermier de la Malmaison sous l'inspection de M. Le Normand qui ne quittera pas mon corps qu'après l'avoir placé dans lad. fosse. Il pourra se faire accompagner dans cette cérémonie, s'il le veut, par ceux de mes parents ou amis qui, sans aucune espèce d'appareil, auront bien voulu me donner cette marque d'attachement. La fosse une fois recouverte, il sera *semé au-dessus des glands,* afin que, par la suite, le terrain de lad. fosse se trouvant regarni et le taillis se retrouvant fourré comme il était auparavant, les traces de ma tombe disparaissent de dessus la terre, comme je me flatte que ma mémoire s'effacera de l'esprit des hommes [vanité de vouloir l'imposer par un monument], excepté néanmoins du petit nombre de ceux qui ont bien voulu m'aimer jusqu'au dernier moment et dont j'emporte un bien doux souvenir au tombeau [39] ».

Dans un roman de la même époque (1804-05), on entend dire à un des personnages sur son lit de mort : « Rien ne restera de moi. Je meurs tout entier [comme Sade : ni corps, ni âme, ni renommée], aussi obscur que si je n'étais pas né. *Néant, reçois donc ta proie* [40]. »

Retour à la nature et à la matière éternelle. Peu de gens, s'il y en a eu, ont été volontairement enterrés comme Sade le demandait pour lui-même. D'autres, sans doute, dans les villes peuplées de la fin du XVIIIe siècle, l'ont été bien malgré eux, à cause de l'indifférence générale, et dans ces cas, le fait que des funérailles bâclées se fissent dans des cimetières urbains trop petits et mal entretenus leur enlevait la poésie élégiaque ou sauvage du retour à la Nature-origine.

Le testament utopique du marquis de Sade indique une pente de l'époque qui ne sera jamais descendue jusqu'au bout, mais qui attira même des chrétiens et donna à une partie de la société le vertige du néant.

8

Le corps mort

Au long des deux chapitres précédents, nous avons vu comment la mort — l'heure de la mort — s'était diluée dans toute la durée de la vie et dans un sentiment mélancolique de la brièveté de cette vie. La mort paraît alors s'être éloignée et perdre la vigoureuse présence qu'elle avait chez les *litterati* de la fin du Moyen Age. Nous allons maintenant voir comment aux XVIIe et XVIIIe siècles, c'est-à-dire à la même époque, la mort va revenir sous une autre forme, celle du corps mort, de l'érotisme macabre, et de la violence naturelle.

Deux médecins : Zacchia et Garmann.
La vie du cadavre

Nous partirons de deux ouvrages de médecine qui nous donnent l'état de la question à la fin du XVIIe siècle. Reconnaissons-le en passant, les médecins seront pour nous désormais les meilleurs médiums des croyances communes. Ils remplacent les hommes d'Église qui avaient été à peu près les seuls à jouer ce rôle au Moyen Age et à la Renaissance. Ce ne sont pas toujours de vrais savants, si ce mot a un sens : ils sont crédules parce que les limites du domaine médical et de la science de la vie sont incertaines, que les données y sont transmises par des récits où il n'est pas facile de séparer la fable de l'observation. Aussi, comme les hommes d'Église, sont-ils sensibles aux idées en l'air de leur temps.

Le premier de ces ouvrages, dû à Paul Zacchia, est intitulé *Totius Ecclesiatici protomedici generalis* (c'était son titre) *quaestionum medicolegalium libri tres.* Je me suis servi d'une édition lyonnaise de 1674. C'est un traité de médecine légale, le mot y est déjà. Le genre était ancien : il commence en 1596 avec le traité de Fidelis. Il date en fait de l'intervention du médecin comme expert dans certaines affaires de justice (contrôle de la torture, affaires criminelles, recherches du meurtrier) qui les conduisaient à l'examen des cadavres. Affaires criminelles et civiles mettant en cause les mécanismes de la génération : naissances et avortement, cas de stérilité et d'impuissance, conditions de la fécondité, recherches de la paternité ou de la filiation qui amenaient à l'étude des ressemblances, *de similitudine et dissimilitudine,* expertises sexuelles, distinction entre les cas de guérisons naturelles et les miracles, contrôle de la torture inquisitoriale, dépistage des simulations de maladie qui permettaient d'y échapper, des durées de son application, contrôle de la santé publique, diagnostic des épidémies, et mesures prophylactiques (hygiène de l'eau, de l'air, des lieux, etc.).

Ce traité ménage une place particulière au cadavre. Ce n'est pas seulement pour une meilleure instruction des cas de mort violente par les tribunaux, c'est aussi parce que le cadavre contient les secrets de la vie et de la santé.

Le deuxième traité de médecine dont on s'est servi est consacré au cadavre et à la mort. Il est dû à un médecin luthérien allemand de Dresde qui vécut de 1640 à 1708, L. Christ. Fred. Garmann. Il a été publié après sa mort par son fils, également médecin, sous le titre, étrange pour nous : *De miraculis mortuorum.* Les cadavres faisaient donc des miracles? Ils faisaient en tout cas des prodiges mal connus et mal expliqués, et il revenait aux médecins de distinguer les phénomènes naturels des autres [1].

La mort et le corps mort constituent eux-mêmes des objets d'étude scientifique, indépendamment des causes de la mort : c'est-à-dire qu'on étudie la mort avant d'en connaître les causes, et pas seulement pour les découvrir. On regarde le mort comme plus tard on a regardé le malade sur son lit. C'est une attitude étrangère à la médecine actuelle où la mort n'est pas séparable de la maladie dont elle est l'une des deux fins, l'autre étant la guérison. On étudie donc, de nos jours, la maladie et non plus la mort, sauf dans le cas très spécial, plus marginal qu'autrefois, de la médecine légale [2].

Ces deux livres vont donc nous parler de la mort telle que la voyaient les médecins du XVIIe siècle. Garmann est d'abord frappé par la ressemblance de la mort et du sommeil, comme il y était invité par un lieu commun de la piété et de la littérature. Le sommeil donne à l'homme une connaissance et une communication avec Dieu dont il ne dispose pas dans l'état de veille. Il y a dans le sommeil et la mort concentration de l'âme hors du corps, au lieu que l'âme soit diffuse à travers tout le corps. Une telle ressemblance amène à s'interroger à la fois sur les pouvoirs de la mort et sur le degré de séparation de l'âme et du corps. Cette question, qui est au cœur du projet médical sur la mort, est aussi l'un des principaux soucis de l'époque.

La mort est perçue comme un phénomène complexe et mal connu. Garmann oppose deux thèses, concernant la nature de la vie. De la vie est encore conservée dans la *Mummia* d'où les baumes ont écarté les éléments de corruption; elle finit quand disparaît la vertu des baumes, quand la nature corruptrice a repris son empire. *Elle est donc exception à la nature :* une idée très importante, qui déterminera secrètement une vision nouvelle de la Mort.

La deuxième thèse, conforme à la philosophie de l'École, est que la vie n'est ni matière ni substance, elle est la forme : *ipsissima rei forma.* Elle est lumière et origine *(initium formale),* une origine qui est toujours donnée chaque fois par le Créateur, comme le feu par le silex.

L'opposition des deux thèses se retrouve dans l'étude du cadavre *(quid cadaver?).* La première thèse, proche de celle de Paracelse, est attribuée à la médecine juive, aux rabbins, et à des médecins comme Karman, Malhter, Cardan. Le cadavre est encore le corps et déjà le mort. Il n'est pas privé par la mort d'une sensibilité. Il conserve une *vis vegetans,* un *vestigium vitae,* un résidu de vie. Cette opinion s'appuie sur des observations nombreuses, rapportées depuis Pline jusqu'à nos jours, sur les témoignages de l'épigraphe funéraire quand les épitaphes latines demandent que la terre soit légère aux morts. Une autre autorité est invoquée dans le même sens avec une curieuse mauvaise foi, celle de Tertullien. Les arguments de Tertullien en faveur de l'immortalité de l'âme, de la survie après la mort, sont interprétés comme s'ils ne concernaient pas l'âme mais le corps, et sont utilisés pour démontrer l'existence d'une sensibilité dans le cadavre.

Parmi les observations rapportées, il y a la *cruentatio* du cadavre, c'est-à-dire le saignement prodigieux du cadavre d'un assassiné lorsqu'il est mis en présence de son meurtrier, des phénomènes de sympathie et d'antipathie. On raconte aussi le cas contemporain d'un seigneur dont la femme vient de mourir, et qui recommande aux fossoyeurs de la porter doucement de peur de lui faire mal! La superstition populaire est convaincue que le corps après la mort entend et se souvient, c'est pourquoi il est recommandé de ne pas parler en sa présence plus qu'il ne faut, *« ad ejus necessitatem* [pour s'assurer qu'il est bien mort, on l'appelle plusieurs fois] *et honorem ».*

La deuxième thèse nie la survivance du cadavre. Elle se réclame de Scaliger, de Gassendi, et encore de Sénèque. « L'âme de l'homme ne peut pas agir hors du corps de l'homme. » Le corps sans l'âme n'est plus rien.

Voici donc deux opinions opposées. D'un côté ceux qui croient à la continuation dans le cadavre d'une certaine forme de vie et de sensibilité, au moins tant que les chairs sont conservées et que le corps n'est pas réduit à l'état de squelette desséché. Ceux-là reconnaissent implicitement une composition de l'être qui ne se réduit pas à l'union du corps et de l'âme. Le peuple a d'ailleurs longtemps répugné à admettre que la perte de l'âme privait le corps de toute vie.

De l'autre côté, il y a d'abord l'élite chrétienne orthodoxe, héritière de la science médiévale, de la scolastique, pour qui la réunion et la séparation de l'âme et du corps rendent compte de la création et de la mort, et ensuite des esprits qui nous paraissent aujourd'hui plus rationnels, parce que leur sens critique a triomphé dans la science contemporaine.

Cette opposition n'est pas seulement celle de deux communautés de savants, elle est aussi celle de deux conceptions de la vie, liées elles-mêmes à deux attitudes existentielles. On doit se demander si nos médecins ont choisi, et alors laquelle des deux thèses. Cela n'est pas clair, et c'est pour cette raison que Garmann sera condamné par les auteurs des biographies médicales de la fin du XVIIIᵉ siècle — des hommes presque d'aujourd'hui — comme un auteur crédule, qui prête foi aux plus absurdes racontars : il hésite, en effet, et il n'ose pas prendre parti; la croyance dans la sensibilité du cadavre a pour elle le peuple (et ce que nous appelons le folklore) mais les savants se méfient du penchant populaire à la superstition *(vulgus superstitione maxime implicatus)*. Et pourtant, Garmann constate qu'il y a en faveur de cette opinion beaucoup d'observations dignes de foi; il se contente de prendre quelques précautions : racontant une histoire extraordinaire, il ajoute aussitôt un commentaire sceptique et raisonnable, mais ses réserves ne l'empêchent pas de donner tous les détails. Cette prudence était alors monnaie courante pour avancer des idées controversées en prenant le minimum de risques.

En fait, Garmann se rallie à la thèse de la sensibilité du cadavre. Elle lui permet d'expliquer des phénomènes bien observés. En dehors du saignement du cadavre en présence de l'assassin, qui est suspect, il y a des cas certains, bien démontrés, de mouvements chez le cadavre. Ce sont d'ailleurs ces mouvements qui rendent si difficile la reconnaissance de la mort, puisque le mort bouge, autrement que le vivant, mais il bouge : ses poils, ses ongles, ses dents continuent à pousser après la mort (croyance encore répandue de nos jours), la sueur continue de couler. La mort n'empêche pas l'érection du pénis, fréquente chez les pendus, d'où la croyance dans l'excitation sexuelle du pendu. On racontait au XVIIIᵉ siècle que certains amateurs recherchaient les jouissances du début de la pendaison, quitte à reprendre leur équilibre *in extremis*, quelquefois trop tard. Quand on a dévêtu des soldats morts sur le champ de bataille, on les trouva, dit Garmann, dans l'état où ils auraient été si leur combat avait été celui de Vénus. L'érection peut d'ailleurs être obtenue chez les morts à la demande. Il suffit d'injecter une certaine liqueur dans les artères.

Les spéculations sur le cadavre rejoignent celles sur l'indivisibilité du corps. La vie appartient-elle au corps entier, ou à ses éléments qu'on pouvait alors séparer? Il est évident que la doctrine de la sensibilité du cadavre implique celle de l'indivisibilité du corps. Garmann rapporte des cas de greffes bien connus de son temps, dont il donne les références et les dates : un gentilhomme avait perdu son nez à la guerre, on lui a greffé un autre nez; l'opération a réussi et le nez est bien resté à sa place jusqu'au moment où, plus tard, il a commencé à pourrir. Renseignement pris, on s'est aperçu que cet accident était arrivé au moment de la mort du donneur : celui-ci a entraîné son nez séparé et lointain dans sa propre fin.

Ces phénomènes sont naturels. D'autres en revanche sont certainement miraculeux, comme les morts qui marchent ou qui embaument, signes alors certains de sainteté. D'autres sont ambigus, et on doute si on peut les imputer à la nature, à la crédulité populaire, à une fausse interprétation, ou encore au miracle ou au prodige diabolique... Par exemple certains mouvements des membres après la mort : quand une moniale embrasse la main d'une autre moniale morte, la main de la morte répond et serre par trois fois celle de la vivante.

Douteux aussi, mais graves et dignes d'une étude approfondie, les cas de cadavres qui émettent des sons — comme ceux des porcs — du fond de leur tombeau; quand on ouvre celui-ci, on s'aperçoit que les morts ont dévoré leur suaire ou leurs vêtements, c'est un terrible présage de peste. Garmann consacre à ces cadavres bruyants et affamés un long chapitre de son livre. Il s'agissait de phénomènes mi-naturels, mi-démoniaques. On en discute [3]... Nous devons retenir ici, non seulement la facilité du passage du naturel au surnaturel, la difficulté de distinguer le naturel, le préternaturel souvent diabolique et le miraculeux ou surnaturel authentique, mais surtout la vraisemblance des phénomènes eux-mêmes, si inouïs qu'ils fussent, qui prouvent l'existence d'une sensibilité quelconque chez le cadavre : on les commente, non sans réserves ni repentirs, mais finalement on les admet.

Cette sensibilité du cadavre a des conséquences pratiques non négligeables dans la vie quotidienne, et notamment elle est à l'origine de toute une pharmacopée : les cadavres fournissent la matière première de remèdes très efficaces (mais sans caractère magique). Ainsi la sueur des morts est bonne pour les hémorroïdes et les « excroissances »; le toucher de la main du cadavre, la friction par cette main de la partie malade peuvent guérir, comme c'est arrivé à cette femme hydropique qui a fait caresser son ventre par la main d'un cadavre encore chaud (voilà pourquoi les anatomistes ont toujours leurs mains en bon état). Une série de remèdes sont destinés à guérir le membre vivant par le même membre mort, le bras par le bras, la jambe par la jambe. Le crâne desséché soulage l'épileptique (les os sont absorbés sous la forme de décoctions de leur poudre). Le *priapus* du cerf est appliqué avec de bons résultats aux hystériques, mais il a aussi un pouvoir *ad Venerem promovendam,* signe d'ailleurs d'une relation entre l'hystérie et les délires amoureux.

Ces remèdes sont déterminés par l'application au cadavre d'un principe général de sympathie et d'antipathie qui implique un résidu de vie dans les corps morts. Ce principe fait que, si on a le malheur de fabriquer un tambour avec une peau de loup et une d'agneau, celle d'agneau se rompra à la première résonance par peur du loup.

Pline rapportait qu'un blessé guérissait en mangeant la chair de l'animal tué avec le fer qui l'avait frappé. De même une blessure par flèche sera-t-elle soignée par un pansement de cendres de flèches. Le fer qui a tué un homme possède des vertus thérapeutiques.

Les os ont aussi un pouvoir prophylactique. Il est recommandé de les porter suspendus à son cou ou cousus dans ses vêtements, non pas comme un *memento mori,* mais pour leurs vertus intrinsèques : c'est le glissement du *memento mori,* du rosaire fait de vertèbres, à l'amulette prophylactique. Les soldats qui portent sur eux le doigt d'un soldat mort s'en trouvent bien.

La terre des tombeaux, surtout des pendus (toujours la même obsession!), est aussi riche en pouvoirs thérapeutiques (sur l'homme comme sur les animaux). La proximité d'un cadavre accélère aussi la végétation d'une plante, les terres chargées d'os étant les plus fertiles : l'usage des cadavres comme engrais, que la science moderne a justifié, n'est pas séparé des autres usages médicaux. La corruption est féconde, la terre des morts, comme la mort elle-même, est source de vie : *exquisitum alimentum est.* Une idée qui deviendra commune au XVIIIe et au début du XIXe siècle, jusqu'à la révolution pasteurienne.

La liste des propriétés bénéfiques du cadavre s'allonge jusqu'au breuvage aphrodisiaque, composé à partir des os calcinés de conjoints heureux et d'amants morts. Les vêtements des morts, même un fragment, guérissent des maux de tête, et de l'*ani procidentia* (les hémorroïdes), c'est du moins ce que croyaient les Belges.

Garmann donne même une recette de l'*eau divine* (ainsi appelée à cause de ses merveilleuses vertus) d'après Th. Bartholin et Jérôme Hirnhaim : on prend le cadavre entier *(totum cadaver)* d'un homme auparavant en bonne santé mais mort de mort violente, on le coupe en très petits morceaux, chair, os et viscères, on mélange bien le tout qu'on réduit ensuite en liquide dans l'alambic. Cette eau, entre beaucoup d'autres effets médicaux, permet d'évaluer avec certitude l'espérance de vie d'un malade gravement atteint : dans une certaine quantité de cette eau, on verse de trois à neuf gouttes du sang du malade, on agite doucement au feu; si l'eau et le sang se mélangent bien, c'est signe de vie; s'ils restent séparés, c'est signe de mort (à défaut de sang, on peut utiliser de l'urine, de la sueur ou d'autres sécrétions).

Ces remèdes de cadavre étaient recherchés et utilisés surtout par les patients illustres, car ils devaient être coûteux et difficiles à préparer. Charles II d'Angleterre a bu pendant sa dernière maladie une potion de quarante-deux gouttes d'extraits de crâne humain!

Il y a cependant des cas où, contrairement à ce qui vient d'être dit, le contact du mort est nuisible. Le mélange d'os dans la bière rend cruels ceux qui la boivent. Le toucher d'un cadavre peut arrêter les règles d'une femme. Un clou de cercueil planté sur un végétal le stérilise. Des plantes ont été détruites par les vapeurs des cimetières. On reconnaît là une observation qui servira plus tard d'argument à une campagne pour le déplacement des cimetières, mais les dangers sont traités ici comme un cas particulier d'un phénomène beaucoup plus général : l'action du cadavre sur l'homme et sur les êtres vivants.

Les effets utiles des cadavres l'emportent sans doute sur les nuisibles. Les uns et les autres sont considérés comme naturels, la magie y intervient peu et les cas d'usage *ad veneficia magica* sont rares. On utilise cependant la main droite d'enfants prématurés, avortés, et non baptisés, ou un parchemin fait avec leur peau (rappelons la place des enfants morts dans les scènes de sorcellerie de Goya). On raconte encore qu'une chandelle de suif humain permet de retrouver des trésors cachés.

Zacchia consacre un chapitre important aux miracles, c'est-à-dire aux phénomènes surnaturels que le médecin doit authentifier (des guérisons miraculeuses, des épidémies ordonnées par Dieu, des fléaux de Dieu). Parmi les faits réputés miraculeux, il y a les corps incorruptibles *(De cadaverum incorruptibilitate)*. Mais, selon l'ambiguïté habituelle de cette médecine, il existe des incorruptibilités naturelles et d'autres miraculeuses. De là tout un traité de la corruption des corps où nous voyons combien le sujet a d'importance pour l'auteur : une importance pratique dans les procès criminels et en hygiène publique; une importance scientifique, car la résistance du corps à la corruption implique un reste de vie et de sensibilité; une importance sentimentale enfin, et presque sensuelle, car le cadavre lui-même intéresse et émeut, on ne finit pas d'en parler.

Parmi les cas d'incorruptibilité normale, il y a ceux qui sont dus à l'art : l'éviscération avec ou sans embaumement, c'est-à-dire introduction d'aromates; elle est efficace. Il y a aussi des cas prodigieux comme celui rapporté par Karman, que l'on sait favorable à la « sensibilité » du cadavre, d'un pendu resté deux ans accroché sans pourrir. Et puis il y a une série de cas où la conservation a été naturelle, sans intervention de l'art, expliquée par plusieurs facteurs : le genre de maladie, la saison, l'âge du défunt. L'incorruptibilité peut d'ailleurs s'accompagner de phénomènes cités plus haut parmi les mouvements du cadavre : il arrive qu'ils saignent, qu'ils transpirent.

Le facteur qui retient le plus l'attention est le lieu de l'inhumation. Il y a des terres qui consument et d'autres qui conservent. Des minéraux aussi : les cercueils de plomb conservent, c'est pourquoi les grands de la terre les ont préférés à d'autres matériaux.

La profondeur de l'enfouissement joue aussi. Profondément enfouis, les corps deviennent *arida et sicca* et ils sont conservés comme « des viandes fumées ». On dit aussi que les corps exposés aux rayons de la lune sont vite corrompus, c'est du moins ce que Galien dit et que Zacchia rapporte sans rien en croire.

Des cimetières étaient réputés pour la rapidité de la consommation, comme le « mange-chair » des Innocents où, dit-on, un corps au bout de vingt-quatre heures était réduit à ses os. En revanche, d'autres cimetières conservaient les corps et les transformaient en momies. Zacchia cite le cas d'une église de Toulouse — les Cordeliers —, d'un *campum sanctum* à Rome — l'église des Capucins de l'Immaculée Conception, près de la piazza Barberini. Au début du xixᵉ siècle, selon Emily Brontë, dans le petit cimetière de *Wuthering Heights*, « l'humidité de la tourbe était réputée avoir les mêmes effets que l'embaumement sur les quelques corps enterrés là [4] ». C'est une terre de cette sorte qui a permis la conservation d'une *Mummia Danica,* observée par Thomas Bartholin : au bout de cinquante ans la chair était toujours ferme, la peau sèche, la barbe rousse, les cheveux rares persistaient. Le peuple, fasciné par ces cas de conservation, expliquait cette incorruptibilité soit parce que de son vivant la *Mummia Danica* avait été exécutée par commandement royal, soit parce qu'elle avait vécu en mauvais termes avec son conjoint; en tous les cas, la momie était maudite. La conservation apparaît ici comme une punition. En général, la consommation était plutôt recherchée comme un bienfait : des testateurs du xvᵉ siècle qui ne pouvaient être enterrés aux Innocents demandaient qu'un peu de terre de ce cimetière fût mise dans leur tombe. On était assuré de vite disparaître aux Innocents. Succès de l'idée de néant, de mépris du corps que nous avons analysée à propos des vanités dans les deux précédents chapitres.

Zacchia cite le cas d'une main trouvée intacte dans un tombeau où le reste du corps avait disparu. La rumeur voulait qu'elle ait frappé un père ou une mère. C'est pourquoi elle restait comme un signe d'infamie. Mais « ces raisons sont surnaturelles », pense Zacchia, comme l'histoire de Bède selon laquelle les enfants nés certains jours de la fin janvier échappaient à la corruption.

Telles sont, rapidement esquissées, car la littérature est énorme et bavarde, les idées des médecins de la fin du xviiᵉ siècle, d'après Zacchia et Garmann, sur les phénomènes cadavériques. Elles reconnaissaient au mort une sorte de personnalité, elles suggéraient qu'il avait encore de l'être et le manifestait à l'occasion.

Au xixᵉ siècle, la médecine abandonnera cette croyance et se ralliera à la thèse selon laquelle la mort n'existe pas en soi, est séparation de l'âme et du corps, déformation et non-vie. La mort est devenue seulement négativité. Elle n'aura plus alors de sens en dehors de la maladie caractérisée, nommée et cataloguée dont elle est la dernière étape. Toutefois, il reste encore quelque chose de l'ancienne médecine dans un article de la *Revue française de médecine militaire* de 1860 consacré à l'expression du visage des soldats tués sur le champ de bataille : une très sérieuse étude physionomique des cadavres.

Ouverture et embaumement

Ainsi les médecins relaient-ils les hommes d'Église ou rivalisent-ils avec eux pour traduire l'inexprimé, pour révéler les mouvements secrets de la sensibilité. Leurs idées circulent dans l'air du temps, bien au-delà de leurs cercles savants. La connaissance du corps s'étend à un vaste public de *litterati*.

Pour parvenir à cette connaissance, on recourut à la dissection, usage déjà ancien dans les facultés de médecine, non seulement dans un but d'observation scientifique mais aussi pour des raisons pratiques telles que la conservation des corps par des artisans qui n'étaient pas médecins.

Dès le XIVᵉ siècle, le corps de certains grands personnages fut traité afin de permettre son transport en un lieu éloigné d'inhumation, ou encore divisé et disséminé à destination de plusieurs tombeaux. On commençait par un dépeçage à la manière d'un gros gibier, puis on ébouillantait les restes afin d'en détacher les chairs et d'en extraire la partie noble, les os desséchés.

Ces techniques ne répondaient pas à une volonté de conservation totale, mais de réduction. Elles avouaient un curieux mélange de respect à l'égard du corps ainsi concentré et d'indifférence à son intégrité.

A partir du XVᵉ siècle, elles furent remplacées par l'embaumement dans un but de conservation. Celui-ci s'est répandu en même temps que les pompes des obsèques royales, grandes cérémonies d'exaltation du sentiment monarchique et de la fidélité dynastique. Le roi ne meurt pas. Tout de suite après son dernier soupir, il était exposé comme un vivant, dans une chambre où un banquet était préparé, avec tous les attributs de son pouvoir de vivant. La conservation de l'apparence de la vie était nécessaire à la vraisemblance de cette fiction, comme l'arrêt de la décomposition était physiquement imposé par la longueur des cérémonies. Le corps ainsi préservé a joué le rôle ensuite repris par la « représentation » de cire et de bois[5].

L'embaumement des rois a été imité par les princes du sang et par la grande noblesse. L. Stone a constaté combien il était général dans l'aristocratie anglaise de la fin du XVIᵉ siècle et du début du XVIIᵉ[6]. Il l'explique par la solennité et la complication des funérailles, par les nombreuses démarches à faire, et le long temps qui séparait le moment de la mort de celui de l'enterrement.

Or L. Stone observe dans la seconde moitié du XVIIᵉ siècle une diminution des « ouvertures » en relation avec des funérailles plus rapides et plus simples. Cette constatation ne nous surprendra pas. Elle correspond à l'évolution générale vers la simplicité, sinon la nudité, que nous avons analysée au chapitre précédent. L'exemple donné par L. Stone souligne la corrélation entre le refus d'ouverture et la rapidité : une femme, dans son

testament, demande qu'on ne l'ouvre pas et qu'après sa mort on la mette
« sur la paille et dans le plomb *avant qu'elle soit froide* [6] ».

Dans la noblesse française du XVIIe siècle, il est certain que l'embaumement était aussi pratiqué comme une tradition établie. Si on y fait peu
d'allusions dans les testaments parisiens, c'est que les testateurs le tenaient
pour une pratique de routine qui allait de soi. Il était sous-entendu chaque
fois qu'il y avait « tombeau de cœur », et par conséquent éviscération. Il
était parfois explicitement mentionné dans les cas où le testateur imposait un transport et un séjour prolongé avant l'inhumation. Ainsi ce testament olographe de 1652 [7] : « Je veux et ordonne que vingt-quatre heures
après mon décès mon corps soit ouvert, embaumé et mis dans un cercueil
de plomb pour estre porté en cas que je meurs en ceste ville au couvent
des R. P. Jacobins (...) et là mis en dépôt où est déjà le cœur de ma
chère et bien aymée jadis épouse [qui avait été embaumée], pour y être
conservés l'un et l'autre quinze jours ou trois semaines et moins se faire
se peult, et delà porter ensemble en mon église de Courson. Ils y seront
mis aussy l'un et l'autre dans la cave de ma chapelle. »

On remarquera ici une différence avec le testament anglais cité par
L. Stone. Le testateur français ne demande pas qu'on le mette dans le
plomb avant d'être froid, mais au contraire après vingt-quatre heures, et
la différence est pleine de sens : nous voyons apparaître ici la crainte
d'être enterré vivant, crainte qui va devenir obsédante et qui est toujours
liée, désormais, aux décisions concernant l'ouverture du corps. Quand on
précise au XVIIIe siècle qu'il y aura ouverture, si on n'allègue pas quelque
autre raison, la décision paraît inspirée par la peur d'être enterré vivant,
l'ouverture devenant un moyen comme un autre de vérification de la mort :
l'abbé Prévost, laissé pour mort, n'a-t-il pas retrouvé la vie sous le scalpel
de l'anatomiste ?

La comtesse de Sauvigny dans son testament de 1771 : « Je veux être
ouverte [première précaution] 48 heures après mon décès [deuxième pré-
caution] et que l'on me laisse pendant ce temps dans mon lit [troisième
précaution] [8]. »

Chaptal raconte comment il fut dégoûté de la médecine :
« Un jour Fressine vint m'annoncer (à Montpellier) qu'il venait de faire
porter un cadavre dans son amphithéâtre particulier. Nous nous y ren-
dîmes de suite; je trouvais le cadavre d'un homme mort (...) depuis 4 à
5 heures. Je me mis en devoir de le disséquer, mais au premier coup de
scalpel sur les cartilages qui tiennent les côtes au sternum, le cadavre
porta la main droite sur le cœur et agita faiblement la tête; le scalpel me
tomba des mains, je m'enfuis de frayeur [9]. »

Pourtant, la plupart des allusions à l'ouverture sont négatives : il n'était
pas plaisant de se réveiller sous le couteau de l'anatomiste et il y avait
d'autres moyens de vérifier la mort. Dans ces cas, on parle d'ouverture
pour l'interdire : on craint d'être ouvert vivant. Ainsi, en 1669, un testateur

spécifie : « Je déclare mon intention estre que mon corps soit gardé le plus que faire se pourra avant qu'il soit inhumé sans néanmoins qu'il en soit fait ouverture pour l'embaumer. » De son côté, Élisabeth d'Orléans, fille de Gaston, princesse du sang, destinée certainement par son rang à être embaumée, exige que son enterrement soit très simple : « Je deffend que l'on m'ouvre et je veux que l'on ne m'ensevelisse qu'au bout de 24 heures... », interdiction associée à un délai de sécurité, et à des épreuves pour s'assurer de la mort [10].

Françoise Amat, marquise de S. (1690) : « Je veux et recommande que l'on ne m'ouvre point et que l'on me laisse deux fois vinte catre heures dans le même lit [10]. »

Mais, outre ces raisons, intervient un souci que je crois nouveau de l'intégrité du corps. Dans le testament qu'il rédige en 1597, deux ans avant sa mort à Madrid, le duc de Terranova a choisi d'être enterré en Sicile qu'il avait cependant quittée depuis vingt ans, « dans l'église de San Domenico de Castelaetrana [couvent fondé par ses ancêtres en 1440, avec une chapelle funéraire familiale], dans le tombeau devant l'autel où est enterrée la duchesse, mon épouse bien-aimée [11] ». Malgré le long transport, il ordonne expressément que son corps « ne soit pas ouvert pour y mettre des aromates ni rien d'autre, mais soit laissé tel quel et enseveli ainsi ». Un ou deux siècles auparavant, quelles manipulations et préparations le noble corps aurait-il dû subir avant que ses os parvinssent au sanctuaire sicilien ! Nous devinons ici l'idée, déjà rencontrée chez les médecins, du cadavre total, possesseur d'une unité et d'un être.

Une troisième raison est invoquée dès la fin du XVIIe siècle pour justifier l'ouverture, ou le refus de l'ouverture. Le but de l'ouverture est alors moins la conservation que la connaissance scientifique, et aussi, en deçà, une inquiétude et une curiosité existentielles.

Dans son testament de 1754, le duc de Saint-Simon s'explique sans détours. Après avoir pris les précautions d'usage pour éviter une fausse mort, « je veux que mon corps (...) au bout de ce temps [trente heures sans y toucher] soit ouvert en deux endroits [dissection partielle], scavoir au haut du nes et à la gorge, au bout de la poitrine, pour reconnaistre à l'utilité publique les causes de cet enchiffrement qui m'a esté une vraye maladie et de ces étouffements étranges dont je me suis toujours ressenti ». Son corps devait ensuite être transporté dans son église de campagne : il y a beaucoup de chances qu'il fût éviscéré et embaumé, mais on n'en parle pas [12].

Il se pourrait bien que l'ouverture pour des raisons pseudo-scientifiques l'ait emporté au début du XVIIIe siècle. Thomas Green, dans *The Art of embalming* [13], paru en 1705, déplore qu'« aujourd'hui les préparations anatomiques soient le principal usage de cet art [de l'anatomie]. Et pourtant je décrirai un autre usage plus ancien et plus général qui est la préservation intégrale du corps humain (...), usage qui serait tombé (injustement) en désuétude et ne serait plus considéré que comme cause de frais et d'ennuis inutiles ». La publication de ce livre tendrait à prouver que la préservation du corps mort intéresse à nouveau, quoiqu'il y ait aussi d'autres moyens que l'embaumement de l'obtenir : le choix d'un lieu de sépulture où la terre a la propriété de momifier. Nous y viendrons tout à l'heure. Restons pour le moment dans le domaine de la « préparation anatomique » et de la curiosité scientifique.

Certains testateurs refusent l'ouverture malgré les arguments scientifiques qui sont invoqués autour d'eux. Voici un testament de 1712 : « Premièrement [juste après la profession de foi et la recommandation de l'âme, parmi les vœux les plus importants], pour quelque raison que ce puit être, je deffend qu'il soit fait aucune ouverture de mon corps, persuadé que l'on n'en peut tirer aucune indication pour l'utilité et la conservation de mes chers enfants que j'ayme assez pour leur sacrifier mes répugnances si je croyais que cela leur fut bon en la moindre chose [14]. »

On retrouve les mêmes arguments dans le testament de Jean Molé, conseiller au Parlement de Paris, 1723 : « Je souhaite et je veux qu'il ne soit pas fait ouverture de mon corps pour quelque cause et occasion que ce soit, mesme dans la veue de prévenir pour d'autres quelques accidents temporels [14]. »

L'anatomie pour tous

Il se pouvait bien que, faute de disposition contraire, le chirurgien de la famille pratiquât une discrète ouverture dans un cabinet particulier d'anatomie. En effet, l'anatomie n'était pas utile aux seuls médecins et chirurgiens. Elle était aussi importante pour le philosophe, comme nous le dit l'auteur de l'article « Anatomie » de l'*Encyclopédie :* « La connaissance de soi-même suppose la connaissance de son corps, et la connaissance du corps suppose celle d'un enchaînement si prodigieux de causes et d'effets qu'aucune ne mène plus directement à la notion d'une intelligence toute sage et toute-puissante; elle est pour ainsi dire le fondement de la théologie naturelle. » Importante aussi pour les magistrats qui, autrement, sont « obligés de s'en tenir aveuglément aux rapports des médecins et chirurgiens », des experts. Nécessaire aussi aux peintres et sculpteurs, cela va de soi, mais enfin, utile à *tout homme,* l'anatomie fait partie du bagage indispensable à l'homme cultivé. « Chacun a intérêt à connaître son corps. » C'est un chemin vers la connaissance de Dieu, le Dieu du XVIIIᵉ siècle : « Il n'y a personne que la structure, la figure [des parties du corps] ne puissent confirmer dans la croyance d'un Être tout-puissant. A ce motif si important, il se joint un intérêt qui n'est pas à négliger, celui d'être éclairé sur les moyens de se bien porter, de prolonger sa vie, expliquer plus nettement les lieux, les symptômes de sa maladie [« l'enchiffrement » du duc de Saint-Simon] quand on se porte mal, de discerner les charlatans, de juger du moins en général des remèdes ordonnés... *La connaissance de l'anatomie importe à tout homme*.* »

Dans *le Journal d'un bourgeois de Paris pendant la Révolution,* Célestin Guittard de Floriban [15] observe chaque jour le fonctionnement de son corps et en prend note avec soin.

Aussi a-t-on intérêt à être bien instruit de l'anatomie. Il faudrait alors qu'elle soit enseignée de manière très accessible, « qu'il y eût dans les différents hôpitaux des disséqueurs assez instruits pour bien préparer toutes les parties ensemble et séparément sur différents cadavres, et qu'il fût permis à tous ceux qui sont obligés par état ou que la curiosité porterait à s'instruire, d'aller dans ces endroits (...). C'en serait même assez pour ceux qui ne cherchent point à approfondir et je crois qu'ils pourraient se dispenser de travailler eux-mêmes à ces dissections [16] ».

L'usage de la chose a permis au mot d'entrer très tôt dans la langue familière. D'après le dictionnaire de Furetière, « on dit proverbialement qu'une personne est devenue une vraye anatomie lorsqu'elle est devenue si maigre par une longue maladie qu'on la prendrait pour un squelette ».

La poésie baroque l'employait, Agrippa d'Aubigné :

> Je mire en adorant dans une anathomye
> Le portrait de Diane entre les os.

Ou encore Chassignet :

> Je présente icy comme une anatomie
> Le cœur sans battement, la bouche sans souris,
> La teste sans cheveux, les os allangouris [17].

Un prétendant un peu sot, mais qui se conformait à des usages, usages que Molière et quelques autres commençaient à trouver ridicules, Thomas Diafoirus, offre à sa fiancée Angélique un dessin d'anatomie et il l'invite à une séance de dissection. La leçon d'anatomie, si souvent reproduite dans la gravure et la peinture du XVIIe siècle, était, comme les soutenances de thèses et le théâtre des collèges, une grande cérémonie sociale où toute la ville se retrouvait, avec masques, rafraîchissements et divertissements.

D'autre part, les recueils de planches anatomiques, loin d'être des ouvrages techniques réservés aux seuls spécialistes, faisaient partie des beaux livres recherchés par les bibliophiles. Comme l'a fait remarquer A. Chastel [18], « ces planches s'inspirent souvent dans leur disposition de tableaux ou de sculptures célèbres : les squelettes et les écorchés adoptent des poses de figures de Raphaël ou de Michel-Ange ou d'an-

---

* C'est moi qui souligne.

tiques ». Ils sont aussi des vanités, du même type que celles que nous avons analysées au chapitre précédent, des sermons sur la mort, des méditations sur le néant, la fuite du temps : « Ils se présentent dans un climat moralisant, avec des inscriptions explicites (...), par exemple (...) le squelette en méditation devant le crâne d'un congénère (...), le squelette fossoyeur appuyé sur sa pelle. » Enfin la leçon d'anatomie sert de prétexte à un portrait de groupe, à la place de la scène religieuse où apparaissaient les donateurs, un signe de plus de la substitution des choses du corps à celles de l'âme. « Le portrait de groupe est parfaitement unifié par l'entourage et, pouvons-nous ajouter, par la vigueur du sentiment qui semble jeter les assistants dans une méditation sur l'étrangeté de l'organisme et le mystère de la vie » (A. Chastel).

Au XVIIIe siècle, on se plaignait que les jeunes chirurgiens ne parvinssent pas à trouver assez de corps, à cause de la concurrence des dissections *particulières,* c'est-à-dire faites en dehors de l'enseignement médical, que celui-ci fût donné dans les amphithéâtres publics des universités ou dans des amphithéâtres privés, alors nombreux.

Les dissections particulières, les enlèvements de cadavres

La dissection était devenue un art à la mode; un homme riche, curieux de choses de la nature, pouvait avoir dans sa maison son cabinet privé d'anatomie comme son laboratoire de chimie. Mais ce cabinet, il fallait l'approvisionner! C'est ce qu'explique cette phrase de l'*Encyclopédie,* à l'article « Cadavre » : « Chaque famille veut qu'un mort jouisse pour ainsi dire de ses obsèques et ne souffre point, ou souffre très rarement, qu'il soit sacrifié à l'instruction publique; *tout au plus permet-elle en certains cas qu'il le soit à son instruction ou plutôt à sa curiosité particulière.* » C'est le sens de certaines clauses testamentaires.

Nous avons quelque idée de ces dissections particulières grâce à un roman fort chaste du marquis de Sade, *la Marquise de Gange* (1813). Le thème était emprunté à un fait divers célèbre. La marquise de Gange a été enlevée par des amis de son mari, et elle est retenue prisonnière dans une salle d'un « antique château ». Nous voici dans le roman noir avec donjon, oubliettes, caveaux, tombeaux. « Cruellement agitée, elle parcourait cette grande salle (...) lorsqu'elle crut apercevoir une petite porte entrouverte. Il était encore nuit [juste « quelques faibles rayons d'une lune pâle »]. Elle vole à cette porte (...). Une lampe prête à s'éteindre lui laisse entrevoir le cabinet que ferme la porte qu'elle vient de découvrir; elle entre... Mais quel affreux objet s'offre à ses regards! Elle voit sur une table un cadavre entrouvert, presque entièrement déchiré, sur lequel vient de travailler le chirurgien du château, *dont ce local est le laboratoire*» et qu'il a quitté pour aller se coucher, remettant au lendemain la suite de la dissection [19].

C'est un cabinet d'anatomie, comme un amateur éclairé et riche pouvait en avoir. L'usage remontait au XVIe siècle, en Italie au moins, comme le laisse entendre ce texte de 1550 [20] qui fait dire à la Mort : « J'ai été plusieurs fois tentée (...) d'entrer dans la chambre de ces gens qui pratiquent l'anatomie *(notomia)* du corps mort et attachent ensemble le reste des os [un beau squelette] pour orner leur appartement, de me revêtir de ces os, de les réveiller au milieu de la nuit et de les épouvanter afin qu'ils perdent à jamais l'habitude de transporter dans leur maison les dépouilles des cimetières, ces trophées de mes victoires. » Nous passons, dans ce texte, du triomphe de la mort au cabinet d'anatomie.

Nous pouvons nous imaginer l'un de ces cabinets par ce qui en subsiste de la Naples du XVIIIe siècle, celui du palais du prince Raimondo di Sangro (1710-1771). D'après son épitaphe, il s'était illustré dans toutes ses entreprises, en particulier la science militaire, la discipline de l'infanterie, la mathématique, la médecine et ce que nous pourrions appeler la biologie, mais une biologie mystérieuse et excitante : *in perscrutandis reconditis naturae arcanis* (toujours cette notion de secret qu'il faut vaincre, comme si cette nature se défendait et pouvait se défendre). Le cabinet communiquait avec la chapelle, et c'est dans la sacristie de la chapelle où sont les tombeaux de la famille et quelques œuvres d'art, d'ailleurs étranges et « morbides », que sont aujourd'hui conservés quelques hommes en veines ou en muscles, ou écorchés, vestiges du célèbre cabinet. Nul doute qu'on y « ouvrait », et que des cadavres « déchirés » y traînaient comme dans le château où Mme de Gange était enfermée.

Ces laboratoires de la mort frappaient l'imagination. S'ils paraissaient mystérieux et troublants, ce n'était pas à cause de la rareté des expériences, car on disséquait beaucoup (un médecin d'Aix, devenu plus tard médecin de Louis XVI, se vantait d'avoir ouvert 1 200 cadavres), mais plutôt à cause du vertige qui saisissait l'homme devant les sources de la vie.

Le marquis de Sade a imaginé le décor d'un cabinet d'anatomie pour la fantastique galerie du grand-duc de Toscane : « Une idée bizarre est exécutée dans cette salle. On y voit un sépulcre rempli de cadavres sur lesquels peuvent s'observer tous les différents degrés de la dissolution depuis l'instant de la mort jusqu'à la destruction totale de l'individu. Cette sobre exécution est de cire colorée si naturellement que la nature ne saurait être plus expressive ni plus vraie [21]. » Il existe de telles maquettes de cire pour représenter les pestiférés. Les écorchés remplacent, au XVIIIe siècle, les transis des XVe-XVIe siècles, disparus au XVIIe. Toutefois, ils ont pris un autre sens. Ils sont de moins en moins *memento mori*, et de plus en plus interrogations confuses et inquiètes sur la nature de la vie (par exemple l'écorché qui se dresse sur la façade du Duomo de Milan).

Il fallait beaucoup de cadavres pour répondre à la demande suscitée par une telle « passion de l'anatomie » — le mot est de Sébastien Mercier. On se les disputait. Aussi la littérature est-elle pleine d'histoires de vols de cadavres dans les cimetières. On se plaisait à les raconter pour des raisons que les nécessités économiques du marché ne suffisent pas à expliquer. Elles remuaient.

Mais tout n'était pas imagination dans ces récits. Les enquêtes de la fin du XVIIIᵉ siècle de Joly de Fleury parlent très sérieusement de cas réels de vols de cadavres : il faut surveiller les cimetières « pour obvier à l'abus de la vente des cadavres [22] ». Les saints principes « réclament aussi la protection de l'autorité de votre ministère pour arrêter un vol aussi scandaleux qu'affligeant pour les âmes sensibles. Pendant le courant de cet hiver [1785-86] il a été fait dans ce cimetière dont les suppliants demandent avec insistance la suppression [cimetière Saint-Jean], divers enlèvements de plusieurs corps à la fois pour être livrés à la dissection des élèves de la chirurgie de cette capitale. Tout le quartier s'est récrié sur cet attentat qui soulève l'humanité et blesse la religion. On en a porté plainte à la fabrique de S. Eustache qui a répondu que cela ne la regardait pas [réponse bien froide], mais bien le ministère public. Les jardiniers qui cultivent les terrains voisins de ce cimetière [ouvert parce que les murs s'étaient en partie écroulés] se sont transportés chez le commissaire pour le prévenir de ces vols et du dommage qu'ils en éprouvaient dans leurs cultures. Ces enlèvements n'ont point discontinué. La nuit du jeudi 12 au vendredi 13 janvier 1786, il s'en est fait sur la fosse actuelle de 7 grands corps et de 3 enfants, tirés et portés par 6 hommes en deux endroits sur ces mêmes marais. »

Sébastien Mercier décrit ces enlèvements : « Ils [les jeunes chirurgiens] se mettront quatre, prendront un fiacre, escaladeront un cimetière. L'un combat le chien qui garde les morts, l'autre avec une échelle descend dans la fosse, le troisième est à cheval sur le mur, jette le cadavre, le quatrième le ramasse et le met dans le fiacre. » Le cadavre est transporté dans un grenier. « Là il est disséqué par des mains d'apprentis. Et pour cacher les dépouilles à l'œil des voisins, les jeunes anatomistes brûlent les ossements. Ils se chauffent l'hyver avec la graisse des morts [23]. »

Cela se passait aussi à Londres. En 1793, un jeune émigré français, René de Chateaubriand, vivait dans un *garret* dont la lucarne donnait sur un cimetière. « Chaque nuit, la crécelle du *watchman* m'annonçait que l'on venait de voler des cadavres [24]. »

L'opinion s'émouvait parfois à la suite de découvertes qui lui paraissaient sinistres. En 1734, Barbier [25] : « On a mis ces jours-ci à la morgue du Châtelet 15 à 16 petits enfants morts... ce spectacle a attiré un grand concours de monde et a effrayé le peuple (...). Comment aurait-on trouvé tous ces enfants ensemble et dans le même moment? (...) On dit que c'est le médecin qui a le Jardin royal qui avait rassemblé tous ces enfants morts chez le chirurgien [un médecin ne dissèque pas lui-même] pour faire des anatomies. Les voisins ayant su cela ont porté plainte. Le commissaire a enlevé les enfants et la chose a été éclaircie par le médecin. »

Le rapprochement d'Éros et de Thanatos
à l'âge baroque

Le succès quasi mondain de l'anatomie ne s'explique pas seulement par la curiosité scientifique. Nous le devinons bien, il répond à un attrait pour des choses mal définies, à la limite de la vie et de la mort, de la sexualité et de la souffrance, toujours suspectes aux morales claires des xixe et xxe siècles qui les ont placées dans une nouvelle catégorie, celle du trouble et du morbide. Cette catégorie, née au xixe siècle d'un rapprochement entre Éros et Thanatos, avait commencé à la fin du xve ou au début du xvie siècle, et s'était enrichie pendant la première moitié du xviie siècle. Nous quittons alors le monde des faits réels, comme l'étaient les dissections dans les cabinets d'anatomie, pour entrer dans le monde touffu et secret de l'imaginaire.

Si les danses macabres des xive-xve siècles étaient chastes, celles qui ont été créées au xvie siècle sont à la fois violentes et érotiques : le cavalier de l'Apocalypse de Dürer est monté sur une bête étique qui n'a plus que la peau, mais cette maigreur fait ressortir la puissance des organes génitaux par un contraste certainement voulu. Chez Nicolas Manuel, la mort ne se contente pas de désigner une femme, sa victime, en s'approchant d'elle et en l'entraînant par sa seule volonté, elle la viole et plonge sa main dans le sexe. Elle n'est plus l'instrument de la nécessité, elle est animée d'un désir de jouissance, elle est à la fois mort et volupté.

Une autre série d'images est celle du jardin des supplices. L'érotisme n'y apparaît pas de manière aussi flagrante. L'inspiration est innocente et spirituelle, mais la réalisation, le style, les gestes trahissent les émotions inavouées, provoquées par le mélange de l'amour et de la mort, de la souffrance et du plaisir, ce qu'on appellera le sadisme. Du xvie au xixe siècle, on observe une remontée du sadisme, inconscient aux xvie et xviie siècles, avoué et délibéré aux xviiie et xixe siècles.

Il est intéressant de voir comment les thèmes changent au xvie siècle et se chargent alors d'une sensualité auparavant inconnue. Comparons le même thème, le martyr de saint Érasme, aux xve et xviie siècles.

Dans la peinture flamande, qui a la tranquillité de la miniature (Thierry Bouts), un bourreau consciencieux enroule autour d'un treuil les intestins de saint Érasme devant l'empereur et sa cour. Tout est paisible; chacun fait son travail sans hâte ni violence, sans passion, avec une sorte d'indifférence. Le saint lui-même assiste à son supplice comme un étranger, comme le mourant du premier *ars moriendi* assistait à sa propre mort. Rien ne vient troubler la tranquillité de la scène [26].

Dans la toile d'Oragio Fidani (Pitti, Florence) qui traite le même sujet au XVIIᵉ siècle, le saint est étendu perpendiculairement au plan du tableau. Il est donc vu en perspective, comme souvent le cadavre de la leçon d'anatomie ou le corps du Christ descendu de la croix. Il y a une relation entre la profondeur de la perspective et la violence de la scène. Un bourreau ouvre le bas-ventre du martyr et lui enlève les viscères : ce n'est pas l'enroulement facile de Th. Bouts, c'est un début de dissection sur un corps vivant. Les bourreaux sont de grands gaillards nus aux muscles puissants, aux reins cambrés par l'effort. Ce sont les mêmes personnages, la même scène, mais une autre sensibilité, où l'excitation représentée et provoquée n'est pas toujours de nature religieuse et n'invite pas seulement à la dévotion.

Une autre comparaison, littéraire celle-ci, nous est proposée par J. Rousset. Il s'agit de deux descriptions d'une même scène, le supplice des Macchabées — l'une encore prébaroque, l'autre baroque.

Voici comment J. Rousset les commente. La première est un meurtre dans la tragédie de Garnier, *les Juives* [27]. « Chez Garnier, le meurtre est raconté en quelques vers lisses et contenus :

> Cette parole à peine il avait achevée
> Que la teste lui est de son col enlevée
> Le sang tiède jaillit qui la place tacha
> Et le tronc immobile à terre trébucha.

C'est calme et linéaire comme un martyre de l'Angelico. » A partir des mêmes données, Virey de Gravier va bâtir toute une pièce de torture...

> Il faut que sur la roue à cette heure on l'estende,
> (...) et qu'à ses pieds on pende
> Deux fers qui soient fort gros (...)
> En lui tirant ainsi les entrailles par force (...)
> Qu'on lui coupe la langue avecque un couteau
> Et qu'on l'*écorche* après, tout ainsi comme un veau.

Une peinture de Menescordi (1751-1776) représente sur les murs d'une chapelle de confrérie, la Scuola Grande dei Carmini, à Venise, le même martyr des Macchabées. Scènes de tortures : l'un des Macchabées est scalpé, sa chevelure est arrachée par la traction d'un treuil, tandis qu'un bourreau s'apprête à terminer l'opération au scalpel. Un autre observe avec l'attention précise d'un technicien le corps qu'il va écorcher.

L'écorchage, technique d'anatomiste, est le supplice populaire du XVIIᵉ siècle, non seulement celui de saint Barthélemy, patron des cordonniers à cause justement de la peau qui lui fut ôtée, mais aussi celui de son homologue païen Marsyas écorché par Apollon ou encore le supplice du Juge prévaricateur, sujet emprunté à Hérodote et peint par Gérard David.

D'un supplice à l'autre, c'est tout le martyrologue qu'on est invité à parcourir, tel qu'il est représenté à force de cris et de gestes sur les murs baroques, ou décrit dans les vies de saints. C'est par exemple saint Laurent sur son gril, dont J. Rousset commente le récit d'après une *Flos sanctorum,* publiée en Espagne en 1603 : « Les bourreaux s'affairent à préparer le gril, allument le feu, arrachent les vêtements du saint, dénudent un corps écorché [aussi!] et le jettent sur le feu ardent. Le tyran, les yeux injectés de sang, le visage grimaçant, l'écume aux lèvres, hurle de joie sadique. Les valets attisent la flamme [28]. »

Sainte Agathe, par exemple celle de Cavallino (1622-1654), est plongée dans une extase amoureuse et mystique à la fois. Elle est à demi évanouie de plaisir et elle couvre de ses deux mains une poitrine saignante d'où les deux seins ont été arrachés : des seins ronds et pleins qui sont présentés sur un plat. Ou encore saint Sébastien, protecteur de la peste, et type de la beauté masculine : du XVIIe jusqu'au XIXe siècle de Delacroix, sa beauté et ses souffrances suscitent l'émotion des saintes femmes dont les mains tendres détachent les flèches du corps suave avec des gestes comme des caresses.

R. Gadenne a attiré notre attention sur l'œuvre du bon évêque Camus. L'un des titres est suggestif : « les Spectacles d'horreurs [29] ». C'est, en 1630, un recueil de récits noirs qui, à la perversité près, annoncent ceux de la fin du XVIIIe siècle. Les supplices y sont nombreux : « Ces deux desesperez pendus par les pieds selon l'ordonnance de la justice servirent assez longtemps d'exemples d'horreur à ceux qui les consideraient et à la fin [quand ils furent pourris] n'eurent plus d'autre sépulture que celle des asnes. » Un des récits est intitulé : « Les morts entassés ». R. Gadenne a fait le recensement des morts chez Camus : 38 par assassinat, 33 par supplice, 9 par suicide, 24 par accident, 19 pour causes diverses (8 de peur, 6 de douleur, 1 de faim, 4 abattus par des animaux). Trois seulement sont morts de mort naturelle [29].

On retrouve chez Camus des histoires dignes des racontars rapportés par Garmann et des *Miracles des morts,* comme celle des trois têtes de veau vendues par un boucher à un assassin, qui se transformèrent alors en têtes d'hommes pour accuser le meurtrier, et qui ne retrouvèrent leur forme originelle que quand justice fut faite et le criminel pendu.

Cet enchaînement de catastrophes et de drames a suggéré à R. Gadenne qu'il « justifie qu'on le tienne [Camus] pour le précurseur d'un Prévost ou d'un Sade ».

La mort n'est plus un événement paisible : nous l'avons vu, trois seulement de toutes les morts de Camus sont naturelles. Elle n'est pas non plus un moment de concentration morale et psychologique comme celle de l'*ars moriendi*. Elle n'est pas séparable de la violence et de la souffrance. Elle n'est plus *finis vitae,* mais « arrachement à la vie, long cri haletant, agonie déchiquetée en multiples fragments [30] » (J. Rousset).

Ces violences excitent les spectateurs et remuent des forces élémentaires dont la nature sexuelle paraît aujourd'hui évidente.

Longtemps les historiens, sauf Mario Praz et André Chastel, ont refusé de voir ce qui crevait pourtant les yeux de Paulina, l'héroïne de P.-J. Jouve en 1880, et c'est elle qui fournira le meilleur commentaire des supplices baroques : « Paulina, jeune fille, aimait surtout dans les églises les supplices des saints. Elle allait à l'église pour les regarder souffrir. Elle voyait des martyrs (...). Dans mainte autre petite église [italienne] cachée parmi les quartiers populeux, ce n'étaient que bruits de sanglots, égouttements de sang, agonie et béatitude enfin sur le visage du saint. Paulina ne savait pas ce qu'était la peinture et elle ne lisait jamais de poésie, mais elle adorait une image qu'elle avait : l'extase de sainte Catherine de Sienne peinte par le Sodoma, d'un amour trouble, immense et absolument intérieur à elle-même. Sainte Catherine à genoux s'affaisse. Sa main est blessée par le stigmate. Sa main pend, elle repose chastement dans le creux des cuisses. Comme elle est femme, la pure image, la religieuse, ces larges hanches, cette douce poitrine sous le voile et ces épaules... Le creux des cuisses signifie l'amour... C'est une idée de Satan. »

La sainte Catherine du Sodoma rappelle les saintes femmes pâmées du Bernin à Rome, la célèbre sainte Thérèse de l'église Notre-Dame de la Victoire, ou la Sainte Ludovica Albertoni de San Francesco a Ripa. D'autres ont voulu leur ressembler et paraître dans la même attitude sur leurs tombeaux (Aurora Bertiperusino à San Pantaleon à Rome), l'attitude de l'évanouissement sensuel, après la pointe extrême de la volupté qui frappe comme la flèche de l'ange.

Ces extases mystiques sont des extases d'amour et de mort. Ces vierges saintes meurent d'amour, et la petite mort du plaisir est confondue avec la grande mort corporelle :

> Douce est la mort qui vient en bien aimant.

La confusion entre la mort et le plaisir est telle que la première n'arrête plus le second, mais au contraire l'exalte. Le corps mort devient à son tour objet de désir.

Un autre exercice, la comparaison des deux états d'un même thème, comme nous l'avons tenté pour saint Érasme ou les Macchabées, va nous permettre de situer l'époque où naît cet érotisme macabre. L'état *ante* nous est donné par un poème latin de Politien, inspiré par la mort de la belle Simonetta, l'amie de Julien de Médicis [31]. Elle est morte jeune. L'Amour la voit, étendue sur la bière, le visage découvert, selon l'usage italien des funérailles. Son visage inanimé paraît toujours désirable et beau : *Blandus et exanimi spirat in ore lepos.*

Si beau que l'Amour a bien cru que la mort ne pouvait rien contre lui. Elle sera sienne encore, croit-il, quoique inanimée. Mais hélas! il n'est pas dupe, il sait dans l'instant même qu'il n'a rien à attendre. Le temps de le dire et il pleure déjà. *Dixit et ingemuit.* L'Amour a compris que le moment de la mort ne pouvait être celui du triomphe, seulement celui des larmes.

Au XVIIe siècle au contraire, on cultivera l'illusion. L'amour persiste, mais ce n'est plus exactement la beauté du corps vivant qu'on continue à aimer. C'est une beauté nouvelle, parée d'autres attraits, la beauté de la mort.

De la mort, la grande époque macabre du XVe siècle n'avait guère retenu que la décomposition, la destruction des tissus, et le fourmillement souterrain des vers, des serpents, des crapauds. A partir du XVIe siècle, l'attention et toutes les émotions qu'elle suppose se sont portées sur les premiers signes de la mort. Les peintres ont recherché avec délectation les couleurs qui distinguent le corps touché par la mort de celui du vivant et traduisent les signes encore discrets de la décomposition : des verts que la peinture du XVe siècle ne connaissait pas. Un Lesueur du musée de Rennes montre Agar au désert, devant son fils que l'Ange va ranimer. Pas de doute que la résurrection aura tous les caractères de l'authenticité voulus par Zacchia, car le corps de l'enfant est déjà vert.

Les mêmes teintes livides et fongiques sont recherchées par Rubens, pour une Méduse ou une Descente de croix (musée de Vienne), sans volonté d'exprimer l'horreur, on dirait presque pour le plaisir de la couleur et de sa somptuosité. Une toile bolonaise de Donato Creti (1671-1749) représente Achille, nu, traînant derrière son char le cadavre d'Hector[32]. Le contraste est saisissant entre le vivant et le mort.

La nécrophilie du XVIIIe siècle

Désormais, les signes premiers de la mort n'inspireront plus l'horreur et la fuite, mais l'amour et le désir, comme on le voit déjà fort bien dans l'*Adonis* de Poussin. Tout un répertoire de formes, d'attitudes, toute une palette de couleurs s'élaborent, qui iront en s'affinant jusqu'au début du XIXe siècle.

Là encore le meilleur commentaire de cette peinture déjà « morbide » nous sera donné, non pas par des historiens intimidés, mais par un auteur de roman noir. Cette fois, il s'agit d'un auteur du début du XIXe siècle, Charles Robert Maturin[33], qui dans son *Melmoth the Wanderer* (1820) raconte l'histoire d'un beau jeune homme qui a vendu son sang pour sauver sa famille de la misère; hélas! la veine a été mal ligaturée, et il meurt d'une hémorragie. L'auteur décrit l'aspect du beau cadavre, qui lui rappelle tous les beaux cadavres de la peinture récente : « Cette *beauté cadavérique (corpslike beauty)* que la lumière de la lune rendait digne du pinceau d'un Murillo, d'un Rosa ou de quelques-uns de ces peintres qui, inspirés par le *génie de la souffrance,* se *plaisaient (a delight)* à représenter les formes humaines les plus *exquises* à l'extrémité de l'*agonie.* Un saint Barthélemy écorché avec sa peau pendant comme une élégante draperie, un saint Laurent brûlé, sur son gril, exposant sa *belle anatomie* parmi des *esclaves nus* qui soufflaient sur le feu. » Aucune de ces œuvres « ne valaient ce corps gisant sous la lune qui le voilait et le découvrait à moitié ». Le même auteur s'extasie plus loin sur la beauté d'un jeune moine torturé : « aucune forme humaine n'a été aussi belle... »

Des peintres de la fin du XVIIIᵉ et du début du XIXᵉ siècle n'hésiteront plus à souligner l'ambiguïté que leurs prédécesseurs du XVIIᵉ siècle exprimaient avec plus de discrétion, ou tout simplement d'inconscience.

Sur une toile de W. Etty, du musée d'York, Héro se jette avec passion sur le corps de Léandre noyé, que la mer ramène au rivage, et qu'un ton d'ivoire oppose à la fraîcheur rosée de la peau vivante. Une Brunehilde de Fuseli, enveloppée dans une robe transparente qui accentue sa nudité, est étendue sur un lit et regarde l'homme qu'elle a fait mettre au supplice; Gunther est nu, les mains et les pieds attachés ensemble à une même corde, les muscles tendus [34]. Les œuvres de Fuseli, d'Etty, sont des exemples entre beaucoup d'autres des sentiments qu'éveillent le corps mort et le beau supplicié. Dans le monde de l'imaginaire, la mort et la violence ont rencontré le désir.

Comme la peinture, le théâtre du XVIIᵉ siècle, anglais ou français, révèle un penchant pour les scènes de tombeaux et pour le thème du faux mort qui se réveille [35].

Sans doute n'innove-t-il pas complètement? Les lieux de sépulture étaient depuis le Moyen Age trop familiers, trop liés à la vie quotidienne, pour que les conteurs, par exemple, ne les utilisassent pas naïvement, et sans arrière-pensées troublantes, au gré de leur fantaisie. Tombeaux et cadavres encombraient déjà la littérature grivoise médiévale, mais il faut comprendre comment : dans le XIVᵉ siècle de Boccace un moine paillard et à moitié sorcier se débarrasse, pour le temps qu'il veut, d'un mari trop jaloux en lui faisant boire un filtre qui lui donne l'apparence de la mort. Aussi l'enterre-t-on « avec les cérémonies accoutumées ». Le jour où la femme devient enceinte et quand il faut bien en finir, le faux mort ressuscite, et sort de son tombeau (3ᵉ journée, nouvelle VIII). Une autre fois, toujours dans le Décaméron, une de ces filles à l'imagination incroyablement inventive veut éprouver ses deux amants. Elle ordonne à l'un de se coucher au fond d'un tombeau à la place d'un mort qu'on vient d'y déposer, et à l'autre d'enlever le faux mort à la faveur de la nuit (9ᵉ journée, nouvelle I).

Dans ces cas, le tombeau n'est pas un mobilisateur d'émotion, mais l'instrument banal d'un subterfuge.

Et pourtant, à quelque occasion, perce un lourd désir capable de rapprocher un vivant d'un cadavre. Une fille se tue en tenant serré contre son propre cœur celui, tout frais, de son amant que son père lui fait porter dans une coupe d'or (4e journée, nouvelle I).

Une autre fille apprend en rêve de son amant qu'il vient d'être tué et où il a été enterré. Elle se rend au lieu de la sépulture, détache la tête du cadavre (on ne craint pas alors ces rudes dépeçages), la met au fond d'un grand vase de jardin, et enfin y plante un basilic qu'elle arrose de ses larmes et qui pousse magnifiquement (4e journée, nouvelle V).

Ces morceaux de cadavre sont cependant de la même nature que des reliques saintes, perpétuant un souvenir charnel, plutôt que des provocateurs et des amplificateurs du désir.

Plus étrange, à première vue, et plus proche de l'érotisme moderne, paraît cet autre conte d'amour et de mort : une femme est tenue pour morte à la suite d'un accident de grossesse. Elle est bel et bien enterrée. Un chevalier qui l'avait aimée dans sa jeunesse et qu'elle avait repoussé pensa que l'occasion était bonne pour lui dérober quelques baisers. Il ouvre le tombeau, embrasse son visage en le mouillant de larmes. « Il lui vient la pensée de ne pas demeurer là. Pourquoi, dit-il en lui-même, ne toucherai-je pas un peu sa gorge, puisque je suis ici. Ce sera pour la première et dernière fois. » Mais il s'aperçoit qu'elle vit. Il arrête alors ses caresses comme si le désir l'avait abandonné. Il retire avec respect la femme du tombeau, la porte chez sa mère où elle accouche, puis la remet avec l'enfant au mari et devient l'ami de la famille (10e journée, nouvelle IV). On saisit ici le glissement à peine perceptible de la familiarité avec les morts à l'érotisme macabre, mais aussi comment cet érotisme se tarit dès sa source.

Dans le théâtre du XVIIe siècle, au contraire, il ose aller plus loin et plus franchement : les amants s'étreignent au fond des tombeaux, au cimetière, lieux désormais favorables au désir. Toutefois ils ne vont pas encore jusqu'à s'accoupler à un mort. Non pas qu'ils y répugneraient eux-mêmes, mais au moment où les choses pourraient vraiment mal tourner, le mort se réveille : il était un faux mort, un mort vivant, ou, comme dit Scudéry, « un mort qui remue ». Ou encore une métamorphose bien venue fait basculer à la dernière minute la scène du côté du fantastique. Ainsi, dans une pièce de l'allemand Gryphius (où on déterre un cadavre), Cordenio croit reconnaître sa maîtresse qui l'a abandonné. Il la poursuit, la rejoint... et découvre un squelette. « Sous le corps de la femme vivante et aimée, note J. Rousset, c'est la mort elle-même que l'amant étreint. La vie n'est que le déguisement de la mort. » Les choses sont toujours masquées dans ce monde de travesti. La possession du corps mort est seulement indiquée par la présence du tombeau comme lit de l'amour [36].

La réalité du rapprochement d'Éros et de Thanatos est encore cachée. Là est la grande différence entre la première moitié du XVIIe siècle et la fin du XVIIIᵉ. Certes, durant les deux époques, les pulsions profondes, les thèmes ne sont guère différents : mêmes supplices délicieux, même décor de tombeaux, mêmes chairs verdies, même beauté des corps morts, même tentation de situer l'amour au cœur de la mort, mais au XVIIᵉ siècle tout cela se passe encore dans l'inconscient et dans l'inavoué — plutôt que dans l'inavouable. Nul ne sait encore le nom des démons qui agitent les rêves. Sans doute les bourreaux, les spectateurs, les victimes elles-mêmes prennent-ils à ces violences mortelles un plaisir qu'il nous est facile aujourd'hui de reconnaître et d'appeler sadique. Mais les contemporains ne soupçonnaient ni cette perversité, ni le fond sexuel de leur penchant à l'horreur. Ni le pieux Bernin, ni ses commanditaires religieux ou prélats, ni l'excellent évêque Camus ne se doutaient de ce qui fermentait en eux et sollicitait leur imagination. Ils croyaient faire œuvre pie et édifiante en accumulant supplices et tortures, et la nudité des bourreaux leur paraissait n'être qu'une concession tolérable au goût du temps.

De même existait-il aussi dans le théâtre baroque un penchant à exaspérer l'amour en le situant aussi proche que possible de la mort, mais le rapprochement n'allait jamais jusqu'au bout, jusqu'à la transgression de l'interdit; une moralité de dernière heure ramenait l'action soit vers le fantastique, soit vers la vanité et le *memento mori*.

Il n'empêche que, malgré eux et sans le savoir, le lecteur et le spectateur devaient être troublés jusque dans leurs racines, et cela se sent au quelque chose de vertigineux qu'on éprouve aujourd'hui dans l'art et la littérature baroques.

Au XVIIIᵉ siècle tout change. Le président de Brosses ne s'est pas trompé devant la Thérèse du Bernin, il y a bien vu ce que l'artiste y avait mis à son insu, et compris ce que ses contemporains avaient éprouvé sans s'en douter, dans les profondeurs de l'inconscient. Il n'avait pas de mérite à cette perspicacité, car le masque était partout arraché. Un courant puissant de sensibilité s'était emparé de l'art et surtout de la littérature, d'une littérature qui au XIXᵉ siècle deviendra vite populaire. Les textes du XVIIIᵉ siècle sont déjà pleins d'histoires d'amour avec les morts. Quelques-uns sont des histoires « vraies ».

L'une des plus belles est racontée par le chirurgien Louis dans un livre sur les enterrements précipités. Comme on va le voir, il ne s'agit pas seulement de mort apparente, mais d'amour; les ouvrages sérieux sur la mort ne sont jamais tout à fait sans équivoque [37] : un cadet gentilhomme fut forcé d'entrer sans vocation dans un ordre religieux*. En voyage, il s'arrête dans une hostellerie dont les maîtres étaient dans le deuil de leur fille qui venait de mourir. « Comme on ne devait enterrer la fille que le lendemain, on pria le religieux de la veiller pendant la nuit. Ce qu'il avait entendu dire de sa beauté ayant piqué sa curiosité,

____

* C'est le thème de *la Religieuse* de Diderot, souvent associé à l'érotisme macabre aux XVIIIᵉ-XIXᵉ siècles : le moine malgré lui et l'amant incestueux sont les personnages habituels du roman noir.

il découvrit le visage de la prétendue morte, et, loin de la trouver défigurée par les horreurs de la mort, il y trouva des grâces animées qui, lui faisant oublier la sainteté de ses vœux et étouffant les idées funestes qu'inspire naturellement la mort, l'engagèrent à prendre avec la morte les mêmes libertés que le sacrement pouvait autoriser pendant la vie. » Ainsi ce moine s'est-il uni à une morte.

En réalité, la morte n'était pas morte. Dans le théâtre baroque, on s'en apercevait avant; à la fin du XVIIIᵉ siècle, on s'en aperçut seulement après. « La morte ressuscita » après le départ du moine, et « neuf mois plus tard elle mit au monde un enfant au grand étonnement de ses parents et au sien. Le religieux passa dans le même endroit à cette époque [un heureux hasard, digne d'un roman], et, feignant d'être surpris de trouver vivante celle qu'il disait avoir crue morte, il s'avoua le père de l'enfant après s'être fait délier de ses vœux. »

Dans la seconde moitié du XIXᵉ siècle, les médecins qui se réfèrent encore à cette histoire trouvent que « le fait extraordinaire (...) ne présente pas tout le degré d'authenticité qu'on lui désirerait ». Louis l'avait extrait des *Causes célèbres*. Il avait encore au XVIIIᵉ siècle de la vraisemblance et on le citait comme tout à fait digne de foi. Malgré tout, à l'époque, un point faisait question : c'était de savoir comment une femme inanimée avait pu concevoir. On croyait en effet que le plaisir ou tout au moins le mouvement étaient nécessaires à la fécondité du coït. « Le citoyen Louis pensait que cette fille avait été réellement excitée par les mouvements qui avaient dû précéder l'acte, ensuite par l'acte lui-même[38]. »

Bien entendu l'accouplement avec les morts est fréquent dans l'œuvre de Sade. Justine foudroyée est sodomisée par le maudit abbé et par ses compagnons. Si certains cas de nécrophilie sont extravagants, d'autres appartiennent, à quelque épice près, à un genre d'anecdotes alors courant. Le thème est à peu près celui-ci : des personnes se font enfermer dans une église dans le but d'ouvrir un tombeau, soit par désespoir d'amour, soit par perversité sexuelle, soit tout simplement pour dépouiller le cadavre de ses bijoux.

La Durand et Juliette, les héroïnes de Sade, restent dans l'église après sa fermeture : « Que j'aime ce silence lugubre... il est l'image du calme des cercueils, et ... je b... pour la mort. » On venait d'enterrer une jeune fille. Le père a fait le même raisonnement que les deux femmes. Il arrive avec le fossoyeur : « Remonte-la, ma douleur est si grande que je veux encore l'embrasser avant que de m'en séparer pour toujours. » « Le cercueil reparaît, le corps en est sorti, puis replacé par le fossoyeur sur les marches de l'autel... » Jusqu'ici rien que d'à peu près normal dans le climat du roman noir. Sade y introduit l'inceste, qui n'est d'ailleurs pas exceptionnel. Le père reste seul pour dénuder sa fille, l'aimer comme une vivante. Juliette et sa compagne se joignent à lui et l'orgie continue au fond du caveau où le corps et le cercueil ont été replacés. Juliette se fera même enfermer un moment dans le caveau pour le plaisir du père. L'histoire déraille vers le fantastique sadien [39].

Mais voici une autre histoire du même folklore, plus banale, et sans doute plus significative. Elle est extraite du *Manuscrit trouvé à Saragosse* de Potocki (1804-1805). Trivulce avait tué à l'église la femme qu'il aimait et son fiancé au moment où le prêtre les mariait. On les enterra ensemble sur place. Plus tard, pris de remords, le meurtrier revint dans l'église de son crime. « Trivulce y alla en tremblant, et quand il fut auprès du tombeau, il l'embrassa, versa un torrent de larmes [nous arrivons maintenant aux premières visites au tombeau] (...). Il donna sa bourse au sacristain et obtint de lui de pouvoir entrer dans l'église toutes les fois qu'il le voudrait. Si bien qu'il finit par y venir tous les soirs. » Un soir il y fut enfermé : « Il prit aisément le parti d'y passer la nuit parce qu'il aimait à entretenir sa tristesse et à nourrir sa mélancolie. Et à minuit il vit les tombeaux s'ouvrir et les morts, enveloppés dans leur linceul, entonnèrent les litanies [40]. »

Toujours sur le même modèle, on racontait à Toulouse une histoire qui commence comme celles du marquis de Sade et de Potocki, mais qui se termine de manière plus réaliste. M. de Grille « devint amoureux d'une belle demoiselle et l'aima si fort qu'il ne put jamais se consoler de sa perte. Elle mourut de la petite vérole. Et M. de Grille au désespoir fut se cacher dans l'église des Jacobins où elle fut enterrée. Le soir, un frère qui avait soin de mettre de l'huile dans les lampes fut extrêmement surpris de voir devant lui M. de Grille qui lui présenta d'une main une bourse avec 400 livres, à condition qu'il lui ouvrirait le tombeau de Mademoiselle Dauneton, c'était le nom de sa maîtresse, et de l'autre un poignard dont il menaça de le tuer s'il refusait d'ouvrir le tombeau ». Le frère réussit à alerter la police. Le commissaire s'empara de l'amant désolé, le ramena chez lui où il se tua [41].

Une variante de cette histoire de tombeau rouvert est le subterfuge qui permet à un vivant de se faire passer pour mort, de changer d'identité et de refaire sa vie. Une religieuse de Toulouse, amoureuse d'un cavalier, « se résolut à sortir des murs d'un couvent pour courir après lui (...). On avait enterré ce jour une de ses compagnes et comme la tombe n'était pas encore fermée, elle entra dedans pendant que tout était endormi dans le couvent, et porta cette morte dans sa cellule, la coucha sur son lit, après quoi elle mit le feu. [On transportait sans peine apparente les lourds cadavres!] (...) On crut que c'était elle qui avait brûlé [42] ».

Toulouse semble détenir une spécialité de ces cas, car en voici un autre de 1706 : M. de Saint-Alban, conseiller au parlement de Toulouse, avait perdu sa jeune femme. Celle-ci avait été avant son mariage fiancée à un chevalier de Sézanne qu'on croyait avoir été tué aux Amériques. Il n'en était rien : M. de Sézanne, marié, revint à Toulouse. M. de Saint-Alban fut alors frappé par la ressemblance (on se rappelle le problème *de similitudine* de Zacchia) de Mme de Sézanne avec sa femme. Pour en avoir le cœur net, il obtint l'exhumation : le cercueil était vide. La religieuse de la précédente anecdote avait été plus habile [43]. M. de Sézanne s'expliqua : à son retour en France, il apprit à la fois le mariage et la mort de sa fiancée. Il décida de se tuer. « Cependant, avant d'attenter à mes jours, je voulus revoir une dernière fois celle que j'avais tant aimée (...). En vain, je me représentai qu'en violant cette tombe, j'allais me rendre coupable d'un acte de profanation (...) et d'un crime (...). Il me sembla que j'étais entraîné par une fatalité... »

Cette voix était celle de la Providence « qui m'avait choisi pour réparer une épouvantable erreur des hommes ». Il obtint du fossoyeur qu'il dégageât le cercueil : ces exhumations clandestines pourraient bien être une ressource des gardiens de ce temps! « Un instant après, les planches désunies me laissèrent apercevoir un blanc linceul dessinant vaguement une forme humaine; alors je m'agenouillai, j'écartai doucement les plis du drap mortuaire; une tête couronnée d'une épaisse chevelure apparut à mes yeux obscurcis par les larmes. » Nous ne sommes plus chez le marquis de Sade, on pleure, on prie, au lieu de blasphémer et de défier, mais le fond de sensualité reste bien le même : « Je me baissai pour déposer un dernier baiser sur son front en approchant mon visage du sien, et il me sembla sentir ou entendre un dernier soupir... elle vivait. »

Ces imaginations s'inspiraient-elles de récits vrais? Sade nous dit bien : « J'ai souvent vu un homme à Paris qui payait au poids de l'or tous les cadavres de jeunes filles et de jeunes garçons décédés d'une mort violente et fraîchement mis en terre; il se les faisait apporter chez lui et commettait une infinité d'horreurs sur ces corps frais. » Le marquis n'est pas un témoin digne de foi. Son propos est cependant étrangement confirmé par un mémoire adressé en 1781 au procureur général de Paris sur l'indécence des sépultures. « Les corps descendus dans ce gouffre commun sont tous les jours exposés à la violation la plus indigne : des gens, sous prétexte d'études, ne se contentent pas des corps qui sont donnés aux hôpitaux, enlèvent encore les corps morts des cimetières et commettent sur eux tout ce que *l'impiété et le libertinage* pouvaient leur suggérer [44]. » Était-ce vrai? Était-ce faux? On le croyait, les « particuliers » amateurs d'anatomie étaient soupçonnés de « libertinage » avec les cadavres. A Naples, Raymond de Sangro avait une mauvaise réputation à cause de ses expériences sur le corps humain. Nous pouvons croire ces accusations sans fondement, il n'en est pas moins vrai qu'on a encore aujourd'hui une impression étrange dans la chapelle de son palais. Elle est reliée au palais, et dans la sacristie on conserve les restes de l'ancien cabinet d'anatomie. Outre les monuments funéraires de la famille, la chapelle, somptueuse, est ornée de statues, de toute manière surprenantes, mais plus encore quand on sait qu'elles sont à côté d'un cabinet d'anatomie. Elles ont l'air de cadavres frais, recouverts par des suaires fins et mouillés qui font des plis. Elles semblent attendre, dans la plus morale des hypothèses, le scalpel de l'anatomiste. Elles pourraient aussi bien s'offrir à quelque perversité macabre d'un riche amateur.

Le cimetière de momies

Ne cherchons pas trop la réalité qui gît sous ces récits romanesques. Même s'il y a un peu de vrai, et il dut y en avoir, ce vrai n'est qu'un effet peu durable de l'imaginaire. L'essentiel ici se passe dans l'imaginaire, et les faits les plus importants, les plus lourds de conséquences n'appartiennent pas à la réalité vécue, mais au monde des fantasmes. Ces fantasmes rejoignent le discours des médecins. Ils supposent au cadavre une sorte d'être à lui, qui suscite le désir, excite les sens.

Croyances de savants impressionnés par des observations sur la sensibilité rémanente du cadavre? Croyances d'hommes pervers, d'oisifs blasés, à la recherche d'émotions fortes, de voluptés inconnues? Sans doute, mais ces croyances faisaient partie d'*idées en l'air* qui avaient une audience très étendue jusque dans les milieux populaires. Le commun dénominateur de ces idées en l'air est l'assurance que le cadavre ne doit pas disparaître, qu'il subsiste en lui quelque chose, qu'il faut le conserver et qu'il est bon de l'exposer et de le voir. Une telle conviction a réussi à modifier au XVIIᵉ siècle, pas partout, mais en certains endroits, principalement dans les régions méditerranéennes, puis dans l'Amérique espagnole, l'aspect physique de certains cimetières. Elle est à l'origine de ce que nous appellerons, faute de mieux, *les cimetières de momies,* qui ont disparu en Europe à la fin du XIXᵉ siècle, et qui ont survécu plus longtemps en Amérique latine.

On se rappelle que les médecins du XVIIᵉ siècle, et encore Zacchia, se préoccupaient de la conservation ou de la non-conservation des cadavres enterrés.

Cette notion de conservation n'était pas étrangère, nous l'avons vu, aux anatomistes, aux peintres de cadavres, aux manipulateurs de corps, savants ou libertins. Elle touchait d'une manière beaucoup plus commune et générale la croyance concernant le devenir du corps après la sépulture. Dès lors une idée apparaît : ne plus abandonner le corps sans retour, et garder un contact physique avec lui. On veut le suivre dans ses différents états, intervenir sur ses transformations, le retirer de la terre et le montrer dans son apparence définitive de momie ou de squelette.

Il y a là quelque chose de nouveau. L'idée de transfert rituel du corps, qui existe dans certaines cultures, était inconnue dans l'Occident païen et chrétien. Le corps était enterré une fois pour toutes même si, dans le Moyen Age chrétien, et c'était déjà une coutume insolite, les os étaient, longtemps après l'enterrement, exhumés et entassés dans les galeries des charniers, dans des « hangars » ou dans des chapelles. Il n'y avait pas de cimetières sans ces dépôts. Toutefois dans ce cas le transfert au charnier n'avait pas de sens symbolique : son seul but était de libérer un espace pour d'autres sépultures. Les os restaient près de l'église et des saints auxquels ils avaient été confiés. Les charniers n'étaient pas plus anonymes que les sépultures du haut Moyen Age. On a vu combien il a fallu de temps et d'innovation psychologique pour renoncer à cet anonymat.

Deux seules circonstances apparaissent comme des exceptions à cet usage général et millénaire : les transferts de reliques des saints, et aussi une coutume très locale et singulière que nous avons déjà commentée (au chapitre 2) : dans les murs des églises romanes de Catalogne, des cavités, fermées par des épitaphes, avaient été aménagées au Moyen Age pour recevoir les os démontés d'un défunt. Pourtant, ces cas ne changent rien à l'usage général.

Or, au XVIIe siècle, la sépulture en deux temps, si elle reste rare, n'est plus inconnue. Il existe même des exemples illustres où un même corps reçoit deux sépultures successives, séparées par le temps de la consommation : le tombeau définitif est celui des os, ou du corps desséché.

La pratique paraît d'abord avoir été réservée à des personnages illustres, sans qu'elle devienne générale dans les familles royales. A Malte, elle était prévue pour les grands maîtres de l'ordre. Tandis que les simples chevaliers étaient déposés dans un cercueil recouvert de chaux vive, au fond d'un caveau, avec un tombeau visible de mosaïque à la surface de l'église, inclus dans le dallage, les grands maîtres étaient enterrés dans la crypte, dans un monument provisoire où ils restaient un an ou plus; ils étaient ensuite transférés dans un grand tombeau, dans une chapelle de l'église. Le cérémonial de l'ordre fixait les conditions du rite solennel, au cours duquel le cercueil était ouvert, les restes identifiés par un médecin (un expert en cadavres), le cercueil refermé, l'absoute chantée et le cercueil déposé dans son tombeau définitif[45].

Un transfert du même ordre était prévu pour la famille royale d'Espagne à l'Escorial. Les corps étaient d'abord déposés dans ce que Saint-Simon a appelé le Pourrissoir : « Une chambre étroite et longue. On n'y voit que des murailles blanches, une grande fenêtre au bout, près d'où on entre, une porte assez petite vis-à-vis [qui donne dans un caveau], pour tous meubles une longue table de bois qui tient tout le milieu de la pièce qui sert pour poser et accommoder les corps. Pour chacun qu'on y dépose, on creuse une niche dans la muraille où on place le corps pour y pourrir. La niche se referme dessus sans qu'il paraisse qu'on ait touché à la muraille qui est partout luisante et qui éblouit de blancheur et le lieu est fort clair [ce qui surprend Saint-Simon, habitué à relier la mort à la nuit du caveau]. » Les corps « sont tirés au bout d'un certain temps et portés sans cérémonie » soit « dans les tiroirs du Panthéon », soit dans un autre caveau joignant le Pourrissoir. Là ils « y sont pour toujours [46] ».

La raison du dépôt provisoire paraît bien être de réserver le tombeau définitif à des corps qui ne bougeront plus, soit qu'ils aient été réduits à des os secs, soit qu'ils aient été conservés avec leurs chairs, c'est-à-dire momifiés. Des deux manières, on sautait les étapes de la décomposition pour maintenir le corps dans un état de dessiccation parfaitement présentable.

En fait cette technique n'a pas été seulement limitée à des personnages princiers. On la trouve ici et là, dans les régions méridionales et méditerranéennes (celles-ci coïncident avec celles de l'exposition à découvert du visage du mort), sans que d'ailleurs je comprenne bien les raisons de cette localisation. « J'ai été à l'église des Cordeliers [à Toulouse], écrit un épistolier du début du xviiie siècle. J'y ai vu le charnier dont j'avais tant ouï parler. » Attention ! le mot de charnier désigne ici quelque chose de différent du vieux charnier médiéval, tel qu'il existait encore au cimetière des Innocents, tel que nous l'avons rencontré souvent au cours de notre recherche. C'est un charnier de momies, « où les corps se conservaient en leur entier pendant des siècles. Celui de la belle Paule garde encore des marques de beauté. Je demandai à ces bons Pères par quel moyen ils pouvaient garantir ces corps de la corruption [la technique des cordeliers était réputée, ce qui leur valait une nombreuse « clientèle »]. Ils me dirent qu'ils les enterraient d'abord dans une certaine terre qui en consumait la chair ; qu'après cela ils les exposaient à l'air [sans doute dans une salle du clocher, comme on le verra plus loin]. Que lorsqu'ils étaient suffisamment desséchés, on les rangeait dans des charniers [avec des inscriptions aux murs : ils étaient alignés, debout ou couchés]. Dans le temps que ce moine me parlait, j'en vis venir d'autres qui descendaient du clocher avec des corps morts sur leurs épaules, auxquels le grand air avait entièrement ôté tout ce qu'ils auraient pu avoir de mauvaises odeurs et je jugeai par là que le bon cordelier m'avait accusé juste ». Les morts étaient donc déposés successivement en trois endroits dont le premier, seul, était sous terre. Ils étaient traités un peu comme les *morticians* américains traitent leurs clients, à ceci près qu'il s'agissait alors de moines et que le traitement réclamait plus de temps, les séjours successifs durant au moins un an [47]. Ensuite, les corps aboutissaient à un charnier offrant aux visiteurs — car on y allait comme au spectacle — un mélange d'os et de momies.

Quelques cimetières de ce genre existent encore aujourd'hui. L'un à Rome, dans le caveau d'une église de capucins, près du palais des Barberini qui y étaient enterrés. On y trouve des momies debout, semblables à celles qui tapissaient le charnier des cordeliers de Toulouse. Ce sont, dit-on, des religieux morts en odeur de sainteté. Ce pouvaient être aussi des laïques, tertiaires de saint François, qui avaient le privilège d'être enterrés avec l'habit et la corde. Il existe à Palerme, et dépendant aussi d'une église de capucins, un autre célèbre cimetière de momies. Il s'agit là de laïcs en costume de ville, que leurs familles venaient visiter. Cette sorte d'ostentation a duré jusqu'en 1881 : elle ne doit pas être beaucoup plus ancienne que la fin du XVᵉ siècle.

Aux Capucins de Rome, à côté des momies, ou encore à Rome dans le cimetière de la confrérie della Orazione e della Morte, malheureusement refait après l'aménagement des quais du Tibre, on voit, couvrant les murs, les plafonds, un ossuaire transformé en un décor de rocailles où les os remplacent cailloux ou coquillages. Quelques squelettes remarquables sont reconstitués, comme ceux de trois petits enfants Barberini. Pour le reste, chaque os est utilisé selon sa forme : des os de bassins sont disposés en rosaces, des crânes forment les colonnes, des tibias ou des membres supportent la voûte d'un enfeu, des vertèbres dessinent des guirlandes ou constituent des lustres. L'œuvre est attribuée à un moine du XVIIIᵉ siècle. Le charnier n'est alors plus seulement un dépôt, c'est un décor de spectacle, où l'os humain se plie à toutes les convulsions de l'art baroque ou rococo; le squelette est montré au regard comme une machine de théâtre et devient lui-même spectacle. Certes, il n'a pas la vie végétative du cadavre qui paraît subsister dans la momie. Il a même perdu son individualité. C'est une vie collective qui anime le décor, avec le rire de centaines de têtes, les gestes de milliers de membres.

Au moment même où les rois descendaient sous la terre et renonçaient aux monuments visibles, où le royaume nocturne de la mort s'organisait dans des caveaux voûtés comme les marguilliers des églises en édifiaient, comme les romanciers noirs ou les graveurs fantastiques les imaginaient, un autre courant de sensibilité ramenait les corps à la surface, poussait à les conserver, et à les montrer de haut au peuple comme à la parade. On allait les voir, on pouvait leur parler.

Il est intéressant de rapprocher de ces cimetières réels les peintures plus anciennes de Carpaccio. Sur un tableau de Berlin (Dahlem), le corps du Christ est étendu avant d'être enseveli. Le cimetière, c'en est un, ou plutôt une voirie, car il y a même des animaux! est jonché d'os, et c'est normal dans un cimetière de ce temps. Pourtant les os ne sont plus épars comme des cailloux : momies, squelettes d'hommes et d'animaux surgissent du sol encore entiers, avec quelque chose qui ressemble à une expression. Ce cimetière est l'un de ceux dont la terre conserve : il fabrique de bonnes momies.

Sur un autre tableau de la collection Frick à New York, Carpaccio représente la rencontre des ermites du désert : au-dessus de saint Antoine, pend, accroché au mur, son rosaire fait de petites vertèbres, comme les lustres du cimetière della Orazione e della Morte à Rome!

Les auteurs spirituels, Bossuet lui-même, auraient bien aimé, au moins le prétendaient-ils, ouvrir les tombeaux pour impressionner les vivants et leur rappeler qu'ils allaient mourir. Mais ils n'osaient pas vraiment, tant l'horreur eût été insupportable. Et pourtant, pas très loin d'eux, les corps sont déjà sortis et montrés, sous une forme acceptable, il est vrai, qui a conservé quelque apparence de la vie.

La momie à la maison

D'ailleurs la momie n'est pas seulement dans les cimetières, mais sur les autels. Les corps des saints ne sont plus des os entassés dans une châsse, mais de vraies momies, habillées comme des vivants, et exposées comme des « représentations ». On leur substitue des effigies de cire ou de bois quand on ne peut pas faire autrement. Les églises de Rome conservent quelques-unes de ces saintes momies, sous un reliquaire transparent aux parois de verre : sainte Françoise Romaine dans l'église du Forum dont elle est la patronne; à San Francesco a Ripa, une autre momie est présentée, toujours en gisante, repliée dans la position de l'accoudée, revêtue d'une longue robe où une fente laisse voir le corps, à travers un voile. Toute la partie visible du squelette est enveloppée d'une résille qui maintient les os en place. Encore à Rome, les Doria avaient le privilège de disposer d'une momie bien à eux, dans la petite chapelle privée de leur palais. Je ne suis pas sûr que beaucoup de nos contemporains accepteraient de coucher sous le même toit qu'une momie et dans la chambre à côté.

D'ailleurs, pourquoi n'aurait-on pas étendu ce goût de la momie à son entourage le plus proche? Nous verrons plus loin (chapitre 10) comment le développement de l'affectivité a rendu plus cruelle aux survivants la mort de ceux qu'ils ont aimés, et leur a inspiré un culte parfois maniaque du souvenir. Nous indiquerons seulement ici comment ce sentiment a dévié à son profit le goût de la momie dont nous avons décelé bien des traces au XVIIIᵉ siècle.

La tentation était ancienne : on la trouvait déjà au début du XVIIᵉ siècle, non pas dans la réalité de la vie, mais au théâtre : dans une tragédie de l'auteur élisabéthain Christopher Marlowe, le héros, Tamburlaine, garde avec lui le corps embaumé de sa chère Zenocrate [48]. La confrérie romaine della Orazione e della Morte (une confrérie de fossoyeurs dont nous avons dit qu'elle entretenait sous son église un charnier à décor d'os) organisait pour sa fête annuelle des tableaux vivants qui étaient ensuite reproduits sous forme de gravure. L'un d'entre eux représentait le Purgatoire. Elle s'était servie dans les mises en scène de cadavres réels.

Au XVIIIᵉ siècle la pratique est passée du théâtre à la ville. Il était rare, mais pas absolument exceptionnel, de garder chez soi le corps de l'être dont on ne voulait pas se priver en l'enterrant. Ainsi en 1775, Martin van Butchell conserva-t-il sa femme à la maison jusqu'à ce que sa seconde épouse en eût assez de ce spectacle. La momie fut alors confiée au Royal College of surgeons de Londres où elle demeura jusqu'aux bombardements de la Deuxième Guerre mondiale.

Un autre cas est celui de Jacques Necker, le ministre de Louis XVI, et de sa femme Suzanne Curchod, les parents de Mme de Staël. Mme Necker avait peur d'être enterrée vivante et elle écrivit un traité *Des inhumations précipitées* (notre chapitre 9 est consacré à ce sujet). Elle espérait conserver après la mort une communication avec son mari (notre chapitre 11 analysera ce désir général à la fin du xviiie et surtout au xixe siècle). « Fais exactement ce que j'ai dit, lui écrivait-elle. Peut-être mon âme errera-t-elle autour de toi... Peut-être pourrai-je délicieusement jouir de ton exactitude à remplir les désirs de celle qui t'aime tant. » Voici quelles étaient ses instructions : un mausolée pour elle et son mari dans leur propriété de Coppet, sur le bord du lac de Genève. Ils devaient être tous les deux conservés dans un bassin rempli d'alcool. Jacques Necker la garda d'abord chez lui pendant trois mois. L'espion français qui surveillait la famille rapporta que Mme Necker avait « ordonné que son corps serait conservé dans l'esprit-de-vin comme un embryon ». Et Germaine de Staël écrivait de son côté : « Peut-être ne savez-vous pas que ma mère a donné des ordres si singuliers, si extraordinaires, sur les différentes manières de l'embaumer, de la conserver, de la placer sous une glace dans l'esprit-de-vin que si, comme elle le croyait, les traits de son visage eussent été parfaitement conservés, mon malheureux père eût passé sa vie à la contempler. »

Le mausolée fut rouvert le 28 juillet 1804 pour y déposer le cercueil de Mme de Staël. « Dans le bassin de marbre noir, encore à demi rempli d'alcool, sous un large manteau rouge, étaient étendus Necker et sa femme. Le visage de Necker était parfaitement intact ; la tête de Mme Necker s'était affaissée et était dissimulée par le manteau [49]. »

On peut lire dans un *Paris-Soir* d'octobre 1947 l'histoire suivante : « Le 21 mai 1927, le marquis Maurice d'Urre d'Aubais mourait à Paris. Agé de 70 ans, sans enfants, il laissait à l'État français son immense fortune sous d'étranges conditions : « Après ma mort, déclarait-il en substance dans son testament, je désire être assis dans un fauteuil sous une châsse de verre. Cette châsse devra être placée face à la mer, dans un endroit public, constamment éclairé, à proximité d'un phare et d'un poste de TSF. » En fait on a installé son cercueil — et non pas sa momie visible — dans une pièce de son château transformée en une sorte de chapelle ardente perpétuelle.

Jeremy Bentham, mort en 1832, avait lui aussi demandé que son corps embaumé fût conservé à l'université de Londres qu'il avait fondée, où on pourrait le voir et l'interroger, à l'occasion.

En 1848, la police autrichienne découvrit dans la villa de·la princesse Belgioso, la fameuse maîtresse de l'historien Mignet et de beaucoup d'autres, le corps embaumé de son jeune secrétaire dont elle n'avait pas voulu se séparer : dans le cercueil on avait remplacé le cadavre par une bûche de bois.

Nous aurons l'occasion de revenir sur ce phénomène, et l'usage de la conservation à domicile nous étonnera moins, maintenant que nous savons la place de la momie dans l'imagerie de l'époque.

On conçoit que les francs-maçons n'aient pas eu plus de répugnance dans leurs cérémonies d'initiation à utiliser des cadavres embaumés. Nous savons par l'étude de M. Vovelle sur Joseph Sec [50] que le corps d'Anicet Martel, meurtrier de M. d'Albertes en 1791, avait été soustrait par des carabins aux pénitents bleus, chargés de l'enterrer, et préparé pour servir aux épreuves d'une loge maçonnique aixoise. On peut aussi voir au musée Arbaud, à Aix-en-Provence, un plâtre du sculpteur provençal J.-P. Chastel, qui représente avec le réalisme d'un moulage « l'instantané de la mort » (M. Vovelle) d'un charpentier, à la suite d'une rixe de compagnons sur les chantiers du même Joseph Sec, promoteur immobilier et francmaçon dont M. Vovelle a dessiné la curieuse silhouette. Or il existait encore en 1873, dans un ancien pavillon de Joseph Sec, un siège de noyer, « sorte de compromis bizarre entre le sofa et le sarcophage ». Si on soulevait le couvercle, si on rabattait l'un des longs côtés du soubassement, on découvrait la statue de Chastel, peinte avec réalisme, sans doute une copie polychrome de l'original en blanc du musée Arbaud. Pour M. Vovelle, il s'agit d'un « accessoire du cabinet de réflexion d'une loge maçonnique, élément des épreuves de l'initiation ». Somme toute l'équivalent de la momie, une représentation comme celle des saints dans les églises baroques.

Quand on ne pouvait pas conserver le corps tout entier, on se contentait d'un de ses éléments. Le plus recherché depuis longtemps, le plus noble, était le cœur, siège de la vie et du sentiment. Il y a un symbolisme du cœur dont les premières manifestations dans notre culture sont les tombeaux de cœur dont nous avons déjà parlé. Lorsque le corps était éviscéré, le cœur était séparé des entrailles qui avaient, de même que le cœur, leur sépulture propre. Ces tombeaux se sont maintenus pendant des siècles; le dernier que je connaisse est celui de Charles Maurras, qui voulait que son cœur fût enfermé dans la boîte à ouvrage de sa mère! Vœu bizarre, digne d'un testateur — peut-être maçon — de la fin du XVIIIe ou du début du XIXe siècle.

Le cœur était depuis longtemps représenté sous une forme idéalisée : le cœur d'amour épris ou le Sacré Cœur de Jésus. Toutefois, aux XVIIe-XVIIIe siècles, à l'époque même où le corps mort suscite d'étranges séductions en Europe, il arrive qu'au Mexique le cœur de l'amour sacré soit représenté non plus sous sa forme stylisée, mais sanguinolent, avec ses veines et ses artères sectionnées, comme sur une planche d'anatomie en couleurs. L'obsession du cœur se retrouve toujours au Mexique dans le traitement du Purgatoire. Alors que, dans notre Europe méridionale, les âmes brûlent et les anges viennent les chercher, au Mexique la même image est doublée d'une seconde scène qui se passe au Ciel : l'enfant Jésus prend dans une corbeille d'osier un cœur qui figure l'âme délivrée.

Les cultes révolutionnaires ont repris à leur compte le thème du cœur. Après la mort de Marat, au cours d'une fête donnée en son honneur dans les jardins du Luxembourg le dimanche 28 juillet 1793, son cœur fut présenté sur un reposoir dans « une pyxide précieuse du garde-meuble ». Rien de surprenant à ce que le cœur, comme la momie, ne soit pas resté dans le tombeau, qu'il soit devenu un objet domestique et transportable. Le marquis de Tauras, époux de Mlle de Bernis, blessé à mort dans les Flandres (campagne du maréchal de Luxembourg), « ordonna ensuite que, dès qu'il serait mort, on prît son cœur et qu'on le portât à sa femme ».

En 1792, à l'enterrement dans l'émigration de Mirabeau-Tonneau, le frère du grand Mirabeau, on ajouta aux rites traditionnels une cérémonie insolite : « Le cœur embaumé du vicomte, placé dans une boîte de plomb, est attaché à la hampe du drapeau du bataillon de volontaires [la légion Mirabeau qu'il avait levée]. » Ce n'est plus le tombeau de cœur dans une église. C'est le cœur-objet, souvenir qu'on emporte avec soi, qu'on transmet à ses héritiers. Ainsi les cœurs de La Tour d'Auvergne et de Turenne ont été conservés jusqu'à nos jours dans une famille.

Au XIXe siècle (et dès le XVIIIe siècle), le cœur a été remplacé plus communément par les cheveux, c'est-à-dire par un autre morceau du corps, mais sec et incorruptible comme un os. On trouve au Victoria and Albert Museum toute une série de bijoux qui sont destinés à contenir des cheveux ou qui sont en partie faits avec des cheveux : broches à médaillons en forme de camées sur fond de cheveux, les plus anciens sont datés de 1697, 1700, 1703. Nombreux bracelets de cheveux au XIXe siècle. Au musée de la société d'archéologie de Provins, on peut voir un souvenir d'Hégésippe Moreau représentant sa tombe au milieu de saules pleureurs, qui sont faits avec les cheveux du défunt.

Les manipulations du corps suscitaient aussi bien dérision que piété. On racontait en 1723, avec quelque insistance, un fait divers qui n'aurait pas troublé les préparateurs de corps royaux des XVe-XVIe siècles : le duc d'Orléans venant de mourir, « on a ouvert le corps à l'ordinaire avant de l'embaumer et de mettre le cœur dans une boîte pour le porter au Val-de-Grâce. Pendant cette ouverture il y avait dans cette chambre un chien danois du prince qui, sans que personne ait eu le temps de l'empêcher, s'est jeté sur le cœur et en a mangé un bon quart[51]. » .

Du cadavre à la vie : le Prométhée moderne

Arrêtons ici cette exploration du monde confus où se mêlent les eaux souterraines de l'imaginaire et les courants de la science. Une vulgate se dégage de ces émois, obsessions, observations, réflexions, qui traîne un peu partout et constitue un fond banal de connaissances et de croyances. On la trouve bien chez les médecins du XVIIIᵉ siècle, dans les conceptions savantes de la nature, mais de même qu'on mesure mieux aujourd'hui l'influence de la psychanalyse sur les mœurs en étudiant les magazines féminins, de même est-il préférable, pour notre projet, de saisir les phénomènes de la mort dans des formes bâtardes de vulgarisation.

Ainsi, un soir de 1816, par temps d'orage, sur les bords du lac Léman, Shelley, Byron, le médecin Polidori, et Lewis, l'auteur du *Moine,* étaient réunis et, pour tromper le temps, ils imaginèrent des contes d'horreur, comme des contes de veillée. Ce fut l'origine de *Frankenstein ou le Prométhée moderne,* de Mary Shelley, publié en 1818. L'auteur confesse combien on était alors préoccupé par le problème des origines de la vie. « On affirme qu'il [Darwin] avait conservé sous verre un morceau de vermicelle qui, au bout d'un certain temps, par quelque moyen extraordinaire, s'était mis en mouvement [les vers, la vermine, tout ce qui grouille au fond noir des caveaux et des tombeaux, est source de vie. Il y a une corrélation certaine entre la corruption et la vie]. Peut-être parviendrait-on à ranimer un cadavre [rêve inavoué de l'ancienne médecine qui se demandait avec émoi quelle vie résiduelle contenait encore le cadavre]. Le galvanisme donnait déjà des signes de cette possibilité. » L'électricité est, avec la corruption, à l'origine de la vie[52].

Jean Potocki met en cause les deux mêmes phénomènes dans le *Manuscrit trouvé à Saragosse.* « Pour ce qui est de l'homme et des animaux (...), ils devaient l'existence à un acide générateur, lequel faisait fermenter la matière, lui donnant des formes constantes (...). Il regardait les substances fongueuses *(sic)* que produit le bois humide comme le chaînon qui lie la cristallisation des fossiles à la reproduction des végétaux et des animaux. » « On reconnaît ici, ajoute en note l'auteur, l'acide principal de Paracelse. » Voilà pour la corruption. Et voici pour l'électricité : « Hervas savait qu'on avait vu le tonnerre aigrir et faire fermenter les vins. » « Il pensait que la nature de la foudre avait pu donner un premier développement à l'acide générateur. » Hervas avait les mêmes idées que Frankenstein[53].

Frankenstein allait être tenté de les appliquer à un projet extraordinaire de recréation de l'être. « Peut-être réussirait-on à constituer les éléments d'un être, à les rassembler et à leur communiquer la chaleur vitale », grâce à la fermentation et à l'électricité.

Cette recherche exigeait une connaissance approfondie du corps : « Un des phénomènes qui m'attiraient particulièrement était la structure du corps humain et plus généralement des êtres vivants. D'où venait le principe même de la vie? me demandais-je souvent. » Frankenstein retrouve la corrélation des anciens médecins entre le corps, la vie et le cadavre. « Pour examiner les causes de la vie, écrit-il, il faut d'abord étudier celles de la mort. » Et la mort, c'était le cadavre, le cadavre d'où la vie n'était pas complètement partie. « J'appris l'anatomie mais ce ne fut pas suffisant, il me fallait aussi observer la corruption et la décomposition du corps humain (...). Je devais passer des jours et des nuits parmi les tombeaux et les charniers. Je vis la pourriture de la mort succéder aux couleurs de la vie, je vis la vermine hériter de ce qui fut les merveilles des yeux et du cerveau. » Une évolution qu'on pourrait parcourir à l'envers?

Des miracles des cadavres, Frankenstein va tirer le secret de la vie. Dans le cadavre est inscrite la connaissance, et aussi subsiste un élément vital. « Après des jours et des nuits de travail et de fatigue incroyable, je réussis à trouver le secret de la génération et de la vie; plus encore, il me devenait possible d'animer la matière. »

C'est alors qu'il décida de reconstituer le corps humain et de l'animer.

« Je prenais des os dans les charniers et touchais de mes mains profanes les prodigieux secrets du corps humain. L'atelier où je créais cette chose immonde [immonde pour deux raisons, à cause de ses origines de chair décomposée, mais aussi parce que, nous allons le voir, la force vitale, à l'état naturel et brute, est immonde] était dans une chambre écartée (...). La salle de dissection et les abattoirs [le cimetière de momies de Carpaccio était déjà charnier d'hommes et voirie d'animaux] me fournirent beaucoup de matériaux dont j'avais besoin et j'étais souvent écœuré par ce que je devais faire. »

Un jour la chose inerte ainsi reconstituée est animée par l'étincelle électrique. Un être vivant naît des pièces anatomiques articulées ensemble. Un homme ou un diable? Un être malfaisant sans doute, mais cela est une autre histoire. Retenons ici seulement le miracle de la table de dissection : un *miraculum cadaveris*. On est passé de la matière inanimée à la vie parce qu'il existe une continuité de la nature ou de la matière, les deux mots sont presque synonymes. Le savant athée de Potocki, Hervias, parle comme le Prométhée moderne de Mary Shelley : « Il s'attache aux forces de la nature, attribuant à la matière une énergie qui lui parut propre à tout expliquer sans avoir recours à la création. »

La rencontre sadienne de l'homme et de la nature

D'une manière générale et banale, la nature est reconnue comme le contraire ou la négation du pouvoir social, régulateur, producteur d'ordre et de travail, de l'homme. Elle est toujours destructrice et violente, et elle peut être malfaisante, son degré de malfaisance dépendant alors du préjugé de l'homme à son égard.

L'attitude la plus radicale, celle qui a le mieux mis en relief la malfaisance de la nature est évidemment celle du Divin Marquis. Ses excès mêmes permettent de mieux comprendre ce qu'une croyance commune prêtait alors à la nature, qu'elle l'estimât malfaisante ou bienveillante.

Sade reproche à Montesquieu[54] d'avoir établi la justice comme un principe éternel et immuable de tous les temps et de tous les lieux. « Elle ne dépend que des conditions humaines, des caractères, des tempéraments, des lois morales d'un pays », le monde de l'homme est au moins étranger à celui de la nature, et pour Sade, ils sont deux mondes ennemis. La justice est l'un des essais de l'homme pour s'opposer à la nature. « Je regarde les choses injustes comme indispensables au maintien de l'univers troublé par un ordre équitable des choses. » « Toutes les lois que nous avons faites, soit pour encourager la population, soit pour punir la destruction, contrarient nécessairement toutes les siennes (...), mais, au contraire, chaque fois que nous nous refusons obstinément à cette propagation qu'elle abhorre [par un érotisme stérile] ou que nous coopérons à ces meurtres qui la délectent et qui la servent [l'érotisme et le supplice, ou la mort violente, sont les deux moyens qui permettent au monde de l'homme et à celui de la nature de communiquer], nous devenons sûrs de lui plaire, certains d'agir selon ses vues. » La nature désire « l'anéantissement total des créatures lancées afin de jouir de la faculté qu'elle a d'en lancer de nouvelles ». La nature détruit pour créer : c'est devenu un lieu commun. Il y a plusieurs manières de participer à cette destruction universelle. Celle conseillée par Sade est le crime. « Le meurtrier le plus abominable (...) n'est donc que l'organe de ses lois. » Le meurtre est la rupture désordonnée et passionnée des interdits, il est violence pure : « Tout ce qui est violent dans la nature a toujours quelque chose d'intéressant et de sublime. » C'est pourquoi l'enfant qui est plus près de l'état de nature manifeste spontanément une férocité que la société n'a pas encore vaincue : « L'enfant lui-même ne nous offre-t-il pas l'exemple de cette férocité qui nous entoure? Il nous prouve qu'elle est dans la nature. Nous le voyons cruellement étrangler son oiseau et s'amuser des convulsions de ce pauvre animal. »

La violence destructrice est un des caractères de la nature, et assure sa continuité. Si l'excès de violence du marquis de Sade ne fait pas l'unanimité, tout le monde à peu près admet plus ou moins l'idée de cette continuité qui élude théoriquement la mort. La mort, notion cultivée par l'homme, disparaît dans le plan de la nature. La mort n'est « qu'imaginaire ». Il dit aussi qu' « il n'y a point de mort ». « Elle n'existe que figurativement et sans aucune réalité. La matière privée de cette autre portion sublime de la matière qui lui communiquait le mouvement ne se détruit pas pour cela, elle ne fait que changer de forme, elle se corrompt. » Le mouvement n'est donc jamais tout à fait aboli chez le cadavre, grâce à la corruption. Sade n'a jamais été tenté de revenir en arrière, de la corruption à l'humanité, et de jouer au Prométhée, il n'a pas assez d'intérêt pour l'humain et préfère, comme en témoigne son testament, la transformation dans d'autres formes de vie : « Elle (la mort) fournit des sucs à la terre, la fertilise et sert à la régénération des autres règnes [animal, végétal]. »

Beaucoup au XVIIIe siècle refuseront d'aller plus loin et de reconnaître avec Sade « les liaisons singulières qui se trouvent entre les émotions physiques et les égarements moraux ». Au contraire, ils développeront des aspects à leurs yeux tranquillisants de la continuité de la nature et de l'œuvre infinie de destruction et de recréation. Ils verront une possibilité pour l'homme de dominer cette force de destruction et de la rendre bienfaisante, en étudiant ses lois et en s'y adaptant. C'est la « nature » des philanthropes opposée à celle des sadiens. L'une et l'autre cependant ont le même fond, et on passe facilement de l'une à l'autre.

La tendance sadienne a certainement été plus répandue qu'on ne l'a longtemps cru, mais sous des formes plus convenables et moins provocantes; on la trouve dans les types nouveaux de satanisme, le nouveau Satan étant l'homme qui a épousé la nature : ainsi la créature monstrueuse de Frankenstein. La tentation moderne est plutôt celle du surhomme, successeur de Satan. Pour les catégories d'hommes forts qui ont compris le système sadien de la nature, il n'y a plus « d'ordre légal »; tout leur est permis : « L'accomplissement de ses propres désirs en doit être le but naturel » (Potocki). Ils savent que les vertus des philanthropes ne sont qu'hypocrisie : « La douce piété, la piété filiale, l'amour brûlant et tendre, la clémence des rois sont autant de raffinements de l'égoïsme » (Potocki). C'est que la rencontre de l'homme avec la nature se fait ici non pas au niveau des vertus, mais à celui de la toute-puissance aveugle et immorale.

Le rempart contre la nature a deux points faibles : l'amour et la mort

La toute-puissance de la nature agit sur l'homme à deux endroits : le sexe et la mort. Ils étaient étrangers l'un à l'autre jusqu'à la fin du Moyen Age, dans nos cultures occidentales. Cette incompatibilité n'est pas un phénomène chrétien : les allusions sexuelles sont très rares dans l'art funéraire gréco-latin, si l'on excepte les Étrusques. Or, depuis le XVIe siècle, ils se sont rapprochés, jusqu'à constituer à la fin du XVIIIe un véritable corpus d'érotisme macabre. Presque tout le reste des choses de la mort n'a pas changé : la solennité des pompes funèbres ou l'affectation de simplicité des

funérailles continuent et amplifient des traditions nées au milieu du Moyen
Age. Le changement de l'art de bien mourir par la méditation sur la
mélancolie de la vie, réel mais discret, ne saute pas aux yeux. Le déplacement des cimetières où les excommuniés et les pécheurs publics ont
maintenant leur place s'est fait en silence, sans scandale ni surprise.

C'est au fond de l'inconscient, aux XVIIᵉ-XVIIIᵉ siècles, que quelque
chose de troublant s'est passé : là, en plein imaginaire, l'amour et la mort
se sont rapprochés jusqu'à confondre leurs apparences. Cela s'est fait,
nous l'avons vu, en deux étapes. A la fin du XVIᵉ siècle et pendant la
première moitié du XVIIᵉ, à l'époque baroque, un monde encore inconnu
d'émotions et d'imaginations a commencé à bouger. Mais les remous ainsi
provoqués ont tout juste atteint la surface des choses, et les contemporains ne s'en sont pas aperçu. Cependant, les distances entre l'amour et
la mort s'étaient déjà rétrécies et les artistes étaient tentés de suggérer à
leur insu des similitudes jadis ignorées entre l'un et l'autre.

A partir du milieu du XVIIIᵉ siècle, c'est un continent dangereux et sauvage qui a vraiment émergé, faisant ainsi remonter dans la conscience
collective ce qui avait été jusque-là soigneusement refoulé et qui s'est
exprimé dans les conceptions de la nature violente et destructrice. L'am-
pleur de ce mouvement a été bien perçue et analysée par G. Bataille,
dans un climat de surréalisme favorable à sa compréhension. Essayons en
matière de conclusion d'interpréter ce grand phénomène de l'imaginaire.

Pendant des millénaires, l'*homo sapiens* a dû ses progrès à la défense
qu'il a opposée à la nature. La nature n'est pas une Providence bien réglée
et bienfaisante, mais un monde d'anéantissement et de violence qui, s'il
peut être évalué plus ou moins bon ou mauvais selon le penchant des philosophes, reste toujours extérieur à l'homme, sinon hostile. L'homme a
donc opposé la société qu'il a construite à la nature qu'il a comprimée.
La violence de la nature a dû être maintenue en dehors du domaine réservé
par l'homme à la société. Le système défensif a été obtenu et entretenu par
la création d'une morale et d'une religion, l'établissement de la cité et du
droit, la mise en place d'une économie, grâce à une organisation du travail, à une discipline collective, et même à une technologie.

Ce rempart dressé contre la nature avait deux points faibles, l'amour et
la mort, par où suintait toujours un peu de la violence sauvage.

Ces deux points faibles, la société des hommes a pris grand soin de les
renforcer. Elle a fait tout ce qu'elle pouvait pour atténuer la violence de
l'amour et l'agressivité de la mort. Elle a contenu la sexualité dans des
interdits qui ont varié d'une société à l'autre, mais qui ont toujours cherché à modérer son usage, à diminuer son pouvoir, à empêcher ses écarts.
Elle a de même dépouillé la mort de sa brutalité, de son incongruité, de
ses effets contagieux, en atténuant son caractère individuel au profit de la
permanence de la société, en la ritualisant et en faisant d'elle un passage
entre les autres passages de chaque vie, à peine un peu plus dramatique.

La mort a été apprivoisée; c'est sous cette forme primitive que nous l'avons reconnue au début de ce livre (chapitre 1).

Il existait alors une certaine symétrie entre les deux mondes de la société humaine et de la nature. Ils étaient l'un et l'autre continus, la continuité de la société étant assurée par les institutions et les codes de moralité traditionnels. Ils marchaient au même *tempo*, et des échanges avaient lieu entre eux, mais limités par l'usage et en évitant qu'ils se transformassent en effraction.

C'était, en effet, le rôle des fêtes que d'ouvrir périodiquement les vannes et de laisser la violence entrer quelque temps. La sexualité était aussi un domaine où, avec de grandes prudences, une place était laissée à l'instinct, à l'abandon du désir et du plaisir. Dans certaines civilisations, comme chez les Malgaches, la mort était l'occasion d'une levée temporaire des interdits; dans nos civilisations occidentales et chrétiennes le contrôle fut plus rigoureux, la ritualisation plus contraignante, la mort était mieux surveillée.

Sur ce fond cérémoniel, un premier changement est intervenu dans l'Occident chrétien, ou tout au moins dans ses élites, vers le milieu du Moyen Age. Un modèle nouveau est apparu, celui de la mort de soi. La continuité de la tradition a été brisée. La tradition avait émoussé la mort, pour qu'il n'y ait pas de rupture. Mais au Moyen Age, la mort a été inventée comme fin et raccourci d'une vie individuelle. L'ancienne continuité a été remplacée par une somme de discontinuités. C'est alors que la dualité du corps et de l'âme a commencé à s'imposer à la place de l'*homo totus*. La survie de l'âme, active dès le moment de la mort, supprimait l'étape intermédiaire du sommeil, à laquelle l'opinion commune était restée longtemps attachée. Privé de son âme, le corps n'était plus rien qu'une poussière restituée à la nature. Cela n'a, de toute façon, pas eu de grande conséquence tant qu'on ne reconnaissait pas à la nature une personnalité démiurgique, rivale de Dieu.

D'ailleurs, la substitution d'une série de discontinuités biographiques à la continuité primitive n'était pas encore universelle et le modèle ancien de la mort apprivoisée subsistait. C'est pourquoi la relation entre l'ordre de l'humain et le désordre de la nature n'avait pas été vraiment affectée avant le XVIIᵉ siècle. Le système de défense tenait toujours bon.

Il a commencé à se lézarder au moment des grandes réformes religieuses, catholiques et protestantes, des grandes épurations du sentiment, de la raison, de la moralité.

L'ordre de la raison, du travail, de la discipline a fléchi aux emplacements de la mort et de l'amour, de l'agonie et de l'orgasme, de la corruption et de la fécondité; mais ces premières brèches furent d'abord le fait de l'imaginaire, qui a ménagé à son tour le passage au réel.

Par ces deux portes, la sauvagerie naturelle a fait irruption dans la cité des hommes, au moment où celle-ci, au XIXᵉ siècle, s'apprêtait à coloniser la nature, et poussait de plus en plus loin les frontières d'une occupation technique et d'une organisation rationnelle.

On dirait que, dans son effort pour conquérir la nature et l'environnement, la société des hommes a abandonné ses vieilles défenses autour du sexe et de la mort ; et la nature, qu'on pouvait croire vaincue, a reflué *dans* l'homme, est entrée par les portes délaissées et l'a ensauvagé.

Tout cela est loin d'être encore consommé dans les faits au début du XIXe siècle, mais les signaux de détresse sont allumés. Les fantasmes du marquis de Sade apparaissent comme des présages d'apocalypse. Très discrètement, mais très efficacement, quelque chose d'irrémédiable est intervenu dans les relations millénaires entre l'homme et la mort.

Le mort-vivant

La mort apparente

Au cours du chapitre précédent, nous avons montré quelle ambiguïté l'art, la littérature, la médecine ont entretenue autour de la vie, de la mort et de leurs limites, aux XVIIᵉ et XVIIIᵉ siècles. Le mort-vivant est devenu un thème constant, depuis le théâtre baroque jusqu'au roman noir.

Or, ce thème étrange n'est pas resté confiné dans le monde irréel de l'imagination. Il a envahi la vie quotidienne, et nous le retrouvons sous la forme de la mort apparente. Un médecin écrivait en 1876 [1] qu'une « *panique universelle* » s'était alors emparée des esprits, à l'idée d'être enterré vivant, de se réveiller au fond du tombeau. Il n'exagérait pas.

Il ne faut sans doute pas confondre la mort apparente avec la dormition, le sommeil de Barberousse ou de la Belle au bois dormant. La fille de la chanson, que trois capitaines ont enlevée pour la violer, est tombée morte :

> La belle tomba morte
> Pour ne plus revenir.

Mais les trois capitaines ne s'acharnent pas sur son corps inanimé : Hélas, ma mie est morte, qu'allons-nous en faire ? Il n'y a pas d'autre solution que de la reporter au château de son père, dessous le rosier blanc :

> Et au bout de trois jours
> La belle ressuscite
> Ouvrez, ouvrez, mon père,
> Ouvrez sans plus tarder.
> Trois jours j'ai fait la morte
> Pour mon honneur garder.

Personne n'exprime quelque peur de ces trois jours dessous le rosier blanc. Or la peur est justement le caractère essentiel du sentiment provoqué par la mort apparente.

L'inquiétude se manifeste pour la première fois dans les testaments vers le milieu du XVIIe siècle. Une anecdote permet de situer à peu près son apparition : au milieu du XVIe siècle, un étudiant frison avait été enterré au cimetière Saint-Sulpice. Son gisant, sans doute un accoudé, avait perdu un bras. Au XVIIe siècle, oubliant que ce bras avait été cassé, on crut que la mutilation reproduisait, sur le tombeau « élevé », un drame souterrain. Sauval raconte que le gouverneur du jeune homme, absent au moment de sa mort, le fit exhumer à son retour et qu'on s'aperçut alors que le cadavre avait dévoré son propre bras. Le cas est classique dans la littérature médicale, mais il fut à l'époque de Sauval attribué à l'enterrement d'un vivant [2].

C'est cependant dans la première moitié du XVIIIe siècle, vers 1740, que les médecins s'emparèrent de la question pour dénoncer l'un des graves dangers de l'époque.

Les médecins de 1740. La montée de la peur

Une abondante littérature spécialisée reprit alors les anciennes données, les miracles des cadavres, les cris entendus dans les tombeaux, les cadavres dévoreurs, pour les réinterpréter à la lumière de ce qu'on savait de la mort apparente. Voici longtemps, pensait-on, qu'on la craignait, et la sagesse antique invitait à la prudence. La religion des morts, les rites de la sépulture n'étaient en réalité que précautions pour éviter les enterrements précipités : non seulement la *conclamatio* — le rappel par trois fois, à haute voix, du nom du défunt présumé —, mais les coutumes de la toilette, de l'exposition du corps, du deuil dont le bruit pouvait aussi réveiller le mort-vivant, l'habitude de laisser le visage découvert, le délai de plusieurs jours avant l'incinération, etc.

Certaines de ces habitudes persistaient à l'époque où Bruhier et Wislaw écrivaient. Ils ont remarqué que les démonstrations des pleureuses accompagnaient toujours les funérailles, et pas seulement dans le Midi méditerranéen, ils en avaient vu en Picardie. Nous pourrions ajouter que la *conclamatio* était encore en usage au temps de Tolstoï : le médecin l'appela trois fois dans la gare où il agonisait. Aujourd'hui encore, le protocole de l'Église veut que le pape sur son lit de mort soit interpellé trois fois par son nom de baptême.

Ces pratiques de la sagesse antique auraient été abandonnées sous la pression de l'Église, et c'est peut-être la première fois que celle-ci dut faire face à l'accusation, fréquente à la fin du siècle, de désinvolture à l'égard des corps morts. « Par quelle fatalité des précautions aussi sages que celles des Romains ont-elles été entièrement négligées dans le christianisme [3]? » Wislaw, l'auteur de ces lignes, avait de bonnes raisons de se plaindre et savait de quoi il parlait : n'avait-il pas lui-même échappé deux fois dans son enfance et sa jeunesse aux médecins et aux fossoyeurs trop pressés?

L'imprudence, l'incurie des autorités qui administraient les sépultures, c'est-à-dire du clergé, aboutirent à des drames bien connus, parfois contemporains, que les auteurs rapportent, comme jadis Garmann rapportait les miracles des cadavres.

Il y a plusieurs cas. Les moins graves sont ceux où la « résurrection » a lieu pendant le transport du corps : une fille d'artisan « ayant été conduite à l'Hôtel-Dieu et étant jugée morte (...) donna heureusement des signes de vie dans le temps qu'elle était sur le brancard dont on se servait pour la porter dans sa fosse »; « un crocheteur demeurant rue des Lavandiers tombe malade et est porté à l'Hôtel-Dieu. Le croyant mort, on le transporte à Clamart, avec les autres morts du même hôpital, et on le mélange avec eux dans la fosse. Il revient à lui sur les 11 heures de la nuit, déchire son suaire, frappe à la loge du portier qui lui ouvre la porte, et revient chez lui [4] ».

Il arrivait que l'humour ne perdît pas ses droits, même dans des situations aussi graves : « Ledran a rapporté à Louis [médecin intéressé au même problème] que feu M. Chevalier, chirurgien à Paris, fut attaqué d'une affection soporeuse dans laquelle il ne donnait aucun signe de sensibilité; on l'avait agité et secoué fort rudement en toute manière, sans succès. *On l'avait appelé en vain par son nom, à voix fort haute* [la *conclamatio*]; quelqu'un qui le connaissait pour un grand joueur de piquet s'avisa de prononcer assez vivement ces mots : quinte, quatorze et le point. Le malade en fut tellement frappé que dès cet instant il sortit de la léthargie [5]. » A vrai dire, il y a peut-être dans ce récit moins d'humour qu'on le supposerait. Les choses du jeu sont sérieuses pour les joueurs!

Combien de fois ne s'est-on aperçu de rien, et a-t-on enterré réellement un vivant? Des hasards ont permis quelquefois d'arriver à temps et de sauver le malheureux enfermé dans son cercueil...

Ce qui va suivre n'est pas une observation de médecin, mais un fait divers raconté par une espèce de gazetier aimant le scandale, la chose leste et macabre. A Toulouse, un pèlerin de Saint-Sernin mourut « dans le cabaret où il avait mis pied à terre ». On l'emmène à la Dalbade : « Le mort fut mis en dépôt dans cette église jusqu'au temps marqué pour l'enterrer. Le lendemain une dévote qui faisait ses prières dans la même chapelle [une chapelle de la confrérie chargée des enterrements] crut entendre remuer dans le cercueil et courut, épouvantée, appeler les prêtres. On la traita d'abord de visionnaire, mais comme elle s'obstinait à dire qu'elle avait ouï quelque chose, on ouvrit la bière et l'on trouva le prétendu mort encore vivant. Il fit signe et l'on comprend qu'il demandait à être soigné. Mais tous les secours qu'on lui donna furent inutiles et il expira peu de temps après. Voilà ce que j'ai vu, il n'y a pas encore quinze jours, et ce qui me fait frémir quand j'y pense. Car je m'imaginais que l'on enterre souvent des personnes vivantes, et je vous avoue que je ne voudrais pas avoir un pareil sort[6]. »

Revenons aux histoires de médecins : « P. Le Cler, ci-devant principal du collège de Louis-le-Grand, (...) racontera à ceux qui voudront l'entendre que la sœur de la première femme de son père, ayant été enterrée avec une bague au doigt dans le cimetière public d'Orléans, la nuit suivante, un domestique attiré par l'espérance du gain découvrit le cercueil, l'ouvrit et, ne pouvant venir à bout de faire couler la bague hors du doigt, prit le parti de le couper. L'ébranlement violent que la blessure causa dans les nerfs rappela la femme à elle-même et un cri amer que lui arracha la douleur saisit le voleur d'épouvante et le mit en fuite. Cependant la femme se débarrassa comme elle put du linceul... elle retourna chez elle, survécut à son mari[7] », après lui avoir donné un héritier.

Ces histoires courent la ville et la cour. « Il ne faut donc pas s'étonner, remarquent nos médecins de 1743, de la précaution que quelques personnes ont prise de défendre par leur testament de les mettre dans le cercueil avant 48 heures au moins sans qu'on eût fait sur eux diverses épreuves par le fer et le feu pour acquérir une plus grande certitude de leur mort. »

Les précautions des testateurs

En effet, comme nous l'avons déjà vu, à partir des années 1660 de telles précautions deviennent fréquentes dans les testaments et témoignent, plus encore que les observations des médecins, d'une inquiétude très répandue, au moins dans les élites instruites.

Le plus ancien testament de mon échantillonnage qui montre cette préoccupation est de 1662 : « Que mon corps soit enseveli 36 heures après mon décès mais pas plus tôt[8]. » Ensuite, en 1669 : « Que les corps morts soient gardés jusqu'au lendemain de leur décès. »

C'est la première précaution, la plus banale : s'assurer d'un certain délai avant l'enterrement.

Il est en général d'une ou deux fois vingt-quatre heures. Il arrive qu'il soit plus long. Une testatrice de 1768, une femme noble, veut « qu'après mon décès, mon corps soit gardé pendant *trois jours* avant d'être inhumé ». Trois jours sans moyens de conservation, cela pouvait être long[8]!

La seconde précaution est d'être laissé tel quel, sans être touché, ni habillé ni déshabillé, ni lavé, ni bien entendu ouvert, pendant un certain temps, ou même toujours : 1690 : « Que l'on me laisse deux fois vinte cate heure dans le mesme lit ou je mourray, que l'on m'ancevelisse dans les mêmes draps sans me toucher ni rien autre[8]. »

1743 : « Qu'aussitôt son décès arrivé, on la laisse 12 heures dans son lit avec les habillements qu'elle aura et vingt-quatre après sur la paille. »

1771 : « Je veux être enterrée 48 heures après mon décès et qu'on me laisse pendant ce temps dans mon lit. »

La dernière précaution est la scarification. Elle est plus rare, mais devient plus fréquente à la fin du XVIIIe siècle : Élisabeth d'Orléans prescrit en 1696 : « Que l'on me donne devant deux coups de rasoir sous la plante des pieds. »

En 1790, une bourgeoise de Saint-Germain-en-Laye stipule : « Je veux que mon corps reste dans mon lit au même état où il se trouvera à l'instant de ma mort pendant 48 heures et qu'après ce temps il me soit donné des coups de lancette aux talons[8]. »

Le prolongement au XIXe siècle

Les manifestations d'inquiétude ne cessèrent pas pendant toute la première moitié du XIXe siècle, même si les allusions deviennent plus rares dans des testaments plus discrets. Ainsi celui de Mathieu Molé, fait à la mode d'autrefois, celle du « beau testament », de 1855 : « Je veux qu'on s'assure de mon décès avant de m'ensevelir par des scarifications et tous les moyens utilisés en pareil cas[8]. »

On peut imaginer combien était encore menaçante l'obsession vieille de deux siècles, en lisant le discours prononcé au Sénat de l'Empire français le 28 février 1866 par le cardinal Donnet, archevêque de Bordeaux (le même prélat qui a criblé son diocèse de clochers néo-gothiques au point d'être raillé de le transformer en hérisson!) :

« J'ai moi-même, dans un village que j'ai desservi au début de ma carrière pastorale, empêché deux inhumations de personnes vivantes. L'une d'elle vécut encore douze heures et l'autre revint complètement à la vie (...). Plus tard à Bordeaux, une jeune femme passait pour morte; quand j'arrivai près d'elle, la garde-malade s'apprêtait à couvrir son visage [le geste dénoncé par tous les adversaires de l'enterrement précipité] (...) : elle est devenue épouse et mère. »

Mais voici qui est plus personnel et plus frappant. On imagine le frisson qui parcourut l'assemblée, et on garda longtemps à Bordeaux le souvenir de ce mémorable événement. Ma mère qui avait été élevée dans cette ville me l'a jadis raconté : « En 1826, un jeune prêtre, au milieu d'une cathédrale pleine d'auditeurs, s'affaisse subitement dans la chaire (...). Un médecin déclare la mort constatée et fait donner le permis d'inhumer pour le lendemain. L'évêque de la cathédrale où l'événement était arrivé récitait déjà le *De profundis* au pied du lit funèbre et on avait pris les dimensions du cercueil. La nuit approchäit et on comprend les angoisses du jeune prêtre dont l'oreille saisissait le bruit de tous les préparatifs. Enfin il entend la voix d'un de ses amis d'enfance [comme les mots du jeu du médecin du xviiie siècle, dans l'anecdote de Louis] et cette voix, provoquant chez lui un effort surhumain, amena un résultat merveilleux. » Le retour à la vie fut rapide et complet, puisque « le lendemain il pouvait reparaître dans sa chaire. Il est aujourd'hui parmi vous ». C'était le cardinal lui-même à qui cette aventure était arrivée quand il était jeune prêtre. Ma mère ajoutait que ses cheveux étaient alors devenus blancs.

Cette puissante obsession a été à l'origine des mesures prises dès la fin du xviiie siècle pour le contrôle des inhumations. Nous serions tentés aujourd'hui de les attribuer à un souci de bonne police, à la volonté de démasquer les meurtres et d'empêcher leur dissimulation. C'est avant tout la peur de l'enterrement prématuré qui les a provoquées. Déjà les évêques avaient au xviiie siècle imposé un délai de vingt-quatre heures, correspondant à celui prévu généralement par les testateurs : on ne risquait plus d'être expédié quelques heures après son décès, avant la nuit, comme cela arrivait auparavant. Bruhier proposait en 1743 l'institution d'inspecteurs des morts. On exigea en 1792 que le décès fût vérifié par deux témoins. Un arrêté du 21 vendémiaire an IX donne des conseils : « Les personnes qui se trouveront auprès d'un malade au moment de son décès présumé éviteront à l'avenir de lui couvrir et envelopper le visage, de le faire enlever de son lit, pour le déposer sur un sommier de paille ou de crin et de l'exposer à un air trop froid [9]. »

Il semble qu'il fallut vaincre une répugnance des médecins pour les forcer à vérifier la mort. En 1818, l'auteur d'un dictionnaire des sciences médicales en 60 volumes, qui accorde encore une grande place à la mort, écrit : « Rarement les médecins sont appelés pour constater la mort, ce soin important est abandonné à des mercenaires ou à des individus qui sont entièrement étrangers à la connaissance de l'homme physique. Un médecin qui ne peut sauver un malade *évite* de se trouver chez lui après qu'il a rendu le dernier soupir et tous les praticiens paraissent pénétrés de cet axiome d'un grand philosophe : il n'est pas de la civilité qu'un médecin visite un mort [10]. »

A la fin du xviiie siècle, on avait aussi conseillé l'institution de « lieux de dépôt » où les corps resteraient sous surveillance jusqu'au début de la putréfaction, afin qu'on puisse être absolument sûr du décès. Le projet ne fut pas réalisé en France, mais le fut en Allemagne. Ces premières *funeral homes* étaient appelées *vitae dubiae azilia,* ou, ce qui est moins joli, obituaires. Il y en eut à Weimar en 1791, à Berlin en 1797, à Mayence en 1803, à Munich en 1818. L'une d'entre elles fournit le décor d'une nouvelle de Marc Twain qui aimait les récits macabres. Les bras des exposés y étaient reliés à des sonnettes qui réagissaient à chaque mouvement insolite!

Seconde moitié du XIXᵉ siècle :
l'apaisement et l'incrédulité des médecins

Des dispositions légales furent prises pour répondre à l'inquiétude générale, au moment d'ailleurs où celle-ci commençait à s'apaiser. Le cardinal Donnet faisait déjà figure d'attardé : c'est qu'on ne l'avait pas ausculté! Les médecins de son temps contestaient la réalité de la mort apparente, le danger de l'enterrement précipité, avec une autorité et une assurance égales à celles de leurs prédécesseurs, quand ceux-ci, un siècle plus tôt, avaient au contraire sonné l'alarme et répandu la terreur. Le retournement s'est fait dans les deux cas au nom de la science positive contre des superstitions attardées.

A l'article « Mort », un dictionnaire encyclopédique des *Sciences médicales,* publié en 1876, fait l'historique de la question. Les histoires fabuleuses des *De miraculis cadaverum* étaient encore prises au sérieux par la génération des médecins de 1740, sous la réserve qu'on les interprétât comme des cas de mort apparente [11]. En 1876, elles sont considérées comme des racontars tout à fait négligeables. Quoiqu'il y ait toujours eu des cas de réanimation, « c'est surtout à l'impulsion donnée par Winslow en 1740, Bruhier en 1742, que la question de la mort apparente a dû toute sa popularité ». Ces médecins historiens reconnaissaient deux grandes poussées de l'obsession, l'une vers 1740, l'autre vers 1770-80, cette dernière coïncidant avec la campagne pour le transfert des cimetières hors des villes, les mêmes personnalités participant aux deux actions (voir chapitre 11). Mais tout cela n'est pas sérieux aux yeux des médecins de la fin du XIXᵉ siècle. « Aucune partie de la littérature médicale n'est plus riche que celle qui concerne la mort apparente. Cette richesse est souvent stérile. » C'est au tour des médecins du XVIIIᵉ siècle d'être suspects de bavardage et de crédulité : « Car la science est encombrée de faits accumulés sans critique, de récits inspirés par l'imagination ou par la peur. » C'est évidemment le cas des histoires de Bruhier et de ses contemporains. « A l'amour des merveilles, s'ajoute souvent le vain désir d'émouvoir le public. La mystification tient une grande place dans l'histoire de la mort apparente. » Autant dire que la mort apparente est un faux problème.

De son côté, un autre médecin, Bauchot, dans un livre de 1883 [12], critique les Bruhier, Vicq d'Azyr et les médecins du XVIIIᵉ siècle, pour avoir prétendu que les coutumes funéraires des peuples anciens avaient été inspirées par « la crainte d'être enterrés vivants ». Des superstitieux qui dénoncent d'autres superstitieux! En 1883, les médecins éclairés savent parfaitement que ces coutumes sont « engendrées par le mysticisme et la superstition, perpétuées par l'orgueil ». Elles « témoignent bien plus de la forme des croyances religieuses et du degré [bien bas!] de civilisation

des peuples que de leur crainte d'être enterrés vivants ». Certes « longtemps cette crainte a régné dans le monde et dans la science », dans une
science envahie par des philosophies et des superstitions : « car la doctrine
de l'incertitude des signes de la mort et la croyance aux histoires d'inhumation ont presque toujours prévalu dans quelques esprits », même scientifiques. « C'est une crainte assez générale dont il faut tenir compte »,
mais pour mieux l'exorciser. « J'affirme que la moindre attention suffira
toujours au médecin pour reconnaître la mort à l'instant même où elle a
eu lieu. » J'apporte dans ce livre le fruit de trente-cinq ans d'études : « un
gage certain de sécurité sur les inhumations ».

Et le fait est que les histoires de mort apparente vont devenir de plus
en plus rares, et même quand il arrive aujourd'hui que quelque mort se
réveille dans la morgue d'un hôpital, le fait divers ne provoque plus d'émotion. A la fin du XIXe siècle, la mort apparente a perdu son pouvoir obses-
sionnel, sa fascination. On ne croit plus à cette forme-là de mort-vivant.

Les médecins et la mort

Voici donc que la surface immobile des attitudes *réelles* devant la
mort, aux XVIIe et XVIIIe siècles, est agitée par une sorte de soulèvement.
Une menace redoutable surgit, puis, au bout de deux siècles, s'apaise et
disparaît. Cette anomalie monstrueuse est sans doute la première manifestation de la grande peur de la mort. Elle n'a pas été alors largement
exploitée par les arts d'évasion et d'illusion, comme il arrive d'habitude
quand une vaste inquiétude s'empare de la conscience universelle : au-delà
d'une certaine gravité, on se tait toujours. La société a chassé la mort
apparente hors du miroir où elle caressait ses fantasmes.

Aussi, saisissons-nous plutôt cette obsession à travers le regard des
médecins. Ils sont les nouveaux médiums, déchiffreurs des codes psychologiques de leur temps.

Nous l'avons vu, il y a eu, pour s'intéresser à la mort apparente, trois
générations de médecins, ceux des XVIe-XVIIe siècles, ceux du XVIIIe siècle,
et ceux de la fin du XIXe siècle.

Les médecins de la fin du XIXe siècle, qui parlaient notre langage
d'aujourd'hui, repoussaient comme une superstition sans fondement expé-
rimental, sans valeur scientifique, l'idée que la mort apparente ait représenté un véritable danger. Ils y mirent une passion qui nous surprend ;
c'est que le débat sur la mort apparente mettait en question l'existence du
temps de la mort comme un véritable état *mixte*, ils n'admettaient pas
qu'il pût y avoir un tel mélange de vie et de mort. C'était tout l'un ou tout
l'autre. La mort n'avait pas plus de durée que le point géométrique n'avait

de densité ni d'épaisseur. Elle n'était qu'un mot équivoque du langage naturel, qu'il fallait bannir du langage univoque de la science pour désigner l'arrêt de la machine, simple négativité. Le concept de la mort-état les révoltait.

Pour les médecins des deux autres générations, celle des XVIᵉ-XVIIᵉ siècles et celle du XVIIIᵉ, le temps de la mort était bien au contraire un état qui tenait à la fois de la vie et de la mort. La mort n'était réelle et absolue que plus tard, au moment de la décomposition. C'est pourquoi, en retardant la décomposition, on retardait la mort absolue. L'embaumement, la conservation permettaient d'allonger ce temps de la mort-état, où subsistait quelque chose de la vie.

La différence entre ces deux générations réside dans l'antériorité de la vie ou de la mort à l'intérieur de la mort-état : pour le médecin des XVIᵉ-XVIIᵉ siècles, le temps de la mort-vie commençait au moment de la mort apparente et continuait dans le cadavre ou la momie. Il n'y avait guère (sauf hasard, simulation, absorption de breuvage soporifique ou dormition magique) chevauchement de la mort sur la vie, mais au contraire de la vie sur la mort. D'où les cadavres qui saignent, mordent, transpirent, sur lesquels continuent de pousser barbe, cheveux, ongles et dents.

Pour les médecins du XVIIIᵉ siècle, les phénomènes ainsi observés ne sont pas toujours absurdes, c'est leur interprétation ancienne qui est sotte. Le chevauchement se fait à leur avis en sens contraire, de la mort sur la vie. L'apparence de la mort s'installe pendant la vie. Aussi les signes de la mort apparente remplacent-ils dans la littérature les miracles des morts.

Elle a été chargée du même trouble existentiel que provoquaient les prodiges des cadavres. Les deux troubles, l'ancien et le nouveau, se rejoignent dans l'érotisme macabre : les scènes de tombeau, les baisers de momie du théâtre baroque français ou élisabéthain, et d'autre part la nécrophilie des contes médico-sadiens. Le thème de la mort apparente a aussi un aspect sexuel. Outre ce qui vient d'être dit ici et dans le chapitre précédent, on ne peut pas ne pas être frappé par la symétrie des deux discours médicaux au XVIIIᵉ siècle, celui sur la mort apparente et celui sur la masturbation. On sait la place de la masturbation dans une littérature médicale qui y voyait la cause de toutes sortes de maux physiques, moraux, sociaux. De même la mort apparente était-elle devenue, chez d'autres médecins contemporains, la raison d'être et la justification des religions, et la cause de bien des drames. Dans un cas comme dans l'autre, nous reconnaissons la même affectation d'objectivité scientifique et la même volonté passionnée de démythification. C'est qu'il ne s'agit pas d'une quelconque maladie, même grave comme la peste, qu'on peut désormais traiter froidement, avec le détachement de l'homme de science, il s'agit de quelque chose de plus qui fait peur et qu'il faut exorciser.

Aux origines de la Grande Peur de la Mort

Les médecins perdent leur sang-froid au voisinage des vannes par où le dérèglement de la nature menace de pénétrer dans la cité raisonnable des hommes. Ils découvrent le sexe et la mort sous des formes insolites et sauvages qu'ils dénoncent avec la conviction et l'autorité du guetteur : le vice solitaire et l'état « soporeux ». Dans les deux cas, on sent monter chez ces hommes de science et de lumières la peur, la peur du sexe, laissons-la hors de notre analyse, et la peur de la mort, la vraie peur.

Car, jusqu'à présent, j'ose le dire, les hommes tels que nous les saisissons dans l'histoire n'ont jamais eu vraiment peur de la mort. Certes, ils la craignaient, ils en éprouvaient quelque angoisse et ils le disaient tranquillement. Mais justement jamais cette angoisse ne dépassait le seuil de l'indicible, de l'inexprimable. Elle était traduite en mots apaisants et canalisée dans des rites familiers.

L'homme d'autrefois faisait cas de la mort, elle était chose sérieuse, qu'il ne fallait pas traiter à la légère, un moment fort de la vie, grave et redoutable, mais pas redoutable au point de l'écarter, de le fuir, de faire comme s'il n'existait pas, ou d'en falsifier les apparences.

Ce qui démontre encore mieux la modération des sentiments anciens devant la mort et combien ils risquaient peu de dégénérer en panique, c'est l'absence de scrupule des hommes d'Église à exploiter le germe d'angoisse qui s'y trouvait, pour le grossir et le transformer en objet d'épouvante. Ils ont tout fait pour faire peur : tout sauf ce qui risquait de porter au désespoir, la plus grave des tentations. Reconnaissons-le : aucune société n'aurait résisté à cet appel pathétique à l'épouvante, à cette menace d'apocalypse, si elle les avait réellement admis et intégrés. Mais la société occidentale en a pris et en a laissé, et les moralistes les plus exigeants le savaient, et en tenaient compte en forçant les doses.

Elle a pris ce qui, à travers les images terribles, correspondait à sa vision collective et secrète de la mort, que les hommes d'Église aussi ressentaient spontanément et traduisaient à leur manière. Elle aimait dans cette littérature sur les fins dernières, en vérité populaire et pas seulement reçue de force, l'apaisement proposé par l'Église, mais aussi le sentiment que chacun y trouvait de son identité, de son histoire et de la brièveté mélancolique de cette histoire.

En revanche elle a laissé le terrorisme, ou elle l'a désarmé. C'est pourquoi ce terrorisme a plutôt été un spectacle didactique qui a provoqué quelques conversions, suscité des prosélytes et des vocations parmi des élites de militants. Il a fait aussi des dupes, celles qui l'ont pris à la lettre, les dernières ayant été les hommes des lumières et du progrès des XVIIIe et XIXe siècles... et les historiens d'aujourd'hui.

Quand on a commencé à avoir peur de la mort pour de bon, on s'est tu, les hommes d'Église les premiers ainsi que les médecins : cela devenait trop grave.

Cette peur sans paroles, nous l'avons cependant repérée déjà dans la rhétorique des médecins qui a succédé aux apocalypses des hommes d'Église, et dans les aveux discrets qu'elle arrache aux testateurs.

Quand un homme ou une femme du temps de Louis XIV commandait qu'on ne les touche pas, qu'on les laisse sans les bouger pendant le temps qu'ils ont fixé, qu'on referme seulement le drap sur leur corps après quelques vérifications au couteau, il faut deviner au-delà de ces précautions la peur lovée en un endroit secret d'eux-mêmes. On avait une telle habitude de manipuler les cadavres, depuis des millénaires! Seuls les pauvres étaient expédiés à peu près intacts. Pour s'opposer à ces préparations tradition- nelles, il fallait de bien grandes raisons. Qui sait si la vogue des cimetières de momies, où celles-ci étaient exposées à la vue des visiteurs, ne répon- dait pas au même souci d'échapper à la terre étouffante, de ne pas un jour se réveiller sous son poids?

Une peur folle, que les médecins du xixᵉ siècle ont dénoncée comme irraisonnée, parce qu'elle s'apaisait, et qu'au contraire les médecins du xviiiᵉ siècle avaient installée au cœur de leur science trop fraîche, parce qu'ils la subissaient.

Il est curieux qu'elle soit née, cette peur, à l'époque où quelque chose paraît changé dans l'antique familiarité de l'homme et de la mort. La gra- vité du sentiment de la mort, qui avait coexisté avec la familiarité, se trouve à son tour affectée : on joue avec la mort des jeux pervers, jusqu'à coucher avec elle. Un rapport s'est établi entre elle et le sexe, c'est pourquoi elle fascine, elle obsède comme le sexe : signes d'une angoisse fondamentale qui ne trouve pas de nom. Aussi reste-t-elle comprimée dans le monde plus ou moins interdit des rêves, des fantasmes, et ne parvient-elle pas à ébran- ler le monde ancien et solide des rites et des coutumes réelles. Quand la peur de la mort est entrée, elle est d'abord restée confinée là où l'amour a été si longtemps tenu à l'abri et à l'écart, et d'où, seuls, poètes, romanciers et artistes osaient le faire ressortir : dans l'imaginaire.

Mais la pression a sans doute été trop forte, et au cours des xviiᵉ et xviiiᵉ siècles, la peur folle a débordé hors de l'imaginaire et a pénétré dans la réalité vécue, dans les sentiments conscients et exprimés, sous une forme cependant limitée, conjurable, qui ne s'étend pas au mythe entier, sous la forme de la mort apparente, des dangers qu'on court quand on est devenu un mort-vivant.

QUATRIÈME PARTIE

LA MORT DE TOI

10

Le temps des belles morts

La douceur narcotique

« Nous sommes au temps des belles morts, écrivait dans son Journal, en 1825, Caroly de Gaïx; celle de Madame de Villeneuve a été sublime [1]. » Sublime, le mot se trouve naturellement chez Chateaubriand : « Les traits paternels avaient pris au cercueil quelque chose de sublime [2]. » Aussi la mythologie du temps affectait-elle de reconnaître dans la mort un havre désiré et longtemps attendu,

> Où l'on pourrait manger et dormir et s'asseoir.

L'antique repos se mêlait à d'autres idées plus neuves d'éternité et de rassemblement fraternel.

« Réjouissez-vous, mon enfant, vous allez mourir. » Ainsi parlait le curé d'un petit village près de Castres, à un pauvre malade « couché sur son grabat ». Et Caroly de Gaïx qui l'accompagnait ajoute : « Cette parole, qui aurait fait frissonner un heureux du siècle, lui arracha presque un sourire [3]. »

Triomphe momentané d'une réaction catholique, d'une dévotion aberrante et morbide? Au contraire, l'*Encyclopédie* avait reproché aux clergés et aux Églises de cacher sous un appareil insolite et effrayant « la douceur narcotique » de la mort, et d'en changer la nature, une nature que le romantisme devait dégager et exalter. « Je voudrais armer les honnêtes gens contre les chimères de douleur et d'angoisse de ce dernier période [*sic*] de la vie : préjugé général si bien combattu par l'auteur éloquent et profond de l'Histoire naturelle de l'homme [Buffon]... Qu'on interroge les médecins des villes et les ministres de l'Église, accoutumés à observer les actions des mourants et à recueillir leurs derniers sentiments, ils conviendront qu'à l'exception d'un petit nombre de maladies aiguës, où l'agitation causée par des mouvements convulsifs paraît indiquer les souffrances du malade, dans toutes les autres on meurt doucement et sans douleur et même ces terribles agonies effrayent plus les spectateurs qu'elles ne tourmentent le malade [l'auteur a tendance à minimiser, d'une part, la réalité des grandes souffrances de l'agonie, contrairement à la tradition médiévale et même moderne, d'autre part, la préparation à la dernière heure, car toutes deux risquaient d'affaiblir son idée de la douceur de la mort]... Il semble que ce serait dans les camps que les douleurs affreuses de la mort devraient exister; cependant, ceux qui ont vu mourir des milliers de soldats dans les hôpitaux d'armée rapportent que leur vie s'éteint si tranquillement qu'on dirait que la mort ne fait que passer à leur cou un nœud coulant qui serre moins qu'il n'agit avec une *douceur narcotique*. Les morts douloureuses sont donc très rares et presque toutes sont insensibles. »

Insensibles, mais pas encore heureuses. Il faut d'abord débarrasser la mort des préjugés qui la défigurent : « Si l'on ne réveillait pas ces frayeurs, par ces tristes soins et cet appareil lugubre qui dans la société [mais pas dans la nature, et plus à la ville qu'à la campagne] devancent la mort, on ne la verrait point arriver [ce n'est pas encore la dramatisation romantique. C'en est l'annonce]... » « On ne craint donc si fort la mort que par habitude, par éducation, par préjugé. Mais les grandes alarmes règnent principalement chez les personnes élevées mollement dans le sein des villes et devenues, par leur éducation, plus sensibles que les autres; car le commun des hommes, surtout ceux de la campagne, voient la mort sans effroi; c'est la fin des chagrins et des calamités des misérables. »

Remarque importante. Grâce au mythe rousseauiste de la ville corrompue opposée à la campagne proche de la nature, l'homme des Lumières exprime à sa manière un fait réellement observable : la différence frappante entre une tradition de familiarité avec la mort, conservée à la campagne et chez les pauvres gens, et d'autre part une attitude nouvelle, plus fréquente à la ville et chez les hommes riches et instruits, qui tend, au contraire, à grossir la signification et les virtualités de la mort. Nous reconnaissons là les deux attitudes que nous avons baptisées la « mort apprivoisée » et la « mort de soi ». Mais l'homme des Lumières, et cela est remarquable, répugne, ou affecte de répugner, à une attitude qui avait été, au moins à l'origine, celle des *litterati*. Pourtant les préparations à la mort aux XVIIe et XVIIIe siècles cherchaient plutôt à détourner l'attention de la fin dernière vers la vie tout entière. L'homme des Lumières n'a cure de ce changement tardif et trop discret. Il n'en tient pas compte. Il voit plutôt dans la mort à la ville l'influence des prêtres et le triomphe de leurs superstitions. Il manifeste, au contraire, l'intention de récupérer la familiarité des campagnes avec la mort : « Les hommes craignent la mort comme les enfants craignent les ténèbres et seulement parce qu'on a effaré leur imagination par des fantômes aussi vains que terribles. L'appareil des derniers adieux, les pleurs de nos âmes, le deuil et la cérémonie des funérailles, les convulsions de la machine qui se dissout, voilà ce qui tend à nous effrayer. »

Certes, les choses ne vont pas se passer comme semble le souhaiter l'auteur de l'*Encyclopédie*. Celui-ci aurait été horrifié s'il avait pu prévoir les grands deuils, les dramatiques mises en scène du XIXe siècle.

Il aurait peut-être été moins réfractaire aux interdits tout à fait contemporains de la mort. On reconnaît dans sa pensée deux tendances : une nostalgie de la mort simple et familière d'autrefois, et un désir de goûter la « douceur narcotique » et la paix merveilleuse. Ce dernier sentiment, préparé dans l'imaginaire du XVIIe et du XVIIIe siècle, va provoquer à l'époque romantique une sorte d'apothéose baroque, qu'aucun auteur baroque n'aurait osé inventer. Au début, et pendant quelque temps, le néo-baroque romantique ne se présentera pas comme une manifestation de l'eschatologie chrétienne, mais, au contraire, comme une victoire contre la pastorale chrétienne et sa propagande des fins dernières. Ainsi le Lamartine de 1820, le poète de la mort d'Elvire, en même temps qu'il décrivait avec émotion les veillées pieuses et le crucifix de la dernière heure, opposait l'immortalité du déisme des Lumières à celle de la superstition cléricale :

> Je te salue, ô mort! libérateur céleste
> Tu ne m'apparais point sous cet aspect funeste
> Que t'a prêté longtemps l'épouvante ou l'erreur... :
> Ton front n'est point cruel, ton œil n'est point perfide
> Au secours des douleurs un Dieu clément te guide;
> Tu n'anéantis pas, tu délivres : ta main,
> Céleste messager, porte un flambeau divin [4]...

Et ces deux derniers vers ont l'air d'être le commentaire de quelque tombeau de Houdon, de Canova, où le génie de l'espoir et l'allégorie de la tristesse accompagnent le défunt jusqu'à une porte dont on ne sait si elle ouvre sur l'en deçà paisible ou l'au-delà lumineux.

> Et l'espoir près de toi, rêvant sur un tombeau,
> Appuyé sur la Foi, m'ouvre un monde plus beau.

Ainsi glisse-t-on du refus des superstitions et des rites médiévaux de préparation à la mort, vers les grandes liturgies de la mort romantique :

> Quelle foule pieuse en pleurant m'environne?

En France : la famille de La Ferronays

Les témoignages sur l'attitude romantique devant la mort sont nombreux, les uns très connus, grâce à la littérature, les autres moins. C'est l'un de ces derniers que j'ai choisi comme exemple : la correspondance et les journaux intimes de la famille de La Ferronays, tels qu'ils ont été publiés, une vingtaine d'années après la rédaction des documents les plus récents, en 1867, par Pauline de La Ferronays, Mme Auguste Craven, sous le titre *Récit d'une sœur* [5].

Deux mots d'abord sur la famille. Le comte de La Ferronays naquit en

1772 à Saint-Malo, comme Chateaubriand qui lui donnait du « mon noble ami ». Il avait donc vingt ans en 1792. Il émigra avec son père, lieutenant général, servit dans l'armée de Condé et à Clagenfurth en Carinthie, où l'armée était cantonnée; il épousa, en 1802, la fille d'un officier, le comte de Montsoreau. (Une sœur de la nouvelle comtesse de La Ferronays avait épousé le duc de Blacas.) Enfin il était lié avec le duc de Berry. Il appartenait donc à un milieu très royaliste, hostile à la Révolution. Après la Restauration, le comte de La Ferronays entra dans la diplomatie. Créé pair de France en 1815, il devint ministre à Copenhague en 1817, ambassadeur à Saint-Pétersbourg en 1819 : il gagna la confiance et l'amitié d'Alexandre Ier, qui lui assura une pension (qu'il fit verser ensuite à sa veuve), puis devint ministre des Affaires étrangères dans le cabinet Martignac. La Révolution de 1830 le surprit ambassadeur à Rome. Il ne rentra pas tout de suite dans la France de Louis-Philippe, et resta en exil, pour l'honneur, sans d'ailleurs poursuivre d'activité politique : juste une mission auprès de Charles X en exil pour le réconcilier avec la duchesse de Berry après la malheureuse aventure de Vendée.

Toutefois, dans cette famille si attachée aux Bourbons, on n'observe aucun enthousiasme royaliste. Entre eux, ils ne parlent presque jamais de politique, sauf en 1848, et c'est alors la fin du *Récit d'une sœur.* Le comte regrette même que son fils aîné Charles ait cru nécessaire de quitter l'armée après la Révolution de 1830, et le changement de régime qu'elle entraîna. Son autre fils, Albert, l'un des héros du *Récit,* est au contraire très lié avec les libéraux catholiques, avec Montalembert, Lacordaire, les abbés Dupanloup, Gerbet et l'Italien Gioberti, ce qui ne nous semble pas une bonne compagnie pour le fils de l'aide de camp du duc de Berry, pour le frère du futur homme de confiance du comte de Chambord.

Dans leur exil russe et italien, les La Ferronays se convertiront à une forme exaltée, baroque, de catholicisme, le catholicisme ultramontain ou, comme disait la comtesse Fernand, femme d'un des fils, « la mode italienne ». Cette dernière publia, en 1899, un livre de mémoires riche de renseignements piquants sur la famille de son mari, famille qu'elle détestait[6]. Non seulement elle souffrait du mépris de ces nobles pour une vieille famille de robe, améliorée depuis longtemps par la savonnette à vilain, mais surtout il y avait entre eux toute la différence du sentiment religieux. Un jour, dans une conversation où on parlait sans doute de cas exceptionnels, elle demanda ce qu'on entendait par une stigmatisée : « Un silence glacial suivit cette imprudente question qu'on fit mine de ne pas avoir entendue. »

La comtesse Fernand n'était pas une impie, mais elle avait la bonne religion française du XVIIIe siècle. Elle appelait Marie Tudor *The Bloody Queen,* admirait Elizabeth Ire, considérait « Grégoire VII et Innocent IV comme les fléaux du genre humain ». C'était ainsi qu'on enseignait l'histoire et, en la modifiant pourtant, je ne suis pas tout à fait revenue encore [vers 1890] de cette manière de penser ». « J'avais été élevée entre un père dont les sentiments subissaient encore l'influence du siècle de Voltaire et qui les laissait paraître en ne s'en rendant aucunement compte, et une mère dont la piété sincère se rapprochait de la sévérité gallicane et ne lui permettait pas de s'approcher des sacrements sans s'y être sérieusement préparée. Dans la famille de mon mari [chez les La Ferronays], c'était fort différent et, adoptant les mœurs religieuses de l'Italie [c'était en fait le catholicisme romantique], on avait devancé ce qui est devenu l'usage en France maintenant. Tout a changé dans notre pays, même la manière de pratiquer la religion. »

On conçoit que la comtesse Fernand fût mal à son aise dans le monde exalté de sa belle-famille. Mais ce n'était pas seulement la religion qui était en jeu, comme elle le croyait : on a toujours le premier réflexe d'expliquer les changements profonds par l'influence des grands systèmes idéologiques et réorganisateurs, politiques ou religieux. En fait, le décalage tenait à des différences de sensibilité. Ainsi, quand Pauline, l'une des filles du comte de La Ferronays, qui avait longtemps correspondu avec ses frères et sœurs, et qui avait hérité des journaux et lettres des nombreux disparus, éprouva le besoin de les réunir, de les présenter et de les publier, cette publication apparut à la gallicane comtesse Fernand le comble de l'indiscrétion sinon de l'indécence. « C'est un livre qui m'a toujours singulièrement agacé les nerfs. En dévoilant au public les sentiments intimes de ceux dont je porte le nom, il m'a paru que Mme Craven avait agi au moral comme ferait au physique une personne qui en forcerait une autre à se montrer en chemise au haut de la colonne de la place Vendôme [7]. »

Mais Pauline n'éprouvait pas cette pudeur. Elle élevait un « tombeau » à la mémoire de ceux qu'elle aimait et dont elle voulait perpétuer le souvenir, avec qui elle restait en communication. « Le souvenir des jours heureux passés ensemble est demeuré pour moi une joie et non une douleur, et bien loin de désirer l'oubli, je demande au ciel de me conserver toujours la mémoire vive et fidèle des jours évanouis (...). Penser à eux et parler d'eux m'a été doux depuis qu'ils ne sont plus. »

Le *Récit d'une sœur* est donc l'histoire, à l'aide de documents originaux, d'une famille du début du XIXe siècle, appartenant à une aristocratie internationale autant que française. Or, cette histoire est une succession de maladies et de morts, la famille ayant été décimée par la tuberculose.

Au moment où le rideau se lève pour nous, à Rome en 1830, le comte de La Ferronays a 48 ans; il est marié depuis vingt-huit ans et a eu onze enfants. Quatre sont déjà morts en bas âge, leur mère conservant pieusement leur souvenir et l'évoquant à l'occasion, longtemps après. Il reste donc sept enfants, dont les deux derniers sont des filles, nées à Saint-Pétersbourg quand leur père y était ambassadeur.

La première partie du *Récit d'une sœur* est composée des lettres et du

journal de l'un des fils, Albert, et de sa fiancée Alexandrine, bientôt sa
femme : c'est l'histoire de leur amour, de leur mariage, de la maladie
d'Albert et de sa mort.

Albert est un garçon très intelligent et sensible. Aucune trace, chez lui,
de cette morgue nobiliaire dénoncée par sa future belle-sœur, la comtesse
Fernand. Il n'épouse pas les querelles politiques de sa famille spirituelle.
Il n'éprouve aucune des passions légitimistes de son milieu, malgré sa
fidélité à la branche aînée. « J'ai beau faire, je ne parviens pas à m'agiter
le sang pour ces petites tracasseries de parti. Aussi quelques-uns des miens
dussent-ils me renier en me voyant hanter de tels gens [des libéraux
belges], je sens que, sur ce chapitre-là, je me résignerai à leur déplaire. »
Pénétré d'un romantisme fraternel et un brin saint-simonien, il pense que
les chemins de fer vont « détruire les préjugés et les haines nationales »,
répandront « de nouvelles idées de fusion ». « L'esprit de nationalité, de
patriotisme, beau en lui-même, mais dans lequel, du point de vue le plus
élevé, on trouve encore de l'égoïsme, fera place tous les jours davantage
à l'esprit d'union qui, j'en suis convaincu, doit un jour régner sur le
monde christianisé. » Ce doux utopiste rêve d'une « association de
nations » chrétiennes. Il éprouve juste un regret de ces nationalités
condamnées à disparaître, à « s'effacer (...) dans la société qui va
commencer et au sein de laquelle tout s'unira, se simplifiera, s'égali-
sera [8] ». Le moteur de cette transformation sera la religion : « La religion, je crois, est l'âme de notre avenir, dernière transformation de la
société. Notre perfectibilité, ayant atteint le terme de son essor, nous
rendra notre première destinée, l'éclat, le jour, la blancheur du ciel. »

Sa fiancée est la fille du comte d'Alopeus, Suédois de naissance,
ministre de Russie à Berlin, et d'une Allemande : Alexandrine, née en
1808. A vingt-deux ans, elle est une amie des demoiselles de La Ferronays, et notamment de Pauline, la narratrice. Longtemps après, en
1867, Pauline écrira à son propos : « Notre amitié a été de celles que rien
dans la vie ne saurait altérer et que la mort ne peut rompre. » Croyez-la :
ces mots ne sont pas écrits en l'air.

En 1831, toute la famille est réunie à Naples, au palais Acton. « Nous
parlions souvent de Dieu et de l'autre vie », thème qui n'a cessé de revenir constamment dans leurs conversations, au fil des années.

En 1831, mort du comte d'Alopeus, la première mort de la longue
série. Alexandrine devient orpheline. Elle est très impressionnée : luthérienne, elle doit avoir quelque doute sur le salut de son père, qui n'a
peut-être pas mené une vie irréprochable. Aussi demande-t-elle à Dieu
« de ne plus avoir un instant de bonheur sur la terre, mais qu'il soit
heureux éternellement »; à chaque joie que cette fille de vingt ans éprouve,
elle s'écrie : « Mon Dieu, fais-moi souffrir à la place de mon père. » On
verra qu'elle fut exaucée!

Le 9 février 1832, Albert note : « Je crachai un peu de sang. Mon gosier était encore délicat par suite d'une maladie que j'avais faite récemment à Berlin. » Pas de nom de maladie. Elle était pourtant déjà bien connue! Quelques jours après, Albert fait la connaissance d'Alexandrine, l'amie de sa sœur. C'est le coup de foudre. Ils se promènent dans les jardins de la villa Doria-Pamphili, à Rome. « Nous causons, je crois, pendant une heure, de religion, d'immortalité et de mort qui serait douce, disions-nous, dans ces beaux jardins. »

Alexandrine faisant collection de cartes de visite, Albert lui donne la sienne avec cette inscription : « Quelle douce immortalité que celle qui commence ici-bas dans le cœur de ceux qui vous regrettent », et Albert ajoute dans son journal ce commentaire : « paroles singulières et mélancoliques dans un album de folies ». Comme on se moque, Albert arrache la carte et la remplace par une blanche.

Un jour qu'Alexandrine ouvre un cahier de notes et de pensées d'Albert, elle tombe sur ce vers de Victor Hugo :

Je m'en irai bientôt au milieu de la fête.

Puis cette pensée de Massillon : « On craint moins la mort quand on est tranquille sur ses suites. » Et de conclure : « Je meurs jeune et je l'ai toujours désiré. Je meurs jeune et j'ai beaucoup vécu [9]. »

En juin 1832, Albert écrit à Alexandrine : « Je vous jure que, lorsque je suis près de vous, ce que j'éprouve me semble être un présage d'une autre vie. Comment des émotions de ce genre ne franchissent-elles pas la tombe? »

Ce qui est surprenant n'est pas la tonalité religieuse et mystique, mais la concentration du sentiment religieux sur la mort et l'au-delà, et son mélange avec l'amour. Alexandrine confie à son journal : « Oh! la mort est toujours mêlée à la poésie et à l'amour, parce qu'elle mène à la réalisation de l'une et de l'autre. »

La mort découvre alors un aspect d'elle-même que nous n'avions encore jamais rencontré dans une conversation, même exaltée : l'infini. Les deux amis se promènent au coucher du soleil à Castellamare : « Oh, si nous pouvions aller où il va! On se sent envie de le suivre, de voir un nouveau pays. Je suis sûr, écrit Alexandrine, qu'à ce moment il eût aimé mourir. »

Quelques années plus tard, en 1834, il a la même inspiration et note à son tour : « Sorti à cheval, accès de joie sur le bord de la mer, au galop. Je voudrais souvent me plonger dans la mer pour être au milieu de quelque chose d'immense. » Besoin de se perdre dans l'immensité, l'immensité de la mort.

Leurs parents s'inquiètent un peu de leur amitié et veulent les séparer pour les mettre à l'épreuve. Ils passent une dernière soirée au théâtre San Carlo. Alexandrine est si triste! « La salle, la lumière, la scène (...), il me sembla tout d'un coup être dans un tombeau illuminé [10]. »

Autour d'eux, on ne cesse de mourir, « enlevés par une maladie rapide », dont on tait le nom, et Alexandrine reconnaît : « jusqu'aux derniers mois de sa vie (celle d'Albert), j'ai été dans un aveuglement étrange sur sa santé ». Aucune curiosité médicale. Aucune confiance dans l'intervention médicale. Le médecin soigne, il ne guérit pas, il ne change rien.

Albert fait un nouvel accès de fièvre dont on pense qu'il est dû à la tristesse de la séparation. En fait il couve une grande crise qui le terrasse à Civitavecchia d'où il devait accompagner sa mère en France. Il la laisse partir seule pour avoir le temps de se faire saigner. « Cette habitude de se faire saigner, écrit Alexandrine beaucoup plus tard, si commune et si fatale en Italie, n'avait été que trop adoptée par Albert qui sentait souvent le sang lui porter à la tête ou à la poitrine et qui avait alors recours à ce remède à l'insu de tout le monde et sans l'ordonnance du médecin. » Pauline commente : « Une inflammation rapide et violente, et le médecin prononçait sa vie en danger, un danger presque désespéré. » C'est son père et ses deux petites sœurs, à côté de ce bacillaire en pleine crise, qui le soignent. « La fièvre était violente, la langue sèche, la toux déchirante (...). Sauvan [le médecin] avait fait ouvrir une large saignée (10 onces de sang). » Sinapismes au pied. « Chère amie [c'est le comte de L. F. qui écrit à sa femme en France], je ne te dirai pas ce que j'ai éprouvé en voyant ainsi torturer notre malheureux enfant. »

A 8 heures du matin, nouvelle saignée. « Pendant que je t'écris, je regarde ce pauvre garçon si horriblement changé; sa maigreur est quelque chose d'effrayant. Ses yeux sont larges et ouverts, ils ont l'air d'être au fond de sa tête. » Nouvelle poussée de fièvre : nouvelle saignée. Enfin la transpiration annonce la rémission : « Cette bienheureuse transpiration (...) devint prodigieuse (...). Je crois en vérité que je l'aurais bue, cette sueur bienfaisante qui sauvait notre enfant. » Retour à la confiance : « Les médecins disent que cette épouvantable crise, à 21 ans, va refaire sa santé, et que, s'il veut se soigner, il se portera supérieurement bien et longtemps [11]. »

C'est alors qu'Alexandrine a un songe prémonitoire : Albert l'invite à descendre avec sa mère dans un cimetière, au fond d'un vallon désert. On discute de tout cela, chez la comtesse d'Alopeus qui d'ailleurs trouve la santé d'Albert « peu rassurante » mais qui s'inquiète bien davantage encore de son absence de fortune et de carrière, et aussi de son prosélytisme catholique. Personne n'imagine qu'Albert est condamné à court terme. On craint seulement qu'il soit de santé fragile.

En fait, c'est à la suite de cette crise terrible que les parents d'Albert et d'Alexandrine, comprenant à quel point les fiancés s'aimaient, renoncèrent à retarder leur union. Elle a lieu le 17 avril 1834.

Dix jours après le mariage, hémoptysie d'Albert. Alexandrine n'y prête pas attention, toutefois l'inquiétude s'insinue en elle : elle a peur quand elle voit passer un convoi, surtout s'il transporte un jeune homme. 28 août 1834, mariage de Pauline, la narratrice, avec un Anglais, Auguste Craven.

Albert a des moments de lassitude : il se sent nerveux, irritable, « mais qui ne le serait, au bout de deux ans de soins, de veilles, de tortures, de saignées et de visites de médecins ».

Les médecins, eux, pensent que les voyages lui feront du bien : ils l'envoient de Pise à Odessa! Il tousse sans cesse. Il devient un grand malade, sans penser, lui si familier de l'idée de la mort, qu'il est condamné : il craint seulement de ne jamais se relever tout à fait, de traîner une vie d'infirme, sans être capable de reprendre ses activités. De son côté Alexandrine est persuadée qu'il faut avoir la patience d'attendre encore cinq ans d'épreuves, quand Albert « aura atteint ce bienheureux âge de 30 ans (...), je pense qu'alors il sera beau, fort (...), et que moi je serai vieille, plus vieille encore par les inquiétudes que par les années, et ma santé détruite par tout ce que j'aurais craint pour lui [12] ». Pour la première fois, elle comprend la gravité du cas, et cependant, elle ne se préoccupe pas encore d'identifier le mal, de le nommer pour mieux savoir. Rien qui ressemble à notre désir de connaître, ou d'ignorer, le diagnostic. C'est l'indifférence comme si la science des médecins ne lui était, à elle, d'aucun usage : qu'ils fassent leur métier de bons soigneurs. Pourtant les crises se multiplient à Venise. « Il me parle avec effort, et me dit qu'il faut faire venir un confesseur. En sommes-nous là? en sommes-nous vraiment là? m'écriai-je. » Alors seulement, elle veut savoir : « Je demandai avec une sorte d'impatience quel était le nom de cette horrible maladie. Phtisie pulmonaire, me répondit enfin Fernand. Alors je sentis tout espoir m'abandonner. » Fernand, son beau-frère, savait, les médecins savaient, mais on ne lui avait rien dit. Elle rentre dans la chambre du malade. « Je me sentais dans une sorte de stupeur, mais intérieure, car je m'étais exercée depuis plusieurs jours à déguiser mes craintes. »

De son côté, Albert, épuisé par les souffrances, aspire au repos final : « Si dans le tombeau on sent qu'on dort, qu'on attend le jugement de Dieu [curieux retour à la croyance en une période d'attente entre la mort et le jugement, au fond du tombeau], que de grands crimes ne vous le font pas craindre, *ce repos mêlé de vagues idées,* mais plus de ces idées embrouillantes de la terre, cette sensation d'avoir accompli sa destinée est peut-être préférable à tout ce qu'offre la terre (...). Le mot de l'énigme, c'est que j'ai soif de repos et que si la vieillesse ou même la mort m'en donne, je les bénirai [13]. »

Il croit qu'il va mourir loin de la France, où il ne vit pourtant plus depuis déjà longtemps : « Oh, la France, la France, que j'y arrive et je baisserai la tête. »

Alexandrine abandonne toute illusion. Elle souhaite seulement « que cet ange chéri ne souffre plus, comme il a déjà tant fait, et que toutes les joies

célestes l'enveloppent et lui donnent un bonheur éternel [14] ». Elle craint
cependant d'être seule pour lui fermer les yeux.

Elle lui trouve parfois « une expression triste à me fendre le cœur. Et
je dois m'efforcer de lui paraître gaie... Ah! *j'étouffe de ce secret entre nous*
et je crois que souvent je préférerais lui parler ouvertement de sa mort et
tâcher de nous en consoler mutuellement par la foi, l'amour et l'espérance ». Elle va être satisfaite : le 12 mars, le même jour, il l'appelle pour
lui demander de se remarier après sa mort. Puis il ajoute : « Si je meurs,
reste française [elle était née russe], n'abandonne pas les miens, ne retourne
pas chez ta mère. » En effet, ayant obtenu qu'elle se convertisse au catholicisme, il craint qu'après sa mort l'influence de sa mère ne la ramène
au protestantisme! Il est vrai qu'il avait offert sa vie à Dieu pour la
conversion d'Alexandrine!

Il veut mourir en France. Alors commence un long voyage où l'on
transporte le mourant d'étape en étape : 10 avril 1836, départ de Venise;
le 13, il est à Vérone; le 22 à Gênes; le 13 mai à Paris. Là, pour la première
fois, un médecin avertit Alexandrine « qu'il y avait pour moi un danger
mortel à dormir dans la même chambre qu'Albert ». Il était bien temps!
On croyait qu'il allait passer. Il survit quelques semaines.

« Un de ces jours, Albert, en me jetant tout d'un coup un bras autour
du cou, s'est écrié : Je meurs et nous aurions été heureux. » On dit la
messe dans la chambre du mourant, et l'hostie est partagée entre les deux
époux.

Le 27 juin, l'extrême-onction lui est donnée par l'abbé Dupanloup. La
chambre est pleine. Après le sacrement, il fait un signe de croix sur le
front du prêtre, de sa femme, de ses frères, de ses parents, de Montalembert, son grand ami : « Arrivé à lui, Albert fondit un instant en larmes, ce
qui me brisa. Mais il se remit sur-le-champ (...), il fit un signe à la sœur
infirmière de s'approcher, ne voulant pas l'oublier dans ce tendre et général *adieu*. » 28 juin, dernière absolution. On imagine la longueur de cette
agonie. Alexandrine éclate, « ne pouvant plus supporter de ne pas épan-
cher nos âmes l'une dans l'autre et voulant profiter des dernières minutes
qui me restaient encore, je lui dis : Montal m'a apporté tes lettres; elles
sont si ravissantes pour moi. Il m'arrêta. Assez, assez, ne m'agite pas,
dit-il (...). Oh Albert, je t'adore. Voilà le cri qui sortit de mon cœur déchiré
de ne pouvoir lui parler. De crainte de le troubler je dus me taire, mais ma
bouche se ferma sur le dernier mot d'amour qu'elle ait prononcé, et lui
l'entendit, comme il l'avait autrefois souhaité, en mourant ».

Dans la nuit du 28 au 29, on le change de place, on lui place la tête
en face du soleil levant (l'exposition à l'est). « A six heures [il était alors
placé dans un fauteuil près de la fenêtre ouverte] je vis, j'entendis que le
moment était venu. » La sœur récite les prières des agonisants. « Ses yeux
déjà fixes s'étaient tournés vers moi (...) et moi, sa femme! je sentis ce que
je n'aurais jamais imaginé, *je sentis que la mort était le bonheur...* »

Eugénie, la jeune sœur d'Albert, dans une lettre à Pauline décrit la suite : « Le 29, avant-hier, on l'a posé sur son lit. Son visage calme semblait dormir et se reposer enfin de toutes ses fatigues. » La beauté du mort. « Hier on l'a mis dans son cercueil et posé au milieu de la chambre. Nous l'avons couvert de fleurs. La chambre embaumait. » Cette coutume de poser des fleurs sur le cercueil — ou dans le cercueil? — est attestée ici et là, aux XVIᵉ et XVIIᵉ siècles. On jetait aussi parfois des fleurs dans la fosse. Mais les allusions sont trop rares avant la fin du XVIIIᵉ siècle pour qu'on attribue à ce geste un sens rituel. Au contraire, dès le début du XIXᵉ siècle, l'offrande des fleurs est répétée avec insistance. Elle redevient un élément important du rituel.

« Le matin (du 1ᵉʳ juillet) on l'a emporté. Alex et moi (Eugénie) nous avons encore été prier près de son cercueil pendant qu'il était exposé sous la porte, puis toutes les deux, cachées dans un coin de Saint-Sulpice, nous avons assisté au service. » Cachées elles étaient, car les femmes de la famille, du moins dans la noblesse, ne devaient ni suivre le convoi ni assister au service ou à l'absoute; les anciennes convenances voulaient qu'elles soient recluses dans la maison. Au début du XIXᵉ siècle, cet usage n'était plus limité qu'à l'aristocratie. De même, la veuve était-elle aussi absente des faire-part, survivance, conservée dans la noblesse, d'une coutume autrefois beaucoup plus générale. En Sicile encore aujourd'hui les femmes de la maison n'assistent pas aux funérailles.

Cette fois-ci, à Paris en 1836, les femmes de La Ferronays n'ont plus toléré cette loi qui leur apparaissait trop cruelle. Ne voulant pas non plus faire scandale ni même paraître refuser un usage respectable, Alexandrine fit une sorte de compromis avec les convenances en assistant au service de son mari, mais cachée. Rentrée chez elle, elle confie à son Journal : « cachée dans l'église, j'ai assisté à Tout », et elle écrit pour elle-même ce dernier adieu, ou cette première introduction : « Mon doux ami! mes deux bras t'ont soutenu, l'un dans ton dernier sommeil sur la terre [juste avant sa mort au petit matin], l'autre dans ce sommeil dont nous ne savons pas la durée. [On est frappé par le retour de l'image ancienne du sommeil chez ces chrétiens exaltés, avides de retrouvailles célestes. Nous l'avons déjà rencontrée chez Albert, quand il pensait à sa propre mort de grand malade. Ici, le sommeil paraît signifier une sorte de Purgatoire paisible, une période d'attente avant les grandes retrouvailles.] Dieu veuille m'accorder que ces deux mêmes bras, après ma mort, s'ouvrent au-devant de toi [des statues sur les tombes banales du XIXᵉ siècle représenteront les défunts dans cette attitude de l'accueil, les bras tendus en avant], pour notre immortel revoir dans le sein de Dieu, dans le sein de la félicité de la réunion éternelle. »

Elle s'épanche enfin dans une longue lettre à sa grande amie et belle-sœur Pauline Craven, retenue au loin [15]. « J'ai pu voir le regard d'Albert s'éteindre, j'ai pu sentir sa main se refroidir pour toujours (...). Il est mort appuyé sur mon bras, ma main tenant la sienne, et je ne me suis pas troublée une minute en voyant ses derniers soupirs, et voyant qu'il était à l'agonie, j'ai demandé à la sœur s'il souffrait encore, et elle m'a dit : Plus! Alors, je l'ai laissé partir sans regret, à ce qu'il me semblait. [Ne le prenons pas à la lettre. Rien ici de la résignation tranquille des anciennes mentalités. Ni refus ni résignation. Un grand deuil parfaitement assimilé et devenu une deuxième nature.] Seulement bien tranquillement je baissai les yeux toujours tristes et privés de vue et peut-être de sensation, et j'appelai aussi tout près, tout près, dans son oreille son nom si aimé, Albert (...) pour tâcher que dans ces derniers nuages, dans ce dernier sombre passage qui conduit à la clarté, il entendît ma voix s'éloignant de plus en plus, ma voix ainsi que moi-même, obligée de rester aux confins (...). Peut-être qu'il m'a entendue comme un son qui s'évanouit peu à peu, peut-être qu'il m'a vue comme un objet qui, peu à peu, disparaît dans l'éternité. »

A la messe, continue-t-elle, au cours de sa longue confession à Pauline, pendant l'élévation, elle a eu une sorte de vision : « J'ai fermé les yeux, et mon âme s'est remplie d'une douceur égale à celle que j'entendais [la musique de l'orgue; elle était très bonne musicienne, et la musique accompagnait ses grandes exaltations sentimentales et religieuses] et je me suis figuré (exprès, tu entends bien, il n'y avait rien du tout d'extraordinaire), je me suis figuré ma mort : un instant de nuit complète et dans cette nuit, sentant la présence d'un ange, voyant aussi indistinctement une sorte de blancheur et cet ange me conduisant à Albert (...). Et nos corps étaient transparents et dorés. » *Des désincarnés.*

Revenue à son journal, tentant de voir clair en elle, le 4 juillet, Alexandrine écrit : « Je voudrais bien savoir ce qui se passe en moi. Il me semble positivement que *j'ai envie de la mort.* » Elle qui aimait tant la vie, la conversation, la musique, le théâtre, l'art, la nature, elle sent de « l'indifférence pour toutes les choses de la terre : il n'y a que la propreté, l'eau, pour laquelle j'ai gardé ma passion ». La propreté! Cette grande valeur de l'époque victorienne, si profondément ancrée qu'elle subsiste dans le détachement général, avec Dieu et l'Amour. L'eau de l'intimité corporelle, l'amour sans limites des êtres chers, qui exige tout d'eux et veut tout donner de soi, la mort qui arrache mais aussi restitue...

Et pourtant, quelle grande douleur laisse l'absence! « J'éprouve quelquefois, écrit Alexandrine à Pauline, une envie douloureuse de sortir de moi, de me briser, d'essayer quelque chose pour retrouver une minute du bonheur que j'ai perdue, une seule minute, sa voix, son sourire, son regard. » Elle se retire dans la chambre d'Albert : « Là, je me sens bien. Oh! que je voudrais qu'il fût possible que j'y meure! » Et la petite Eugénie s'inquiète de ce qu'on peut penser de ce grand deuil passionné : « J'espère que Dieu ne s'offense pas de cette excessive douleur », pourvu, bien entendu, qu'elle reste chrétienne! « La nourrir est une consolation. »

Si les autres ne se résignent pas « à la voir triste pour le reste de sa vie », Eugénie, elle, pense que c'est désormais la vocation de cette jeune veuve : « On peut lui permettre une tristesse qui deviendra de plus en plus sa nature. »

Cependant on n'en a pas encore fini avec les pauvres restes d'Albert. Ils attendent au cimetière Montparnasse d'être transportés à Boury, en Normandie, au château de la famille. Le comte de La Ferronays s'en occupe : « Nous nous occupons [à Boury] en ce moment à faire arranger le cimetière où, si Dieu le permet, nous irons nous reposer dans quelque temps. » Alexandrine y aura aussi sa place. « C'est aujourd'hui l'idée qui nous occupe, la chose dont nous parlons, l'avenir que nous espérons. [Évidemment la pondération classique n'est guère cultivée chez les La Ferronays!] Tout cela pour bien du monde serait triste. Il n'en est pas de même pour nous (...). Bonne chère enfant [Pauline], lorsque ta mère et moi nous reposerons auprès de ton saint frère, tu viendras nous visiter et nous donner tes bonnes prières [la visite au tombeau]. Et puis un jour, oh! oui, mon enfant, un jour, espérons-le bien, un jour ton délicieux rêve sera réalisé dans toute sa plénitude. » Quel délicieux rêve? Pauline l'explique dans une note : il s'agit de sa propre mort : « J'avais un jour écrit une sorte de rêverie [On écrit énormément chez les L.F., lettres, journaux intimes, etc.] sur *l'autre vie* où je faisais la description du *bonheur infini d'y retrouver ceux que l'on avait aimés sur la terre*[16]. »

Enfin le cimetière de Boury est prêt. La voiture qui transporte le corps arrive un jour d'octobre avec Alexandrine, et sans doute M. de La Ferronays : « A la croix qui est à l'entrée du village, ma mère et mes sœurs nous attendaient et se mirent à genoux à la vue de la voiture. » L'abbé Gerbet, le grand ami d'Albert, est aussi là « avec la procession, suivie de tout le village. La voiture fut ouverte, il bénit le cercueil. Maman et Alexandrine [lettre d'Eugénie à Pauline] le *baisèrent* » : le baiser au cercueil, voilà qui nous ramène aux fantasmes de la fin du XVIIIᵉ siècle, à l'imagerie de l'érotisme macabre. Mais ces baisers d'une mère, d'une épouse sont privés de sensualité apparente. Ils existent cependant avec leur sens de proximité physique, et chez la femme, d'union profonde des corps et des âmes, de l'être entier.

Service à l'église. Inhumation au cimetière préparé avec tant de soin. Alexandrine « regardait avec une sorte de joie cette fosse vide » qui lui était destinée : une seule dalle recouvrira les deux tombes « car dans l'intérieur, les deux cercueils se toucheront, ainsi que l'a voulu notre pauvre petite sœur ».

Quelques jours plus tard, il se passe une scène extraordinaire, incompréhensible si on ne se rappelle pas toutes les histoires, toutes les anecdotes du roman noir, des récits de mort apparente, d'amour au fond des caveaux. C'est de l'érotisme macabre du XVIIIᵉ siècle, mais réel et sublimé, épuré, d'où la sexualité serait soit absente, soit refoulée :

« Depuis le jour de la translation, la fosse avait été provisoirement recouverte de planches; hier on les a enlevées et Alexandrine a pu mettre à
exécution un projet qu'elle avait formé. Je te le confie comme un secret
[d'Olga à Pauline] car elle ne l'a dit à personne, de peur que cela ne
semblât extraordinaire. Hier donc [23 octobre 1837], seule avec Julien,
à l'aide d'une petite échelle, elle est *descendue dans la fosse* qui n'est pas
très profonde [cela pourrait être encore un exercice spirituel ignatien,
comme une méditation sur un cercueil, sur une tombe ouverte, mais la
suite prouve bien que le geste appartient à une autre sensibilité, et à une
autre religion], afin *de toucher et de baiser* une dernière fois le cercueil
où est renfermé tout ce qu'elle a aimé. En faisant cela, elle était à genoux
dans sa propre fosse. »

La tombe d'Albert devient, comme le dit le comte de La Ferronays,
« le but d'un pèlerinage journalier où nous irons à la fois prier pour lui
et le prier pour nous ». Il a soixante ans, et la comtesse, cinquante-quatre.
Ils sont vieux.

Le jour du troisième anniversaire de la mort d'Albert, le 29 juin 1839,
Olga, l'avant-dernière des enfants La Ferronays, note dans son journal :
« Albert! prie pour que je meure bien. Ce tombeau couvert de roses m'a
fait penser au ciel. »

Le récit de la mort d'Albert est terminé. Il n'est pas seul à mourir : sa
grande mort liturgique est entourée d'une constellation d'autres morts
d'amis qui sont rapportées avec quelques détails qu'il nous faut bien
négliger. Cela permet cependant à Olga d'écrire avec une sorte de satisfaction : « Tout le monde meurt jeune à présent. »

La vie reprend : en 1840, Mme de La Ferronays et Olga vont à Goritz,
chez « le roi » (le comte de Chambord). Puis la famille revient à Rome
(sans Alexandrine, restée à Paris auprès d'Eugénie qui est très malade, et
de son mari Adrien de Mun). Mais, à son tour, M. de La Ferronays meurt.
Une mort évidemment pas comme les autres, assortie de merveilleux.

Le dimanche 16 janvier 1841, M. de La Ferronays dîne chez les Borghèse avec l'abbé Dupanloup. M. de Bussière y parle de la présence à
Rome du juif Ratisbonne, l'exécuteur testamentaire de Sainte-Beuve,
auteur de Fables pour enfants, dont il souhaitait la conversion au catholicisme. Le cas de Ratisbonne a frappé le comte de La Ferronays. Le lendemain, lundi, « temps magnifique », pèlerinage à Sainte-Marie-Majeure;
préparation quotidienne à la mort [vingt Souvenez-vous, etc.] dans la
chapelle Borghèse. Le soir, il se plaint « qu'il avait sa douleur * », sans
doute cardiaque. On fait d'abord venir le chirurgien pour une saignée.
Puis arrivent le médecin et le confesseur, l'abbé Gerbet. L'état du malade
s'aggravant, l'abbé Gerbet lui donne l'absolution. Le médecin annonce
qu'il n'y a plus d'espoir, et les choses, en effet, vont très vite, laissant

---

* Le récit est extrait d'une lettre de Mme de La Ferronays à Pauline.

cependant le temps de l'adieu : « Adieu mes enfants, adieu ma femme »,
puis « il arracha vivement le crucifix qui était suspendu à son lit et l'embrassa avec ardeur (...). Bientôt l'affaiblissement vint; je lui parlai, il ne
m'entendait plus, je le suppliai de me serrer la main et cette chère main
resta sans mouvement (...). Adrien [de Mun, son gendre], quelques heures
plus tard, me trouva à genoux, tenant cette chère main tout à fait serrée;
il s'approcha de moi et il dut me croire folle quand je lui dis : je vais
bien, je me sens si près de lui, il me semble que nous n'avons jamais
été aussi réunis. » Elle passa ainsi toute la journée « tenant toujours sa
main que je réchauffais dans la mienne au point de lui donner l'apparence
de la vie ».

   Une mort qui aurait pu être comme beaucoup d'autres à cette époque,
s'il ne s'était passé quelque chose d'extraordinaire, qui rendit les membres
de la famille « témoins d'un véritable coup de foudre de la grâce », comme
dit l'un d'eux avec la simplicité habituelle de la famille.

   Le juif Ratisbonne, dont le comte de La Ferronays avait demandé la
conversion à Dieu dans sa dernière prière, trouve son chemin de Damas
dans l'église de Sant Andrea della Frate, devant l'autel à côté duquel on
prépare la tombe de son intercesseur. Après sa vision surnaturelle, le
premier mot du néophyte est : « Il faut que ce monsieur ait beaucoup prié
pour moi. » « Quelle parole, chère enfant, sur votre bon père dont on
allait apporter le corps dans cette église! » Le comte de La Ferronays mort
est donc l'auteur de la conversion de Ratisbonne. On juge l'émoi, l'enthousiasme qui saisirent la famille. Ces infatigables épistoliers ne trouvent plus
de mots pour exprimer leurs sentiments : Eugénie écrit à Pauline : « C'est
que Dieu nous a visitées, je suis hors d'état de te rien conter, mais tu sauras
tout, les détails de ce qui s'est passé, et les merveilleuses choses qui nous
ont entourées. Oh! Pauline, que n'es-tu ici pour être aussi consolée. »

   La famille n'a cependant pas le temps de se réjouir longtemps de cet
événement extraordinaire. Un autre drame se prépare : la mort d'Eugénie.

   En février 1838, Eugénie a épousé Adrien de Mun. Elle sera la mère
d'Albert de Mun : le grand leader catholique et royaliste fut dénommé
Albert en souvenir de son oncle Albert de La Ferronays.

   Elle tenait aussi un cahier dans sa jeunesse, et pendant la maladie
d'Albert, où apparaissent l'obsession de la mort, le sentiment religieux,
l'amour passionné de sa famille. « J'ai envie de mourir, écrivait-elle alors,
parce que j'ai envie de vous voir, mon Dieu!... Mourir est une récom-
pense, puisque c'est le ciel... Pourvu qu'au dernier moment je n'aie pas
peur. Mon Dieu! envoyez-moi des épreuves, mais pas celle-là. L'idée
favorite de toute ma vie, la mort qui m'a toujours fait sourire. Oh, non,
vous ne ferez pas qu'à ce dernier instant, cette idée constante d'aller à
vous m'abandonne... Rien n'a jamais pu rendre pour moi le mot de mort
lugubre. Je le vois toujours là, clair, brillant. *Rien ne peut le séparer pour
moi de ces deux mots charmants : amour et espoir.* (...) Shakespeare a dit :

le bonheur c'est de n'être pas né! Ah, non pas cela parce qu'il faut naître pour connaître et aimer Dieu. *Mais le bonheur, c'est de mourir* [17]. » Tels sont les exercices spirituels d'une jeune fille de moins de vingt ans. Et cependant elle ne craint pas le monde, et prévoit qu'elle pourrait y jouer son rôle avec passion : « Religieuse, n'entendant rien au monde, je ne le regretterais jamais. Mais aussi, qui sait? lancée au milieu de ce même monde... je serai peut-être à lui avec une force d'attraits égale à ma haine actuelle. »

Avant la mort de son père, elle a accouché d'un second fils. Tuberculeuse comme elle l'était, elle ne se remit pas. Pauline commence à s'inquiéter dans son lointain Bruxelles : « L'ombre d'une terreur définie succéda à la vague inquiétude que j'avais eue jusque-là » à l'égard d'Eugénie.

Selon la thérapeutique en usage, on l'envoie en Italie avec son fils et son mari. C'est ainsi qu'elle assiste à la mort « miraculeuse » de son père.

Des rechutes l'accablent, elle a un mouvement de révolte qui inquiète la très vigilante Pauline, dans son observatoire belge, mais la paix revient vite « que ne troublèrent ni l'abattement de son âme ni les souffrances de son corps ».

Le 2 avril 1842, elle quitte Rome pour la Sicile : les médecins exigent un « changement d'air ». La famille l'accompagne jusqu'à Albano. « On mit son petit enfant dans sa voiture pour qu'elle pût l'embrasser après tous les autres, et Mme de Bussière [la femme de l'ami de Ratisbonne] (...) l'entendit murmurer en lui donnant un dernier baiser : " Tu ne verras plus ta mère. " »

Le 5 avril, départ de Naples pour Palerme, voyage qui dut hâter sa fin. Elle essaie d'écrire à Pauline, mais ne peut aller au-delà des premiers mots : « Chère sœur de ma vie... » La mort est rapide et douce : elle était trop faible pour se prêter à la mise en scène habituelle. L'un des assistants, car il y en avait toujours même quand le spectacle était court et mal préparé, écrivit : « Ce matin entre 7 heures et 8 heures, j'ai assisté à la mort ou plutôt à la glorification d'un ange. (...) Elle avait cessé de vivre sans secousse, sans effort, en un mot, aussi doucement qu'elle a vécu » (lettre du marquis de Raigecourt à l'abbé Gerbet).

Et Mme de La Ferronays, qui en quelques mois a perdu son mari et sa fille, conclut ainsi ce nouvel épisode familial dans sa lettre à Pauline : « Je pleure avec toi sur nous tous, car pour elle, il n'y a qu'à la regarder glorieuse au ciel avec son bon père, avec Albert, avec *les quatre petits anges qui nous y attendent tous depuis si longtemps* [18] » (ses enfants qui n'avaient pas vécu).

Une année n'allait pas se passer sans un autre coup de la tuberculose. Albert et Eugénie avaient été ses premières victimes, c'était maintenant le tour d'Olga, l'avant-dernière des enfants La Ferronays. Après la mort d'Eugénie, Olga s'établit chez Pauline en Belgique. Les deux sœurs passent quelques jours à la mer près d'Ostende : « Ce fut là, sur cette triste plage, un jour que je n'oublierai jamais, que, regardant Olga à la lueur d'un ciel orageux, je fus comme tout d'un coup saisie de son changement et frappée, le mot n'est pas assez fort, *persuadée* qu'elle allait aussi mourir. » Pâleur du visage, rougeur des lèvres, Pauline commence à avoir l'habitude; en comparaison de notre regard médicalisé d'aujourd'hui, elle a pourtant été bien lente à faire le diagnostic ou à le soupçonner. La nuit qui suit ses observations, en effet, première crise, violent point de côté. On rentre vite à Bruxelles, à la maison des Craven. Olga s'alite et ne se relèvera plus. Elle va lutter pendant cinq mois, cinq mois « pendant lesquels nous passâmes par toutes les fluctuations de cet affreux mal qui, plus qu'aucun autre, torture le cœur de craintes et d'espérances ». On observe une plus grande précision chez Pauline en 1843 que chez Alexandrine en 1835.

Olga aussi, comme Albert, comme Eugénie, a ses moments de découragement et de désespoir : « Au début de sa maladie seulement, elle pleurait parfois, mais depuis le commencement de janvier [1843], c'est-à-dire depuis le moment où son état était devenu désespéré, elle n'eut plus un instant de mal de nerfs et d'attendrissement [19]. »

Le 2 janvier 1843, elle écrit à Alexandrine, restée à Paris, pour lui souhaiter la bonne année : « Je suis faible, je tousse, j'ai mon point de côté, je suis fatiguée, j'ai mal aux nerfs... Ma petite sœur chérie, prie pour que je sois patiente tant que Dieu voudra. J'ai pris la résolution d'agir comme si je savais que je dusse mourir de cette maladie. » On ne lui a pas dit qu'il n'y a plus d'espoir, et même « le médecin dit que je serai guérie au printemps ».

Alors que, dans son journal, elle parlait toujours de la mort, celle des autres et la sienne, quand arrive le moment pour elle (il est vrai qu'elle a à peine vingt ans), elle oublie quelque temps de la voir. « Un jour qu'elle était dans le salon où elle pouvait encore descendre (...), elle avait été longtemps pensive, et moi silencieuse, près d'elle, écoutant avec angoisse sa respiration trop rapide, et regardant son visage de plus en plus altéré. Elle me dit tout d'un coup d'une voix calme : " Sais-tu que je suis dans une bien bonne position! Oui... Si je guéris... je jouirai du printemps, du bonheur de sentir mes forces revenir... de revoir mes chères Narishkin [ses grandes amies], et si je meurs, au lieu de cela, vois-tu, toute cette année que nous venons de passer [mort de son père, de sa sœur Eugénie], et puis cette maladie que j'ai, et puis les indulgences plénières que j'espère gagner à ma mort [très importantes : c'est pour avoir le temps de les gagner que le comte de La Ferronays, dès qu'il comprit, s'est précipité sur son crucifix, l'a « arraché »], tout cela me fait penser que j'irai bien vite au ciel. " Après un moment de réflexion, elle continua avec la même tranquillité : " Au bout du compte, si je guérissais, il faudrait pourtant bien un jour recommencer à souffrir pour mourir. De sorte que, puisque j'ai déjà tant souffert et que me voilà où j'en suis... " Elle s'interrompit

puis elle me dit : " En tout cas j'espère que si on te disait ou si tu t'aperce-
vais que je suis plus mal, tu ne feras pas la bêtise de ne pas me le dire sur-
le-champ. " »

Elle compose des vers pieux. Elle me fait penser à la jeune fille
d'Huckelberry Finn. Le 3 février, on lui propose l'extrême-onction. Chaque
jour, ensuite, la messe est dite dans la chambre à côté de la sienne et on
lui donne la communion.

Le 10 février à 10 heures, c'est l'agonie, avec toute sa liturgie traditionnelle. La voici, décrite par Pauline dans son journal : « Dès les premiers
moments de défaillance et de suffocation, elle a demandé un prêtre, puis
elle a regardé avec anxiété vers la porte pour voir si mes frères venaient.
[On les avait convoqués pour la grande cérémonie de la fin.] M. Slevin (un
bon prêtre irlandais qui demeurait chez nous par hasard en ce moment),
au bout de quelques instants, a commencé la prière des agonisants. Olga
a croisé les bras sur sa poitrine [la position des gisants médiévaux, puis
des morts exposés] disant d'une voix basse et fervente : " Je crois, j'aime,
j'espère, je me repens. " Puis : " Pardon tous, Dieu vous bénisse tous. " »
C'est la scène des adieux et des bénédictions. La mourante est une jeune
fille, presque une enfant, c'est cependant elle qui préside avec l'autorité et
l'assurance que lui a données une grande habitude de ces cérémonies.
Un moment après, elle dit : « Je laisse ma Vierge à Adrien [son beau-
frère, le mari veuf d'Eugénie, en jetant les yeux sur la Vierge de Sassa Fer-
rata suspendue près de son lit. Puis voyant là mes frères [ils y sont tous les
deux] elle a appelé Charles d'abord [l'aîné], l'a embrassé en lui disant :
" Aime Dieu, sois bon, je t'en prie. " Les mêmes paroles à peu près à Fernand, avec encore plus d'insistance [elle avait sans doute ses raisons] en y
ajoutant des mots d'adieu pour les Narishkin [ses grandes amies]. » Maintenant, après la famille, c'est au tour des serviteurs : « Elle a embrassé Marie,
Emma à laquelle elle a dit quelques mots à voix basse [quelque secret
dont elle était la confidente], puis elle a dit : " Merci, pauvre Justine "
[la femme de chambre qui la soignait et qui avait dû supporter la fatigue
des soins]. Ensuite [ce fut le tour des plus proches], elle m'a embrassée
[Pauline], puis enfin elle s'est tournée vers ma mère pour qui elle semblait
vouloir garder son dernier baiser. Elle a encore une fois répété : " Je crois,
j'aime, j'espère, je me repens. Je remets mon âme entre vos mains. " Et
puis enfin quelques mots inarticulés dont le dernier et le seul que j'ai
entendu a été celui d'Eugénie. Le père Pilat était arrivé en toute hâte et
il a prononcé sur elle, à ce dernier moment, les grandes indulgences atta-
chées au scapulaire. Olga a levé les yeux au ciel et cela a été son dernier
regard. Son dernier mouvement avait été de baiser son petit crucifix qui
ne quittait jamais sa main et qu'elle avait baisé au moins dix fois pendant
cette courte agonie... » Elle était déjà belle : « Une expression rayonnante
a toujours triomphé de l'effrayante décomposition de ses traits. Elle était
haletante, mais comme on peut l'être au moment de gagner le prix d'une

course... » Quelques heures après sa mort, elle était encore plus belle :
« La plus consolante transformation avait eu lieu, toutes les traces de la
maladie avaient disparu, la chambre était devenue une chapelle au milieu
de laquelle notre ange était endormie, entourée de fleurs, vêtue de blanc et
redevenue si belle que je ne l'avais jamais vue aussi belle pendant sa vie. »
On l'enterre à Boury.

Quelques années passent vite, faute de morts suffisantes, car Pauline
ne s'intéresse qu'à la mort. Les naissances, les mariages sont à peine
mentionnés, comme des repères.

Vers 1847, l'émotion reparaît, on sent que de nouvelles liturgies se
préparent, les dernières, l'une pathétique et romantique, celle d'Alexandrine, l'autre plus discrète et classique, celle de Mme de La Ferronays,
qui termine cette longue série de six morts principales, sans compter les
morts secondaires, s'échelonnant sur un peu plus de dix ans.

Depuis la mort de son mari, Alexandrine est absorbée par les œuvres
pieuses et les dévotions. Elle occupe une chambre dans le couvent où
elle vit. Bientôt, en 1847, elle maigrit, elle tousse, suffoque, elle a des
accès de fièvre. Rien d'étonnant à ce qu'elle soit, elle aussi, devenue
tuberculeuse.

En février 1848, elle s'alite, Mme de La Ferronays vient s'installer avec
elle pour la soigner ; elle écrit à Pauline : « Elle [Alexandrine] parle tout
simplement de sa mort et hier elle me disait : " Ma mère, parlons-en donc
ouvertement [20]. " » Dans la nuit du 8 ou 9 février, on réveille Mme de La Ferronays : « Le moment est proche. » « En nous voyant, Alexandrine nous
dit : " Est-ce que vous croyez que je suis plus mal? " La sœur dit oui.
Un moment après, Alexandrine reprit : " Mais qu'est-ce qui vous fait
donc croire que je vais mourir? Je ne me sens pas plus mal qu'à l'ordinaire. " [Phrase ambiguë où je crois reconnaître une dernière et tenace
illusion.] La sœur répondit qu'elle s'affaiblissait. Moi je serrai sa main
sans pouvoir parler. Elle était calme, sa parole était difficile, mais elle
articulait très bien ce qu'elle voulait dire. » Les mourants souffrant de la
soif, aujourd'hui on atténue ces souffrances par des perfusions intraveineuses de sérum, alors qu'on devait à l'époque se contenter d'humecter
la bouche du moribond. Alexandrine croit que c'est un remède pour le prolonger et elle s'en inquiète. On la rassure : « C'était un petit soulagement
qu'on lui proposait. »

Le moment de la cérémonie publique de la mort est venu. « Albertine
[la plus jeune sœur], Adrien [le beau-frère veuf], Charles, Fernand
étaient arrivés, les uns après les autres. On dit les prières des agonisants.
Elle y répondit d'une voix très claire et très ferme... Lorsqu'on la croyait
sans connaissance, elle avançait encore les lèvres pour baiser le crucifix.
Enfin elle cesse de respirer à huit heures et demie. Quel ange! Elle était
réunie pour toujours à son Albert, à tous nos chers saints [les morts de la
famille, Albert, Olga, Eugénie, sont assimilés à des saints. Ils sont le

Paradis], et nous ne pleurions que sur nous », nous, pensait-elle, qui ne pouvions plus vivre hors de leur présence.

Juste la veille de sa mort, Alexandrine avait préparé deux lettres à celles qui n'avaient pas pu venir et qui étaient les plus proches de son cœur. L'une qu'elle eut encore la force d'écrire était destinée à Pauline. « Je t'ai désirée aussi vivement que possible, mais qu'importe? Nous ne sommes jamais séparées et bientôt je serai là où l'on comprend l'admirable unité qui nous lie tous en Dieu, et *j'espère que je pourrai te regarder*. Mais prie beaucoup pour moi quand je serai en Purgatoire [là, en effet, elle sera privée de la communication avec les siens, et elle n'aura pas le pouvoir de regarder Pauline]... Au Ciel [où elle pense bien arriver assez vite, grâce à tant de bonnes œuvres, de grandes indulgences, etc.] je t'aimerai encore davantage, là où tout est amour, et *nous causerons, les autres chères et moi*. Mais mon Dieu! Je ne parle pas de ce que ce sera de voir Dieu et la Sainte Vierge » : il était temps d'y penser, en effet, et ce rappel un peu tardif de la vision béatifique montre bien combien celle-ci était sentie comme secondaire, malgré tous les efforts de la piété : le véritable bonheur du Paradis est la réunion des « chéris ».

L'autre lettre, qu'elle a dû dicter, est pour sa mère. Il faut se rappeler qu'Albert, à son lit de mort, lui avait enjoint de ne pas retourner chez sa mère luthérienne. On reconnaît là la face agressive et fanatique du catholicisme du XIXe siècle. Les uns et les autres sont persuadés qu'un changement de religion, entre le catholicisme et le protestantisme, priverait les uns de la compagnie des autres dans le Paradis. On n'ose pas trop ouvertement condamner à l'enfer la mère d'Alexandrine, mais celle-ci, c'est sûr, a peu de chances de la retrouver au Ciel. Comme s'il y avait des Paradis bien séparés pour chaque confession, dans la meilleure et la moins sûre des hypothèses. Dans cette dernière lettre émouvante et cruelle d'Alexandrine à sa mère, perce l'inquiétude de la différence des religions et de ses effets dans l'au-delà. « J'espère que rien n'ébranle la confiance en Dieu... nous nous reverrons, nous ne serons jamais séparées. [Là est la grande question, il y a doute, et ce doute a toujours pesé depuis le mariage avec Albert, dans les relations pourtant très confiantes entre la mère et la fille.] Mais pour cela, il faut que tu donnes bien sincèrement toute ta chère volonté à Dieu [on appellerait cela aujourd'hui un chantage à la conversion]. Je te supplie (...) de prier tous les jours la Sainte Vierge... » « Au revoir, j'en sens la douce assurance et alors sans plus de douleur aucune et surtout avec le bonheur infini de ne plus offenser Dieu. » Il est clair que la cause profonde de leur comportement est la possibilité ou l'impossibilité des retrouvailles d'outre-tombe. La lettre ayant été dictée en français, Alexandrine voulut, de sa main mourante, ajouter en allemand les trois mots suivants : *Liebe süsse Mama.*

Elle est enterrée à Boury et Mme de La Ferronays fait la remarque suivante : « La confrérie [il s'agit d'une charité normande] ne voulut jamais souffrir qu'on vînt l'aider à porter le cercueil et ils ne la quittèrent qu'après l'avoir déposée près de son Albert. »

Quelques mois plus tard, c'est la Révolution. On craint le retour de 89, et les anciens émigrés reprennent les chemins de l'exil. Albertine, la dernière des filles La Ferronays, est envoyée à Bade « dans la partie de l'Allemagne (...) que le flot révolutionnaire n'avait pas encore envahie ». Mme de La Ferronays se réfugie chez sa fille Pauline à Bruxelles. C'est là qu'elle va mourir le 15 novembre.

Son cas est intéressant, parce que, si elle a partagé les sentiments de son mari et de ses enfants, elle ne les a jamais tout à fait assimilés. La comtesse Fernand, qui déteste sa belle-famille, a bien vu que sa belle-mère est d'une autre sorte. « Sincèrement pieuse toute sa vie, elle était loin d'avoir l'intransigeance de nouveaux convertis qu'on remarquait chez mon beau-père. » Elle avait même un petit sens de l'humour absolument étranger à son mari et à ses enfants, et qui avait résisté à la vie parmi eux. Dans la lettre où elle raconte à Pauline les circonstances de la mort d'Alexandrine, elle rapporte que cette dernière lui déclare un jour : « " Qu'on dise à Pauline que c'est si doux de mourir ! " Puis une autre fois, en s'adressant à moi : " Et vous, ma mère, n'êtes-vous pas bien pressée aussi de voir Dieu ? " » Toute bonne chrétienne qu'elle est, Mme de La Ferronays n'est pas si pressée : « Et moi, lâche que je suis, je fus saisie de frayeur, pensant qu'elle allait peut-être m'attirer à sa suite, comme elle avait voulu me faire entrer avec elle au catéchuménat, puis faire comme elle ses retraites, puis venir avec elle ici [au couvent!]... Je lui répondis que j'étais trop peu courageuse pour appeler ainsi la mort et que je me bornais à me remettre entre les mains de Dieu pour tout ce qui lui plaisait d'ordonner de moi. » Jolie réponse de ton érasmien, survivance du XVIIe siècle dans ce torrent romantique. Malade, Mme de La Ferronays s'alite, mais on croit son état sans gravité. Et soudain, après quatre jours de maladie, le médecin déclare tout d'un coup son état dangereux, et « une heure après désespéré ». Pauline ne sait trop que faire. « Lorsqu'elle sortait du bain...elle me dit tout d'un coup, tandis que *je pensais à la manière dont je pourrais lui dire ce que pensait le médecin :* " Mais je n'y vois plus du tout, je crois que je vais mourir, je crois que c'est la mort. " » C'est naturel, à la mode ancienne, *matter of fact*. Elle se met simplement à prier : « Mon Dieu, je vous donne mon cœur, mon âme, ma volonté, ma vie. » Pauline est soulagée. Elle n'a pas eu la réaction de panique qu'avaient eue ses frères et sœurs, et qui avait été signalée dans les lettres et journaux avec à la fois de l'inquiétude et de la discrétion. Les choses sont expédiées à la manière d'autrefois, dans le respect des usages.

« Je me suis mise à genoux et l'ai priée de me faire sa petite croix sur le front (c'était sa manière de nous bénir). Elle me l'a faite ainsi qu'à Albertine [revenue de Bade] et nous a dit : " Et pour tous les autres aussi " [les absents, les garçons]. Puis elle a fait le même signe sur le front d'Au-

guste [le mari de Pauline]. Je lui ai demandé de me pardonner... Elle a
ajouté au bout d'un moment : " Je t'assure que c'est avec une grande joie
que je pense à mourir [même elle!], mais pourquoi, mes enfants, n'avez-
vous pas déjà fait venir un prêtre? " Nous avions déjà envoyé chercher
son confesseur, un vieillard infirme qui ne pouvait venir avant le lendemain matin! " Demain, il sera peut-être trop tard ", dit ma mère [on
notera la netteté et la simplicité du ton : comme s'il s'agissait d'un rendez-
vous à organiser]. » On décide de s'adresser au vicaire de la paroisse.
« Tandis qu'on allait à l'église, ma mère m'expliqua quelques petits détails
relatifs à ses dispositions dernières [qu'on mettait autrefois dans son testament, mais qu'on se contente maintenant de confier à son entourage],
puis elle s'avisa que le vicaire ne parlait qu'allemand, langue qu'elle savait
à peine! " Mais enfin je me suis confessée il y a peu de jours! " » Si nous
comparons cette tranquillité, cette manière positive avec l'exaltation de
son mari et de ses enfants, nous comprenons l'importance du bouleverse-
ment intervenu en une ou deux générations.

Le prêtre arrive. Il donne l'extrême-onction. On assoit la malade un
moment sur un fauteuil : « Je vis sur son visage *un grand et solennel changement,* un de ces changements qui précèdent la mort. Mais ce changement sur son visage fut bien *beau*... A peine remise sur ses oreillers, elle
me dit de la voix la plus distincte et la plus calme : Donne-moi le crucifix
de ton père. C'était celui que mon père avait tenu entre ses mains en mourant. » Oh, le crucifix des morts!

> Toi que j'ai recueilli sur sa bouche expirante
> Avec son dernier souffle et son dernier adieu
> Symbole deux fois saint, don d'une main mourante
>   Image de mon Dieu...
> Un de ses bras pendait de la funèbre couche,
> L'autre languissamment replié sur son cœur
> Semblait chercher encore et presser sur sa bouche
>   L'image du Sauveur...
> Ses lèvres s'entrouvraient pour l'embrasser encore,
> Mais son âme avait fui dans ce divin baiser,
> Comme un léger parfum que la flamme dévore
>   Avant de l'embraser [21].

« Ma mère le prit [le crucifix] et, en ce moment seulement, laissa tomber
de sa main un petit étui qui contenait le portrait de mon père qui ne la quittait jamais [*romantic love* des historiens de la famille]. Elle le mettait la
nuit sous son oreiller, et l'avait tenu dans ses mains jusqu'à ce dernier
moment. Maintenant elle prit le crucifix, le baisa tendrement [le temps
n'est plus aux *temporalia,* si légitimes qu'ils soient, mais à Dieu, c'est la
vieille tradition des *artes moriendi,* négligée par les catholiques roman-
tiques]. » Elle récita alors quelques prières qu'elle avait admirées chez
Olga : « Je voudrais bien en mourant dire comme elle. » Mais la mort tar-

dant à venir, on recommença une deuxième fois à partir de la scène de l'adieu : « Elle nous fit encore à tous trois le signe sur le front, posa sa main sur nos têtes et dit : " Je vous bénis tous, absents, présents, grands et petits. " Puis elle reprit le crucifix et dit, en le regardant, " bientôt ". » Ils reprirent oraisons éjaculatoires, prières, *Pater, Ave*. Mais elle était infatigable. « Elle dit avec moi, puis commença seule le *Credo* et le dit jusqu'à la fin... Après cela elle sommeilla, puis elle se réveilla, un peu agitée, disant " mon Dieu, mon Dieu ", comme quand on souffre. Nous nous remîmes à prier pour elle; elle se calma bientôt et suivit ce que nous disions. Pendant les litanies de la Sainte Vierge, elle cessa de parler, mais sa main serrait encore celle d'Auguste à chaque réponse et ainsi jusqu'à ce que sa chère vie s'éteignît sans effort dans mes bras. » Le *Récit d'une sœur* s'arrête avec la mort de la mère[22].

Dans ces documents qui n'étaient pas destinés à la publication, qui ont été écrits pour soi ou pour des frères ou sœurs, des parents ou enfants, on sera sans doute frappé, non seulement par les faits eux-mêmes, mais par le soin mis à les rapporter, la précision des détails. Pour la femme qui les a réunis, ils constituent un capital de souvenirs : Alexandrine n'a-t-elle pas dit : « J'habite constamment la chambre des souvenirs. »

Alexandrine de Gaïx

Si originale que soit la famille de La Ferronays, son attitude devant la mort n'a rien d'exceptionnel. Voici un autre témoignage presque contemporain, mais qui ne provient plus du milieu cosmopolite et ultramontain de la grande noblesse. Nous sommes près de Castres, en 1824, dans la famille de Gaïx[23]. Dans sa correspondance, Coraly, qui a vingt-quatre ans, parle de sa petite sœur malade, peut-être la tuberculose. Nous retrouvons là la même indifférence à l'égard des médecins, mais avouée plus crûment : « Nous n'avons pas grande foi aux médecins. » On ne parle d'ailleurs pas de la maladie elle-même, de ses symptômes, de sa nature, sinon que la petite Alexandrine (elle s'appelle aussi Alexandrine!) souffre. On s'adresse à Dieu autant qu'aux médecins. Neuvaine, messes dans les sanctuaires du pays. « Nous avons écrit pour elle au prince de Hohenlohe en Allemagne [un jésuite thaumaturge]; les journaux sont remplis de guérisons miraculeuses obtenues par ses prières. J'ai aussi une grande confiance en la Sainte Vierge... Mais d'un autre côté je crains bien que ma pauvre sœur ne puisse guérir que par un miracle et nous ne serons pas assez bons pour l'obtenir [oct. 1824]. »

La petite Alexandrine sait qu'elle est très malade. Elle n'est pas impressionnée, fait même des mots sur son état. « Quand elle fut dans son bain, comme elle s'appuyait avec ses bras, son corps ne touchait à rien. " Voyez,

me dit-elle en riant, ici je ne tiens plus à la terre que par un fil. " »
Elle reçoit l'extrême-onction dans la nuit du 16 au 17 novembre 1824.
« " Mon enfant, c'est un sacrement qui rend la santé aux malades. Dis au
Bon Dieu de te guérir. " A ces mots, elle se retourna vers moi avec un
visage serein. " Je ne crains pas la mort ", me répondit-elle. " Si ce n'est
pas pour toi, demande pour ton père, pour ta mère, pour nous... " »
      Après la cérémonie : « " Hé bien! lui dis-je, t'es-tu acquittée de ma
commission auprès du Bon Dieu? " " Oui, répondit-elle, je lui ai demandé
un peu de me guérir. " Ensuite, après un moment de silence : " Mon Dieu,
faites que ce calice passe sans que je le boive, mais, au moins, que votre
volonté se fasse et non la mienne. " »
      Coraly ne parle pas tout de suite du tombeau, ni de l'enterrement. Elle
y revient cependant plus de dix ans après (à la même époque qu'à la mort
d'Albert de La Ferronays), dans des notes sur le crucifix, le crucifix des
messes clandestines pendant la Terreur, le crucifix des morts de la famille.
« Quelques lignes d'une simplicité charmante, écrites le jour de sa première communion [comme Eugénie, Olga], nous ont révélé son secret :
" J'aime les saints qui sont morts jeunes, disait-elle. Mon Dieu, faites-moi
mourir jeune comme eux. " »
      « Elle avait quinze ans lorsqu'une maladie longue et douloureuse qu'elle
souffrit longtemps sans rien dire [et sans que personne s'en aperçût]
l'enleva à notre amour... Oui, elle était heureuse, le sourire était toujours
sur ses lèvres, et lorsqu'on lui dit qu'il fallait mourir, son visage devint
radieux... Le lendemain, les dépouilles de notre Alexandrine furent portées à Saint-Junien par toutes les jeunes filles de la paroisse. Elle fut enterrée au pied de la croix de pierre. On posa sur sa tombe une pierre sans
nom. Mais ce nom qui n'est pas sur la terre est écrit dans le ciel [24]. »

En Angleterre : la famille Brontë

      Rêveries ultramontaines, dira-t-on. Élucubrations morbides de femmes
dominées par des prêtres, dans un climat exalté de Sainte-Alliance. Et
pourtant, nous allons maintenant retrouver les mêmes sentiments aussi
exaltés, malgré des différences d'expression, à la même époque, dans des
conditions sociales, économiques, culturelles, cette fois, tout à fait autres.
Une famille nombreuse, comme les La Ferronays, mais pauvre, protestante et même de tradition méthodiste, très antipapiste (et antifrançaise),
une famille de pasteurs, isolée dans un presbytère de campagne, au fond
des landes du Yorkshire, sans voir personne, sinon les vicaires, les serviteurs. Comme les La Ferronays, les Brontë lisaient et écrivaient beaucoup,
mais les innombrables journaux et lettres des La Ferronays n'ont pas mar-

qué dans l'histoire littéraire, tandis que *Wuthering Heights* est un chef-d'œuvre, et *Jane Eyre* un document captivant. Le parallèle des Brontë et des La Ferronays est suggestif. Il aurait été facile d'écrire avec les lettres des Brontë un tableau symétrique de celui que j'ai brossé plus haut avec les documents des La Ferronays. La chose a d'ailleurs été déjà faite, malheureusement sur un support éphémère : une série remarquable d'émissions radiophoniques de Raymond et Hélène Bellour, à France-Culture, en mai 1974, d'après le journal de jeunesse et les lettres des Brontë : des variations sur la mort. L'auditeur que j'étais a alors été frappé par les ressemblances avec les La Ferronays, même si les Brontë, du moins Emily, avaient en plus le génie. Cette rencontre suggère l'existence d'un fonds d'époque, ici vécu profondément et spontané, prêt ailleurs à devenir lieu commun.

L'œuvre même des Brontë, leur œuvre d'imagination, nous permet d'aller plus loin que leurs échanges familiaux, vers la partie immergée de l'iceberg. Contentons-nous de rappeler que la vie des Brontë est, comme celle des La Ferronays, une suite de morts, et de tuberculoses mortelles. La mère meurt laissant six enfants vivants. L'aînée, Maria, leur sert de mère, malgré son jeune âge : elle a huit ans à la mort de Mme Brontë. En 1824, elle va à l'école avec sa sœur Elizabeth. Atteinte de la tuberculose, il faut la renvoyer à la maison où elle meurt tout de suite. La petite Elizabeth la suit la même année dans la tombe. Cette première série noire n'empêche pas le père Brontë d'envoyer ses deux autres filles Emily et Charlotte à l'école, un pensionnat, en 1825. On doit les faire rentrer l'hiver suivant, à cause de leur santé. Emily meurt en 1848, suivie, cinq mois après, par sa sœur Anne. On retrouve la même succession de drames de la tuberculose chez les Brontë et chez les La Ferronays.

Tous les enfants Brontë gardèrent de leur sœur aînée Maria un souvenir extraordinaire. C'est sans doute elle qu'ils entendent frapper à la fenêtre d'Emily, les nuits d'hiver, comme Catherine à *Wuthering Heights,* fantôme blanc que le visiteur étranger, épouvanté, saisit par la main et qu'il fait saigner. Vingt ans après la mort de Maria, trois ans avant sa propre mort, Emily évoque encore son souvenir :

> Transie dans la terre, et sur toi cet amas de neige profonde...
> Loin, loin de toute attente et transie dans la morne tombe,
> La seule joie qu'ait eue ma vie m'est venue de ta chère vie,
> La seule joie qu'ait eue ma vie est ensevelie avec toi.

De son côté, Charlotte Brontë pense à sa sœur Maria, quand elle imagine dans *Jane Eyre* la mort d'Helen Burns : Helen Burns est tuberculeuse *(consumption).* La directrice de la *boarding school* où elle est pensionnaire observe avec inquiétude, mais impuissance, le cours lent de la maladie. On n'a guère l'idée de la faire suivre par un médecin; celui-ci n'intervient qu'en cas de crise. Un jour la *boarding school* est bouleversée par une épidémie de typhus : il y a opposition entre l'épidémie brutale et la lente *consumption*. L'état d'Helen s'aggrave. On l'isole à la fois des typhiques et des bien portantes, dans la chambre de la directrice. Jane Eyre, condisciple et amie d'Helen (elles ont quatorze ans), ne s'inquiète pas : « Par *consumption,* dans mon ignorance, j'entendais quelque chose de doux dont le temps et les soins viendraient sûrement à bout. »

Un jour Jane Eyre interroge l'infirmière qui soigne Helen, juste après la visite du médecin, celle-ci répond, sans les ménagements que nous attendrions aujourd'hui, et qui étaient cependant déjà employés par les La Ferronays : « Il a dit qu'elle ne restera pas ici longtemps. » Je traduis littéralement; en fait, l'expression française correspondante serait plus brutale : elle n'en a pas pour longtemps. Jane Eyre comprend alors que son amie va mourir. Elle veut lui dire au revoir avant son départ : « Je voulais l'embrasser avant qu'elle soit morte. » Le temps presse et la chambre de la malade est interdite. Elle attend la nuit, que toutes les élèves soient couchées, se lève, s'habille, quitte le dortoir et se glisse dans la chambre où repose la petite mourante. L'infirmière s'est endormie. La scène est tout à fait comparable aux morts des La Ferronays.

« Je suis venue vous voir, Helen. J'ai entendu dire que vous étiez malade et je ne pouvais pas dormir avant de vous avoir parlé.

— Vous venez me dire au revoir! Bien, vous arrivez sans doute juste à temps.

— Où allez-vous, Helen? Est-ce que vous allez rentrer à la maison?

— Oui, à ma maison lointaine, à ma dernière maison.

— Non, non Helen! » Une quinte de toux terrible interrompt la conversation. Elle reprend quelques instants plus tard :

« Helen devine que j'ai froid.

— Jane, vos petits pieds sont nus. Couchez-vous ici, près de moi, mettez-vous sous ma couverture.

C'est ce que je fis. Elle m'entoura de ses bras, et je me blottis contre elle. Après un long silence, elle reprit dans un murmure :

— Je suis heureuse, Jane, quand vous apprendrez ma mort, soyez calme, ne pleurez pas. Il n'y a rien à regretter. Nous mourrons tous un jour, et la maladie qui m'emporte n'est pas douloureuse. Elle est douce et lente. Mon âme est en repos. Je ne laisse personne pour me pleurer. [C'est une vraie consolation, car si la mort est ici douloureuse, ce n'est pas parce qu'elle prive des jouissances et des biens de la vie, comme on le pensait au Moyen Age, mais parce qu'elle nous sépare des êtres chers.] J'ai seulement un père qui est remarié et ne me regrettera pas. En mourant jeune, j'échapperai à bien des souffrances. Je n'ai aucune des qualités ou des talents qu'il faut pour réussir dans le monde. Je ferais tout de travers.

— Mais où allez-vous, Helen? Pouvez-vous voir, savoir, où vous allez?

— Je crois, j'ai la foi, je crois en Dieu.

— Où est Dieu? Qui est Dieu?

— Mon créateur et le vôtre, qui ne détruira jamais ce qu'il a créé [comme les La Ferronays, elle a confiance dans le salut, et cette croyance qui ne laisse pas de place à l'Enfer est bien loin de celle des puritains]. Je m'en remets seulement à lui, je m'abandonne à son pouvoir, à sa miséricorde. Je compte les heures qui me séparent du moment essentiel où je lui serai rendue et qui me le rendra.

— Vous êtes sûre, alors, Helen, qu'il existe un endroit comme le ciel, où nous irons quand nous serons morts?

— Je suis sûre qu'il existe une vie future. Je crois à la bonté de Dieu. Je peux lui donner la partie immortelle de moi-même sans crainte de me tromper [l'âme immortelle, opposée au corps périssable]. Dieu est mon Père, mon ami. Je l'aime. Je crois qu'il m'aime.

— Et vous verrai-je encore, alors, Helen, quand je serai morte [c'est la question capitale de ce temps, car la mort est devenue la séparation intolérable].

— Vous viendrez aussi dans le même pays de bonheur. Vous serez reçue par le Père tout-puissant, maître du Monde, cela est sûr, chère Jane. [Réponse d'une piété banale que je trouve un peu à côté de la question de Jane. Mais Helen ne veut pas trop s'éloigner des formulations orthodoxes. Plus naïfs, les La Ferronays répondaient plus franchement. Toutefois, malgré sa réserve, le fond de la pensée d'Helen est bien que le ciel est le lieu des retrouvailles.] Je serrai Helen dans mes bras. Elle me paraissait plus chère que jamais. Je sentais que je ne pourrais pas la laisser partir. J'appuyai ma tête contre son cou. Elle dit alors :

— Comme je me sens bien! La dernière crise de toux m'avait un peu fatiguée. Je me sens maintenant comme si j'allais m'endormir. Ne me laissez pas, Jane. J'aime que vous soyez près de moi.

— Je resterai avec vous, Helen. Personne ne me séparera de vous.

— Avez-vous chaud, chérie?

— Oui.

— Bonne nuit, Jane... Bonne nuit, Helen.

Elle m'embrassa et nous nous endormîmes ensemble. » Quelques heures plus tard, en rentrant dans la chambre, la maîtresse la trouva dans le lit d'Helen, « mon visage sur son épaule, j'étais endormie et Helen, elle, était morte [25] ».

Ce n'est pas la grande liturgie publique des La Ferronays. Elle est rare chez les Brontë, ces sauvages. C'est une mort presque clandestine, mais non pas solitaire : grande amitié a remplacé la foule des amis, parents, prêtres, les derniers mots viennent du fond du cœur.

La mort d'Edgar Linton *(Wuthering Heights)* est, elle, plus conforme au type romantique français, quoique aussi plus discrète. Les Brontë n'encombrent pas la chambre de leurs moribonds, elles préfèrent l'intimité des grandes amours exclusives. Edgar Linton sait depuis longtemps qu'il va mourir, et tout le monde à la maison le sait et ne s'en trouble pas. Sa fille Catherine (Catherine II) peut enfin s'échapper du manoir voisin où elle est retenue prisonnière par son mari, afin de l'assister à ses derniers moments. Cette présence est une grande joie pour Edgar. « Il regardait sa fille avec passion, il fixait sur son visage des yeux que l'extase semblait dilater. *Il mourut comme un bienheureux.* Oui. En l'embrassant il murmurait : " *Je vais à elle* [sa femme, Catherine I, morte à la naissance de sa fille, la deuxième Catherine], *et vous, chère enfant, vous nous rejoindrez.* " » Phrase extraordinaire où le père mourant anticipe sur la mort de sa fille pour jouir d'avance de leur complète réunion dans l'au-delà. On trouve donc, dans cette courte description mortuaire, comme en un abrégé, les deux aspects fondamentaux de la mort romantique : le bonheur et la réunion familiale. L'un est l'évasion, la délivrance, la fuite dans l'immensité de l'au-delà. L'autre est la rupture intolérable qu'il faut compenser par une reconstitution dans l'au-delà de ce qui a été un moment déchiré.

Les poèmes d'Emily, composés dans le cadre d'une sorte de mimodrame familial, reprennent ces deux aspects [26].

Elle n'a pas encore vingt ans, quand elle commence d'écrire ces vers tristes qui semblent plutôt aujourd'hui échapper à l'amertume d'un vieillard :

> Nous étions bien plus autrefois,
> Mais la mort nous a dérobé nos compagnons
> Comme le soleil, la rosée.
> Oui la mort les a pris un à un, nous laissant
> Tous deux seuls désormais * (1844).

Cette jeune fille est déjà entourée des tombeaux de ses amis et parents.

> Car seuls, environnés de ces froides montagnes,
> Gisent, hélas, ceux que j'aimais,
> Et mon cœur déchiré d'une indicible peine
> S'épuise en plaintes combien vaines
> Parce que jamais plus je ne les reverrai (1844).

Aussi, le souvenir des morts l'empêche-t-elle de dormir :

> Le sommeil vient sans nulle joie;
> Jamais ne meurt le souvenir;
> Mon âme vit dans la détresse
> Et les soupirs...
> Les ombres des morts que jamais
> Mes yeux ouverts ne peuvent voir
> Hantent ma couche... (1837).

* Traduction P. Leyris.

Souvenirs trop aigus pour qu'on s'y complaise : ils empoisonnent de regret la vie de chaque jour, et la rendent insupportable. Le désir de mort, exprimé par ces jeunes malades condamnés, n'est pas attitude littéraire, mais blessure profonde; non pas blessure individuelle, mais accident d'époque et de culture. Je crois ces témoins qui mourront tout jeunes et le savent.

> Le sommeil vient sans nul désir
> De réarmer mon cœur meurtri,
> Sinon du sommeil de la mort
> Et son oubli.

La mort est alors joie :

> *Dead, dead is my joy*
> Il me tarde d'être en repos
> Et que la terre humide couvre
> Cette poitrine désolée (1839).

Et pourtant cette joie de la mort est altérée par la peine qu'elle inflige à ceux qui restent :

> Mais les yeux ravis qui m'entourent
> Devront pleurer comme les miens,
> Je devrai voir le même orage
> Éclipser leurs radieux matins (1839).

Mais qu'arrive-t-il aux morts? Sont-ils abandonnés au fond de leurs tombes? Revivent-ils ensemble dans un monde meilleur?

La foi des La Ferronays n'admet aucune hésitation. Emily Brontë ne partage pas leur inquiétante certitude, elle bronche sur l'abîme. Quand elle rêve près de la tombe de sa sœur aînée, la sœur maternelle,

> Transie dans la terre et depuis dévalant ces collines fauves,
> Quinze inexorables hivers s'en sont venus fondre un printemps...

« La marée du monde » la pousse à oublier. Elle n'oublie pas. Elle doit, au contraire, lutter contre la tentation du suicide :

> J'ai réprimé d'un non sévère mon brutal désir de rejoindre
> Une tombe qui était déjà plus que mienne,
> Et je n'ose, aujourd'hui encore, m'abandonner à la langueur
> Non plus qu'à la *poignante extase du souvenir.*
> Si je m'abreuve à longs traits d'une angoisse aussi divine
> Comment pourrai-je à nouveau rechercher le monde vide?

Ici « la poignante extase du souvenir » est associée à la nuit du tombeau. Ailleurs, au contraire, elle annonce sur le mode majeur la survie loin des silences souterrains :

> Oh nous ne devons point désespérer pour eux [les morts],
> Si la tombe est lugubre, ils sont en autre lieu :
> Leur poussière est mêlée au sol,
> Leurs âmes bienheureuses sont parties vers Dieu!

C'est l'image classique de l'eschatologie chrétienne.

> Je n'aurai crainte ni larmes
> Pour tous ceux dont les corps reposent endormis.
> Il est un bienheureux pays
> Dont les ports sont ouverts et à moi et aux miens;
> Et mon regard franchit du temps les eaux immenses,
> Tant je languis auprès de ce rivage divin.

Car ce rivage ne sera pas seulement divin, mais lieu de la réunion éternelle :

> Où nous naquîmes, où vous et moi, *rencontrerons,*
> *La mort venue, nos bien-aimés,*
> Libres de la souffrance et de la corruption,
> Rendus à la Divinité.

Alexandrine de La Ferronays de son côté avait, l'année après son mariage, recopié dans ses cahiers d'extraits ces vers des *Harmonies* de Lamartine :

> Prions pour eux, nous qu'ils ont tant aimés...
> Ont-ils perdu ces doux noms d'ici-bas?

C'était la préoccupation de ces chrétiens catholiques ou protestants, mal éclairés par l'eschatologie traditionnelle de leur religion. Celle-ci datait d'époques où l'on n'éprouvait pas le besoin de prolonger au-delà de la mort les sentiments de la vie qui semblaient trop humains. A l'époque des Brontë, on redoute plutôt qu'ils ne disparaissent dans l'immensité infinie de Dieu.

A ces appels (à nos prières) ne répondront-ils pas?

> Oh non, mon Dieu! Si la céleste gloire
> Leur eût ravi tout souvenir humain
> Tu nous aurais enlevé la mémoire;
> Nos pleurs sur eux couleraient-ils en vain
> Oh! dans ton sein que leur âme se noie.

(Nous le concédons à la théologie, mais ce n'est pas pour nous l'essentiel.)

> Mais garde-nous nos places dans leur cœur.
> Eux qui jadis ont goûté notre joie.
> Pouvons-nous être heureux sans leur bonheur?

Sentiments très banals que le même Lamartine a ramassés dans ce vers racinien :

De tout ce qui t'aimait, n'est-il plus rien qui t'aime?

Lamartine, les La Ferronays, combien d'autres qui ne laissèrent rien d'écrit, romantiques anonymes, trouvèrent leur satisfaction dans la certitude d'un Paradis d'amitiés retrouvées. Emily Brontë, elle, éprouve une inquiétude : en passant dans un au-delà, même aussi *homelike,* les amitiés perdraient-elles les sombres et cependant irremplaçables couleurs de la Terre?

Un très beau poème dit cette hésitation, et cet attachement viscéral aux solidarités de la Terre, chez cette bonne chrétienne, croyant à la vie éternelle. La première image est une méditation sur un cimetière :

Autour de moi des tombes grises [*headstones*]
Étendent leurs ombres au loin.
Là sous le gazon que je foule,
Silencieux, seuls, gisent les morts.
Là sous le gazon, sous la glaise,
Voués au froid, voués au noir.

L'autre image est le séjour des bienheureux où risquent de se dissoudre les sentiments du monde :

Aimable séjour de lumière,
Tes radieux enfants ignorent
Tout ce qui est notre désespoir.
Ils n'ont éprouvé ni ne savent
Quels sombres hôtes nous logeons
Dans nos habitacles mortels.

Que chacun donc reste chez soi :

(...) Qu'ils passent dans l'extase
Une longue éternité de joie;
Nous ne voudrions point qu'ils vinssent
Gémir avec nous ici-bas.

Nous, les vivants et les morts, nous sommes encore longtemps solidaires de notre mère, la Terre, longtemps encore après notre mort. Combien de temps? Peut-être jusqu'à un événement qui n'est pas nommé, mais qui pourrait bien être la fin du Monde, la Parousie de l'eschatologie traditionnelle :

Laisserions-nous notre patrie
Pour *aucun* monde d'outre-tombe [souligné par Emily]?
Plutôt sur ton sein tutélaire.
Reposer pour un long sommeil
[*Let us be laid in lasting rest*].
Et n'être enfin réveillés
Que pour partager avec toi
Une immortalité pareille.

L'idée archaïque du sommeil, de la *requies* pendant une période intermédiaire d'attente, réapparaît ici, telle, peut-être, que les spéculations des XVIIe-XVIIIe siècles sur les cadavres vivants l'avaient retrouvée. Mais chez Emily, elle est en concurrence avec une autre idée, plus avouée, plus répandue à son époque : la mort-abîme infini. Idée sans doute liée à celle de la mort-bonheur : bonheur de se perdre dans l'abîme infini, de Dieu? de la Nature? Il n'importe pas. Ce qui compte ici est la notion quasi physique d'infini.

Elle était en train de devenir banale à l'époque romantique. Elle existait dans les mentalités des La Ferronays et nous avons noté plus haut comment Albert de La Ferronays était attiré par l'infini de la mer, symbole à la fois de la mort, de Dieu, et du bonheur. Chez Emily, on retrouve l'image de la mer, avec le même sens.

Le passé est « un soir d'automne » où les poètes romantiques voyaient aussi la figure de la mort. Le présent est « un rameau vert chargé de fleurs ». L'avenir sera-t-il l'été? Non, la comparaison avec les saisons dérape ici :

> Et l'avenir, enfant bénie?
> La mer sous un soleil sans voile,
> La mer puissante, éblouissante,
> Qui là-bas rejoint l'infini (juillet 1836).

D'autres images relaient celles de la mer : le vent, la lande houleuse, la mer de bruyères, la nuit :

> Mon plus grand bonheur, c'est qu'au loin
> Mon âme fuie sa demeure d'argile (...)
> Par une nuit qu'il vente, que la lune est claire
> Que l'œil peut parcourir des mondes de lumière.
> Que je ne suis plus, qu'il n'est plus rien,
> Terre ni mer ni ciel sans nuages,
> Hormis un esprit en voyage
> Dans l'*immensité infinie*.
> Je veux voler par l'Océan
> [elle qui ne quittait pas son presbytère!]
> Je veux courir les déserts (1838).

Non pas pour savoir :

> Sans laisser mon esprit s'épuiser en efforts
> Pour deviner *ce qui doit être* [souligné par Emily].

Mais pour plonger dans l'Éternité :

> Là j'ai jeté profond mon ancre de Désir
> Dans l'Éternité inconnue.

Je pourrai alors :

> (...) braver
> Sans peur la noirceur du tombeau,
> Sourire même aux flots rugissants de la Mort (1845).

Il n'est plus question alors des chers disparus. Les morts individuelles perdent leur sens et deviennent des chaînons de la vie universelle, idée venue du XVIIIe siècle naturaliste, biologiste, mais qui a trouvé des racines authentiques chez cette jeune femme solitaire, dans son ermitage de landes, de bruyères, de maladie et de mort.

> [Le temps]
> Frappe et le jette au sol, pour que d'autres fleurissent
> Là où poussait ce rejeton exténué,
> Et que du moins son corps en pourrissant nourrisse
> Ce dont il a jailli : l'Éternité.

Arrêtons là notre analyse. Elle suffit à une rapide comparaison des Brontë et des La Ferronays. Leurs deux séries de morts sont bien semblables. On y retrouve la même intolérance à la mort des êtres chers, la même tristesse d'une vie privée de ses affections, la même volonté et la même certitude de retrouver les disparus après la mort, et d'autre part, la même admiration du phénomène de la mort, de sa beauté intrinsèque. En revanche, nous avons observé quelques différences : une moins grande considération accordée par les Brontë aux aspects publics de la mort (la cérémonie au lit, les adieux, l'enterrement), une particulière insistance, chez Emily, sur les signes et les images de l'Infini.

Peu importent les différences des détails. Il est assez évident que nous parvenons ici à un point de grand changement des attitudes devant la mort. Celles-ci étaient demeurées pendant des siècles à peu près immobiles, à peine troublées par de petits mouvements qui ne modifiaient plus la stabilité générale. Et tout d'un coup, au début du XIXe siècle, avec une brutalité inhabituelle, une sensibilité nouvelle émerge, différente de tout ce qui l'avait précédée. Cela s'est fait en une ou deux générations. C'est la première fois, au cours de cette enquête, que nous voyons les opinions et les sentiments changer si vite. Une évolution aussi rapide, dans un champ psychologique aussi durable, dans une histoire aussi lente, est un fait remarquable qui demande quelque explication. *Wuthering Heights,* le roman d'Emily Brontë, nous apporte la transition qui manquait. Ce livre extraordinaire appartient à deux mondes à la fois. Il est un roman noir, diabolique, semblable à ceux étudiés par M. Praz dans *Romantic Agony*[27], mais il est aussi un roman du XIXe siècle victorien, romantique, où les passions et les sentiments les plus violents ne paraissent pas s'opposer aux morales conventionnelles, mais au contraire s'y conforment, ou font semblant de s'y conformer. La différence entre l'immoralité du XVIIIe siècle et la moralité du XIXe n'est pas énorme, et peut-être suffirait-il de peu de chose pour récrire *Wuthering Heights* à la manière de Diderot ou de Lewis. Mais ce peu de chose est la fragile limite entre deux sensibilités. Essayons de voir comment on est passé de l'une à l'autre.

Le héros de *Wuthering Heights* est un homme de la fin du XVIIIe siècle, du romantisme diabolique, un révolté. Il me rappelle l'avocat libertin dont parle Bellarmin à la fin de son *Art de bien vivre et de bien mourir,* qui meurt comme s'il partait pour sa villa de campagne. Heathcliff, ramassé dans les rues de Liverpool, vient de nulle part; il n'a pas de nom. Il part un jour on ne sait où, il revient riche et puissant, on ne sait comment. Il est noir de peau, comme les enfants maudits d'Égypte ou de Bohême. Il vit au milieu de grands feux, comme les gens des enfers, entouré de chiens féroces. Il est cruel, pour les humains comme pour les bêtes, sans cesser d'avoir l'air d'un gentilhomme : « élément du flux de la nature, enfant du roc et de la terre et de la tempête [28] ». Le sujet principal du livre est la passion qu'éprouve Heathcliff, personnage démarqué de la littérature satanique, pour Catherine, elle aussi créature de la terre et du vent, avec qui il a été élevé comme frère et sœur.

Tout ce qui touche au sexe est tu sans être absent. Ainsi le mot d'inceste n'est-il pas prononcé, et d'ailleurs il n'y a pas vraiment inceste, mais quelque chose d'étranger aux règles humaines, proche du règne animal. De même, un jour, une effroyable scène éclate, provoquée par Heathcliff, au cours de laquelle Catherine s'effondre. Personne ne nous a informés qu'elle était enceinte; personne n'a tenu compte du fait qu'elle était au terme de sa grossesse, laquelle devait pourtant se voir! Mais ces choses ne se disent ni ne se voient. Aussi mourra-t-elle le lendemain, peu après avoir donné le jour à Catherine II, fille qu'elle a eue avec son époux Edgar Linton, le *squire* du village, homme de la civilisation opposé à ces créatures de la terre que sont Heathcliff et Catherine. Enfin, quand Heathcliff épouse Isabelle, rien non plus n'est dit clairement de leurs relations, mais tout est organisé pour que nous le sachions si nous voulons nous en donner la peine. Ils font chambre à part, mais un enfant est conçu tout de suite après le mariage. Les choses de l'amour sont bien présentes, quoique très cachées, et exclues du discours.

Tout ce qui, dans un roman plus ancien, aurait été érotique, macabre et diabolique, devient passionné, moral et mortuaire. Le livre est une symphonie sur les thèmes conjoints de l'amour et de la mort.

Ainsi glisse-t-on de l'érotisme macabre des XVIIe-XVIIIe siècles étudié dans le chapitre précédent, à la belle mort du XIXe. Comment? C'est ce que nous révèle un épisode de *Wuthering Heights* [29]. Catherine I est enterrée, non pas dans l'église, mais dans le *churchyard*. Heathcliff est désespéré : « Le jour de son enterrement, il neigeait. Le soir, je vins au *churchyard*... Il était désert. Seul, et conscient, conscient que juste deux yards de terre fraîche me séparaient d'elle, je me dis : je la tiendrai encore une fois dans mes bras. Qu'elle soit déjà froide, je me dirai que le vent du

Nord l'a glacée. Qu'elle soit inanimée, je croirai qu'elle s'est endormie. Alors je saisis une bêche dans le hangar, et je commençai à creuser de toutes mes forces. Je dégageai le cercueil. Je continuai le travail avec les mains, le bois commençait à craquer autour des écrous. » On reconnaît la scène : elle est tirée de la littérature noire et sadienne. On ne s'attendait pas à la retrouver avec toute son ambiguïté chez cette chaste fille de pasteur, qui n'avait pour ainsi dire jamais quitté son presbytère de campagne. Mais la ressemblance s'arrête à ce début d'exhumation. Heathcliff n'ira pas plus loin, du moins pour cette fois : « J'étais sur le point d'atteindre mon but quand il me sembla entendre un soupir venant d'en haut, du côté du cercueil... Il y eut encore un autre signe, près de mon oreille. Il me sembla sentir un souffle chaud à la place du vent de pluie. Je savais qu'il n'y avait ici rien de vivant, de chair et de sang. Mais aussi sûr que de la présence d'un corps dans l'obscurité, même si on ne le voit pas, je sentais que Catherine était là, non pas sous moi dans le cercueil, mais au-dessus de la terre. » C'était la communication d'un esprit : phénomène nouveau, différent de l'apparition d'un revenant. Autrefois, le retour d'une âme était signe de malheur ou de détresse, qu'il fallait empêcher en satisfaisant ses exigences, grâce à la magie, noire ou blanche. Maintenant c'est l'esprit du disparu qui revient vers celui qu'il a aimé et qui l'appelle.

« Un sentiment de soulagement m'envahit alors, dans tout mon corps. Je cessai mon travail d'agonie et je me sentis consolé, d'une indicible consolation. Elle était avec moi, resta avec moi tandis que je recomblai la tombe et rentrai à la maison... J'étais persuadé que je la reverrais. Mais si je pouvais presque la voir, je ne parvenais pas à la voir tout à fait *(I could almost —* souligné par l'auteur *— see her, and yet I could not).* »

Alors commence pour Heathcliff une période tourmentée. Il couche dans la chambre d'enfant de Catherine, dont elle avait couvert le lit clos de graffiti. Il suit ses traces dans la maison. Il croit qu'elle va lui apparaître, il sent sa présence, et cependant elle lui échappe au moment où il pense la saisir. Il ferme les yeux et s'attend à la voir. Ils les rouvre: Rien. Personne.

Heathcliff est donc assuré de la survie, sous la forme d'un esprit, d'une désincarnée, de celle qu'il aime. Il éprouve le sentiment de cette présence et il ne parvient pas à la réaliser. D'où une course éprouvante et vaine après ce fantôme à la fois proche et insaisissable. On a le sentiment d'une histoire vécue, d'une confidence de l'auteur qui se souvient de telles épreuves, à la recherche de ses disparues. Ses poèmes, nous l'avons vu, traduisent une alternative déchirante entre le silence du tombeau et la réunion ou le retour des âmes. Son hésitation est importante pour l'intelligence des mentalités du XIXᵉ siècle. Le mort est à la fois dans la tombe où il n'était plus vraiment tout à fait depuis le haut Moyen Age (il était confié à l'Église qui en faisait ce qu'elle voulait) et aussi dans les airs, soit dans les demeures du ciel, soit autour des vivants, présence insaisissable.

Heathcliff aussi, de son côté, subit la même double attraction. Il a un jour, le jour de l'enterrement, refermé le cercueil pour suivre l'esprit aérien. En vain. Il va alors revenir au cimetière et rouvrir le tombeau. Une occasion se présente. Le mari de Catherine I meurt. Il n'est pas enterré dans l'église auprès de ses ancêtres, mais dans le *churchyard* auprès de sa femme. « J'ai demandé, dit Heathcliff, au sacristain qui creusait la tombe de Linton, de dégager le couvercle de son cercueil. *Je l'ouvris.* » Nous voici, cette fois, dans les conditions de la littérature érotico-macabre. L'embrasse-t-il? L'auteur n'en dit rien, selon son habitude, mais c'est bien probable! Elle a pourtant été enterrée *dix-sept ans plus tôt.* Miracle, oui, miracle, elle est intacte. C'est dit à demi-mot. « J'ai cru alors, quand j'ai revu son visage, et *c'était encore le sien* [je souligne], que je ne saurais plus me détacher d'elle. Le fossoyeur a eu beaucoup de mal à me ramener à la réalité. Mais il m'a dit que son visage changerait s'il était plus longtemps exposé à l'air. » Alors Heathcliff referme le cercueil et d'un coup le déplace et l'éloigne de celui de son mari. Il paie le fossoyeur pour que, le jour de son propre enterrement qui, il le sait, ne saurait tarder, il rapproche le sien, de telle sorte que Linton « quand il reviendra, ne saura plus qui est quoi ». Les morts reviendront, Heathcliff, qui ne croit à rien et surtout pas à Dieu, n'en doute pas. « Vous n'avez pas honte de déranger les morts? » lui dit sa servante, sa compagne d'enfance à qui il se confie. « Je ne dérange personne, je m'accorde seulement un peu de satisfaction. Je serai plus calme désormais et vous pourrez mieux me contenir sous la terre, quand j'y serai. » En effet, si on ne satisfait pas son exigence, il ne sera plus l'esprit qui revient auprès de ceux qui le regrettent, mais le fantôme maudit qu'il faut exorciser. Le fait d'avoir revu le corps de Catherine et d'avoir eu avec lui un rapprochement physique lui a rendu la tranquillité. « Maintenant je l'ai vue, et, depuis lors, je suis en paix. » Quand Heathcliff mourra, les deux amants diaboliques vont donc être réunis, non pas dans le Paradis de Dieu et des anges, où ils n'ont pas leur place, et où d'ailleurs ils ne souhaitent pas entrer, mais sous la terre, *en se dissolvant ensemble.* Car il y a eu *miraculum mortuorum* chez Catherine : après un séjour de dix-sept ans, son corps est conservé. Le cimetière du village a la réputation, on nous le dit ailleurs, « d'embaumer » les cadavres. C'était un cimetière de momies; grâce aux vertus de cette terre, Heathcliff a pu retrouver les traits inchangés de sa bien-aimée.

Les choses auraient pu se passer autrement. Il n'était pas assuré d'une telle conservation, quand il a ouvert le cercueil. Aussi la servante lui dit : « Que serait-il arrivé, qu'auriez-vous imaginé, si elle avait été dissoute dans la terre, ou pire encore? — Ce que j'aurai imaginé alors? De me dissoudre avec elle et d'être encore plus heureux [puisque alors ce serait l'union complète, l'étreinte éternelle]... Je m'attendais bien à un changement de ce genre en soulevant le couvercle. Mais je préfère qu'il n'ait pas encore commencé *avant que je puisse y participer moi-même.* » Catherine l'a attendu pour cet ultime rendez-vous de la dissolution commune.

En attendant ce dernier moment, Heathcliff entre dans une extase semblable à celle des saints, prolongée pendant des jours de suite. Il a perdu les réflexes de la vie : « J'ai à me rappeler qu'il faut respirer, qu'il faut que mon cœur batte. » Et enfin, tout cela s'arrête.

Dans l'œuvre de la jeune fille, recluse dans son presbytère et ses landes, mais nourrie de la littérature du XVIIIe siècle et aussi de contes populaires et de légendes plus anciennes, se trouvent confondus l'image traditionnelle du repos et de l'attente, la survie temporaire du cadavre enseveli, la beauté physique de la mort, le vertige que le versant de la mort provoque chez les vivants, l'attirance de l'infini — autre forme de ce vertige —, la dissolution commune dans le travail perpétuel de la nature, et, enfin, pardevers ces désirs qui entraînent les hommes, non plus vers le lieu immobile de Dieu, mais dans un flux perpétuel, la seule zone fixe de cet autre monde en dérive, la réunion, dans un au-delà qui n'est pas nécessairement le Paradis, de tous ceux qui se sont aimés sur la terre, afin qu'ils puissent poursuivre éternellement leurs affections de la terre.

En Amérique : les lettres des émigrants

Après des Français et des Anglais, voici des Américains de la même époque et d'un peu plus tard. Les historiens de l'Amérique ont commencé à étudier les attitudes devant la mort dans leur pays, et leur entreprise est d'un grand intérêt, pas seulement pour les *American studies*. Ils ont disposé d'un matériel documentaire abondant qui, en Europe, ou n'a pas existé du tout, ou a disparu : des lettres écrites à un parent pour lui donner des nouvelles de la famille, lui apprendre les naissances, les mariages et les morts. Elles proviennent donc d'émigrants ou de personnes déplacées, pauvres, d'origine modeste, mais sachant écrire, même si le style reste maladroit, l'orthographe incorrecte et la ponctuation absente.

Quelle attitude devant la mort révèlent ces correspondances? Lewis O. Saum, qui les a analysées, a été frappé par la fréquence des récits de mort (comme les historiens de la fin du Moyen Age ont été impressionnés par les thèmes macabres [30]). Il en a tiré la conclusion que la mort dominait la sensibilité de l'Amérique pendant la première moitié du XIXe siècle. S'il est probable que la mort a bien eu l'importance qu'il dit, nous le savons par d'autres sources, ces lettres n'en apportent pourtant pas la preuve. Au contraire, elles montrent à satiété la persistance, dans la population mobile américaine de l'époque, d'une attitude très ancienne, millénaire, de familiarité avec la mort, commune aux païens et aux chrétiens, aux catholiques et aux protestants, dans tout l'Occident latin. Je l'ai appelée ici « la mort apprivoisée », et illustrée par le thème proverbial : « Nous mourrons tous » (chapitre 1).

S'il y a bien alors un élément nouveau, et assez nouveau pour tromper sur la nature du phénomène, c'est que la mort était, en Amérique, écrite, et non plus orale. Ce passage de l'oralité à l'écriture doit être la conséquence de la mobilité de la population américaine pendant son déplacement vers l'Ouest, et des moyens de communication à distance qu'elle imposait.

Les enfants étaient partis ou le mari avait laissé la femme et les enfants à la maison, des frères et des sœurs étaient désormais séparés pour la vie et savaient qu'ils ne se reverraient jamais. La correspondance a entretenu des liens qui se seraient autrement relâchés. La plupart des lettres et des journaux sont de la main de leur auteur et n'ont pas été dictés à un écrivain public. Mais, à cette réserve près de l'usage de l'écriture, il n'est presque rien dans les attitudes exprimées qui ne soit ancien et traditionnel, rien qui dépende des influences novatrices du XIXe siècle.

L. O. Saum donne l'anonymat des petits enfants comme un exemple de la mortalité obsédante. Les listes nominatives de familles, par ordre d'âge, se terminent par les plus jeunes. Quand ceux-ci ont moins d'un an environ, ils sont sommairement désignés comme *anonymous, unnamed, not named*. Ils n'ont pas de nom. Mais l'anonymat des petits enfants ou l'indifférence à leur égard est un trait commun à toutes les sociétés traditionnelles, et ces documents nous montrent qu'il se survit dans l'Amérique populaire. Il est rendu là plus apparent encore par l'usage protestant de ne pas baptiser les enfants à leur naissance. Mais retarder le baptême est une chose, ne pas nommer l'enfant en est une autre.

De même, les précautions oratoires sur la longévité des personnes, et, bien entendu, des enfants. Ainsi quand des parents qui ont déjà perdu un enfant annoncent la naissance d'un bébé, ils tempèrent leur joie par une restriction d'usage, qui pourrait bien conjurer le sort : « Combien de temps nous sera-t-il donné de pouvoir le garder, nous ne le savons pas. » L'auteur d'un journal intime commence ainsi : « Demain j'aurai 23 ans, si je vis. » « Si Dieu me donne vie », disait-on dans la vieille France. Manière de reconnaître la certitude de la mort et l'incertitude de son heure, de reconnaître la familiarité de la mort, cette vieille compagne.

L. O. Saum remarque que, dans ses documents, les moments forts, auxquels on participe le plus, sont ceux du lit de mort plutôt que ceux du tombeau. Il tend à y voir un signe de thanatophilie. Mais ces *death bed scenes* ressemblent aux « gisants au lit malades » de nos testaments, aux chambres de paysans pleines de monde que les médecins hygiénistes du

XVIIIe siècle ne parvenaient pas à vider, à la chambre du mourant des *artes moriendi,* lieu de rassemblement des amis charnels. C'est au XIXe siècle que le tombeau et le cimetière joueront, dans le spectacle rituel de la mort, un rôle nouveau ajouté à celui plus traditionnel du lit. S'étonnera-t-on dans ces conditions que la mort solitaire, la *mors repentina,* soit toujours aussi redoutée? C'était l'une des grandes peurs des pionniers qui partaient vers l'Ouest. Mourir entouré était une satisfaction. Mais aussi, entourer le mourant, assister à sa mort, était un « privilège ». Le mot est couramment employé. Il appartenait à l'un de ces privilégiés d'être l'indispensable *nuncius mortis,* et il lui arrivait d'avertir le malheureux sans trop de ménagement. Si le mourant comprenait son avertissement et l'acceptait, il était *sensible;* dans le cas contraire, il se conduisait comme un homme *very stupid.*

En effet, on attendait du mourant qu'il meure bien *(to expire mild-eyed) :* la mort restait un spectacle dont le mourant était le metteur en scène, et le spectacle pouvait être plus ou moins bien réussi.

Un fils écrit, dans un anglais plein de fautes, à sa mère pour avoir des détails sur la mort du *dear old pappy.* N'ayant pas eu le privilège d'y assister, il voudrait savoir comment cela s'est passé, ce qu'a dit le vieux monsieur, s'il a bien joué son rôle, c'est-à-dire s'il a accepté la situation, quels ont été ses derniers mots, pour lui-même, pour les siens.

Cette mort est traditionnelle. Cependant c'est à cet endroit, au lit de mort, qu'apparaît, dans les milieux populaires, un peu de la dramatisation romantique observée chez les La Ferronays et les Brontë. Il est intéressant pour nous de suivre, dans ces témoignages, le passage de la mort traditionnelle du gisant au lit malade à la mort triomphale, *triumph death,* qui est bien, elle, un trait de l'époque romantique. Il arrive que le mot *triumphant death* soit employé dans le même sens apparent que le *welcome death* des préparations à la mort du XVIIe siècle. Mais le sens réel, profond, n'est plus le même : c'est celui que nous avons appris à connaître au cours de ce chapitre.

Une épistolière de l'Ohio écrivant à un correspondant du Connecticut lui raconte la mort de sa grand-mère : la vieille dame a bien montré de l'intérêt *(interest)* pour Jésus-Christ, mais il semble bien qu'elle ait manqué d'enthousiasme, les « privilégiés » n'ont pas eu toute satisfaction. « C'est tout ce que nous pouvions attendre et presque ce que nous souhaitions. » Presque, seulement : « En effet, nous aurions été comblés si son départ avait été d'une sorte *more extatic and triumphant.* » Voilà, naïvement exprimée, la différence entre la mort traditionnelle et la mort triomphante.

M. Benassis, le médecin de campagne de Balzac, fera à la même époque une remarque semblable. Il amène son visiteur dans la maison d'un paysan qui vient de mourir. Le corps est exposé. Il y a bien quelques larmes, quelques regrets, quelques éloges, mais pas assez pour Balzac qui attendait des démonstrations plus pathétiques. « Vous le voyez, dit-il, ici la mort est prise comme un accident prévu qui n'arrête pas la vie des familles. » La mort exaltée veut, au contraire, qu'on arrête par sentiment et non pas par convenance la vie du travail et de la famille.

On trouve donc des morts triomphales chez les immigrants des années 1830-1840, comme dans les noblesses ou bourgeoisies romantiques : le modèle romantique commence à se répandre, peut-être avec l'instruction et l'art d'écrire des lettres.

Un homme de l'Indiana annonce ainsi à son frère, en 1838, la mort de leur mère. C'est une belle mort. « J'ai le grand bonheur de vous annoncer qu'elle a quitté ce monde dans le triomphe de la foi. Pendant ses derniers moments, Jesse et moi, nous chantâmes quelques-uns de ses cantiques favoris, elle frappait de ses mains [elle marquait le rythme] et rendait gloire à Dieu, et elle garda sa connaissance jusqu'à son dernier soupir. [Ce dernier trait commence à être relevé comme un privilège.] Cela nous a donné à tous une grande satisfaction de la voir heureuse. » Voilà bien une version américaine et populaire, mais très fidèle, des morts à la manière des La Ferronays.

Et l'au-delà? Qu'en pensaient ces humbles épistoliers? Question importante, car nous savons le réalisme et l'exigence des opinions sur la survie dans la sensibilité romantique.

Or, L. O. Saum a été frappé par « la presque totale absence (dans ses documents) de références explicites aux récompenses de l'autre monde, ou même à l'assurance que, quoi qu'il advînt, une personne en jouirait ». Les gens mouraient « heureux », « dans le triomphe de la foi », mais ils parlaient peu du lieu où ils iraient, et même ne mentionnaient pas le fait qu'ils iraient quelque part. Cela peut étonner le chrétien d'aujourd'hui ou l'observateur qui confond le christianisme et ce qu'il est devenu après les réformes protestantes et catholiques des XVIe et XVIIe siècles. Mais nous, ici, nous ne serons pas surpris. Dans les mentalités traditionnelles, il n'est rien de plus naturel, de plus banal, que l'indétermination de l'état qui suit la mort et de la demeure des morts. « Pauvre John, écrit sa sœur en 1844, il ne pouvait plus nous parler. S'il avait pu, il nous dirait qu'il allait à la maison où reposent les chrétiens *(Where Christians are at rest)* » : la *requies*. Le monde meilleur *(a better world)* est celui où les agitations de la terre se seront arrêtées, où on est en paix. Vieille, très vieille idée, dans la toute jeune Amérique.

Le fait nouveau sera justement, aux XVIII-XIXe siècles, le remplacement des idées anciennes de l'au-delà (celle du repos, si générale et si populaire; celle plus tardive de l'accès de l'âme à la vision béatifique, qui mit beaucoup de temps à s'imposer et n'y parvint jamais tout à fait dans les grandes masses populaires) par une représentation nouvelle et anthropomorphique, transfert des exigences affectives de la vie terrestre.

Cette représentation est d'origine noble et bourgeoise. La mort des paysans dans les campagnes françaises de 1830, si nous avions pu l'enregistrer, aurait montré la même discrétion, la même réserve que celles des épistoliers américains à l'égard de l'au-delà. En revanche, nous allons retrouver dans la bourgeoisie cultivée américaine, celle qui écrit et qui lit des livres, d'ailleurs sans prétention littéraire, les sentiments qui agitaient les La Ferronays, les Brontë, et que Lamartine ou Victor Hugo ont exprimés comme le dénominateur commun de leur époque.

En Amérique : les livres de consolation

Il faut alors changer de sources. Un autre historien américain, Ann Douglas, dans le même recueil collectif où a paru l'étude de L.O. Saum, a analysé les livres de consolation édités en Amérique au XIXe siècle. Elle a joliment intitulé sa contribution *Heaven our home* [31].

Il s'agit, en général, de livres écrits à l'occasion de la mort d'un être proche et cher, le plus souvent un enfant. Les auteurs sont soit des ecclésiastiques, soit des femmes, et des femmes épouses ou filles d'ecclésiastiques. Nous retiendrons plus spécialement le rôle des femmes. C'est un trait d'époque important : Alexandrine, Pauline, Eugénie, Olga de La Ferronays, Caroly de Gaïx, Emily et Charlotte Brontë. La sensibilité du XIXe siècle pourrait bien avoir été modelée par les femmes... au moment où celles-ci avaient perdu leur pouvoir légal et de leur influence économique.

La lettre de consolation est un genre classique, cultivé tant dans l'Antiquité que dans la Renaissance et le XVIIe siècle, apparenté aux élégies, tombeaux littéraires, inscriptions funéraires. Dans l'Amérique du XIXe siècle, le genre, autrefois confidentiel, est devenu une lecture de masse; mais, en même temps, la nature des arguments, le ton, le style ont complètement changé. Citons quelques titres, ils sont suggestifs : *Agnes and the Key of her Little Coffin* (1837), *Stepping Heavenward* (1869), *Our Children in Heaven* (1870), *The Empty Crib* (1873). Les auteurs de ces livres sont, ici, il n'y a aucun doute, obsédés par la pensée et les images de la mort.

Ann Douglas cite Oliver Peabody, auteur d'une biographie ou plutôt d'une hagiographie de son père, un pasteur, lui-même écrivain et poète, mort en 1849. Voici un spécimen de sa poésie : « Voyez la lumière du soir descendre à l'occident. Elle s'enfonce dans les profondes ténèbres. Ainsi les chrétiens disparaissent paisiblement, Quand ils descendent dans la tombe. » La mort du pasteur est belle, à la manière des récits romantiques; il avait d'ailleurs réputation de sainteté : dans les dernières années de sa vie, il paraissait déjà « se tenir aux confins de l'Éternité, tout prêt à y être présenté. Il lui était juste permis, avant d'y entrer, de montrer à ceux qu'il aimait, avec les faibles accents d'une voix mourante, la voie qui menait à la Béatitude ». La sainteté est ici liée à l'attitude devant la mort, et à son degré d'exaltation.

Mrs Sigourney est l'auteur de *Margaret and Henrietta, Two Lovely Sisters* (1832). Elle nous décrit la mort de Margaret dont les derniers mots sont : *« I love everybody. »* Curieusement, comme le fait remarquer Ann Douglas, ces mêmes mots de piété banale, prononcés par ce personnage de roman, seront aussi ceux de Mrs Sigourney elle-même, sur son lit de mort. Elle s'était d'ailleurs familiarisée avec sa propre mort, en parlait sans cesse. Maîtresse d'école, âgée d'une vingtaine d'années, elle invitait ses élèves à ne pas manquer dans l'avenir une certaine réunion, même si « la voix qui maintenant vous parle s'est tue, si les lèvres qui ont prié pour votre bonheur sont fermées par la poussière de la terre ». Voilà pour le ton. Elle joignait au sentiment de la mort des révélations de l'au-delà : en 1823, elle confia à ses auditeurs qu'au cours d'une maladie elle avait été jusqu'aux frontières de la région des esprits, et qu'elle en avait rapporté des mots d'une solennelle sagesse.

Mrs Sigourney et ses héroïnes nous rappellent une autre jeune fille de la même époque, et faite sur le même patron, que Mark Twain décrit dans *Huckleberry Finn*. Morte à quinze ans (l'âge d'Helen Burns de *Jane Eyre*), Miss Grangerford, elle aussi, ne pense qu'à la mort. Elle était douée pour les arts et la poésie. Ses peintures représentent, par exemple, une femme voilée, tout en noir, penchée avec mélancolie sur un tombeau, à l'ombre d'un saule pleureur, tenant dans sa main un mouchoir pour essuyer ses larmes. Sous l'image, une inscription : *Shall I never see thee more Alas.* C'est une *mourning picture,* comme il en existe alors beaucoup, peintes, gravées, brodées; elles ne sont destinées ni à l'église, ni au cimetière, mais à la maison où elles maintiennent le souvenir des morts.

Notre jeune artiste pratique aussi la scène de genre, pourvu que le thème soit toujours la mort : une jeune femme à la fenêtre regarde la lune; elle pleure, tenant d'une main un médaillon qu'elle presse contre sa bouche, et de l'autre (les personnages de Mlle Grangerford ont toujours les mains et les bras très chargés) une lettre ouverte et scellée de cire noire.

Ce talent artistique devait faire dire d'elle, après sa mort : « Chacun était bien triste qu'elle fût morte, parce qu'elle aurait pu faire encore beaucoup de ces peintures, et on pouvait voir, par celles qui restaient, combien on avait perdu. Mais moi, je trouve qu'avec de telles dispositions, elle était mieux au fond d'un tombeau. Quand elle est morte, elle travaillait à une toile, la plus grande qu'elle ait faite, et chaque matin, et chaque soir, elle priait pour qu'il lui soit donné de vivre jusqu'à ce qu'elle l'ait finie. Mais elle n'a pas eu cette chance. C'était le portrait d'une jeune femme, dans une longue tunique blanche, la figure en larmes », elle avait six bras, deux étendus en avant, deux contre sa poitrine, deux tendus vers la lune.

« L'idée était de voir laquelle des trois paires de bras ferait le mieux l'affaire, et alors, elle effacerait les autres. » Hélas, elle n'a pas eu le temps de faire son choix.

Miss Grangerford est aussi poète, depuis qu'elle a eu quatorze ans. « Elle tenait une sorte de journal [comme les La Ferronays]. Elle écrivait sur un carnet les obituaires, les accidents, les maladies qu'elle relevait dans le *Presbyterian Observer,* et elle écrivait des poèmes sur ces thèmes. »

Elle en compose un sur la mort d'un petit garçon, qui n'était victime ni de tuberculose *(whooping cough),* ni de petite vérole, ni de troubles gastriques. Non, tel ne fut pas le destin du jeune Stephen :

> Son âme a fui hors de ce monde froid
> En tombant dans un égout.
> Ils l'ont sorti, ils l'ont vidé
> Hélas! c'était trop tard.

En fait, « elle pouvait écrire à propos de n'importe quoi pourvu que ce fût triste. Chaque fois qu'un homme, une femme, un enfant mourait, elle arrivait avec ses poèmes avant qu'il ne fût froid ».

Après la mort de ce petit prodige, sa chambre resta dans l'état où elle était à sa mort. Sa mère la faisait elle-même, et venait y coudre et y lire la Bible (comme la chambre rouge de Mrs Reed dans *Jane Eyre*).

Créature de fiction, la fille du colonel Grangerford est plus vraie que nature, malgré une bonne touche de raillerie, ou à cause d'elle.

Autant la mort était simple et son triomphe discret dans les milieux populaires d'émigrants, autant elle était pompeuse et rhétorique, mais aussi sincèrement ressentie, dans les milieux bourgeois.

La fascination de la mort était l'un des volets du diptyque. L'autre était la maison au ciel. Dans cette étrange logique, la mort était cultivée et désirée parce qu'elle introduisait à l'éternité des retrouvailles. On trouvait au ciel tout ce qui rendait heureux sur la terre, c'est-à-dire l'amour, l'affection, la famille, sans ce qui attristait, c'est-à-dire la séparation.

Après la mort de son fils Georgie, le pasteur Cuyler publia un livre consacré à la mémoire du petit disparu : il reçut des *milliers* de lettres de sympathie, de la part de survivants reconnaissants. Il en publia quelques-unes dans une réédition. Ann Douglas cite celle-ci : « Cher Monsieur, si jamais il vous arrive de visiter le cimetière des Alleghanys, vous y verrez là une fleur sur trois petites tombes : Anna, 7 ans, Sacha, 5 ans, Lillie, 3 ans. Toutes mortes en six jours de la scarlatine (comme Georgie). Cela peut parfois nous réconcilier avec notre propre peine que d'entendre parler d'un ailleurs encore plus grand. »

Aussi les récits consolants se multiplient, histoires vraies et romans, en particulier dans la seconde moitié du siècle, où les auteurs, souvent des femmes, cherchent à persuader leurs lecteurs (et lectrices) que la mort ne leur a pas réellement enlevé les êtres chers, qu'ils les retrouveront, soit après leur propre mort, soit même *hic et nunc.* La mère de Little James a consacré à son enfant mort un tombeau, un mémento : *Memoir of James Arthur Cold.* Petit prodige de piété, de sagesse, d'amour filial et d'imagination macabre, il espérait que sa mère et lui mourraient ensemble, dans les bras l'un de l'autre. Cependant, il mourut seul, et sa mère lui survécut, mais dans son souvenir. Elle rapporte les circonstances merveilleuses de sa mort : « Il manifesta alors qu'il jouissait de communications prolongées avec le monde des esprits. Il voyait les anges qui dansaient en prévision de son arrivée prochaine, il voyait certains défunts de sa propre famille, et transmettait leurs messages aux vivants. *Il était, à la lettre, un médium,* et après sa mort il continua à apparaître à ses parents. »

Il y a dans ce texte, comme dans beaucoup d'autres semblables, deux idées remarquables : d'une part, la reconstitution au ciel des amitiés de la terre et, d'autre part, la communication des esprits. La première nous est bien connue. Un traité pastoral de 1853 décrit déjà séparément les deux aspects du ciel : l'un traditionnel dans le christianisme, la vision béatifique; l'autre, tout à fait nouveau, « la maison de notre Père, où se passent des scènes familières comme dans nos maisons ».

Dans les années 1860-1880, on veut aller plus loin et on s'efforce de reconstituer jusque dans le détail la vie céleste. « Les auteurs de consolation éprouvent de plus en plus le besoin de quelque grand télescope spirituel [nous sommes en 1870, en pleine ère technicienne] qui nous rendrait [les morts] plus proches dans toute leur splendide réalité, le besoin d'une révélation claire, cohérente, philosophiquement établie, de la vie après la mort » (citation de William Halcombe par Ann Douglas). Le ciel devient alors *home beyond the skies,* tel qu'on le chante dans des hymnes (n'oublions pas qu'à la même époque on chantait dans les églises catholiques de France « Au ciel, au ciel, au ciel, nous nous retrouverons »).

Écrivain célèbre et très lue, Elizabeth Stuart, auteur de *Between the Gates, Gate Ajar,* retrace dans ses livres la vie quotidienne des habitants du ciel : leurs habitudes, leurs occupations, comment ils élèvent leurs enfants, s'entretiennent et s'aiment. Elle sait tout ce qui se passe au ciel grâce aux révélations d'un médecin (ou de l'esprit d'un médecin) qui la visite de façon mystérieuse. Dans *Gate Ajar,* une vieille dame voit le ciel comme un endroit où les soldats tués au cours de la guerre civile bavardent avec Lincoln, où des jeunes filles pauvres ont un piano sur lequel elles peuvent jouer, où ses cheveux ne sont plus gris.

Tout ceci n'est pas très différent de l'opinion commune (et rarement écrite) des pays catholiques, Italie, France. Toutefois, peut-être parce que l'expression est plus libre, sans censure ecclésiastique, le trait est, en Amérique, plus naïf et plus gros, sans demi-teinte ni pointillé. On va jusqu'au bout de ses imaginations et on n'hésite pas à les raconter comme on les voit, comme on les croit.

Vers le spiritisme

Une seconde idée nous est apparue très clairement dans le récit de la mort de Little James. Little James est un *médium*. Il sert d'intermédiaire entre les vivants et les esprits des morts. Lui-même, après sa mort, revient parler avec ses parents. Nous arrivons en plein spiritisme, et ce n'est pas un hasard si le spiritisme est né en Amérique. Sans doute la volonté de communiquer de part et d'autre de la mort y a été manifestée plus tôt et surtout avec plus de détermination.

Dans les mentalités catholiques de l'époque, chez les La Ferronays, chez Lamartine, on se contente de cultiver le souvenir, sans aller jusqu'à une matérialisation réaliste. Toutefois, il arrive que l'intensité du souvenir parvienne à créer l'illusion de la réalité. C'est le cas du jeune Lamartine des *Méditations* : l'apparition d'Elvire est-elle une réalité ou un rêve éveillé?

> Je songe à ceux qui ne sont plus,
> Douce lumière, es-tu leur âme?
> Peut-être ces mânes heureux
> Glissent ainsi sur le bocage.
> Enveloppé de leurs visages,
> *Je crois me sentir* près d'eux.
> Ah *si* c'est vous, ombres chéries,
> Loin de la foule et loin du bruit,
> Revenez ainsi chaque nuit
> Vous mêler à mes *rêveries*.

Le doute demeure. Mais voici la réapparition. Lamartine va plus loin que les La Ferronays qui, par orthodoxie catholique, repoussent la tentation et acceptent d'attendre la mort prochaine pour se réunir enfin aux disparus.

> *J'entends,* oui, des pas sur la mousse!
> Un léger souffle a murmuré
> [le souffle est le signe de la présence d'un esprit]...
> Oui, c'est toi, ce n'est pas un rêve,
> Anges du Ciel, je la revois...
> Ton âme a franchi la *barrière*
> Qui sépare les deux Univers.
> Sa grâce a permis que je voie
> Ce que mes yeux cherchaient toujours.

Pour Elizabeth Stuart Philips, *il n'y a plus de barrière.*

> La mort est un *état* de la vie
> Et non plus arrêt de la vie.
> Je me penche vers vous comme avant,
> Fidèle, mes bras autour de vous (...)

Il n'y a pas de chaise vide.
Ceux qui s'aimaient sont réunis [dès maintenant]
en un groupe soudé, inséparable, qui sait comment?

Ces vers viennent d'outre-tombe. Ils ont été dictés à Elizabeth par les esprits des défunts eux-mêmes. Elle les a réunis et publiés sous le titre *Songs of the Silent World,* il y a un peu moins d'un siècle, en 1885. Ce recueil eut, comme les autres ouvrages d'Elizabeth S. Philips, un gros succès en librairie. Les croyances bourgeoises qu'ils exprimaient atteignaient, peut-être vers le milieu du siècle, les milieux populaires dont nous savons les réticences.

O. Saum nous a dit n'avoir rien trouvé de ce genre dans son corpus de lettres. Une exception cependant, intéressante[32]. Nous sommes en 1852. Ginnie meurt à la naissance d'un enfant. Elle en avait perdu un autre l'année précédente. Elle ne craint pas la mort; elle a un doux sourire. Bref, la *mild eyed death.* Mais, quand la fin devient très proche, la voilà qui entend des enfants chanter, et elle reconnaît la voix de son petit Willie, l'enfant disparu. Son mari, qui n'a pas lu Mrs Sigourney, pense qu'elle divague; il tâche de lui expliquer que les voix sont tout simplement celles d'enfants jouant dans la cour... On saisit, de la femme au mari, la différence des deux attitudes.

Les désincarnés

Jane Eyre, l'héroïne de Charlotte Brontë, est à mi-chemin entre les La Ferronays et les para ou pré-spirites américains. Elle est plus réservée, plus discrète que ces derniers, mais elle ne cache pas qu'elle croit à la communication des esprits, morts ou vivants, séparés de leurs corps. Elle emploie le mot de *desembodied souls,* les âmes désincarnées.

Jane Eyre découvre un jour qu'elle ne peut épouser Mr Rochester parce qu'il est déjà marié et que sa femme est devenue folle. Quand Mr Rochester lui propose de vivre ensemble dans le Midi de la France, elle est tentée d'accepter de devenir sa maîtresse. Elle réfléchit à ce qu'elle doit faire, un soir, en contemplant la lune, cet astre des morts et des revenants, présente dans toutes les peintures de Miss Grangerford, la petite artiste macabre de Mark Twain. Ce soir-là, la lune offre un spectacle extraordinaire; elle est balayée de nuages, et tout d'un coup, Jane voit « une forme humaine, blanche, briller dans l'azur, et comme penchée vers la terre. Elle me fixait avec force. Elle parlait à mon âme. Et si proche, malgré l'incommensurable distance, elle murmura à mon oreille : Ma fille, fuis la tentation. — Mère, je le ferai [33] ». Il ne peut guère s'agir d'un souvenir : Jane a peu connu sa mère, elle n'en parle jamais. Mais sa mère la protège de l'au-delà et, au moment où la jeune fille victorienne risque de perdre sa vertu, sa mère intervient comme un *deus ex machina,* et rétablit miraculeusement la situation.

Il existe, dans le même roman de Charlotte Brontë, un autre cas de communication entre les esprits. Mais cette fois, entre les esprits de deux vivants qui s'aiment et sont séparés par l'absence.

Jane est demandée en mariage par un pasteur missionnaire qui veut l'emmener aux Indes; elle va céder à son insistance par lassitude, quoiqu'elle ne l'aime pas et en aime un autre. Il est minuit. Elle est alors frappée comme par un choc, un choc électrique, qui la fait se ressaisir : « Je ne vis rien, mais j'entendis une voix qui cria " Jane, Jane, Jane " et puis plus rien. Cela ne venait ni du ciel ni de la terre. C'était la voix d'un être humain, une voix familière, aimée, celle d'Edward Fairfax Rochester. » « J'arrive, attendez-moi, je viens », cria-t-elle. « Elle court dehors, il n'y a personne... " Où êtes-vous " [34]? »

Or, à la même heure, à une grande distance de là, Rochester lui-même, devenu presque aveugle, solitaire, au cours d'une crise de désespoir, se penche à la fenêtre et appelle : « Jane, Jane, Jane. » Il entend la réponse : « J'arrive, attendez-moi, je viens », et un moment après, « Où êtes-vous? ». C'est un beau cas de télépathie. Il y en aura ensuite beaucoup d'autres, et il n'y a guère de famille, au début du XXe siècle, qui ne possède dans son folklore quelque histoire semblable : un rêve terrible à une certaine heure de la nuit et l'on apprend ensuite qu'au même moment un être cher est mort, ou a failli mourir, etc.

Pour que la mort soit un moment parvenue à apparaître comme une rupture absolue, pour que la croyance dans la communication des esprits ait pu se répandre, il a fallu que les idées courantes sur la nature de l'être s'y prêtassent.

Il a fallu beaucoup de temps pour que l'idée populaire de l'*homo totus,* corps et âme, reculât devant l'idée de l'âme séparée du corps et débarrassée de lui. L'âme devint alors le principe essentiel de l'être, sa partie immortelle. La diffusion du tombeau d'âme, au XVIIe siècle, nous a paru le signe des progrès de l'âme aux dépens de l'*homo totus* [35].

Un épisode grave a interrompu cette évolution au XVIIIe siècle. Le corps est redevenu un objet sérieux de préoccupation, un corps réputé mort, mais dont on ne savait pas si la vie l'avait réellement tout à fait abandonné. L'embarras de Heathcliff hésitant entre l'ouverture du cercueil et la communication avec l'esprit exprime bien l'ambiguïté de cette attitude. De même verrons-nous, dans le chapitre suivant, l'importance reconnue alors au cimetière et au tombeau. Alexandrine de La Ferronays n'ouvre pas le cercueil de son mari, mais elle descend dans le caveau, après l'enterrement. C'est au cimetière que les ancêtres des spirites, les premiers auteurs américains des livres de consolation, évoqueront plus facilement leurs disparus. Comme s'ils dormaient au cimetière, et allaient se réveiller pour répondre aux appels du vivant. L'endroit du corps serait alors un séjour favori de l'esprit. Conception que le spiritisme du XX⁰ siècle abandonnera. Les plus convaincus de la survie des esprits et des possibilités de s'entretenir avec eux n'éprouvent le plus souvent aujourd'hui que dégoût pour le *pourrissoir,* comme ils appellent le cimetière. Comme lieu de méditation et d'évocation, ils lui préfèrent la chambre du disparu, laissée en l'état. C'est qu'alors la grande parenthèse ouverte aux XVII⁰-XVIII⁰ siècles par la survie partielle du corps, les miracles des morts, est refermée.

Il n'empêche que, malgré cet important épisode du retour du corps, la croyance n'a cessé de s'étendre, du XVII⁰ au XIX⁰ siècle, dans l'autonomie de l'esprit, seule partie immortelle de l'être. Il est probable qu'en France cette croyance a été répandue dans les campagnes par les grandes missions catholiques de la première moitié du XIX⁰ siècle qui aidaient les curés à apprendre aux paysans les vérités du catéchisme, et parmi celles-ci, l'existence de l'âme immortelle. L'âme du catéchisme a tracé le chemin des « désincarnés ».

Les désincarnés ne sont pas des corps de chair. Ils n'obéissent pas à la pesanteur. Mais ils ne sont pas non plus de purs esprits qu'on n'entend ni ne voit. Il leur arrivera d'impressionner les plaques photographiques. On les imagine, même quand on ne les a pas vus, comme des formes entourées d'une enveloppe lumineuse, glissant dans les airs. Ils ont donc leur physique propre, encore inconnue des savants. Leurs traits sont reconnaissables, sans être exactement ceux du corps abandonné à la terre : ils étaient pendant la vie terrestre en dessous du corps; ils lui survivent. Ils donnent à chaque être une identité visible, camouflée par la chair pendant la vie terrestre, inaltérable dans l'éternité.

Cette idéologie des esprits, Charlotte Brontë la met dans la bouche d'Helen Burns, son porte-parole dans *Jane Eyre.* Elle a des opinions très arrêtées sur la religion, sur la vie future, qui ne paraissent pas coïncider avec l'orthodoxie protestante et ne se réfèrent même pas au Christ et aux Évangiles. Helen est convaincue de l'indignité de la chair. Le péché vient de la chair et disparaîtra avec elle. Restera seulement *the spark of the spirit* (on dit *spirit* plutôt que *soul*). L'âme est même plus ou moins opposée au corps, un élément constitutif de l'être avec le corps, et en même temps que lui. La vie exige la réunion du corps et de l'âme. L'âme se rattache encore un peu à la vieille conception de l'*homo totus.* L'esprit, au contraire, est devenu à lui seul l'être entier. Il a rempli la place laissée par le corps. Il correspond à l'âme de l'eschatologie chrétienne, plus une enveloppe du corps, qui n'est pas complètement immatérielle.

Pour Helen, l'esprit est « le principe impalpable de la vie et de la pensée ». Il est pur comme au moment de sa création par Dieu, avant que le péché originel l'ait réuni à une chair. L'esprit est la partie noble de l'être, la seule qui survivra. Après la mort, il reviendra à ses sources. Chez Helen Burns, et sans doute chez Charlotte Brontë, il ne subsiste aucune crainte de l'enfer, pas plus que chez les La Ferronays, ce qui est surprenant à la fois dans l'Angleterre puritaine et dans la France ou l'Italie éprouvées par la Contre-Réforme. « Cela fait de l'éternité un repos [*rest*], une maison éternelle et inaltérable [*mighty home*], et non pas un abîme de terreur. »

Helen confesse une confiance absolue dans l'au-delà de bonheur qu'elle attend et qui lui permet de supporter paisiblement injustice et persécution ici-bas. Jamais, si j'ose dire, la résignation n'a été plus active, jamais le christianisme n'a mis l'accent avec une telle insistance sur le devoir de passivité : au Moyen Age, aux Temps modernes, il cherchait à compenser la résignation des victimes par l'institution de retraites charitables qui pouvaient être des abris. Charlotte Brontë, dans la mesure où elle coïncide avec Helen Burns, n'imagine plus aucun adoucissement terrestre. Ces idées ne sont pas exceptionnelles; elles ont été assez répandues pour provoquer bien des révoltes et des dénonciations [36].

Le Paradis d'Helen Burns ressemble à celui des livres de consolation américains, avec moins de naïveté et plus de vraisemblance. Il est « un monde invisible, royaume des esprits ». « Ce monde est autour de nous, car il est partout. » Dieu y compte moins que les esprits eux-mêmes, « et ces esprits nous protègent, car ils ont la mission de nous protéger ».

Ces textes français, anglais, américains sont suffisamment clairs pour nous permettre de comprendre comment toutes les conditions étaient réunies pour le développement du spiritisme.

L'Église romaine a résisté tant qu'elle a pu à cette invasion de l'au-delà. Elle n'a même pas tenté de la canaliser dans des dévotions dont l'orthodoxie était éprouvée. Certes, bien des catholiques mouraient comme les La Ferronays, avec la conviction qu'ils allaient retrouver au ciel ceux qu'ils avaient aimés et vénérés sur terre. Sainte Thérèse de Lisieux espérait bien retrouver au Paradis une reconstitution exacte des Buissonnets, avec ses habitants, ses souvenirs et toutes les couleurs exquises de son enfance. Mais les clercs restèrent en général très discrets; ils ne firent rien pour encourager ces sentiments et ils s'en tinrent aux prières pour les âmes du Purgatoire, qui devinrent alors une dévotion très répandue, très populaire, nous allons y revenir.

Ni ces dévotions, ni l'exemple des mystiques ne suffirent à apaiser partout l'inquiétude des séparations. Beaucoup se détournèrent de l'eschatologie classique et entreprirent de construire, parfois dans les Églises, mais le plus souvent en dehors d'elles, et parfois contre elles, un vaste système de connaissance de la survie et de pratique des communications avec l'au-delà, bref, le spiritisme.

J'emprunte à Maurice Lanoire ce résumé clair de l'évolution des idées dans ce domaine au cours de la seconde moitié du xIxᵉ siècle : « En 1848, à la ferme Fox, dans l'État de New York, les premières tables commencèrent à tourner, manifestations où on reconnaît d'habitude l'acte de naissance du spiritisme moderne. Un ancien ministre de Louis-Philippe, protestant, le comte Agénor de Gasparin, ne craignit pas de publier un ouvrage fortement documenté pour certifier la réalité de ces phénomènes prodigieux. Victor Hugo, initié en 1852, à Jersey, par Mᵐᵉ de Girardin, devint un fervent adepte du spiritisme lorsque Léopoldine manifesta sa présence [37] ».

C'est aussi au milieu du xIxᵉ siècle que vécut, en France, Léon Denizart-Rivail, qui prit le nom aux résonances celtiques d'Allan Kardec quand il devint spirite en 1854 : « théoricien de la nouvelle révélation à laquelle il donna un caractère religieux ». Allan Kardec reçut les confidences de tout ce qui comptait dans le monde de l'au-delà. Camille Flammarion prit la parole à ses obsèques en 1868. Encore aujourd'hui, sa tombe, récemment refaite, est l'objet d'un culte. Elle est toujours couverte de fleurs. Des pèlerins y prient, une main posée sur le monument pour en recueillir le fluide sacré, comme sur le reliquaire d'un saint. Un soir, alors que je visitais le Père-Lachaise, au moment où on fermait le cimetière, une jeune femme est arrivée en courant, demandant qu'on la laisse passer malgré l'heure tardive : elle voulait seulement aller jusqu'à la tombe d'Allan Kardec ; visiblement, cette visite ne pouvait attendre.

L'aspect religieux qui l'emporta à l'origine n'a pas disparu — on le reconnaît à l'intérêt qu'un Gabriel Marcel porta à ces phénomènes —, mais il a reculé au profit d'une approche qui se veut scientifique. Le spiritisme, qui était d'abord une religion de la survie, une greffe d'une religion de salut comme le christianisme, tendit alors à se séculariser. « En 1852, poursuit Maurice Lanoire à qui j'emprunte cette notice historique, Edmund White Benson, qui devait finir archevêque anglican de Westminster, fonda à Cambridge la *Ghost Society* dans le but d'étudier les phénomènes supranormaux dans un esprit dégagé de tout postulat religieux ou spiritique, et suivant des méthodes rigoureusement scientifiques. Cette Société des fantômes devint la *Dialectical Society*, puis, en 1882, prit son nom définitif sous lequel elle est aujourd'hui connue dans le monde entier, *Society for Psychical Research*, ou plus communément SPR (...). Ainsi se trouvait désormais bien tracée la démarcation entre le spiritisme proprement dit [origines religieuses] et la nouvelle science que Charles Richet [un médecin français célèbre], quelque vingt ans plus tard, devait baptiser métapsychique et qui est plus volontiers aujourd'hui appelée parapsychologie. » Une science agnostique des phénomènes dits supranormaux, qui s'éloignait des préoccupations eschatologiques, ne se proposait plus l'exploration du Paradis. Malgré cette laïcisation, le sentiment de la mort dépassée et l'attente des heureuses réunions qui suivront n'ont cessé de nourrir cette recherche : Charles Richet lui-même, dans son ouvrage sur la prémonition, cite un cas bien semblable à ceux que nous avons déjà rencontrés plus haut, dans la littérature de consolation américaine, celui d'une petite fille de trois ans et trois mois : « Un mois après la mort d'une tante qui l'adorait, elle allait à la fenêtre et regardait fixement en disant " Maman, voilà ma tante Lili qui m'appelle ", et cela se répéta plusieurs fois. Trois mois après, la petite tomba malade et elle disait à sa mère : " Ne pleure pas, maman, ma tante Lili m'appelle. Comme c'est joli! Il y a des anges avec elle! " La pauvre enfant mourut quatre mois et demi après sa tante. » Et la réflexion ramène le médecin métapsychiste aux merveilles de la mort : « J'ai beau faire appel à tout mon rationalisme, il me paraît impossible de nier qu'au moment de la mort, annonçant cette mort, il y a des êtres surnaturels, des fantômes ayant quelque réalité objective, qui sont présents. Il est vrai que ces fantômes ne sont vus que par un enfant et non par les autres personnes présentes. [Dans les documents américains réunis par Ann Douglas, il s'agit aussi presque toujours d'enfants. En effet, la mort de l'enfant est devenue dans les bourgeoisies du xixe siècle la moins tolérable des morts.] Mais il n'y a rien d'absurde à supposer que les enfants, dans une espèce de transe agonique, spiritique si l'on veut, puissent apercevoir des êtres que les autres assistants ne voient pas. » Ainsi l'illustrateur de la belle mort des xixe-xxe siècles remplit la chambre du mourant de parents et amis désincarnés, venus de l'autre monde pour l'assister et le guider dans sa première migration. Comparons cette illustration avec les gravures des *artes moriendi* du xve siècle et même du *Miroir de l'âme pécheresse* du xviiie, et mesurons toute la révolution sentimentale et psychologique intervenue dans l'intervalle.

Les bijoux-souvenirs

Tout le monde n'a pas été spirite, tout le monde n'a pas été aussi loin dans les représentations de la survie que les spirites ou paraspirites américains et anglais, tout le monde n'a pas partagé l'exaltation des La Ferronays, mais il n'est sans doute presque personne au xixe siècle qui n'ait été tôt ou tard plus ou moins touché par le sentiment nouveau d'intolérance à la mort de l'autre et qui ne l'ait manifesté.

Nous allons voir maintenant quelques témoignages plus discrets et plus indirects de cette mentalité d'époque.

Il existe au Victoria and Albert Museum, à Londres, une remarquable collection de bijoux. Une vitrine regroupe ceux d'entre eux qui ont une intention funéraire ou commémorative. Leur série, qui va de la fin du xvie à la fin du xixe siècle, permet de suivre une évolution où l'on part du *memento mori* pour aboutir au « souvenir ». L'objet le plus ancien, de l'époque élisabéthaine, est un petit cercueil en or de la taille d'une tabatière, qui contient un squelette d'argent. C'est un *memento mori* portatif, mais assez encombrant. Sa vue invitait à la méditation. Il est tout à fait conforme à la tradition des traités de préparation à la mort.

Vient ensuite, non plus un objet portatif lourd, mais un vrai bijou, comme tous les autres documents de la série. C'est un pendentif de 1703 qui représente un tout petit cercueil d'or renfermant des *cheveux*. Sur son couvercle est gravée une minuscule inscription : *P. B. obiit ye 1703 Aged 54 ye.*

En un siècle, le même cercueil est passé d'un usage à l'autre, sans changer de forme, mais en se miniaturisant. Dans le premier cas, il recelait un squelette et servait à rappeler la condition mortelle, dans le deuxième cas il contient les cheveux d'un être cher et mort, et il sert à fixer son souvenir ainsi qu'à conserver un fragment de son corps. Ce premier type de souvenir est donc un *memento mori* où l'on a remplacé le squelette par une boucle de cheveux : le *memento mori* est devenu *memento illius*.

Une autre miniature de la même époque, vers 1700, présente encore, comme le précédent, la même double appartenance. Il représente un tombeau : un tombeau à deux étages. En bas, une dalle de pierre sur laquelle un squelette est étendu à la manière d'un gisant; au-dessus, deux anges emportent au ciel un médaillon où, faute de place, des initiales tiennent lieu du portrait. Le fond est fait d'un tissage de cheveux humains. Le squelette appartient encore au *memento mori,* tout le reste au *memento illius.*

Ces deux bijoux, qui datent du tout début du XVIIIe siècle, sont uniques en leur genre. Au contraire, au cours du XVIIIe siècle, un grand nombre d'autres bijoux répètent, à quelques variantes près, le modèle suivant : c'est aussi un tombeau en miniature, et non plus, comme le précédent, un tombeau d'église, un monument macabre, inspirateur du *contemptus mundi,* mais une scène autour d'un tombeau dans la nature : une stèle ou une urne funéraire à l'antique et à côté une femme éplorée, accompagnée parfois d'un enfant, parfois d'un petit chien. Au-dessus, le feuillage d'un saule pleureur. On reconnaît une *mourning picture* réduite aux dimensions d'une miniature. Le fond et certains traits du paysage sont faits de cheveux.

Le thème est donc encore le tombeau, mais celui-ci a changé d'apparence et de fonction. C'est un monument commémoratif que l'on va visiter comme on visite un ami vivant à la campagne. Le souvenir du défunt a complètement remplacé la crainte de la mort et l'invitation à la conversion. L'un de ces bijoux, daté de 1780, porte cette inscription : « *May Saints embrace thee with a love like mine.* »

Au XIXe siècle, la représentation du tombeau, qui a duré plus d'un siècle, disparaît à son tour. Le bijou est un simple médaillon, contenant très souvent un portrait et, toujours, une ou deux boucles de cheveux. Quand il n'y en a qu'une, c'est celle d'un être cher, vivant ou mort. Quand il y en a deux, leur réunion est le symbole de l'attachement de deux êtres aimés dans la vie et par-delà la mort. Les cheveux servent aussi à faire des bracelets et des bagues. Le cheveu est à lui seul le support du souvenir.

Au terme de l'évolution, ce n'est plus le thème de la mort (cercueil, tombeau) qu'on veut illustrer, ni celui de la mort d'un être cher; la mort elle-même a été comme effacée, et il reste seulement un substitut du corps, un fragment incorruptible.

Les âmes du Purgatoire

L'attachement à l'autre par-delà la mort transparaît dans une autre série de documents, les retables des âmes du Purgatoire, c'est-à-dire dans les formes nouvelles prises par la dévotion pour les âmes du Purgatoire à partir de la fin du XVIIe siècle. C'est un rite catholique, puisque, on le sait, le refus de cette dévotion a été à l'origine de la rupture de Luther avec Rome, les orthodoxies protestantes refusant aux vivants le droit d'intervenir en faveur des morts dont le sort ne dépend que de la toute-puissance de Dieu. Il est vrai que la raison de l'intervention humaine n'était plus la même à la fin du Moyen Age et au XIXe siècle romantique. A la fin du Moyen Age, il s'agissait de soi, de forcer pour soi seul la main de Dieu, et d'assurer son salut par une capitalisation de prières et d'œuvres, les indulgences. Ensuite, l'intervention a été de plus en plus pour les autres. Elle est devenue, au cours du XVIIIe et surtout du XIXe siècle, une occasion de prolonger au-delà de la mort la sollicitude et les affections de la vie terrestre.

En dépit de l'interdiction faite aux fidèles des Églises protestantes de prier pour leurs morts, à partir du XVIIIe siècle, une sensibilité nouvelle ne permettait plus qu'on les abandonnât à un destin inconnu et redoutable. Comme il n'était pas question de remettre en cause les opinions des réformateurs et de revenir aux superstitions du papisme, on en vint à tourner l'obstacle théologique et à faire comme s'il n'y avait ni prédestination, ni jugement, ni damnation : il n'y avait pas lieu de prier puisqu'il n'y avait pas de risques. Mais peut-être aussi a-t-on été amené à penser qu'il n'y avait pas de risques parce qu'on ne pouvait pas intervenir. La mort d'Helen Burns, dans *Jane Eyre* de C. Brontë, devenait simple passage dans un monde meilleur, c'est-à-dire dans la maison heureuse où nous irons retrouver nos disparus, le jour venu, et d'où ils viennent nous visiter.

L'absence de Purgatoire et l'impossibilité d'intercéder en faveur des défunts ont accéléré l'évolution psychologique qui tendait à réduire l'irrévocabilité de la mort et à rapprocher les vivants et les morts. Ceux-ci devinrent des pseudo-vivants, des désincarnés. C'est une des raisons, sans doute, qui expliquent pourquoi les pays protestants ont fourni un terrain plus favorable que les catholiques au développement du spiritisme et des communications entre les vivants et les morts.

Au contraire l'Église catholique, parce qu'elle avait depuis longtemps organisé un échange de biens spirituels entre la Terre, le Ciel et le Purgatoire, a été tentée de maintenir les relations entre les deux mondes dans les limites de cet échange autorisé, et elle s'est opposée à toute forme de communication, sauf au culte du souvenir et du tombeau, que nous étudierons dans le chapitre suivant. C'est donc à l'intérieur des dévotions traditionnelles aux âmes du Purgatoire que se sont manifestés les courants nouveaux de sensibilité, la sollicitude pour les disparus.

La croyance dans un lieu de Purgatoire est très ancienne chez les Pères de l'Église, chez les théologiens du Moyen Age comme saint Thomas, ou chez des *litterati* comme Dante. En revanche, la religion populaire ne la recevait pas avec la même simplicité. On observe dans cette attitude deux aspects, presque contradictoires.

Le premier est la rareté des allusions ou des références au Purgatoire : on n'en parle pas jusqu'au XVIIᵉ siècle ; il n'appartient pas à la piété familière. Le testateur l'ignore complètement jusqu'au milieu du XVIIᵉ siècle : il ne connaît que la Cour céleste ou l'Enfer. Reprenant les termes du *Subvenite* ou de l'*In Paradisum,* il espère que la Cour céleste l'accueillera après sa mort. Le mot de Purgatoire est absent du *Credo,* du *Confiteor,* de la liturgie des défunts.

Quand le mot et l'idée de Purgatoire apparaissent dans les testaments, c'est tout simplement comme une antichambre du ciel. Ainsi en 1657, un testateur prie Dieu « de me donner après ma mort l'*entrée dans le Purgatoire* pour y laver dans le feu toutes les taches que je n'auray pas effacées dans cette vie pécheresse par mes larmes et les indulgences sacrées de l'Église, *et de me passer dans le Paradis* [38] ».

Le second aspect est plus conforme à la doctrine officielle : au moment de la mort, les jeux ne sont pas faits ; il existe une période intermédiaire entre la mort et la décision finale pendant laquelle tout peut être sauvé. On a longtemps pensé, nous l'avons déjà vu, que cette période était celle de l'attente dans le repos. Mais il arrivait que le repos fût refusé à quelques-uns. Ceux-là revenaient réclamer aux vivants leur aide, sous forme de prières et de messes qui leur permettraient d'échapper au feu de l'Enfer. En somme on concevait deux états : le repos ou la damnation. Dans certains cas, Dieu suspendait la damnation, et il appartenait alors au damné en sursis de solliciter des prières en sa faveur et d'expier soit par son errance maudite, soit par des supplices plus précis. Cette conception se rattache à la fois aux vieilles idées païennes des revenants inapaisés et à la doctrine officielle de l'Église de l'expiation. Le Purgatoire a alors un caractère d'exception, réservé à des cas douteux. Il deviendra au contraire, après la Contre-Réforme, une étape normale et nécessaire de la migration de l'âme. Dès lors, la période intermédiaire de repos n'existe plus, et on ne passe pas, sauf cas de sainteté exceptionnelle et imprévisible, de la terre au ciel directement.

Cependant, même quand cette conception ecclésiastique du Purgatoire s'imposa, il subsista longtemps des traces des anciennes images populaires, ainsi que l'explique Gilbert Grimaud : « Voilà donc la situation ordinaire du Purgatoire [un lieu de souffrance à côté de l'Enfer et du Paradis, et comme l'un et l'autre, élément permanent et constitutif « de l'ordre que Dieu a établi pour gouverner le monde »]... Néanmoins, parfois, pour le plus grand bien des hommes (...), il fait des choses extraordinaires, de même pour le Purgatoire des âmes, Dieu ne s'astreint pas de telle sorte à ce lieu déterminé que, quand il le juge décent, il ne choisisse d'autres endroits pour le même effet. » Ces cas extraordinaires étaient les anciens pseudo-purgatoires du Moyen Age. « Il y en a quelques-uns que Dieu confère en divers lieux de la terre comme bon lui semble. » Et voici un exemple rapporté, selon Grimaud, par Thomas de Champré, « qu'il assure avoir appris d'un évêque très grand personnage ». « Il dit qu'il y avait du côté des Alpes un gentilhomme adonné à toutes sortes de vices et même aux voleries; lequel, un jour qu'il était à la chasse avec des gens dans ces montagnes, comme il courait un cerf, se trouva seul dans un lieu extrêmement sauvage. Il court d'un côté et d'autre et écoute quelque temps. Enfin il ouït l'aboi de deux de ses chiens sur le haut de la montagne. Il monte 'en ce lieu comme il peut; y étant il se trouve dans une belle plaine et voit devant son chien un homme de bonne mine, mais néanmoins tout couvert de blessures, couché par terre, ayant à ses deux côtés deux grandes masses de fer. Il fut étonné de ce spectacle et saisi d'épouvante. Mais reprenant cœur, il l'interroge s'il était là de la part de Dieu et le conjure de dire qui il était et ce qu'il faisait en ce lieu-là. L'homme couché répondit qu'il était là par ordonnance divine pour faire pénitence de ses péchés et y ajouta ces paroles : " J'ai été gendarme du temps des guerres entre Philippe roi de France et Richard roi d'Angleterre. Lorsque les Anglais se jetèrent dans le Poitou et dans la Gascogne, je portais les armes, m'abandonnant à toutes sortes de violences, de meurtres, de voleries, de saletés, sans aucune retenue. En ce même temps, je me vis atteint d'une grosse fièvre, et comme les forces me diminuaient, on me parla de me confesser et de recevoir les sacrements, mais en vain (...). Enfin la parole me venant à me manquer tout à coup, par un trait de la bonté infinie de Dieu, je sens mon âme toute changée [on reconnaît la conversion *in extremis* des plus anciens *artes moriendi,* devenue suspecte aux moralistes du XVIIe siècle]. Me voilà dans les douleurs et les déplaisirs [de la pénitence]. Sur ces sentiments, je rendis l'âme, et fus aussitôt livré à deux démons qui sont à mes côtés, comme ces deux masses de fer que vous voyez, pour être tourmenté par eux *jusqu'au jour du jugement* [c'est la période du repos qui est remplacée par le supplice]; ils me font rouler par les précipices et les buissons à grands coups de masse. La seule chose qui me console, c'est qu'enfin ces tourments cesseront[39]. " »

Mais, peu à peu, le lieu fixe et organisé remplacera tout à fait les supplices exceptionnels infligés à des revenants en quelques lieux maudits de la terre. En même temps, les relations autorisées entre les vivants et les âmes vont subir de subtils changements qui annoncent l'époque romantique. Au chacun pour soi du testament médiéval et renaissant s'ajoute un devoir de charité collective envers la masse inconnue des âmes souffrantes. Dans les testaments l'aumône impersonnelle et collective est devenue habituelle pour les âmes comme pour les « pauvres honteux » : « Je veux et ordonne qu'aussitôt mon décés (...) il soit dit et célébré 100 basses messes, quatre-vingts sont à l'intention et pour la rémission de mes péchés. » La mesure est bonne et la formulation classique. « Et vingt à la délivrance des âmes qui seront au Purgatoire[40] » (1657).

Mais le changement le plus significatif est révélé par l'iconographie, telle qu'elle a été étudiée par M. et G. Vovelle[41].

Du XVIIᵉ au début du XXᵉ siècle, les prières pour les âmes du Purgatoire deviennent la dévotion la plus répandue et la plus populaire de l'Église catholique. Dans toutes les églises assez grandes pour avoir plusieurs autels, une chapelle est réservée à cette dévotion, souvent entretenue par une confrérie spécialisée. L'autel est surmonté d'un tableau qui représente partout à peu près la même scène, que l'on retrouve à Vienne (Autriche), à Paris, à Rome, en Provence, bien sûr, à Mexico : en bas les âmes brûlent au milieu des flammes, les yeux levés vers le Paradis d'où viendra la délivrance. Au-dessus s'ouvre le ciel avec, d'une part le Christ, ou la Vierge et l'Enfant Jésus, et, d'autre part, un ou deux saints intercesseurs, choisis parmi les plus populaires : sainte Agathe avec ses seins coupés, mais surtout les saints mendiants, réputés fondateurs des grandes dévotions et des fructueuses indulgences, saint Dominique et son rosaire, saint Simon Stock et son scapulaire, saint François dont la corde permet de hisser quelque moine confiant ou un laïc qui a pris la précaution de s'affilier au tiers ordre. Enfin, le dernier groupe est celui des anges qui apportent quelque consolation, l'eau fraîche d'un arrosoir, à ceux dont l'heure n'est pas encore venue, et qui enlèvent au Paradis ceux dont le temps d'épreuve est fini.

On retrouve encore cette même iconographie dans beaucoup de vitraux de la fin du XIXᵉ siècle. Le changement le plus intéressant est celui qui concerne le groupe des âmes ardentes. Au début (par exemple à Vienne, en Autriche), ces âmes sont conformes à la figuration des jugements derniers, nues, symboliques et sans individualité : une foule anonyme. Mais très vite, elles vont devenir des portraits, ou elles voudront avoir l'air ressemblant. Dès 1643, à Aix-en-Provence, le peintre Daret y a placé son fils, montrant par là qu'il avait confiance dans son salut et qu'il le proposait aux prières des fidèles. Au début du XIXe siècle, les ardents sont de superbes barbus aux longs favoris comme on en rencontrait aux buvettes des Barrières, les femmes portant des anglaises comme on en voyait à l'Opéra. Chacun pouvait reconnaître un parent, un époux, un enfant. Aux XVIIIe-XIXe siècles, le groupe des âmes n'illustre pas une leçon de catéchisme et ne rappelle pas une menace, il désigne les disparus que l'affection des survivants n'a pas abandonnés, qu'ils accompagnent de leurs prières et qu'ils espèrent rejoindre au ciel. La sollicitude est admise et encouragée par l'Église. Si les douceurs spirites de la réunion future n'ont pas reçu d'elle le même appui officiel, elles ne sont cependant pas absentes; ainsi déjà la patrie céleste de Fénelon annonce bien celle des La Ferronays et lui ressemble : « Il y a une patrie dont nous approchons tous les jours et *qui nous réunira tous* [je souligne]... Ceux qui meurent ne sont (...) qu'absents pour peu d'années et peut-être de mois. » « Leur perte » n'est « qu'apparente[42] ».

Cependant, dans certaines traditions populaires méridionales, les âmes du Purgatoire ont conservé du XVIIe siècle à nos jours l'anonymat des Jugements derniers médiévaux et la scrupuleuse réciprocité des échanges de services entre l'au-delà et l'ici-bas, propre aux anciens testaments. Dans l'église de Sainte-Marie-des-Ames-du-Purgatoire, à Naples, qui date du milieu du XVIIe siècle, chacun peut choisir un crâne quelconque, prélevé dans le charnier, et lui vouer dans une crypte transformée en chapelle ardente : on le visite périodiquement pour entretenir les cierges et réciter des prières. On espère bien que l'inconnu ainsi favorisé sera promptement délivré du Purgatoire; alors, de sa nouvelle demeure céleste, il pourra, un jour, rendre la pareille à son bienfaiteur : *do ut des*. La dévotion de type moderne aux âmes du Purgatoire s'accommode ici d'un individualisme médiéval et renaissant qui a été en général remplacé au XIXe siècle par l'amour d'un être très cher, dans ce monde et l'autre.

Dès le XVIIe siècle la sollicitude pour les disparus était associée à une autre dévotion populaire, celle de la bonne mort, dans la même chapelle ou dans une chapelle voisine. La bonne mort était celle de saint Joseph, ou de la Vierge, ou de sainte Anne, parfois même des deux dernières à la fois, ce qui permettait au peintre baroque de rassembler aux chevets des illustres saintes au visage exalté et au corps déjà cadavérique, une foule pathétique. La mort de saint Joseph était plus calme.

A la fin du XIXe siècle, l'iconographie des âmes du Purgatoire subit tout de même le contrecoup de l'invasion spirite. Dans de grands tableaux de l'art académique (comme dans la cathédrale de Toulouse), l'âme est devenue un esprit, un désincarné dont le corps astral flotte dans les airs. Cas peut-être plus piquants qu'exemplaires. En général, cependant, l'iconographie, tout en restant la même, a perdu alors sa volonté de personnaliser les suppliciés. On revient, sur les vitraux néo-gothiques du XIXe siècle, au symbolisme simplifié des origines, à la simple leçon de catéchisme.

C'est que la personnalisation du défunt avait alors trouvé d'autres moyens plus raffinés de s'exprimer. Dans la bourgeoisie française, au début du XXᵉ siècle, on prit l'habitude de diffuser parmi la famille et les amis des feuillets imprimés composés d'un portrait du défunt (une photographie collée), d'une notice biographique et de citations pieuses, à la manière des inscriptions funéraires, bref, un « tombeau ». A un siècle d'intervalle, ce feuillet avait un nom : un *memento*. *Memento* ne signifie plus au XIXᵉ siècle *memento mori*, mais *memento illius*, on le traduit en français : « *Souvenez-vous* dans vos prières de... »

La Sorcière de Michelet

Avec le thème des âmes du Purgatoire, nous avons vu comment une dévotion, à l'origine individualiste (pour soi), est devenue altruiste (pour toi). C'est là une conséquence du progrès de l'affectivité.

En interprétant la sorcellerie médiévale, Michelet l'a instinctivement sollicitée dans le même sens affectif : il transforme une pratique de captation du pouvoir, de la richesse, de la connaissance en un moyen de faire revenir les disparus trop regrettés.

Dans les anciennes réalités, quand les sorciers évoquaient les morts, c'était pour leur arracher les secrets de l'avenir. S'ils détournaient des cadavres, c'était pour en extraire les propriétés. Michelet va donner à la sorcellerie un but qui n'existait pas au temps des vrais sorciers, qui était étranger à l'univers de la sorcellerie traditionnelle, mais qui n'était autre que celui des spirites américains du XIXᵉ siècle. L'anachronisme ingénu frappe le lecteur d'aujourd'hui — bienheureux anachronisme qui nous apprend peu sur les sorciers, mais beaucoup sur Michelet et son temps!

Michelet imagine que l'homme au Moyen Age demande à la sorcière de lui rendre « pour une heure, un moment, (...) ces morts aimés que nous t'avons prêtés, [à toi, la nature] [43] ».

Il lui prête à son tour sa propre intolérance à l'oubli des morts : « Il faut qu'ils soient, nos morts, bien captifs, pour ne me donner aucun signe. Et moi comment ferai-je pour être entendu d'eux? Comment mon père, pour qui je fus unique et qui m'aima si violemment, comment ne vient-il pas à moi? » Peur de l'Enfer? Mais il suffisait pour les préserver de l'Enfer de recourir au Trésor de l'Église, aux indulgences, aux intercessions. Voilà bien la différence entre la piété catholique pour les défunts ou la dévotion aux âmes du Purgatoire et les pratiques des spirites du XIXᵉ siècle; ceux-ci, comme les hommes du néo-Moyen Age de Michelet, ne veulent pas attendre; ils veulent revoir leurs morts tout de suite. Pour certains qui ont des pouvoirs suffisants, il n'est pas besoin de magie : « Les plus calmes, les plus occupés, quelque distraits qu'ils soient par les tiraillements de la vie, ont des moments étranges. Au noir matin brumeux, au soir qui vient si vite nous engloutir dans l'ombre, dix ans, vingt ans après, je ne sais quelles faibles voix vous montent au cœur : " Bonjour, ami, c'est nous... Tu ne souffres pas trop de nous avoir perdus, et tu sais te passer de nous. [Le reproche le plus cruel de la part des morts : « Les morts, les pauvres morts ont de grandes douleurs », dira Baudelaire. Ils souffrent de l'oubli des vivants.] Mais nous, pas de toi, jamais... La maison qui fut nôtre est pleine et nous la bénissons. Tout est bien, tout est mieux qu'au temps où ton père te parlait, au temps où ta petite fille te disait à son tour : Mon papa, porte-moi! Mais voilà que tu pleures. Assez. Au revoir " [44]. » « Hélas, ils sont partis! douce et mourante plainte. Juste? Non, que je m'oublie mille fois plutôt que de les oublier. » Mais l'oubli vient forcément, comme l'érosion inévitable du temps. Pour l'éviter ou le reporter, Heathcliff a rouvert le cercueil de sa bien-aimée; d'autres, au néo-Moyen Age imaginé par Michelet, recouraient aux sorcières : « Et cependant, quoi qu'il en coûte, on est obligé de le dire, certaines traces échappent, sont déjà moins sensibles, certains traits du visage sont, non pas effacés, mais obscurcis, pâlis. Chose dure, amère, humiliante de se sentir si fuyant et si faible... Rendez-le-moi, je vous en prie, j'y tiens trop, à cette riche source de larmes. Retracez-moi, je vous prie, ces effigies si chères... Si vous pouviez du moins m'en faire rêver la nuit... »

Alors intervient la sorcière. Elle a fait le pacte avec Satan qui est « le roi des morts ». Elle sait les faire revivre. Satan a pitié, l'Église, non. « L'évocation des morts reste expressément défendue. » « La Vierge même, idéal de la grâce, ne répond rien à ce besoin du cœur. » Aujourd'hui encore, j'ai entendu la même plainte contre l'Église, indifférente à la tristesse sans fond des endeuillés. Satan a le cœur mieux placé. C'est qu'il « tient du vieux Pluton (...) accordant aux morts des retours, aux vivants de revoir les morts ». Il « revient à son père ou grand-père Osiris, le pasteur des âmes ». Au néo-Moyen Age de Michelet, c'est-à-dire au XIXe siècle romantique, « on confesse de bouche l'enfer officiel et les chaudières bouillantes [et c'est vrai qu'ils n'ont guère de place dans la religion vécue des La Ferronays]. Au fond y croit-on bien? Aussi, malgré les défenses de l'Église, les maris et les amants reviennent au lit de leur femme. La veuve remet la nuit sa robe de mariée, le dimanche, et l'esprit revient la consoler ».

**La disparition des clauses pieuses
dans les testaments**

Un dernier fait mérite d'être rapproché de ce qui précède : la disparition vers le milieu du XVIIIᵉ siècle des clauses pieuses dans les testaments : élections de sépulture, fondations pieuses, intentions particulières, etc. C'est un phénomène considérable. En deux décennies, à peu près en l'espace d'une génération, le modèle du testament qui n'avait guère bougé pendant trois siècles est bouleversé.

Mes sondages au minutier central me suggèrent de classer les testaments parisiens de la seconde moitié du XVIIIᵉ siècle et du début du XIXᵉ en quatre catégories. La *première* catégorie, encore volumineuse au milieu du XVIIIᵉ siècle, et qui ira en diminuant, est conforme au modèle traditionnel des XVIᵉ-XVIIᵉ siècles : celui-ci se survit.

La *deuxième* catégorie est un abrégé, une simplification de la première. Le préambule religieux est maintenu mais raccourci, réduit parfois à très peu de chose. Il subsiste cependant. « Je recommande mon âme à Dieu et supplie sa Divine Majesté de me pardonner mes fautes [45] » (1811).

Parfois on saute le préambule, mais on conserve l'instruction concernant le service : « (...) laquelle dans la vue de la mort, après avoir recommandé son âme à Dieu, a fait son testament (...). Je m'en rapporte à mon fils pour mes funérailles, que je veux être faites avec la plus grande simplicité, et qu'il soit seulement dit une messe haute, mon corps présent [46] » (1774). L'abrègement traduit une volonté de simplicité des funérailles.

Dans la *troisième* catégorie, il n'est plus donné aucune instruction particulière. Le testateur affirme sa volonté de simplicité, il n'entre dans aucun détail, et surtout il s'en remet absolument à l'héritier, un parent proche, qui lui sert d'exécuteur testamentaire. Le sentiment qui domine est la confiance du testateur dans ses héritiers, dans sa famille.

L'association entre la volonté de simplicité des funérailles et la décision de s'en remettre à l'exécuteur testamentaire est ancienne. Nous l'avons trouvée dans des testaments depuis le XVᵉ siècle. Mais alors, l'insistance était mise plutôt sur l'affectation de simplicité : que mon exécuteur fasse ce qu'il voudra, ce sera toujours assez bien, la chose ne m'intéresse pas. J'ai mieux à faire pour mon âme. Aux XVIIIᵉ-XIXᵉ siècles, la raison est différente. La simplicité est sans doute plus fréquente, au point de devenir conventionnelle, mais l'accent s'est déplacé sur la confiance affectueuse dans les survivants. « Je m'en rapporte à la prudence de mes enfants » (famille de vigneron, maître forain, 1778). « Je m'en rapporte pour mes funérailles et *prières* à la *piété* de ma sœur [47] » (une ouvrière en linge, 1778). Cette catégorie est la plus nombreuse, dans la seconde moitié du XVIIIᵉ siècle.

La *quatrième* catégorie groupe les testaments où toute allusion de nature religieuse a disparu. Elle n'est pas rare à la fin du xviiie siècle, elle devient de plus en plus fréquente au début du xixe siècle au point de devenir le testament type du xixe siècle. On est tenté de l'interpréter, avec M. Vovelle, comme un abandon des croyances religieuses, un progrès de la déchristianisation. Elle a pourtant d'autres causes, car il n'est pas rare de trouver, dès les années 1770, dans cette catégorie, des testateurs qui comptent des religieux parmi leurs héritiers ou leurs légataires [48].

Si on compare les deux dernières catégories de testament (3 et 4), on s'aperçoit que, dans la catégorie 3, le testateur a exprimé sa confiance en son héritier, dans la catégorie 4 il ne l'a pas exprimée. C'est la seule différence. Il a renoncé à formuler cette confiance, soit parce qu'il ne l'éprouvait plus, hypothèse contraire à tout ce que nous savons d'autre part, soit parce qu'il n'était plus nécessaire de la dire, tant elle allait de soi. Il est arrivé, vers le milieu du xixe siècle, époque d'inflation sentimentale à l'intérieur de la famille, qu'un homme ou une femme ait ressenti le besoin d'exprimer plus solennellement leur affection. Ils l'ont parfois fait à l'aide traditionnelle et désormais archaïsante du testament olographe, enregistré devant notaire : c'est parfois le cas de familles aristocratiques, dont voici un exemple, donné par le testament de la comtesse Molé (1844). « Je demande que mes restes soient déposés auprès de ceux de ma fille chérie et qu'on grave ces mots sur ma pierre : " Enterrée d'après son désir auprès de sa fille. " Je laisse à ma fille un portrait de ma mère, peint par Mme Le Brun. Je luy laisse ce que j'ay de plus précieux au monde, un petit coffre en bois foncé que j'emportais toujours avec moi et qui appartenait à Élizabeth. Il renferme les lettres qu'elle m'a écrites, son portrait tracé par elle et plusieurs papiers de son écriture. C'est à elle aussi que je désire qu'on remette un grand coffre en bois de citron qui contient toutes les lettres de mes amies écrites à différentes époques de ma vie. Elle conservera celles qui pourront lui offrir quelque intérêt et brûlera celles qu'elle croira ne devoir plus garder. *Ma confiance en elle est entière* [je souligne]. Je lui laisse mon nécessaire qui m'a été donné par mon beau-frère qui était son parrain [49]. »

En général, au xixe siècle, de telles instructions n'étaient pas données dans un testament. Quand elles étaient écrites, ce qui n'était pas le cas le plus fréquent, elles étaient confiées à une lettre ou une note personnelle, en dehors du testament. J'ai un exemple de cet usage dans mes propres papiers de famille. Mon arrière-grand-mère est morte en 1907. Ses « dernières volontés » étaient enfermées dans une enveloppe à l'adresse de son seul fils (elle laissait quatre filles et un fils). Cette enveloppe contenait trois documents : 1. le testament, limité à la répartition entre ses enfants de ses biens mobiliers et immobiliers (un testament de la catégorie 4, sans aucune allusion religieuse ou sentimentale, un instrument de droit); 2. une note où elle donnait ses instructions concernant sa sépulture, ses funérailles, les services religieux, les aumônes; 3. une lettre à son fils où elle expliquait quelques-unes de ses décisions, et d'une manière générale exprimait son affection, exposait les principes de religion et de moralité auxquels elle tenait et qu'elle désirait que ses enfants maintiennent.

Au xviiᵉ siècle, ces trois documents auraient été réunis en un seul dans le testament. Dans la plupart des cas, les instructions et les recommandations personnelles, qui ne concernaient pas des biens de valeur, mais des souvenirs, des messages moraux, sentimentaux, étaient désormais communiqués oralement. Un peu avant sa mort, Mᵐᵉ de La Ferronays les transmet à sa fille Pauline. Il n'est donc resté du testament que l'instrument légal dont le notaire avait besoin pour la succession; d'ailleurs, le testament lui-même devint beaucoup moins fréquent qu'aux xviiᵉ et xviiiᵉ siècles.

C'est pourquoi je suppose que le changement du testament dans la seconde moitié du xviiiᵉ siècle est dû à la nature nouvelle des sentiments entre le testateur et ses héritiers. Autrefois ces sentiments étaient plutôt méfiants. Ils sont devenus confiants. Des relations d'affection ont remplacé des relations de droit. Il paraissait intolérable de rendre contractuels les échanges entre des êtres liés par une affection mutuelle dans l'une et l'autre vie.

Tout ce qui concernait le corps, l'âme, le salut, l'amitié — y compris donc la religion — était retiré au domaine du droit, pour être affaire domestique, affaire de famille. Ainsi la transformation du testament nous apparaît-elle un indice, parmi beaucoup d'autres, d'un type nouveau de relations à l'intérieur des familles, où l'affection l'emportait sur toute autre considération d'intérêt, de droit, de convenances... Cette affection, cultivée, et même exaltée, rendait plus douloureuse la séparation de la mort et invitait à la compenser par le souvenir ou par quelque forme plus ou moins précise de survie.

La révolution du sentiment

En fait, ces chrétiens, dévots ou sécularisés, et les demi-incroyants inventent ensemble un nouveau Paradis, ce que Jankélévitch appelle un Paradis anthropomorphe, qui n'est plus tant la Maison du Père, mais plutôt les maisons de la Terre, délivrées des menaces du Temps, et où les anticipations de l'eschatologie se confondent avec les réalités du souvenir.

Les choses se passent au xixᵉ siècle comme si tout le monde croyait à la continuation après la mort des amitiés de la vie. Dans ce fond commun de croyance, ce qui varie est le degré de réalisme des représentations et surtout le rapport entre vie future et foi religieuse. Ces deux notions se recouvrent encore chez les chrétiens du XIXᵉ siècle; elles sont, au contraire, séparées chez les non-chrétiens, les positivistes, les agnostiques. Ceux-ci peuvent avoir abandonné les doctrines de révélation et de salut, les affirmations du *Credo;* en revanche, ils cultivent le souvenir des morts avec une intensité sentimentale qui donne à la longue la même impression de réalité objective que la foi des croyants.

Cette dissociation de la vie future et de la foi a gagné au milieu du XXᵉ siècle les chrétiens eux-mêmes, s'il faut en croire les enquêtes d'opinion. C'est que la vie future, même quand elle est masquée au XXᵉ siècle par le respect humain du rationalisme industriel, reste le grand fait religieux de toute la période contemporaine.

Dans notre seconde moitié du XXᵉ siècle, elle décline ou elle est plus honteuse, mais, les enquêtes d'opinion l'ont montré, elle reparaît aux approches de la mort chez des vieillards et des malades qui n'ont plus rien à perdre ni à cacher[50].

Les croyances diverses dans la vie future ou dans la vie du souvenir sont, en effet, les réponses à l'impossibilité d'accepter la mort de l'être cher.

C'est un signe parmi d'autres de ce grand phénomène contemporain qu'est la *révolution du sentiment.* L'affectivité domine le comportement, surtout quand la bonne éducation imposera à la fin du siècle d'affecter l'impassibilité.

Je n'entends pas par là que l'affectivité n'existait pas avant le XVIIIᵉ siècle. Ce serait absurde, mais c'est un contresens aujourd'hui trop fréquent sur la notion de mentalité historique que de confondre un sentiment plus ou moins constant et la valeur particulière qu'il prend (ou qu'il perd), à un certain moment, dans la conscience collective. La nature, l'intensité et les objets de l'affection ont changé.

Dans nos anciennes sociétés traditionnelles, l'affectivité était répartie sur un nombre de têtes plus grand, qui n'était pas limité aux membres de la famille (généralement conjugale). Elle s'étendait à des cercles de plus en plus larges où elle se diluait. D'autre part, elle n'était pas entièrement investie; les hommes conservaient une masse d'affectivité disponible, qui se déchargeait aux hasards de la vie, affectivité, ou son inverse, l'agressivité.

A partir du XVIIIᵉ siècle l'affectivité est au contraire entièrement concentrée, dès l'enfance, sur quelques êtres qui deviennent exceptionnels, irremplaçables et inséparables.

« Un seul être vous manque et tout est dépeuplé. » Le sentiment de l'autre a pris alors une primauté nouvelle. L'histoire de la littérature a reconnu depuis longtemps ce caractère du romantisme, et elle en a fait une banalité. Aujourd'hui, on a plutôt tendance à considérer ce romantisme-là comme une mode esthétique et bourgeoise, sans profondeur. Nous savons maintenant que c'est un grand fait réel de la vie, de la vie quotidienne, une grande transformation de l'homme en société.

La retraite du Mal. La fin de l'enfer

Parce que la mort n'est pas la fin de l'être cher, si dure que soit la peine du survivant, elle n'est ni laide ni redoutable. Elle est belle, et le mort est beau. La présence au lit de mort est au XIXe siècle plus que la participation coutumière à une cérémonie sociale rituelle, elle est assistance à un spectacle réconfortant et exaltant; la visite à la maison du mort tient un peu de la visite au musée : comme il est beau! Dans les chambres les plus banales des bourgeoisies occidentales, la mort a fini par coïncider avec la beauté, dernière étape d'une évolution qui a commencé tout doucement avec les beaux gisants de la Renaissance, qui a continué dans l'esthétisme baroque. Mais cette apothéose ne doit pas nous dissimuler la contradiction qu'elle renferme : cette mort n'est plus la mort, elle est une illusion de l'art. *La mort a commencé à se cacher,* malgré l'apparente publicité qui l'entoure dans le deuil, au cimetière, dans la vie comme dans l'art ou la littérature : *elle se cache sous la beauté.*

Ici l'histoire de la mort rencontre celle du Mal. La mort, dans les doctrines chrétiennes et dans la vie commune, était vue comme une manifestation du Mal, du Mal insinué dans la vie, inséparable de la vie. Chez les chrétiens, elle était le moment d'une orientation tragique entre le Ciel et l'Enfer qui lui-même était l'expression la plus banale du Mal.

Or, au XIXe siècle, c'est à peine si on croit encore à l'Enfer : du bout des lèvres, seulement pour les étrangers et les adversaires, ceux qui sont hors du cercle étroit de l'affectivité.

Sans doute les La Ferronays auraient-ils été indignés si on leur avait dit qu'ils ne croyaient pas à l'Enfer! Et c'est vrai qu'ils pensaient qu'il était un lieu lointain et sans réalité, réservé aux grands criminels non repentis, aux incroyants, et plus encore aux hérétiques : c'est pourquoi Albert voulait sur son lit de mort éloigner sa femme de sa belle-mère protestante. Tout ce qui restait de l'Enfer était un héritage d'Inquisition.

Le saint du XVIIe siècle redoutait toujours l'Enfer quelles que soient sa vertu, sa foi et ses œuvres : il l'imaginait dans ses méditations! Pour l'homme pieux du XIXe siècle, c'est un dogme qu'on apprend dans le catéchisme, mais qui est étranger à sa sensibilité. *Avec l'Enfer, c'est déjà toute une partie du Mal qui s'en est allée.* Il en reste une autre, la souffrance, les injustices, les malheurs, mais, justement, Helen Burns, l'héroïne de Charlotte Brontë, sait que ce mal résiduel est lié à la chair et qu'il disparaîtra avec la chair. Dans l'au-delà, dans le monde des esprits, il n'y a plus de Mal, et voilà pourquoi la mort est si désirable :

> C'est la Mort qui console, hélas! et qui fait vivre.
> C'est le but de la vie et c'est le seul espoir,
> Qui comme un élixir nous monte et nous enivre
> Et nous donne le cœur de marcher jusqu'au soir...
> C'est l'auberge fameuse inscrite sur le livre,
> Où l'on pourra manger et dormir et s'asseoir.
>
> (Baudelaire)

Quelques-uns penseront bientôt qu'il n'est peut-être pas nécessaire d'attendre jusque-là le moment de « manger et dormir et s'asseoir »! Et on s'efforcera alors de chasser aussi le mal du monde de la chair. C'est ce que nous verrons au dernier chapitre de ce livre (chapitre 12). Il n'en est pas moins vrai que la première grande étape de la retraite du Mal est la fin de l'Enfer.

Fin de l'Enfer ne veut pas dire mort de Dieu. Les romantiques furent souvent de fervents croyants. Mais comme la mort se cachait sous la beauté, le Dieu de la Bible prit souvent chez eux l'apparence de la Nature. La mort, en effet, n'est pas seulement la séparation de l'autre. Elle est aussi, d'une manière moins commune il est vrai, approche merveilleuse de l'insondable, communion mystique avec les sources de l'être, avec l'infini cosmique : les images de l'étendue terrestre ou marine expriment cette attirance.

Le romantisme réagit sans doute contre la philosophie du XVIIIe siècle, il n'empêche que son Dieu a quelque peu hérité du déisme des Lumières. Il se confond ici et là avec la Nature universelle où tout se perd et où tout est recréé. Une conception qui n'est pas seulement d'intellectuels ou d'esthètes puisqu'elle est entrée dans les mentalités religieuses vécues; les garçons et filles qui vont mourir contemplaient parfois ainsi la mer ou la lande.

11

La visite au cimetière

Nous connaissons l'Antiquité pour une grande part grâce aux tombeaux et aux objets qui y furent accumulés. Plus l'Antiquité est lointaine, plus la part des documents funéraires y est grande. Sans doute est-ce l'effet de la sélection du temps : les hommes, en se superposant les uns aux autres sur les mêmes sites, ont effacé les traces de leurs prédécesseurs, mais ils ont laissé subsister, à demi profanées, les sépultures écartées qui enfermaient un condensé de la culture des vivants. La place des cimetières, ou de ce qui en tenait lieu, est donc très grande dans notre vision des mondes antiques.

Les cimetières dans la topographie

Cette place se réduisit et disparut au Moyen Age, nous l'avons vu, lorsque les tombes se blottirent contre les églises ou les remplirent. Dans les topographies urbaines, le cimetière n'est plus visible ou il n'a plus d'identité; il se confond avec les dépendances de l'église, les espaces publics. Ils ont disparu, ces longs alignements de monuments qui divergeaient loin des villes romaines comme les rayons d'une étoile. On pourra bien sculpter ou peindre des transis sur le sol et les murs des églises ou dans les galeries des cloîtres : les signes de la mort ne sont plus apparents, malgré la fréquence de la mortalité et la présence des morts. Ceux-ci ne font qu'affleurer dans la poussière ou la boue. Ils sont cachés. Ils réapparaissent seulement, et encore assez tard, dans de rares tombeaux visibles. La part des documents funéraires dans nos connaissances et nos interprétations d'historien est devenue très faible. Les civilisations du Moyen Age et de l'époque moderne, jusqu'au XVIIe siècle au moins, n'ont accordé aux morts ni espace ni mobilier. Elles ne sont pas des civilisations à cimetière.

Or, à partir du début du XIXe siècle, le cimetière revient dans la topographie. Une vue panoramique des villes et même des campagnes, aujourd'hui, laisse voir dans les mailles des tissus urbains des taches vides, plus ou moins vertes, immenses nécropoles des grandes cités, petits cimetières des villages, quelquefois autour de l'église, souvent hors de l'agglomération. Sans doute le cimetière d'aujourd'hui n'est-il plus la reproduction souterraine du monde des vivants qu'il était dans l'Antiquité, mais nous sentons bien qu'il a un sens. Le paysage médiéval et moderne a été organisé autour des clochers. Le paysage plus urbanisé du XIXe et du début du XXe siècle a tenté de donner au cimetière ou aux monuments funéraires le rôle rempli auparavant par le clocher. Le cimetière a été (est-il encore?) le signe d'une culture.

Comment expliquer ce retour du cimetière et qu'est-ce qu'il veut dire?

Le démon au cimetière

Nous avons vu que le régime des sépultures n'a pas changé depuis qu'on a enterré dans l'église ou contre elle, depuis que les corps ont été déposés dans des cercueils de bois ou sans cercueil (dans leur « serpillière »), à la place des sarcophages de pierre. Il s'ensuivait un constant remue-ménage de cadavres, de chairs et d'ossements dans les églises au pavé inégal et mal joint et dans les cimetières. L'homme d'aujourd'hui comprend tout de suite quelles odeurs, quelles émanations, quelle insalubrité ces manipulations devaient entraîner. Oui, l'homme d'aujourd'hui. Force nous est de reconnaître que l'homme d'autrefois s'en est parfaitement accommodé.

Il est arrivé un temps, à la fin du XVIe et au XVIIe siècle, où quelques-uns, peu nombreux, se sont posé des questions à propos des phénomènes observés dans les tombeaux; ensuite au XVIIIe siècle, tout d'un coup, l'état de choses plusieurs fois séculaire n'a plus été supporté.

Bien avant que les médecins ne s'en mêlassent, les bruits entendus dans les tombeaux, que nous expliquons aujourd'hui par les explosions dues aux gaz de la décomposition, intriguaient. On les a d'abord pris pour des avertissements surnaturels. Le tombeau de Sylvestre II (Gerbert) crépitait *(ossa crepitare)* chaque fois qu'un pape allait mourir. En Bohême, la pierre tombale d'une sainte se soulevait et retombait quand une peste menaçait. Il v avait un langage des tombeaux, comme un langage des rêves [1].

Les médecins des XVIe-XVIIe siècles se préoccupèrent de ces bruits *(pulsatio, sonitus)*, ils s'intéressaient aux récits de fossoyeurs qui avaient entendu des sons stridents, comme le sifflement d'une oie, ou avaient vu se former autour des os des masses d'écume qui éclataient en infectant l'air. Un récit emprunté à Bernhard Valentinus [2] pourrait servir de modèle à toutes les histoires du même genre accumulées à leur tour par les médecins du XVIIIe siècle. Il est remarquable qu'on ait commencé à faire attention à ce genre de phénomènes un siècle avant d'en faire une affaire publique et de mobiliser l'opinion.

Un autre type de manifestation a été rapporté par Garmann que, cette fois-ci, les médecins du xviiie siècle attribueront à la crédulité d'un observateur superstitieux : en pleine épidémie de peste, après avoir entendu des bruits dans un cercueil, on l'ouvre et on découvre que le cadavre a dévoré une partie de son suaire. On constate que ce prodige ne se produit qu'en temps de peste et que la peste s'arrête quand on a décapité le cadavre mangeur de suaire et jeté sa tête hors de la fosse. On peut d'ailleurs prévenir le danger au moment de l'inhumation, soit comme les Anciens, en mettant une pièce de monnaie dans la bouche du cadavre, ce qui l'empêche de mâcher, soit, comme les juifs, en écartant soigneusement le suaire de la bouche.

L'idée importante est qu'il existe une relation entre les bruits des tombeaux, les émanations des cimetières et la peste. Bartholin (1680), Ambroise Paré (1590), Fortunius Licetus (1577-1656) et d'autres l'ont remarqué. Ainsi Ambroise Paré a signalé qu'une épidémie dans le pays d'Agen avait pour origine un puits où des cadavres avaient été entassés sur une aune d'épaisseur.

Les administrateurs, les officiers de police connaissaient très bien ce danger et, en temps de peste, ils recommandaient d'éloigner les cadavres contagieux, de les enterrer rapidement hors des villes et de désinfecter les fosses à la chaux vive. Pourquoi donc ne les brûlerait-on pas comme les Anciens le faisaient pour des raisons d'hygiène?

A la vérité les médecins comme Garmann, tout convaincus qu'ils étaient des rapports entre cimetières et épidémies, se contentaient d'observer sans oser aller jusqu'à alerter l'opinion et présenter un plan de réformes. Ils étaient gênés parce qu'ils n'étaient pas sûrs des causes réelles de phénomènes qui pouvaient bien être dus au démon : en effet, entre le cimetière et l'épidémie, il n'y a pas que des rapports de causalité naturelle, il y a aussi le démon et ses sorcières. Celles-ci prélèvent sur les morts les éléments dont elles ont besoin pour leurs mixtures, leurs potions; les cadavres qui, en temps de peste, sont pris sur le fait en train de dévorer leur suaire et de crier comme des porcs, sont ceux de sorcières; c'est pourquoi les magistrats se devaient de leur refuser toute sépulture. En temps de peste, en effet, le démon étend son pouvoir, devenant selon Luther, cité par Garmann, *Dei carnifex*. D'une manière générale, il a délégation de pouvoir sur les morts : une sorte de parenté s'établit entre lui et eux. Le cimetière est de son domaine, un vestibule d'enfer. Dans la lutte cosmique que l'Église mène contre Satan, elle a dû lui arracher le cimetière par un acte consécratoire solennel et défendre contre lui les sépultures bénites, mais il rôde autour; maintenu à distance par la vertu des exorcismes et du sacré, il suffit d'une faille dans le sacré pour qu'il revienne, tant est forte l'attraction entre les cadavres et lui. La peste, le diable, le cimetière constituent un triangle d'influences.

On est frappé par le double caractère sacré reconnu alors au cimetière.

De nature diabolique, il a été gagné par l'Église mais peut retourner au diable; il est toujours sacré, et en tant que tel, l'homme ne peut porter sur lui des mains profanes.

C'est pourquoi on hésite à déménager les cimetières, à les éloigner des villes, et même à les désinfecter avec de la chaux vive. Un médecin astrologue, de Misnie (1557-1636), objecte qu'un tel usage serait « indigne de chrétiens ». D'une manière générale, dit Garmann, les morts sont sacrés : *mortuos sacros*. Comme les autels et les temples, *loca sacra*, il ne faut pas les déplacer, *(non fas est movere)*, on leur doit *reverentia* et *religio*.

Jamais, je pense, les canonistes ni les théologiens n'avaient assimilé le cimetière en tant que tel à l'autel. On avait enterré les morts dans l'église et dans sa cour, les morts avaient profité, par une sorte de détournement, d'un sacré qui ne leur était pas destiné et qui ne tenait pas de leur présence. Ici, au contraire, le sacré prend son origine dans le fait des sépultures. Un sacré ambigu. Il est frappant de trouver sous la même plume cicéronienne, et érudite à sa manière, des observations sur l'insalubrité des cimetières et ses effets sur les épidémies et, d'autre part, l'idée que le cimetière, terre des morts, appartient à la zone du sacré et qu'il ne faut donc pas y toucher. N'est-ce pas le même mélange qu'on trouve chez les chasseurs de sorcières? Est-ce qu'il indique la remontée d'un sacré populaire archaïque et païen, dont on trouve bien peu de traces dans le folklore médiéval? Ne traduit-il pas plutôt une sacralisation de type moderne, répondant aux nouvelles catégories scientifiques que vient de découvrir un esprit nouveau, plus rationnel? Les phénomènes qui deviendront au XVIIIe siècle des faits d'hygiène, de chimie, de biologie sont, au moment de leur émergence, aussitôt attribués à la sphère du sacré. C'est une manière de reconnaissance. Ainsi, dans notre cas, comme dans celui de l'invention et de la répression de la sorcellerie, la *reverentia* et la *religio,* qui sont exigées à l'égard, non pas de la mort ni de la cérémonie des funérailles ni des prières pour les âmes, mais du cimetière en tant que dépôt de cadavres, appartiennent à un sacré d'élite plus qu'à un sacré populaire, même si ce sacré d'élite a réactivé et récupéré à son profit de vieux courants de religion populaire.

On ne trouve chez Garmann aucune trace du sentiment du lignage qui éveillait la nostalgie du « cimetière de nos pères » chez les protestants d'H. de Sponde (voir chapitre 6). Il est intéressant de noter ces expressions de respect et surtout de culte, de *religio :* elles seront reprises dans le climat positiviste du XIXe siècle. Elles caractérisent les conceptions scientifiques de la nature des XVIe-XVIIe siècles. On se tromperait en y voyant des formes populaires de vénération du cimetière. Celles-ci n'ont jamais été aussi nettes ni aussi explicites.

L'insalubrité des cimetières :
médecins et parlementaires (XVIIIe siècle)

Le caractère insalubre des cimetières était donc déjà connu. Les
traités de police, par exemple la *Grande et Nécessaire Police* de 1619[3],
donnaient des conseils pour l'éviter. Si certaines précautions extraordinaires étaient recommandées en temps d'épidémie, il n'était cependant
pas question de changer l'ordre ancien des choses.

Si aux XVIe-XVIIe siècles, à Paris, on avait déplacé les *loca sacra,* c'était
seulement pour permettre l'extension de l'église et de ses dépendances,
sans préoccupation sanitaire.

Toutefois, dès le deuxième tiers du XVIIIe siècle, l'opinion commence à
bouger, et les phénomènes observés par les médecins sont à nouveau
signalés et dès lors dénoncés, non plus comme des manifestations du
diable, mais comme un état de choses naturel et néanmoins fâcheux auquel
il faut remédier.

En 1737, le parlement de Paris saisit les médecins d'une enquête sur
les cimetières — sans doute la première démarche officielle. Ils la menèrent
dans l'esprit de notre science d'aujourd'hui, mais elle n'eut pas de suite,
ils proposèrent simplement « plus de soin dans la sépulture et plus de
décence dans la tenue des cimetières [4] ».

A la même époque (1745), l'abbé Porée décrit dans ses *Lettres sur la
sépulture dans les églises* [5] une situation qui commence à être jugée déplai-
sante, notamment par les voisins des cimetières et des églises. L'inhumation dans les églises est mise en accusation comme à la fois contraire à
la salubrité publique et à la dignité du culte. L'auteur reprend les interdictions du droit, conteste le principe des enterrements *ad sanctos,* inintelli-
gible pour les réformateurs catholiques autant que protestants. « On
donnait une sphère d'activité à des prières et à des cérémonies dont l'effet
immédiat est tout moral. » Il demande qu'on interdise la sépulture dans
les églises, car « il nous est permis d'aimer la santé, et la propreté qui
contribue si fort à la conserver ». La propreté devient la valeur qu'elle
sera au XIXe siècle; un saint, Benoît Labre, qui croyait encore aux vertus
de la crasse n'avait plus sa place en France (sa pouillerie ne l'empêcha pas
d'être accueilli à Rome!). Pour l'abbé Porée, les églises doivent être saines;
il préconise « des églises propres, bien aérées, où l'on ne sent que l'odeur
de l'encens qui brûle », et pas d'autre! « où l'on ne risque point de se
rompre le cou par l'inégalité du pavé », toujours remué par les fossoyeurs.
Il propose enfin de déplacer les cimetières hors des villes, « moyen le plus
sûr pour y procurer et y conserver la salubrité de l'air, la propreté des
temples et la santé des habitants, objets de la dernière importance ».

En fait, ces déplacements n'avaient rien de révolutionnaire : on proposait aux fabriques qui y songeaient déjà de créer de nouveaux cimetières

et de les situer systématiquement en dehors de la ville. Toutefois pour l'abbé Porée, ce déplacement ne répondait pas seulement à une nécessité de salubrité publique, mais restaurait encore une séparation entre les vivants et les morts que les Anciens, eux, avaient toujours respectée : les morts « demeurent à perpétuité séparés du reste des vivants », « les morts, de peur de nuire aux vivants, feraient non seulement la quarantaine, mais observeraient un *interdit* [le mot y est, je le souligne] qui ne serait levé qu'à la consommation des siècles ». Texte ambigu où l'on est tenté de reconnaître à sa racine le rejet tout à fait contemporain des morts par les vivants dans nos sociétés postindustrielles : c'est l'interprétation de Madeleine Foisil [6]. La tendance y est déjà, c'est vrai, et nous verrons plus loin qu'elle animera bientôt les parlementaires, auteurs de l'arrêt de 1763. Mais, de même que pendant les années 1770 le naturalisme radical des auteurs de l'arrêt cédera et se transformera peu à peu en une religion nouvelle des morts, l'abbé Porée ne croit pas que la séparation des vivants et des morts nuira aux morts et les condamnera à l'oubli. Elle est plutôt destinée à rendre la décence à la fois aux lieux de culte des vivants et aux séjours des morts. Simultanément, la visite des cimetières ne cesse d'être recommandée. « Il est du plus grand intérêt des mortels d'écouter les leçons que leur font les morts. C'est sur leur tombeau qu'il faut aller se convaincre de la fragilité de toutes les choses humaines : les sépulcres sont des Écoles de sagesse. » Recommandation qui va dans le sens du *Memento mori* et de la vanité du XVIIe siècle, sans être encore ce culte du souvenir qui s'imposera plus tard.

Les années 1760 furent décisives. Quand la communauté de Saint-Sulpice voulut ouvrir un nouveau cimetière près du Petit-Luxembourg, le propriétaire, qui était le prince de Condé, s'y opposa. En dépit du désistement des deux parties, le procureur général estima que l'affaire n'était pas close pour autant : « Si les intérêts particuliers des opposants sont par là mis en sûreté, l'intérêt public n'a-t-il rien de plus à désirer? L'exemple d'une tentative pour établir un cimetière nouveau dans un des quartiers les plus peuplés de cette ville, les alarmes qu'a causées cette entreprise (...) ne doivent-elles pas fixer l'attention des magistrats sur cette partie de la police publique? » Les choses doivent changer. « Il est des *abus* qui ne subsistent que par une sorte d'oubli (...). Ne doit-on pas ranger dans cette classe la facilité, peut-être trop grande, qu'on a eue de souffrir les demeures infectes des morts au milieu des habitations des vivants? L'*odeur fétide* que les cadavres exhalent est une indication de la nature qui avertit de s'en éloigner. Les peuples de l'Antiquité les plus célèbres pour les règlements de leur police reléguaient les sépultures en des endroits écartés. » Et puis les villes ont grandi, les maisons sont devenues plus hautes : « Les exhalaisons impures se perdaient autrefois dans le vague de l'air; elles sont aujourd'hui concentrées par des édifices qui empêchent les vents de les dissiper. Elles s'attachent aux murailles qu'elles imbibent d'un suc infect.

Qui sait même si, pénétrant dans les habitations voisines avec l'air qu'on y respire, elles n'y portent point des causes inconnues de mort et de contagion. » Les médecins le diront plus carrément que le magistrat[7].

A la suite de cette déclaration du procureur général, la cour décide que les commissaires du Châtelet et les fabriques des églises fassent, chacun de leur côté, une enquête sur les cimetières de Paris. Les procès-verbaux de cette enquête, faite avec une grande célérité et une grande précision, constituent une minutieuse description du Paris funéraire au milieu du XVIIIe siècle[7].

Autour de ces actions de police, avant et surtout après l'arrêt de 1763, se développa une véritable campagne d'opinion, avec des pétitions des riverains des cimetières, des mémoires, des livres imprimés, surtout de médecins, qui décrivaient l'état d'esprit régnant alors, ce qu'on souhaitait, ce qu'on craignait, ce qu'on suggérait[8].

Les chefs de file de l'opinion sont les médecins : ils publient beaucoup. Leurs observations ne sont pas très différentes de celles des médecins du XVIIe siècle, mais leur interprétation est autre : elle exclut les interférences surnaturelles, et se fonde sur une théorie scientifique de l'air adoptée d'emblée par l'opinion au point de devenir un lieu commun[9].

Nous prendrons nos trois exemples dans trois ouvrages parus presque en même temps et qui reflètent les idées des années 60-70. M. Maret, *Mémoires sur l'usage où l'on est d'enterrer les morts dans les églises et dans les enceintes des villes* (1773, Dijon), P.T. Navier, *Réflexions sur les dangers des exhumations précipitées et sur les abus des inhumations dans les églises* (deux grands thèmes de l'époque ici associés), *suivies d'observations sur les plantations d'arbres dans les cimetières,* (1775) : il s'agit d'une communication à l'Académie des belles-lettres, sciences et arts de Châlons-sur-Marne (où nous voyons là, au passage, le rôle des académies dans les débats d'idées). Et enfin, du célèbre Vicq d'Azyr, la traduction d'un ouvrage italien, *Essai sur les lieux et les dangers des sépultures* (1773), où les décisions du prince éclairé qui régnait à Modène étaient proposées comme des modèles.

Maret écrit que « le 15 janvier dernier, au rapport du père Cotte, prêtre de l'Oratoire, un fossoyeur creusant une fosse dans le cimetière de Montmorency donna un coup de bêche sur un cadavre enterré un an auparavant. Il sortit une vapeur infecte qui le fit frissonner (...). Comme il s'appuyait sur la bêche pour fermer l'ouverture qu'il venait de faire, il tomba mort[10] ».

Ces dangereuses inhumations pouvaient avoir lieu pendant un service religieux ou une leçon de catéchisme : « Le 20 avril [1773], on creuse, à Saulieu dans la nef de l'église Saint-Saturnin, une fosse pour une femme morte de fièvre putride. [Le cadavre d'un malade conserve la maladie et son pouvoir de contagion.] Les fossoyeurs découvrirent le cercueil d'un corps enterré le 3 mars précédent. En descendant dans la fosse le cadavre de la femme, la bière s'entrouvrit ainsi que le cadavre dont on vient de parler et il se répandit sur-le-champ une odeur si fétide que les assistants furent forcés de sortir. De 120 jeunes gens des deux sexes qu'on préparait à la première communion, 114 tombèrent dangereusement malades, ainsi que le curé et le vicaire, les fossoyeurs et plus de 70 autres personnes dont il est mort 18 personnes y compris le curé et le vicaire qui ont été enlevés les premiers. » Une véritable hécatombe! Les enfants du catéchisme sont parmi les victimes les plus exposées. A Saint-Eustache de Paris en 1749, « ils tombèrent presque tous en syncope et en faiblesse dans le même temps. Le dimanche suivant, le même accident arriva à une vingtaine d'enfants et d'autres personnes de tout âge [11] ».

La plus belle histoire est celle d'un enterrement dans le caveau des pénitents blancs de Montpellier qui fit trois morts parmi les fossoyeurs et ceux qui leur vinrent en aide. Un dernier fut sauvé de justesse, si bien que, dans la ville, on le surnomma le Ressuscité [12].

Évidemment, c'est l'air qui est infecté. La mort n'est pas toujours instantanée. L'air transporte le mal à distance. La décomposition des corps a un rapport avec les épidémies et ce que nous appelons aujourd'hui les maladies infectieuses. « De telles exhalaisons [les émanations putrides des substances animales corrompues], devenues *contagieuses* [je souligne], se communiquent de proche en proche et pour ainsi dire en se régénérant de leurs propres cendres, ou d'animal à animal, elles deviennent généralement contagieuses et propres à ravager des provinces. » « Ramalzini prétend que la plupart des maladies contagieuses viennent des exhalaisons putrides des corps morts ou des vapeurs corrompues des eaux croupissantes [13]. » Dès 1559, remarque Vicq d'Azyr, « les célèbres Fernel et Houllier assurent bien positivement qu'en temps dangereux les maisons prochaines aud. cimetière ont toujours été les premières et plus longtemps infectées de la contagion que les autres d'icelle ville ».

Quand on transporte les cadavres du lieu de leur première inhumation dans les charniers, on empoisonne l'air : « On transporte des portions cadavéreuses encore fraîches dans des charniers, et l'on altère tous les jours la pureté et la salubrité d'un air qui doit entretenir la santé et la vie. »

Le feu, et le courant d'air qu'il crée, « corrige et enlève le mauvais air » : ainsi, en 1709, on alluma à Paris de gros feux sur les places, pour en chasser — avec succès — le scorbut. C'est pourquoi on entretenait des brasiers pendant les exhumations. On le fit aux Innocents en 1785. On peut aussi obtenir les mêmes résultats avec des explosions de poudre à canon [14].

L'air infecté transporte la maladie. Il corrompt aussi les choses vivantes. On a bien observé que les riverains des cimetières ne peuvent rien conserver dans leur garde-manger. Ainsi autour des Innocents : « L'acier, l'argenterie, le galon, y perdent facilement leur brillant. »

« M. Cadet assure que les cautères y suppurent plus abondamment que dans les autres quartiers de Paris. »

Les médecins ne sont pas les seuls à abonder dans ce sens. Les témoignages des riverains ne manquent pas dans les années 1760 et les enquêteurs de 1763, commissaires et fabriciens, les citent dans leurs procès-verbaux. Ainsi, une lettre pétition contre le cimetière de la paroisse Saint-Merri : « Tout ce qui peut servir à l'usage de la vie se corrompt de manière qu'il n'est plus possible de rien conserver de sain pendant plusieurs jours. » Ou encore la plainte de la veuve Leblanc, marchand-orfèvre, contre la fabrique de Saint-Gervais. Elle doit fermer ses croisées qui donnent sur le cimetière car « elle ne peut conserver ny viande ny bouillon (...). Les mauvaises humeurs se sont communiquées jusque dans la cave et ont gâté le vin et la bière qu'elle y avait [15] ». Dans ce dernier cas, la fabrique reconnaît que les plaintes sont justifiées. Elle cherche d'ailleurs un emplacement aux confins de la ville pour y reporter son cimetière.

Il n'y a pas de doute et tout le monde, ou à peu près, est maintenant convaincu de l'insalubrité des cimetières. On se demande comment on a pu abandonner, au Moyen Age et sous l'influence de la superstition, les usages raisonnables des Anciens, et comment on a pu supporter pendant des siècles des foyers de pestilence et des spectacles d'horreur en plein cœur des cités, au milieu des habitations.

Le radicalisme des parlementaires : l'arrêt non appliqué de 1763

Les premiers convaincus sont les plus éclairés, les officiers des cours royales, hommes de robe et de justice, marchands, etc.

L'arrêt du Parlement de Paris du 12 mars 1763, consécutif à l'enquête des commissaires et des fabriques, a été la première tentative pour modifier le régime millénaire des sépultures *ad sanctos et apud ecclesiam*.

Le préambule de l'arrêt reprend les arguments des médecins et des riverains des cimetières. « Dans la plupart des grandes paroisses et surtout de celles qui sont au centre de la ville, les plaintes sont journalières sur l'infection que répandent aux environs les cimetières de ces paroisses, principalement lorsque les chaleurs de l'été augmentent les exhalaisons. Qu'alors la putréfaction est telle que les aliments les plus nécessaires à la vie ne peuvent se conserver quelques heures dans les maisons voisines sans s'y corrompre, ce qui provient ou de la nature du sol trop engraissé pour pouvoir consommer les corps [les médecins avaient aussi étudié en chimistes les sols des cimetières, en particulier pour distinguer ceux qui, trop gras, ne permettaient plus la corruption sans cependant parvenir à la dessiccation ou à la momification] ou du peu d'étendue du terrain pour les enterrements annuels... » Il note aussi, ce qui est habile et destiné à désarmer les traditionalistes, que certaines fabriques avaient déjà pris des arrangements pour acquérir un grand cimetière hors ville.

La proposition qui se dégage du texte de l'arrêt est intéressante et audacieuse. Nous sommes ici, en 1763, très proche d'un cimetière laïc : l'intervention des ministres du culte est réduite à un rôle mineur de surveillance et de protocole; plutôt qu'un champ de repos, ce qu'il deviendra quarante ans plus tard, c'est un terrain de débarras, mais propre, hygiénique, correct et bien tenu. Le ton est extraordinairement sec, fonctionnel. L'idée est de fermer les cimetières existants et de créer hors et autour de Paris huit grands cimetières (quatre dans le premier brouillon), pour autant de groupes de paroisses parisiennes, chaque paroisse disposant dans le cimetière collectif de sa propre fosse commune. Dans la ville même ne subsisteraient que des dépôts près des églises, où les morts seraient déposés après le service religieux. Ils seraient relevés chaque jour par des chars funèbres qui ramasseraient « les bières et les serpillières » (marquées du numéro distinctif de la paroisse) et les achemineraient au cimetière commun où ils seraient mis en terre.

Dans cette conception, le service à l'église, le corps présent, aurait été la seule et la dernière cérémonie religieuse publique. En effet, si les parlementaires avaient concédé que le prêtre accompagnât le convoi, il s'agissait davantage à leurs yeux de surveiller convoyeurs et fossoyeurs que d'accomplir un devoir religieux.

Or, si l'arrêt n'a pas été appliqué, ces indications-là ont bien été adoptées dans la réalité; certes, les faire-part (qui remplaçaient depuis la fin du xviie siècle le cri public), le service à l'église, le deuil (les condoléances) subsistèrent comme avant, mais le public se dispersait à ce moment et le corps était conduit comme prévu par l'arrêt à un dépôt, l'inhumation perdait son caractère familial et public pour devenir une simple opération de police municipale.

D'ailleurs l'arrêt ne prévoyait rien pour faire du cimetière un lieu public, les visiteurs étaient plutôt dissuadés de faire le voyage. Le cimetière lui-même était un espace clos de murs, assez grand pour que les fosses communes puissent faire vite leur rotation sans épuiser le terrain. Car les parlementaires conservèrent le principe séculaire de l'entassement des corps sur plusieurs lits d'épaisseur, malgré les objections de quelques médecins et quelques curés. Ils cherchèrent même à l'étendre à toute une partie de la population qui y échappait. Et c'est là le trait le plus curieux de leur projet : pour décourager, sans les supprimer tout à fait, les sépultures dans les églises, ils les subordonnèrent à un droit exorbitant de 2 000 livres (plus le prix du service, du monument... ce qui devait monter les frais à environ 3 000 l.; certaines fabriques, dans l'enquête de 1763, pensent qu'à ce prix elles n'auraient qu'un client par an). Ceux qui ne pouvaient ou ne voulaient s'en acquitter n'avaient qu'une alternative : ou bien ils allaient avec tout le monde à la fosse commune (on leur permettait seulement d'éviter la station au dépôt, en doublant le prix du transport) ou bien ils avaient droit, moyennant 300 livres, une somme encore assez importante, à une fosse particulière, le long des murs, zone réservée à ce type d'inhumation. *Mais, en aucun cas, ils ne pouvaient couvrir la tombe ni y édifier un monument.* Leur seul droit était de placer une épitaphe *sur le mur* du cimetière. Le cimetière devait donc être absolument nu, sans monuments et même sans arbres, ceux-ci étant proscrits comme interceptant la circulation de l'air, le fameux air! Comme le firent remarquer encore plusieurs fabriciens dans l'enquête de 1763, il ne devait pas y avoir beaucoup d'amateurs pour payer 300 livres un bout de terre aussi anonyme.

Peut-être les parlementaires pensaient-ils que leurs propres morts, ceux de leur condition, pourraient payer les 2 000 livres ou se feraient enterrer toujours dans les chapelles de leurs châteaux, non touchées par l'arrêt (il n'empêche que certains d'entre eux affectaient aussi la simplicité de la sépulture). Il est assez remarquable que le premier brouillon de l'arrêt décidait bien l'interdiction générale d'inhumer dans les villes et le paiement d'un droit de 2 000 livres pour être inhumé dans une église, mais prévoyait, en compensation, que le nouveau cimetière commun *extra muros* pourrait comporter des monuments : « Il sera assigné aux ecclésiastiques [le mot remplace prêtres], aux nobles, aux citoyens aisés [ailleurs on dira aussi " distingués "] qui désireront une sépulture particulière un *lieu dans chacun des nouveaux cimetières* où ils pourront se faire enterrer particulièrement moyennant une somme de 50 livres (...). Ils auront la liberté d'embellir à leur volonté le lieu de leur sépulture, d'*exhumer les corps et ossements de leurs ancêtres, de les transporter au lieu qui leur sera indiqué* ainsi que tous les attributs distinctifs de leur naissance. » On reconnaît là le cimetière du XIXe siècle, dont le Père-Lachaise sera l'un des modèles. Il correspond à une idée qui n'est pas encore répandue, et qui apparaît à peine dans la littérature du sujet.

Or cet article a disparu de la version définitive de l'arrêt, ce qui indique bien la détermination de ses rédacteurs. La somme de 50 livres a passé à 300 pour ne pas être dans la fosse commune, et le droit d'ériger un monument a été supprimé. Les autres brouillons insistaient sur l'obligation de « ne laisser mettre aucune épitaphe que le long des murs et non sur les sépultures », rédaction reprise et amplifiée dans le texte final : « Sans qu'on y puisse construire autre bâtiment [qu'une " chapelle de dévotion " et un " logement de concierge "], ni même mettre dans l'intérieur aucune épitaphe, si ce n'est sur les murs et clôtures et non sur aucune sépulture. »

Il est probable que si l'arrêt n'a pas été appliqué, c'est à cause de son radicalisme. Mais qu'il ait pu être rédigé, accepté, enregistré, est bien intéressant. Pour interpréter ce radicalisme, nous devons nous rappeler ce qui a été dit plus haut, dans la troisième partie, de l'éloignement de la mort, de l'affectation de simplicité des funérailles, de la tendance au néant et à l'indifférence au corps. Le texte de 1763 me paraît l'aboutissement de cette tendance et une tentative de l'imposer à la société tout entière. En fait, celle-ci ne l'a pas admise, et cette résistance nous incite à considérer les réactions rencontrées par les propositions des parlementaires et par l'arrêt lui-même.

Les réactions à l'arrêt du Parlement

Dans l'ensemble, tout le monde est d'accord pour reconnaître l'insalubrité des cimetières et des sépultures dans les églises, et sur la nécessité de faire quelque chose. Mais il y a des réserves : celles que nous connaissons proviennent du clergé et des fabriques. Ceux-ci sont touchés par la décision du parlement dans leurs intérêts financiers, les sépultures représentant une part importante de leurs ressources. Certes, rien n'est changé dans les services à l'église, des fabriques avaient déjà installé des cimetières nouveaux, d'autres, conscients des dangers des sépultures en pleine terre dans les églises, avaient aménagé des caveaux voûtés, mais certains se demandent si l'éloignement des sépultures n'entraînera pas une désaffection générale. Que deviendraient les prêtres « habitués » qui gagnaient leur vie en participant aux convois, si les convois étaient réduits ou supprimés? Une réponse un peu naïve traduit bien l'embarras des paroisses, celle de la fabrique de Saint-Sulpice : « On ne peut s'empêcher de dire qu'il peut quelquefois, dans de grandes chaleurs, résulter des incommodités dans ce cimetière. Mais ces incommodités ne sont pas assez puissantes pour effacer l'extrême utilité dont il est pour la paroisse de Saint-Sulpice. » Les seules victimes seraient les prêtres eux-mêmes, et ils ne se plaignaient pas. « Il ne peut y avoir principalement que la communauté des prêtres de cette paroisse (et quelques voisins) qui en pourraient souffrir, mais on peut assurer avec confiance qu'il est très facile de parer à ces inconvénients. » Il suffit de prendre quelques précautions au moment de l'inhumation et de contraindre la négligence des fossoyeurs.

La fabrique de Saint-Germain-l'Auxerrois a le « respect pour le bien public qui tient de si près aux qualités physiques de l'air. L'air, ce furet qui pénètre tout »; elle accepte le principe des dépôts et du cimetière commun, mais prévoit qu'il faudra tenir compte « de la faiblesse et des usages du peuple et de la vanité des gens opulents ». Il faudrait maintenir « des distinctions » : pourquoi « les gens distingués ne continueraient-ils pas à être enterrés dans les églises, pourvu qu'ils le fussent dans des

caves voûtées, comme on vient de les bâtir »? Saint-Jean-de-Grève pour sa
part avait aussi décidé, dès 1757, de ne plus enterrer que dans des caves
voûtées.

De son côté, la fabrique de Saint-Merri, malgré les plaintes des voisins,
maintient sa préférence pour un cimetière proche de l'église : « ce qui est
d'une très grande commodité pour les sépultures et *excite l'attention des
fidèles à prier pour les morts* ». Il convient de souligner cette allusion à
la prière pour les morts, car celle-ci est très rare dans les mémoires de
l'enquête de 1763.

En général, clergé et fabriques acceptent l'inévitable, en essayant toutefois de sauvegarder le plus possible de sépultures dans les caveaux des
églises, le moins de distance possible avec le nouveau cimetière. Les administrateurs de l'hôpital de la Charité, eux, manifestent carrément de l'enthousiasme. Ils pensent que le nouvel arrangement demeure fidèle à la
tradition chrétienne des funérailles : aujourd'hui « après les dernières
oraisons on porte processionnellement le cadavre dans l'endroit où est
la fosse »; dans l'avenir « les oraisons terminées par le *Requiescat in pace,
le deuil, le peuple se* [retirera], comme on en use à un service des morts où
le corps n'est pas présent, et tout le monde parti, même le clergé, le corps
[sera] porté *sans suite* [je souligne] dans un dépôt (...) pour être la nuit
suivante mis dans un chariot avec les autres cadavres morts dans la
journée ». Certes, « le peuple [s'affectera] de cet usage dans le commencement », mais ne craignons pas de la violence, « il s'y habituera bientôt »
parce qu'il ne se sentira pas exclu, et que *tout le monde en fera autant :
« d'abord qu'il serait général et que les personnes de considération subi-
raient la même loi »*. Le cimetière sera nu, sans distinction de fortune
ni de naissance, sans rien qui donne de l'importance aux restes des corps.
Le clergé n'a pas lieu de s'inquiéter : « le nouvel arrangement (...) n'al-
térerait en rien les pompes funèbres. La même munificence existerait »,
mais la cérémonie s'arrêterait là. « Il n'est question que de supprimer
l'action de mettre en cérémonie un cadavre en terre. » Toutefois, si les
réticences apparaissent discrètes dans l'enquête de 1763, il existe quelques
mémoires anonymes qui contestent rudement les conceptions du Parlement, et dont le ton n'est pas toujours celui des Lumières. Ainsi le
Mémoire des curés de Paris [16].

Ceux-ci ne mâchent pas leurs mots. Ils ne sont pas du tout impressionnés par l'appareil scientifique des parlementaires, rédacteurs de
l'arrêt : ce sont des balivernes; contrairement à l'opinion commune — et
il fallait alors de l'audace pour l'affirmer aussi carrément —, ils n'ad-
mettent pas que le voisinage des cimetières soit malsain. « Les curés ne
dissimulent pas que dans les grandes chaleurs de l'été les fosses communes
des cimetières de grandes paroisses n'exhalent quelquefois des vapeurs
désagréables : mais ils osent d'abord avancer, et les *relevés de leurs
registres en font foi* [ils font aussi appel à la statistique], qu'il n'y a ny

plus de malades ny plus de morts et souvent moins dans les maisons qui dominent sur les cimetières », tant « sur celuy des S. Innocents que dans les autres quartiers de la ville et même qu'il y a nombre de personnes qui y vivent jusqu'à l'âge le plus avancé ». Les épidémies ne les touchent pas plus que les autres lieux : « Dans le temps de deux maladies que trop connues *(sic)* par les ravages qu'elles ont faites dans Paris, ce quartier (des Innocents) a été attrapé le dernier et si légèrement qu'on peut le regarder comme ayant été préservé. » Le voisinage n'est pas plus malsain que celui des mégisseries, amidonneries, tanneries et de « toutes manufactures qui entraînent avec elles la putréfaction »; « les hommes y sont robustes et jamais on n'y voit de maladies épidémiques ». Les bouchers qui fréquentent les « tueries » se portent-ils mal?

Enfin l'enterrement dans les églises, ou auprès d'elles, est très ancien. Ces curés n'ont pas un mot pour les prescriptions canoniques qui interdisaient ou limitaient les sépultures dans les églises. « Saint-Séverin, Saint-Gervais et Saint-Paul, paroisses des VIᵉ, VIIIᵉ, et XIIᵉ siècles, n'ont-elles pas toujours eu des charniers, preuve certaine de l'usage ancien d'y enterrer, usage qui semblerait devoir faire plus craindre que les cimetières [à cause du transfert], usage néanmoins qui n'a jamais eu de fâcheuses suites. Ou il faudrait dire que le mal aurait couvé pendant des siècles sans qu'on s'en soit aperçu, ou que l'ayant connu, *on aurait été plusieurs siècles sans penser à s'en plaindre et à y remédier.* » Le problème historique est ici bien posé.

D'ailleurs les curés ont toujours fait ce qu'il fallait pour éviter les inconvénients inhérents aux sépultures : ils se préoccupent aussi d'hygiène, ils enterrent au bout de 24 heures après le décès et « tout corps qui menaçait de contagion était excepté de la loy de 24 heures... Souvent même (le corps) était-il enterré en entrant à l'église avant de commencer l'office ». Ils savent bien, hélas! que, « malgré ces précautions, la pensée d'un cadavre rend [nos églises] déjà désertes ». Les parlementaires aussi croyaient que le public était impressionné par le spectacle de la mort, ce qui n'était pas si sûr; le procureur général écrit au crayon dans la marge d'un mémoire qui réclame le droit pour chaque paroisse d'avoir son propre cimetière hors ville : « On a objecté qu'on ne verrait qu'enterrement à Paris. »

D'après les curés, l'obligation du dépôt va au contraire allonger les délais de sépulture et multiplier les foyers d'infection! Alors même qu'ils ont pris la précaution d'éloigner les fosses communes, et de réserver les sépultures particulières dans les églises à des caveaux voûtés. Ces travaux « ont obéré plusieurs paroisses, et ils vont se trouver sans utilité ».

Les curés menacent d'ailleurs les administrateurs parisiens d'un mécontentement populaire. « Le nouveau règlement *révolte* le peuple. » Révolte : le mot est fort. « Quelque prudente et quelque mesurée qu'ait été la production publique de l'arrêt, elle a excité une commotion générale dans les deux ordres les plus nombreux et qui ont le plus besoin d'être ménagés, le peuple [les pauvres, les brassiers] et la bourgeoisie [les artisans, gens de métier, petits marchands, il s'agit de la petite bourgeoisie dont les morts, au XVIIIe siècle, étaient souvent enterrés à l'intérieur des églises avec de courtes épitaphes]. Commotion qui allait toujours croissante, qui excitait un *déchaînement général contre la magistrature* et qui n'a commencé à se ralentir que lorsque le bruit s'est répandu que l'arrêt n'aurait pas lieu. » Pourquoi cette émotion ? « Le cri général était : le Parlement nous assimile aux huguenots, on nous envoye à la voyerie. »

Les curés ont essayé de calmer le public, de le ramener au respect de l'autorité, mais ils n'ont pas été surpris : « Tous les peuples du monde, et particulièrement les Français ont toujours respecté les restes de la mortalité de ceux qui leur étaient chers. C'est pour eux une consolation réelle, toute triste qu'elle est, de n'en être séparé qu'à *l'instant* où la tombe les dérobe à leurs yeux. » La clandestinité de l'inhumation est le principal reproche fait à l'arrêt. Celui-ci, « par la disposition des dépôts et des cimetières généraux, dessaisit le fils des dépouilles de son père avant qu'il soit vraiment inhumé et joint à sa douleur celle de s'en voir arraché sans pouvoir lui rendre les *derniers devoirs* ».

C'est un sentiment populaire. Les curés ne sont pas aussi sûrs de l'attachement des classes plus élevées. Ils redoutent, au contraire, que les gens de qualité ne se piquent de simplicité, et nous savons qu'il y avait une tendance dans ce sens, et ne se fassent enterrer comme des pauvres. « Qu'une personne qualifiée, ce qui arrivera certainement, commence à se ranger dans la classe commune, elle donnera le ton et son exemple sera bientôt suivi », et la fabrique ne touchera plus ni les 2 000 livres ni le prix d'un service solennel.

Il ne s'agit pas seulement du mécontentement populaire, ni de mécomptes financiers. « Le nouveau règlement blesse le culte religieux des funérailles. » Le reproche le plus grave est qu'il coupe en deux la cérémonie : d'une part le service à l'église, le corps présent, qui est public, d'autre part la mise en terre, qui ne l'est plus : « Le cours des principales cérémonies sera interrompu pour n'être repris qu'à 3 heures du matin. »

Bref, ou bien le peuple se révoltera, ou bien il se résignera et oubliera ; cette dernière hypothèse était la plus vraisemblable et je soupçonne les curés d'avoir exagéré l'émotion du petit peuple. En réalité, ils redoutaient plutôt son indifférence. « Dans le dépérissement actuel de la foy et des mœurs, ce changement fera tout son effet. Dans peu, la piété pour les morts sera anéantie... » Et ici les curés mettent en cause l'action et la propagande des « philosophes », le mot y est, qui taxent de « préjugés » ou de « faiblesse » le fait de « s'intéresser aux morts ». Le mal commence par en haut, là où justement se recrutent les philosophes. « C'est malheureusement une vérité d'expérience dans certains États (...), parmi ceux qui

employent encore les suffrages de l'Église, combien le font par pure
décence? Combien n'y envisagent que la politique? » C'est pourquoi
les services religieux sont délaissés. Serait-ce que vraiment on assistait
déjà moins ou plus distraitement aux funérailles et aux services? On
serait tenté de le croire et l'amertume des curés confirmerait l'hypothèse
du passage d'une méditation autrefois ascétique sur le néant et la vanité
à l'indifférence réelle. Les curés semblaient admettre que le peuple et la
petite bourgeoisie étaient plus attachés aux usages. Mais ils craignaient
les contagions de l'exemple des « premiers États ». « Or si la foy et la
charité en sont réduites à ce point de dépérissement dans un ordre de
citoyens dont le rang et la fortune doivent faire et font en effet sur la
société une sensation si vive, que ne présagent pas les suites du nouvel
arrangement? »

En fait, les curés craignent moins le fait lui-même de la clandestinité
de l'inhumation, que les conséquences de l'éloignement, non pas sur le
culte du tombeau et du cimetière qu'ils ignorent, mais sur les dévotions
traditionnelles pour les âmes du Purgatoire. La vue de la tombe avait aux
yeux des pasteurs deux fonctions : le *Memento mori* et l'*Ora pro nobis*,
l'invitation à se convertir et à prier pour les morts. Si les curés de 1763 ne
font guère plus allusion au *Memento mori,* auquel pensait l'abbé Porée en
1735, en revanche l'invitation à la prière les préoccupe : « L'éloignement,
en introduisant ou fomentant l'indifférence, consommera l'oubli et accou-
tumera infailliblement et avant peu les chrétiens à penser que les morts
ne sont plus rien [*nihil*] ou qu'ils n'*ont plus besoin de rien*. » Les philosophes auront alors triomphé, avec les « nouveaux systèmes qui réduisent
tout à la matière, éteignant tout culte de la religion et par suite le culte
catholique de la *prière envers les morts* ».

L'originalité du *Mémoire des curés* est que ses auteurs ont lié le cimetière à « la prière envers les morts », les ont rendus solidaires et ont voulu
défendre l'un pour sauver l'autre. L'argument est nouveau. Il exprime certainement une méfiance à l'égard de la philosophie des Lumières et des
formes de culte qu'elle proposait. Madeleine Foisil y a vu, en outre, une
réaction en faveur de l'attachement traditionnel aux tombes familiales.
Mais je pense que cet attachement est un report par l'historien dans le
passé d'un sentiment qui n'existait pas encore en 1763. Les curés invo-
quaient contre les philosophes la répugnance populaire à être traité « à
la manière des huguenots », à la clandestinité de l'inhumation plus encore
qu'à son anonymat qui était encore fréquent.

Toutefois, en reconnaissant au cimetière une vocation, et en le défen-
dant contre l'arrêt qui le dévaluait, le *Mémoire* exprimait indirectement et
inconsciemment un sentiment nouveau et informulé, dont l'origine n'est
pas populaire et qui se manifestera ouvertement pour la première fois,
plus tard, dans un milieu laïc hostile à l'Église. C'est ce que nous verrons
plus loin. En réalité les auteurs du *Mémoire* étaient favorables à un *statu*

quo qui comprendrait déjà « des mesures pour éloigner les fosses communes ». Ainsi on créerait un cimetière spécial pour Saint-Eustache et
l'Hôtel-Dieu, ce qui décongestionnerait d'autant les Innocents, « dont on
affecte tant de se plaindre ». « Ce serait l'objet des premières démarches
avant de supprimer ce cimetière au total. » Dans les autres cimetières,
chaque fabrique apporterait « des aménagements (...) qui, insensiblement
et par degrés, conduiraient à l'exécution possible de l'arrêt ».

Un autre mémoire, qui paraît sortir du même milieu conservateur,
avance d'autres arguments [17]. Il jette du lest, abandonne les Innocents qui
ne sont pas défendables, mais demande « pourquoi supprimer les autres
cimetières indistinctement ». Il y en a de très salubres et de pas du tout
encombrés. Il en est de même des églises. « Les églises sont-elles infectées
quand on ouvre la cave [la cave commune à toutes les sépultures]?»
Juste un mauvais moment à passer! « Cela sent mauvais, mais c'est un
quart d'heure. » Et surtout, on pourrait enterrer partout sans conséquences, si chacun avait sa fosse particulière : « Les morts [dans certaines églises] ont chacun une fosse particulière. Si l'on faisait une fosse
à chaque mort, les cimetières sentiraient moins. » En effet ni les parlementaires ni les curés ou fabriciens n'avaient osé faire le procès de la
fosse commune et de l'entassement des corps.

L'idée qui apparaît ici, peut-être pour la première fois, s'imposera au
début du xıxe siècle en France et dans tout l'Occident. « Que l'on fasse
une fosse à chaque mort, il ne sentira presque plus rien », cet argument
d'hygiène deviendra ensuite de dignité et de piété.

Le déplacement des cimetières hors des villes.
Quels cimetières (1765-1776)?

Si l'arrêt du parlement de Paris n'a pas été appliqué, la campagne pour
l'éloignement des cimetières n'en a pas moins continué. Une dizaine d'années plus tard, l'archevêque et le parlement de Toulouse prendront des
dispositions qui, elles, seront appliquées et qui seront étendues à tout le
royaume par une déclaration du roi Louis XVI (10 mai 1776, immédiatement enregistrée le 21 mai).

Une lettre de M. Molé [18] sur les moyens de transférer les cimetières hors
de l'enceinte des villes montre bien le glissement idéologique intervenu
entre 1763 et 1776 : les raisons d'une nouvelle disposition des cimetières
sont toujours les mêmes, mais la politique a changé et les buts sont différents.

Issu des milieux radicaux pénétrés de philosophie qui avaient rédigé
l'arrêt de 1763, Molé répète une fois de plus l'histoire des abus supersti-

tieux qui permirent d'enterrer dans les villes et les églises. Il montre comment les cimetières ont été indûment « soumis à une sorte de consécration (...), regardés comme des dépendances ecclésiastiques », ce qu'ils ne sont pas. Qu'on ne nous parle donc pas du cimetière comme d'un lieu sacré.

L'originalité de Molé consiste dans la contestation du caractère ecclésiastique, non plus seulement du cimetière, mais des funérailles elles-mêmes, c'est-à-dire du convoi et de l'inhumation. Il s'efforce de prouver que la présence des prêtres aux funérailles est tardive. Les juifs l'interdisaient. « Les prêtres en corps ne parurent d'abord qu'aux funérailles des personnes distinguées par des vertus chrétiennes (...). Ces convois ressemblaient plutôt à des triomphes qu'à des pompes funèbres. » Par exemple, les deux mille moines des funérailles de saint Martin. « Cette assistance, volontaire dans son principe, devint insensiblement un cérémonial d'usage, une déférence au rang, à la supériorité. » « Par la suite cet usage eut lieu pour toutes les personnes constituées en dignité (...). Peu à peu le clergé se trouva en possession d'assister aux funérailles de tous les chrétiens. » Cette annexion est due aux réguliers. « Les religieux mendiants sont les derniers qui aient assisté aux Pompes funèbres. Ils remplissaient les places qu'occupent à présent les pauvres et les enfants des Hôpitaux [toujours présents : au début du XIXe siècle, on les retrouvera dans les grandes funérailles reconstituées. Les « quatre mendiants », eux, avaient cessé leur fonction séculaire.]... Depuis la retraite des Réguliers, le Clergé des paroisses est resté en possession de figurer seul dans les Pompes funèbres, sans qu'il paraisse que *jamais cette coutume ait été commandée ni autorisée par l'Église.* »

C'est donc à la suite d'un abus que l'Église a cléricalisé les obsèques. Il faut revenir à l'état normal en laïcisant le convoi et l'inhumation. Les prêtres n'ont rien à y faire.

La laïcisation du convoi entraîne celle du cimetière lui-même. Non seulement les cimetières seront situés hors des villes, mais leurs administrations deviendront municipales. « En épargnant aux curés et aux fabriques les embarras des nouveaux cimetières et de ce qui en dépend, on faisait passer cette administration entre les mains des officiers municipaux, c'est donc rappeler les choses à leur véritable état. » Un officier public appelé maître des Funérailles aura fonction d'officier d'état civil : celui-ci sera aussi laïcisé.

« Il n'y aura dans les cimetières ni chapelle ni autel », et le bon apôtre assure que c'est « pour ne pas distraire les fidèles de leurs églises paroissiales ».

Jusqu'à présent, Molé va plus loin que les parlementaires de 1763. Il reprend leurs dispositions concernant l'interdiction d'inhumer dans les églises, la création de cimetières généraux hors de la ville (quatre pour Paris), de dépôts d'arrondissement : trois chariots « corpifères » assureront la desserte du cimetière.

Mais ses idées sur l'architecture et la conception du cimetière ne sont plus les mêmes que celles des parlementaires de 1763. Le cimetière est plus laïque, moins ecclésiastique, toutefois la volonté de nivellement et d'anéantissement a disparu. La haute clôture du mur est doublée d'une galerie intérieure avec, aux quatre coins, quatre monuments pyramidaux appelés Repos. Comme dans le texte de 1763, le centre du cimetière est réservé aux fosses communes, mais les galeries et l'espace qui longe les murs sont destinés non seulement à des sépultures particulières, mais à des monuments individuels. On retrouvera sous ces galeries les images, les inscriptions, les architectures qui avaient envahi les églises et les cloîtres : « On prendra pour les inhumations dans les galeries ce qu'on donne à présent pour la sépulture dans les églises. » Molé propose ce qu'une rédaction provisoire de l'arrêt de 1763 avait retenu et que la rédaction définitive avait repoussé : « Le terrain de la galerie du Midi sera concédé aux familles qui ont actuellement des caveaux dans les églises séculières et régulières de l'arrondissement (...). Chaque famille pourra désigner le terrain cédé par des inscriptions, épitaphes et autres monuments. Les quatre repos seront consacrés à la haute noblesse et en général à tous les morts célèbres (...) que le gouvernement voudra honorer de cette distinction. » Il y aura une place pour les non-catholiques « derrière la galerie opposée à celle d'entrée [donc bien séparée]. Il sera pratiqué un second lieu funéraire pour les étrangers et autres qui ne suivent pas le rite romain ».

Ce cimetière sera donc une galerie des grands hommes. « Les rangs, les distinctions seront conservés, l'espoir d'être mis au nombre des hommes illustres et utiles exaltera le génie, soutiendra le patriotisme, manifestera les vertus. »

Les recommandations de Molé correspondent bien à l'opinion courante que nous retrouvons dans les grands textes de Toulouse et dans la Déclaration royale.

L'arrêt du parlement de Toulouse est intéressant (3 septembre 1774), surtout son préambule. Celui-ci reprend les arguments désormais classiques des médecins : « Les médecins nous assurent que les vapeurs putrides qui s'exhalent des cadavres chargent l'air de sels et corpuscules [la rédaction est précise, scientifique] capables d'altérer la santé et de causer des maladies mortelles. » Mais nous, hommes éclairés, dévoués à l'intérêt public, nous avons des adversaires : « Nous savons que nous avons à combattre un certain nombre de personnes dont les unes se fondant sur une possession abusive, celles-là sur des titres extorqués de la complaisance, et d'autres enfin sur un droit acquis au moyen de la somme la plus modique s'imaginent que le droit de sépulture dans les églises leur a été transmis. » Ainsi il apparaît bien que l'opposition à l'arrêt de Paris de 1763 venait des familles qui avaient acquis ou souhaité acquérir droit de sépulture dans les églises plutôt que d'une opposition populaire. L'ar-

chevêque de Toulouse, Mgr Loménie de Brienne, désigne les mêmes catégories sociales dans son ordonnance du 23 mars 1775 [19] : « Rien ne peut
arrêter la vanité des grands qui veulent toujours être distingués, et celles
des petits qui ne cessent de vouloir s'égaler aux grands » (la petite bourgeoisie).

L'archevêque interdit absolument d'enterrer dans les églises « toute
personne ecclésiastique ou laïque (...), même dans les chapelles publiques
ou particulières, oratoires et généralement dans tous les lieux clos et
fermés où les fidèles se réunissent ». Ceux qui ont actuellement le droit
d'être enterrés dans les églises seront enterrés dans les cloîtres à condition
qu'ils fassent « construire des caveaux, lesquels seront voûtés et pavés
de grandes pierres tant au fond que dessus ». L'archevêque refuse ce que
le parlement de Toulouse tolérait encore l'année précédente.

Même ce droit d'être enterré dans le cloître ne sera plus concédé dans
l'avenir à personne, sauf aux titulaires de quelques fonctions ou prébendes
ecclésiastiques. « Tous les fidèles sans exception seront enterrés dans le
cimetière de leur paroisse. » On profitera de l'occasion pour refaire le sol
des églises (on ne lit pas ce texte sans frémir : que de dalles, d'épitaphes
ont dû disparaître au cours de ces restaurations!).

Les nouveaux cimetières sont prévus selon les normes désormais
banales.

La Déclaration royale reprend les idées et parfois jusqu'aux mots de
l'ordonnance de Toulouse. On y retrouve le même transfert vers le cloître
des sépultures jusqu'alors faites dans les églises. Mais beaucoup d'églises
n'ayant pas de cloître, ceux qui avaient le droit d'y être enterrés « pourront choisir dans les cimetières desd. paroisses un lieu séparé pour leur
sépulture, même faire couvrir led. terrain, y construire un caveau ou
monument, pourvu néanmoins que led. terrain ne soit pas clos et fermé, et
ne pourra lad. permission être donnée par la suite qu'à ceux qui ont droit
par titre légitime et non autrement d'être enterrés dans lesd. églises et de
manière qu'il reste toujours dans lesd. cimetières le terrain nécessaire
pour la sépulture des fidèles ».

Le cimetière prévu est donc composé de deux espaces. Un espace pour
les fosses communes ou les fosses non couvertes par un monument, et un
espace pour les fosses couvertes par un monument et destinées aux
héritiers des droits de sépulture dans les églises, sans que cette population
puisse s'étendre. Il est certain qu'à l'usage cette restriction aurait disparu.
On arrive alors à un modèle très proche du cimetière du XIXe siècle, avec
cette différence que l'espace le plus étendu, et par conséquent le plus
visible, est celui des fosses communes, celui des pauvres.

Entre 1763 et 1776, il y a donc un changement de modèle. Le cimetière
de 1776 n'est plus seulement un lieu salubre, un dépôt de corps. Il répond
aux sollicitations qui, du Moyen Age au XVIIIe siècle, ont poussé les
familles à remplir les églises de monuments funéraires. Il a hérité du mobi-

lier funéraire des églises, comme si celui-ci y avait été transporté. Il est devenu un lieu de commémoration qui peut être aussi de piété et de recueillement. Le radicalisme français des années 1760 a cédé la place à un sentiment qui, pour être opposé à une tradition cléricale, pourrait bien être aussi de nature religieuse.

La fermeture des Innocents

Sur ces entrefaites, à la fin de 1779, des infiltrations d'air venant d'une grande fosse commune des Innocents envahirent les caves de trois maisons voisines de la rue de la Lingerie. Ces maisons avaient deux étages de cave. « Le méphitisme ne régnait encore que dans les secondes, lesquelles se prolongent au-dessous du charnier. » On condamne la porte de la cave la plus proche du cimetière. Le chapitre de Notre-Dame fait construire un contre-mur, « opération de laquelle il n'est résulté que d'avoir exposé les ouvriers à des accidents plus ou moins graves » (troubles du système nerveux). Le « méphitisme » s'infiltre à travers les pierres. Rien n'y fait. On ne peut garder les lumières allumées. Le méphitisme gagne les premières caves, puis le rez-de-chaussée, « ce dont on s'aperçut surtout les fêtes et dimanches, jours où les boutiques étaient fermées, la communication de l'air extérieur se trouvait moins libre (...). Il en était de même au moment de l'ouverture des portes. Maintes fois la femme du limonadier s'est trouvée mal le matin en descendant à son comptoir. »

Malgré la fermeture des caves, avec les chaleurs de juin 1780, la pestilence s'étend aux maisons voisines : c'est comme un mal contagieux qui ressemble à une épidémie. On s'émeut et le chapitre décide de s'attaquer à la cause même du « méphitisme » : la fosse de cinquante pieds de profondeur. On l'ouvre et on tente de la désinfecter, en creusant des tranchées profondes tout autour de la fosse que l'on comble de chaux vive. On recouvre la fosse d'un lit de chaux. Peine perdue : le méphitisme passe par-dessous!

Mais l'opération s'est accompagnée de précautions d'hygiène et d'une mise en scène qui ont frappé l'observateur. C'est comme la répétition en petit du grand spectacle romantique qui sera joué, quelques années plus tard, sur toute l'étendue du cimetière : « Des feux clairs allumés à distance à l'intérieur de cette enceinte y établissaient des courants d'air et contribuaient à purifier l'atmosphère. » « Le silence de la nuit, troublé pour la première fois depuis des siècles dans ce triste asile, un terrain exhaussé de plusieurs pieds des débris de l'espèce humaine; des lambris d'ossements encombrés; des flambeaux allumés; des feux dispersés et alimentés du reste des cercueils; leur clarté prolongeant les ombres de ces tombes, de ces croix funéraires, çà et là dispersées; ces épitaphes, ces monuments que détient le temps qui trompe la piété filiale et le plus souvent l'orgueil qui les élèvent, ici une habitation pour quelques vivants, au milieu de plusieurs milliers de morts; plus loin dans un coin de cette lugubre enceinte un jardin peigné, un berceau où croît la rose là où aurait dû ne croître que le cyprès. » Mais la vie continue, la vie d'autrefois, qui mêlait sans inquiétude ni répugnance les vivants et les morts, à la surprise, maintenant, du spectateur éclairé et, tout de même, ému : « Bientôt éveillé, le voisinage accourt; ce n'est plus le rendez-vous de la mort, mais celui des jeune filles[20]. »

Les autorités de police profitèrent de ces circonstances et de l'émotion qu'elles provoquèrent pour fermer décidément les cimetières de Paris, en commençant par les Innocents en 1780, puis le cimetière de la Chaussée-d'Antin (Saint-Roch) et de la rue Saint-Joseph (Saint-Eustache), de Saint-Sulpice en 1781, de l'île Saint-Louis en 1782.

Il faut les remplacer par d'autres cimetières, situés aux barrières de Paris, soit d'anciens cimetières agrandis, soit des nouveaux : à partir de 1783 les convois autrefois destinés aux Innocents vont au cimetière de Clamart, principalement les inhumations de l'Hôtel-Dieu et de l'hospice de la Trinité. En 1784, Saint-Sulpice transfère ses deux cimetières urbains au nouveau cimetière de Vaugirard, entre les barrières de Vaugirard et de Sèvres. En 1787, Saint-Roch déplace son cimetière de la Chaussée-d'Antin au pied de la butte Montmartre (Sainte-Marguerite). Saint-Eustache agrandit son cimetière du faubourg Montmartre. Ainsi après de longues tergiversations, une nouvelle topographie des cimetières parisiens est rapidement mise en place, une topographie du XIXe siècle : Clamart et Vaugirard pour la rive gauche, et pour la rive droite, Montmartre et Sainte-Marguerite qui sera remplacé en 1804 par le Père-Lachaise. D'une manière expéditive, on est passé d'une géographie cémétériale médiévale, retouchée silencieusement aux XVIIe-XVIIIe siècles par quelques glissements loin des églises vers la périphérie, à la géographie extra-urbaine concentrée, prévue par les médecins et les parlementaires dès le milieu du XVIIIe siècle : les grands cimetières généraux.

Un nouveau style de funérailles

Il s'ensuit qu'après la fermeture des anciens cimetières, les paroisses se sont trouvées dans la situation prévue par l'arrêt du Parlement de 1763 : l'éloignement des nouveaux cimetières ne permettait plus au convoi de faire d'une seule traite la levée du corps à la maison, le service à l'église et l'inhumation au cimetière. Il fallait couper la cérémonie en deux :

d'abord de la maison à l'église, et ensuite de l'église au cimetière. C'est pourquoi des dépôts avaient été prévus, ceux-ci durent être organisés, sous l'empire de la nécessité, par les paroisses elles-mêmes.

La première partie de la cérémonie est restée publique et conforme à l'ancien usage; la deuxième partie, du dépôt de l'église au cimetière, est solitaire et expédiée sans beaucoup d'honneur. Sébastien Mercier la décrit ainsi : « Les billets pour le convoi portent que le mort sera inhumé dans l'église, mais on ne fait plus que l'y déposer : tous les corps sont transportés la nuit dans des cimetières. On n'accompagne le corps que jusqu'à l'église et les parents et amis sont dispensés aujourd'hui de mettre le pied sur le bord de la fosse humide; un petit couloir banal les reçoit indistinctement et puis ces corps vont trouver le grand air des campagnes. » C'est la procédure souhaitée par les parlementaires parisiens de 1763, par Molé en 1776. L'auteur du *Tableau de Paris* l'approuve aussi avec une satisfaction quelque peu sardonique : « Cette sage et nouvelle disposition a concilié le respect qu'on doit aux morts avec la salubrité publique. Les apparences sont sauvées; on a l'air d'être enterré dans l'église, dans sa paroisse enfin, et l'on repose en pleine campagne [21]. »

« Cette sage et nouvelle disposition » transforme profondément les usages, et elle a pour conséquence inattendue d'accentuer le caractère ecclésiastique de la cérémonie, dans le sens d'une évolution déjà ancienne. En effet, c'est seulement au milieu du Moyen Age que le convoi est devenu une procession religieuse. Il a fallu beaucoup de temps pour que l'itinéraire du corps entre la maison et la tombe soit dévié par l'église ou plutôt par le service célébré à l'autel en présence du corps, et c'est même seulement dans les années 1760 qu'à Paris cet usage a été étendu aux enterrements de charité! L'essentiel avait longtemps été la mise en terre, alors qu'à l'époque dont nous parlons il est, au contraire, concentré à l'église. Après le service, à la grâce de Dieu et à la bonne volonté des hommes! Mais de quels hommes? Le transport des corps était autrefois assuré à Paris par une corporation, celle des jurés-crieurs de corps et de vin, appelés aussi « clocheteurs » ou « semoneurs », et ailleurs par des confréries. Mais ces communautés n'étaient pas préparées ni toujours aptes aux tâches que leur imposait « la nouvelle disposition », d'où une improvisation qui a duré jusqu'à l'organisation des services funèbres par le décret du 10 août 1811 [22]. Ce fait est déjà dénoncé par un mémoire conservé dans les papiers Joly de Fleury, antérieur à la Révolution : « C'est à l'époque de la suppression du cimetière des Innocents et de tous les cimetières de l'intérieur de la ville que, forcés de faire porter les corps à une grande distance de leur paroisse, ils [les curés] ont été dans le cas de mettre moins de pompe à cette cérémonie religieuse. Il n'a plus été possible de faire accompagner le corps par le clergé des paroisses. Il a été indispensable de réduire à 1 ou 2 prêtres [et peut-être bientôt à aucun] le nombre de ceux qui conduisent au lieu de la sépulture. L'éloignement du transport l'a rendu impraticable aux bedeaux et autres gens destinés au service des églises et *il a fallu les remplacer par des portefaix pris au hasard au coin des rues, ce qui journellement substitue de l'indécence à la religion.* »

Cette situation a été certainement aggravée par la Révolution dans la mesure où la politique religieuse et les troubles ont réduit, et même supprimé, le service à l'église qui avait accaparé tout le cérémonial publique des funérailles.

Il faut bien comprendre qu'il a existé *pendant une trentaine d'années* un type d'inhumation très différent de celui qui l'avait précédé et de celui qui le suivra, inspiré par le modèle des parlementaires éclairés et radicaux des années 1760, et qui laissait l'inhumation proprement dite sans surveillance, à la discrétion de portefaix.

Le détachement des Parisiens à l'égard de leurs morts

Que cette situation ait été possible en dit beaucoup sur l'état de la sensibilité collective au milieu du xviiie siècle, sur son indifférence à l'égard des morts et de leur sépulture, du moins à Paris. La destruction en 1785 du cimetière des Innocents et sa transformation en apportent la preuve, après quelques années pendant lesquelles le cimetière désaffecté formait une zone de silence et de vide au cœur de Paris, près de ses grands marchés.

Dès l'enquête de 1763, on avait émis l'idée de transformer les cimetières en marchés — ce qu'ils étaient déjà plus ou moins — et en places. Ainsi, les Innocents furent occupés par une place. Quel progrès que ce changement! Le médecin Thouret s'en félicite dans le rapport sur les exhumations du cimetière et de l'église des Saints-Innocents lu à la séance du 3 mars 1789 de la Société royale de médecine. Quel lieu affreux que le vieux cimetière : « Son site lugubre, son enceinte silencieuse et triste, ses portiques surbaissés et sombres, ses voûtes antiques, et, au milieu de sa pompe et de ses monuments funèbres, les foyers nombreux d'infection qu'il recèle dans son sein. [A tout cela] on comparera l'état actuel du local [la nouvelle place], ouvert de toutes parts au libre accès des vents [plus de place close, comme dans l'urbanisme du xviie siècle], raffermi sur ses fondements, purifié dans toute son étendue, aplani dans toute sa surface, embelli par les monuments voisins, décoré d'une fontaine jaillissante, la première que la capitale aura vue couler dans ses murs [Paris était une ville sans fontaines] et réunissant toutes les sources de la vie où naguère encore étaient ouverts tous les gouffres de la mort. » Mais pour en arriver là il fallut procéder à une formidable entreprise d'exhumation, comme on n'en avait encore jamais imaginée. Il ne suffisait pas de niveler le cimetière, il fallait le désinfecter, c'est-à-dire retirer un énorme volume de cadavres, de terre et d'os. Les exhumations ont duré deux hivers et un automne (décembre 1785 à mai 1786, décembre 1786 à juin 1787, août à octobre 1787). On retira plus de 10 pieds d'épaisseur de terre « infectée de débris de cadavres », on ouvrit 80 caveaux (c'est peu pour un si grand cimetière), une cinquantaine de grandes fosses communes « desquelles on avait exhumé plus de 20 000 cadavres, avec les bières ». Des médecins, parmi lesquels le rapporteur, avaient suivi les opérations qui leur fournissaient l'occasion d'une expérience exceptionnelle. Ils en profitèrent pour « ajouter une nouvelle branche à l'histoire de la décomposition des corps dans le sein de la terre », une science fascinante depuis le *De miraculis mortuorum*, améliorée par les progrès de la chimie. Dans ce laboratoire gigantesque, ils découvrirent une forme nouvelle de momification, distincte de la décomposition totale et de la dessiccation, la momification *en gras*.

Les médecins et les quelques prêtres qui assistaient les fossoyeurs assurèrent qu'un minimum de décence fut respectée, il n'empêche que le cimetière de nos pères, comme disaient deux siècles auparavant les protestants dérisoires d'H. de Sponde, fut défoncé, labouré, hersé, la nuit à la lumière des torches et des brasiers entretenus pour faire circuler l'air.

Il fallut plus de 1 000 carrioles pour transporter les os dans les carrières de Paris.

Certes, ces carrières ont été aménagées avec soin et art; on les baptisa catacombes, par assimilation avec les catacombes de la Rome antique; dès lors, le mot fut employé dans le sens de cimetière : « Nouvel ordre des choses qui fera cesser l'usage si peu tolérable des charniers des diverses paroisses » (Thouret). Les os n'y furent pas déposés dans le désordre des charniers médiévaux, mais avec le goût baroque des cimetières de momies de Rome et de Palerme. On peut toujours les voir et ils attirent aujourd'hui de plus en plus de visiteurs.

Il n'empêche que si le cimetière souterrain a été aménagé avec respect et noblesse, le cimetière de surface a été anéanti avec brutalité, du moins selon notre sentiment d'aujourd'hui.

Or, Thouret reconnaît dans son rapport qu'on avait des raisons de craindre le mécontentement du peuple, ce mécontentement que les curés de Paris en 1763 brandissaient comme une menace, si on touchait à ses cimetières. Le passage est significatif : « Le cimetière avait été longtemps pour le peuple un objet de culte public. Ce respect ne s'était point entièrement éteint et, quoique soustraite à ses regards depuis plusieurs années [depuis 1780], l'enceinte qui le fermait était encore pour lui un objet de vénération [on ne pouvait pas démolir ce cimetière en cachette]. La plus légère imprudence pouvait indisposer les esprits. »

Or, il ne s'est rien passé; la population parisienne a accepté avec la plus parfaite indifférence la destruction du cimetière de ses pères, et ne s'est guère intéressée aux catacombes. Les catacombes n'ont jamais été un lieu populaire de Paris. Plus d'un demi-millénaire de morts parisiens, une terre vénérée au point que parfois, comme la terre de Palestine, on l'ajoutait à sa tombe faute de pouvoir y être inhumé, ont disparu, ont été dispersés sans pitié et sans honneur.

Si je rapproche l'insouciance des Parisiens dans cette circonstance de la désinvolture avec laquelle ils se déchargèrent sur n'importe qui du soin de mettre leurs morts en terre, je peux conclure à une absence de piété à l'égard, sinon des défunts, du moins de leur corps. Il s'agit là d'une attitude populaire. L'arrêt du parlement de 1763, les réflexions de Molé en 1776 révélaient un détachement semblable mais dans un autre milieu. Dans le cas des parlementaires on reconnaîtra l'aboutissement d'un courant de sensibilité tantôt spiritualiste et religieux, tantôt matérialiste et libertin, que nous avons constaté dès le XVIIe siècle : la philosophie des Lumières l'a sans doute favorisé, mais son rôle a été ambigu, puisqu'elle a aussi bien préparé le contraire, c'est-à-dire un culte des cimetières et des tombeaux, comme nous allons voir. Comment expliquer l'insouciance populaire? Imitation rapide du modèle des élites laïques et ecclésiastiques, qui affectaient de tenir le corps pour rien? Réponse à une cléricalisation des funérailles qui avait jadis réduit la place de la sépulture dans la sensibilité religieuse au profit de l'âme et des prières pour l'âme, qui avait concentré à l'église toute la cérémonie publique, et qui désormais devenait suspecte?

Les modèles des futurs cimetières

Les arrêts de 1763, 1774, la Déclaration de 1775, les décisions de fermeture de cimetières anciens par le lieutenant-général de police à partir de 1780 prévoyaient la création de nouveaux cimetières très différents des anciens qui étaient des cours d'église et y ressemblaient toujours même quand ils s'éloignaient des églises. Comment seraient ces nouveaux cimetières? Qui les construirait? Qui les entretiendrait? Il y avait là matière à spéculation pour des artistes et des financiers. Aussi le bureau du procureur général de Paris reçut-il dans les années 70 et 80 plusieurs mémoires contenant des projets et offres de services pour les « catacombes », nom souvent donné aux nouveaux cimetières. Ils montrent quelle était alors l'image idéale du cimetière. Nous en avons choisi trois.

Le premier est un projet de catacombe circulaire, qui garde quelque chose de la hardiesse des grands architectes visionnaires de la fin du xviii⁰ siècle. Il est composé d'un obélisque central et de cinq galeries concentriques, qui répartissent l'espace en six zones, chacune étant affectée à une certaine catégorie de sépultures : le soubassement de l'obélisque contient huit caveaux réservés aux « personnes de distinction »; un autre compartiment est destiné aux ecclésiastiques; le compartiment central est réservé aux fosses communes; les deux dernières galeries périphériques « seront ouvertes sans frais pour ceux qui auront acquitté à leurs paroisses les mêmes droits qu'ils y payent aujourd'hui pour être enterrés séparément et dans l'église (art. 5 de la Déclaration du 5 mars 1776) ». Elles sont donc comme la continuation du mobilier funéraire des églises; la dernière galerie périphérique sera « une espèce de colonnade adossée intérieurement au mur de clôture, laquelle servira de sépulture à ceux dont on voudra éterniser la mémoire par des épitaphes ou autres monuments remarquables [23] ».

L'auteur ajoute que le Bureau des cimetières servira aussi de Bureau d'état civil; il prévoit, en effet, une organisation centralisée générale des cimetières et de l'état civil pour tout le royaume, avec une annexe pour les colonies, l'Inde, les troupes, pour « ceux qui périssent à bord des vaisseaux » et pour « tous les Français qui meurent en pays étrangers ».

Le second mémoire, dû à Renou, met plus vigoureusement encore l'accent sur la fonction civique du cimetière. Le but des « catacombes » est de rendre les honneurs aux morts, comme on le faisait dans l'Antiquité. Le cimetière est constitué de deux galeries, une galerie circulaire et une galerie carrée, le cercle étant inscrit dans le carré. Au centre, une chapelle (à la place de l'obélisque de tout à l'heure qui contenait aussi une chapelle). Entre la galerie circulaire et la chapelle, la sépulture des ecclésiastiques. La galerie circulaire, un portique à mausolées, est réservée à la noblesse et aux classes supérieures. La galerie carrée (contre le mur d'enceinte) est destinée aux classes moyennes, « citoyens d'ordre inférieur », qui ont aussi, comme les nobles de la galerie circulaire, des sépultures particulières, mais dont les monuments sont plus modestes *.

Entre les galeries carrées et la galerie circulaire, s'étend un grand espace fleuri et boisé : là sont les fosses communes, pudiquement appelées sépultures pour les pauvres. En dehors de l'enceinte, deux charniers en forme de petits cloîtres recevront les os des fosses communes.

Les espaces entre les galeries sont aussi plantés d'arbres, d'arbustes et de fleurs. L'harmonie du cimetière est assurée par la beauté des monuments funéraires et des jardins. Les galeries recouvriront des « mausolées et autres monuments d'autant plus durables qu'ils seront à l'abri des injures du temps. On ose même avancer que les arts de cette espèce, appelés par la vanité humaine [mais cette vanité n'est plus critiquable, elle rejoint le sen-

---

* On remarquera combien, dans ces deux projets, on reste fidèle à l'idée du tombeau mural. Il est toujours admis qu'un tombeau de plein air est plutôt contre le mur, sous un portique. On sait qu'il n'en était pas ainsi dans le *churchyard* anglais où les *headstones* étaient plantées dans la terre. Il faudra du temps pour que les Français se détachent de l'idée que le modèle noble est mural.

timent ancien de la gloire et de la renommée] pour élever de superbes mausolées, auront des occasions fréquentes de s'exercer et par conséquent de fleurir plus que jamais en France. Par la suite, ces catacombes deviendront l'objet de la curiosité de tous les étrangers et *seront visitées par eux* comme la pépinière et la réunion des chefs-d'œuvre dans lesquels chaque artiste aura voulu se distinguer à l'envi ». Voici naître l'idée de la visite au cimetière. Celui-ci n'est plus un dépôt de police, mais un but de visite. On ne le visite pas encore pour entretenir le souvenir des morts, mais comme un musée, un musée des beaux-arts et une galerie des Illustres.

Les pauvres ne seront plus à plaindre, car leurs fosses communes disposeront d'« espaces considérables » qui seront plantés et boisés. « Un grand nombre de plantations d'arbres analogues au caractère du lieu [sur le plan : peupliers d'Italie, sycomores, platanes, ifs, lauriers, etc. Et le saule?] serviront à mettre de l'ensemble dans l'ordonnance du tout, en même temps qu'elles rendront l'air plus salubre. » Une vingtaine d'années plus tôt, les arbres empêchaient l'air de circuler et on les interdisait dans les nouveaux cimetières de police. Maintenant, ils contribuent à la salubrité de l'air. Progrès pendant l'intervalle de la croyance dans la bonté de la nature?

En somme, ce cimetière se présente au regard comme des galeries pleines de monuments dans un grand jardin.

Le troisième projet, prévu dans la plaine d'Aubervilliers, a le même but. Il est aussi composé d'enceintes socialement spécialisées dans un grand jardin. Il a d'abord l'originalité d'y transporter la famille royale. Celle-ci occupe un vaste temple central, qui remplacerait l'abbatiale de Saint-Denis. Autour d'elle, les grands par la naissance, les nobles, puis, dans une troisième enceinte, les grands par l'illustration : « Les grands Hommes de la Nation qui auraient mérité cette glorieuse distinction, ainsi que cela se pratique en Angleterre dans l'église Westminster. Des statues orneront leur tombeau. » La quatrième enceinte comprend « deux petites églises » pour des « funéraires particuliers, six pyramides et environ 2 000 petites chapelles destinées pour des sépultures particulières, pour toutes les Maisons ou Familles qui voudraient en acquérir à *perpétuité* ». C'est l'idée et le mot de la concession perpétuelle. La cinquième enceinte est celle des « fosses publiques ». Il y en a treize.

C'est la sixième enceinte qui est très nouvelle et révèle une autre conception de la tombe : la tombe isolée dans la nature. En effet, ce n'est pas une enceinte, c'est un parc, « un terrain intermédiaire d'une vaste étendue, et si l'on voulait, en forme de Champs-Élysées, où tous ceux qui auraient la fantaisie de faire construire un tombeau pittoresque le pourraient, en achetant, pour une somme à tant la toise, le terrain nécessaire ».

« Cette vaste enceinte serait entourée de peupliers, de cyprès, d'arbres verts de toute espèce de manière à dérober la vue du monument, ce qui formerait un des plus singuliers tableaux que l'imagination puisse créer;

tableau d'autant plus riche que *tous les tombeaux* jusqu'ici connus
peuvent y être rassemblés [un musée des tombeaux. Ainsi transportera-
t-on au Père-Lachaise les tombeaux d'Abélard et d'Héloïse, de Molière...].
Il présenterait à la fois la réunion des Grands Hommes et les chefs-
d'œuvre des artistes célèbres qui ont existé : monuments qui, maintenant
épars en divers endroits et connus de peu de monde par la difficulté de
les voir, le deviendront de tout l'univers. »

L'analyse de ces trois projets nous permet de dessiner l'image du
cimetière en France dans les années 1770-1780, juste avant la Révolution.

D'abord le cimetière reproduit dans sa topographie la société globale,
comme une carte reproduit un relief ou un paysage. Tous sont réunis
dans la même enceinte, mais chacun à sa place, la famille royale, les
ecclésiastiques, puis deux ou trois catégories de distinctions selon la naissance, l'illustration, et pratiquement la richesse, puisque les places sont
à vendre, et enfin les pauvres. Le premier but du cimetière est de représenter une réduction symbolique de la société. Ensuite, le cimetière est
une galerie des illustres, où la nation entretient la mémoire des grands
hommes, comme Westminster en Angleterre, nommément citée dans l'un
des projets, ou plus tard le Panthéon en France.

Enfin le cimetière est un musée des beaux-arts. Les beaux-arts ne sont
plus réservés à la contemplation d'amateurs isolés, ils ont un rôle social;
ils doivent être goûtés par tous et ensemble. Il n'y a pas de société sans
beaux-arts et la place des beaux-arts est à l'intérieur de la société.

Mais ni la société ni l'art ne doivent être séparés de la nature et de sa
beauté immortelle. Aussi le cimetière est-il un parc, un jardin anglais,
planté d'arbres. En revanche, la piété familiale, les relations entre le
défunt et sa famille ou ses amis sont négligées : le cimetière est seulement
l'image de la société publique.

Nous sommes bien loin, n'est-il pas vrai, du premier projet des parlementaires parisiens des années 1760! De 1760 à 1780, on est passé d'une
mission de police, de salubrité et d'hygiène publiques à une vocation
civique : la cité des morts, signe permanent de la société des vivants. Il
faut bien noter que cette évolution quasi religieuse s'est faite en dehors
de l'Église. Certes, les prêtres ne sont pas absents : ils ont une place
d'honneur dans la hiérarchie des enceintes de sépulture, ils sont également
actifs dans le service du cimetière comme ministres du culte, mais leur
rôle est ici très discret, assimilable à celui d'un officier public, et surtout
la conception idéologique est étrangère à la métaphysique du christianisme théologique traditionnel, et à celle de toute religion du salut.

La sordide réalité des cimetières :
les morts à la voirie

Bien entendu la tempête révolutionnaire emporta tous ces beaux projets. Cependant, après Thermidor, les choses revinrent en place et les assemblées nationales ou départementales, de la Convention, du Directoire ou du Consulat, ne cessèrent de se préoccuper de l'état des sépultures.

On prenait en effet conscience de leur indécence, et on affirmait qu'elle n'était plus tolérable. Car dans les cimetières généraux créés depuis la fermeture des Innocents et des vieux charniers, on n'avait rien organisé pour les sépultures particulières et tous ceux qui mouraient à Paris étaient enfouis dans une fosse commune qui n'avait rien à envier à celles des Innocents.

« Chargé par vous de visiter les cimetières de Paris, écrit en 1799 le citoyen Cambry, administrateur du département de la Seine, d'en constater l'état, je les ai tous examinés. J'épargne à votre sensibilité le tableau que je pourrais tracer. Aucun peuple, aucune époque ne montre l'homme après sa mort dans un si cruel abandon. (...) Quoi! cet être sacré, la mère de nos enfants, la douce compagne de ma vie (...) me sera demain enlevée pour être déposée dans un cloaque impur, à côté, sur le sein du plus lâche, du plus exécrable scélérat [24]. »

Un auteur de 1801 fait dialoguer quelques personnages sur le sujet. La conversation se passe sous deux cyprès qui marquent la tombe du frère du propriétaire : nous sommes à la campagne, dans une vallée loin de Paris, où une telle sépulture a été possible. Euphrasine n'a pas eu cette chance : « Heureux qui peut venir pleurer sur le tombeau de l'être qu'il aima [c'est le thème nouveau de la visite au cimetière, encore inconnu des textes de 1760-80]! Hélas! pour moi je suis privée de ce douloureux plaisir. Mon époux a été déposé dans le lieu de la sépulture commune. On l'arracha de mes bras. On m'empêcha de suivre son corps [il n'y avait plus de cérémonie à l'église, et aucun accompagnement au cimetière lointain n'était prévu...]. Quelques jours après je voulus visiter le lieu où il avait été enseveli (...). On me montre une fosse énorme, des cadavres amoncelés (...). J'en frémis encore. Il me fallut renoncer à découvrir où reposait sa cendre [25]. »

Il faut voir aussi comment s'exécutait le transport au cimetière. Le même auteur le décrit : « Je vous annonce un spectacle qui vous inspirera une juste horreur. Ces hommes qui portent au cimetière commun les morts de la ville s'enivrent souvent sur la route, se disputent ou, ce qui révolte encore plus, chantent gaiement sans que l'officier public qui les accompagne [successeur du prêtre et qui ne devait pas être beaucoup plus efficace] puisse leur imposer silence. »

Deux ans auparavant, Cambry décrivait un convoi dans son rapport de l'an VII, comme une chose vue : « Quand on transportait un mort au lieu de sa sépulture, j'ai vu nos porteurs pénétrer dans un cabaret et, après avoir jeté devant la porte les douloureux restes qui leur étaient confiés, s'humecter le gosier par de copieuses libations d'eau-de-vie », forcer « les parents désolés du défunt » quand ils étaient là, ce qui n'arrivait pas toujours, à boire avec eux et « à payer le prix de cette boisson sacrilège ». En fait, l'anecdote appartenait au folklore de l'époque. On racontait que l'acteur Brunet du Palais-Royal s'écria à la vue d'un convoi : « Oh mon Dieu! pour être enterré comme ça, j'aimerais autant ne pas mourir [26]. »

Le mal venait principalement de ce que les employés du convoi étaient laissés à eux-mêmes, sans contrôle. Aussi, quand on voulait s'assurer de quelque décence, il fallait mobiliser une assistance susceptible d'en imposer aux portefaix. Mais ceux-ci ne se laissaient guère impressionner. Ainsi, le 7 fructidor de l'an VII, le citoyen Cartier, député au Conseil des anciens, mourut. « La députation de son département, lit-on dans le *Messager,* et plusieurs représentants du peuple ont assisté à son enterrement qui s'est fait dans le cimetière des carrières Montmartre avec l'indécence qu'on apporte aujourd'hui dans les funérailles. Cette irrévérence pour la cendre des morts est un oubli de morale et de religion dont l'histoire d'aucun peuple n'offre le sacrilège exemple. » L'année précédente (1798), l'Institut avait décidé, malgré la répugnance de quelques confrères, d'accompagner ses membres défunts jusqu'au cimetière [27].

Dès le temps de la Convention thermidorienne, on pensa remédier à la licence des convois en les faisant accompagner par un personnage important, par un magistrat comme le suggère le citoyen Avril dans un rapport, par un des commissaires civils de section : « On ne confierait *une fonction aussi honorable et aussi importante* qu'à un citoyen qui aurait fait preuve des plus grandes vertus [28]. »

On rendait en général la Révolution — la Terreur — responsable de cette dégradation : « Dès lors fut détruit ce respect dû aux morts (...). Dès lors la pratique des funérailles fut avilie et leurs usages furent dégradés avec une impudeur qui réveille même les plus brutes » (rapport fait au Conseil général le 15 thermidor an VIII, 3 août 1800). « Plusieurs de ces usages subsistent encore. On vous a dénoncé l'indécence de ces cimetières, ou pour mieux dire, de ces enclos de morts, à peine entourés de misérables planches et abandonnés à toutes les violations du hasard et des éléments [29]. » On mettait en cause le nivellement révolutionnaire, la poursuite de l'égalité : « Cette fâcheuse égalité (...) avait étendu son influence jusque dans l'empire de la mort. Elle avait défendu à la piété filiale, à la tendresse conjugale toute cette pompe innocente par laquelle ceux qui survivent cherchent à tromper leur douleur. » On remarquera combien ces textes mettent l'accent à la fois sur le déchirement provoqué par la mort, et sur le rôle du deuil et de la visite au cimetière dans la consolation.

Mais c'est sans doute Chateaubriand le plus perspicace, quand il dit : « A l'époque révolutionnaire, on sait comment les enterrements s'exécutaient et comment, pour quelques deniers, on faisait jeter un père, une mère ou une épouse à la voirie. » Mais il donne sa raison : « Il ne faut rapporter ces choses qu'à un conseil de Dieu : c'était une suite de la première violation sous la monarchie. » En fait la Révolution n'avait fait qu'aggraver une situation vieille d'au moins vingt ans. Seulement, et c'est là le phénomène important, celle-ci n'était plus tolérée. Elle choquait une sensibilité qui avait changé.

Le concours de l'Institut de 1801

Quelques mesures furent prises à la suite du rapport Cambry : on décida, à Paris, de supprimer les dépôts, les corps devant être désormais enlevés à domicile, et on tenta une nouvelle réorganisation des cimetières. En vain.

En 1801, le ministre de l'Intérieur, Lucien Bonaparte, invita l'Institut de France à mettre au concours le sujet suivant : « Quelles sont les cérémonies à faire pour les funérailles et le règlement à adopter pour le lieu des sépultures. » Dans ces cérémonies, « il ne doit être introduit aucune forme qui appartienne à un culte quelconque », on cherche donc à susciter un modèle laïc.

L'Institut reçut quarante mémoires et le prix fut décerné à Amaury Duval et à l'abbé Mulot, ancien député de la Législative. Leurs mémoires permettent de mesurer le chemin parcouru depuis 1763.

Le principe de la sépulture hors des villes pour des raisons d'hygiène est désormais acquis, on ne revient pas là-dessus, si ce n'est pour déplorer encore une fois l'état des anciens cimetières paroissiaux.

Un autre principe, nouveau celui-ci, qui apparaissait déjà dans le *Mémoire des curés de Paris* de 1763, mais qui avait été ensuite négligé, sert de base à toutes les réflexions. Il est unanimement accepté et proclamé : « Il faut que tout individu puisse rendre aux mânes de ses proches les témoignages expressifs de sa douleur et de ses regrets; il faut que l'être sensible qui survivra à une mère tendre, à une épouse chérie, à un ami sincère, trouve un soulagement à ses peines dans le respect que l'on porte à leurs cendres [30]. » L'essentiel est devenu la relation affective entre le disparu et le survivant. C'est en fonction de cette relation *privée* qu'on discute des mesures à prendre.

Des tombeaux et de l'influence des institutions funèbres sur les mœurs,

par J. Girard, l'un des mémoires non primés, donne une analyse claire des
conceptions dominantes à ce sujet. La mort y est définie dès le début, non
pas comme la perte de la vie, mais comme la séparation entre plusieurs
êtres qui s'aiment. Elle est aussi bien mort de l'autre que mort de soi, et elle
n'est mort de soi que pour l'autre : « Un jour je pleurerai ceux qui me sont
chers, ou j'en serai pleuré. » Aussi l'idée de la mort n'invite-t-elle plus,
comme au temps d'Horace ou au Moyen Age de l'*ars moriendi*, à la jouissance des choses : « A cette idée l'âme oppressée voudrait s'ouvrir tout
entière pour envelopper les *objets de son affection* (...). Que de soins, de
témoignages d'amour on voudrait leur prodiguer! Combien on se reproche
les chagrins qu'on leur a causés, les moments qu'on a passés sans les
voir... »

Tel est le sentiment d'un homme de 1800. Tel est aussi celui qu'inspire
normalement la nature. Mais ce sentiment naturel a été « égaré » par la
religion. « Ce culte touchant que les premiers hommes rendirent aux
morts, devint un principe d'erreur, une source de maux. La superstition
prit naissance au milieu des tombeaux. » Sous deux formes : la première
est la peur irraisonnée des morts, des revenants, « des spectres et des larves
hideux », face horrible et inventée de la mort. La seconde est la croyance
dans la prière pour les morts. « L'homme abandonna les lumières de la
raison (...), ce ne fut plus par de sublimes invocations qu'il honora les
dieux [un culte très dépouillé, débarrassé des superstitions parasites], mais
par des attitudes pénibles, de douloureuses macérations, ou de cruels
sacrifices. Le prêtre perdit son divin caractère [celui de la vraie philosophie et du futur positivisme]. Le culte ne fut plus qu'une profanation des
plus saintes lois, et la voix du ciel, que le cri de la terreur et de la cupi-
dité. [C'est le temps de l'Église depuis le Moyen Age, école de superstition, responsable d'avoir fait de la mort un objet d'épouvante.] Si l'on
rassemblait les maux sans nombre causés par les craintes superstitieuses
de la mort et de l'existence qui doit la suivre [voilà pour l'immortalité, qui
paraît bien assimilée aux superstitions], on verrait l'homme esclave n'avoir
avec les dieux que de sanglantes communications. » « Les institutions
funèbres » de notre passé chrétien « prirent naissance dans la même source
que les idées superstitieuses. » Il n'est pas question de les ressusciter. Certains penseront même qu'elles sont responsables, autant que la Révolution, de l'indécence des sépultures. L'Église a détourné le culte ancien des
morts vers l'âme immortelle, objet de suffrages, et elle a abandonné le
corps à la voirie.

Mais ce qui, sur les ruines de l'Église, a envahi les mœurs, n'est pas meilleur : c'est le matérialisme. « Un danger plus grand encore, c'est celui
d'un matérialisme humiliant et glacé qui détruirait l'influence de la morale
et l'action du gouvernement et paralyserait un de ses principaux moyens
de puissance (...). La superstition peut servir à rallier les peuples, à conso-
lider l'autorité dans les mains d'un chef, mais le matérialisme détruit toute

la magie de l'ordre social (...), il rompt cette chaîne sacrée qui descend du ciel pour le bonheur de la terre [cette chaîne sacrée : voilà bien la religion philosophique, acceptable par la raison]. Alors plus d'espoir pour la vertu, de frein pour le crime, de consolation pour la douleur [la consolation est mise exactement sur le même plan que la justice] (...). Le matérialisme et la superstition sont donc également à craindre. »

Vers un culte des morts

Certains auteurs de mémoires ne voudraient pas de séparation entre les « sectes », c'est-à-dire les religions : « Les hommes de toutes les sectes seront placés l'un près de l'autre dans cet asile de paix où il semblerait que des *opinions* ne doivent plus mettre de différence entre eux » (Amaury Duval). Aussi ne doit-il pas y avoir de croix dans le cimetière idéal.

C'est pourtant bien un culte qu'il faut instaurer : « Vous n'établirez pas de culte des morts » si vous ne prenez pas certaines précautions. Il doit « inspirer des craintes salutaires sans inspirer de vaines terreurs ». Les cérémonies doivent être « à la fois simples et touchantes », réveiller la sensibilité, la diriger « vers un but moral et religieux [31] ». Ces cérémonies seront donc laïques, même si on admet que des services confessionnels puissent s'y ajouter : ils seront seulement tolérés.

Après la mort, on prévoit une exposition (« tâchons de maintenir l'exposition des morts ») qui, pour Duval et Girard, doit se faire le visage découvert selon un usage abandonné depuis des siècles sauf dans le Midi de la France, afin de permettre et de prolonger « une communication avec les morts ». Les anciennes cérémonies auraient eu ce but. Il faut les remplacer par autre chose qui en tienne lieu, l'exposition publique à la maison et au temple, un temple évidemment non confessionnel.

L'embaumement est aussi recommandé, pour les mêmes raisons que l'exposition à visage découvert. « Les arts nous transmettent les traits de ceux que nous avons aimés; il serait bien plus doux encore d'employer leur magique pouvoir à rendre l'aspect de la vie à ces organes glacés par la mort et tromper le sentiment qui viendrait ranimer ces corps muets pour converser avec eux et les avoir pour témoins de nos chastes souvenirs. » Le désir de prolonger tant qu'on le peut l'apparence des traits, la faculté de les voir vont développer toutes les techniques de conservation dont on peut se demander si, dans l'esprit des contemporains, elles n'étaient pas destinées à éviter l'inhumation, permettant de garder le mort toujours visible, de le conserver pour converser avec lui.

L'un des personnages des dialogues d'Amaury Duval, une femme dont la mère a disparu dans ces gouffres qu'on voudrait supprimer, exprime

tout ce qu'elle doit à la « moderne chimie » : « Un mois après, mon fils
mourut. Ah! du moins celui-ci je le possède encore, quoiqu'il ne me
rende plus mes baisers et ne réponde plus à ma voix. Grâce aux découvertes de la moderne chimie, on a su conserver à mon fils les traits et
presque la couleur de son teint. » Le procédé n'est pas nouveau, puisque
Necker et sa femme étaient conservés à Coppet dans deux cuves d'alcool
où leur fille aurait pu les contempler. On retrouve ici l'intérêt porté au
corps mort et à sa conservation au XVIIIᵉ siècle, mais dans un autre but
qui est de prolonger la présence physique d'un être cher.

Dans ces conditions, l'exposition du corps embaumé et presque vivant
au temple nous fait penser à quelque *Funeral Home* américain, à Forest
Lawn, le cimetière de Los Angeles. Certes, il n'y a peut-être pas de continuité entre ces utopies de la fin du XVIIIᵉ et du début du XIXᵉ siècle et les
embaumements américains qui commencèrent, dit-on, pendant la guerre
de Sécession, mais la ressemblance est troublante.

Le Temple sera le lieu d'une cérémonie organisée par des « officiers
funèbres », magistrats qui ont remplacé les prêtres et qui sont aussi les
officiers d'état civil et les gérants d'une sorte de tableau d'honneur national. On a pensé réunir en un seul institut l'état civil, le culte des morts,
et l'ordre national du mérite. La cérémonie commencera par la proclamation de la mort du défunt. Son nom sera ensuite affiché sur un tableau
d'honneur pendant un temps déterminé, un mois par exemple.

La proclamation sera suivie d'un éloge funèbre, et de la lecture solennelle du testament. C'est là une curieuse tentative de restauration du testament dont le rôle sentimental et religieux avait décliné depuis le milieu
du XVIIIᵉ siècle.

Ensuite, le cercueil sera soit porté à bras d'hommes, dans les campagnes,
soit, dans les villes, placé sur un char funèbre dont « la forme lugubre
indiquera l'usage auquel il est destiné » et conduit par un guide à pied[32]. A
partir de ce moment-là, il y a un choix : le cimetière public ou la propriété
privée?

Le cimetière public ne ressemble pas aux projets très architecturaux
des années 1770-1780. Les champs de repos seront de grands espaces
verts, sans bâtiments ni monuments. On décourage les bâtisseurs de tombeaux : on acceptera tout juste, et de mauvaise grâce, une inscription de
quelques centimètres de largeur à l'endroit du corps afin de marquer sa
place, car on sait qu'il ne peut y avoir de culte des morts « là où le fils
ignorera la tombe où repose son père ». « Que les lois défendent d'élever
aucune espèce de tombeau en pierre, mais nul inconvénient à ce qu'on les
forme de gazon. » Le gazon anglo-américain de Forest Lawn, le *lawn
cemetery*! Au milieu des tombes gazonnées, « on ménagera des sentiers
où la mélancolie ira promener ses rêveries. Ils seront ombragés par des
cyprès, des peupliers au feuillage tremblant, par des saules pleureurs [les
saules arrivent avec le gazon]... Des ruisseaux couleront [...]. Ces lieux

deviendront ainsi un terrestre Élysée où l'homme fatigué des chagrins de la vie va se reposer à l'abri de toutes les atteintes ». Un jardin anglais : « On y verra la rose se faner chaque printemps sur la tombe d'une jeune vierge qui, rose comme elle, ne vécut qu'une saison [33]. »

« L'époux se livrera sans crainte a tout le charme de sa douleur et pourra visiter l'ombre d'une épouse adorée. Ceux enfin que des souvenirs chers attachent à la mémoire de leurs bienfaiteurs trouveront un lieu de paix dans cet asile consacré au recueillement et à la reconnaissance [34]. »

En général, il est libre d'accès mais « sous la sauvegarde du gouvernement ». Quelques-uns désireraient fermer le cimetière au public, sauf à une certaine époque qui serait consacrée « au souvenir et au culte des morts ». Mais même dans ce cas, un fils, un parent, un ami pourrait « venir quelques fois verser des larmes sur le tombeau chéri [35] ».

On est frappé par la faible part dans ces projets du rôle de Panthéon national, de galerie des Illustres, de musée public, qui inspirait les plans de 1780. La fonction privée du cimetière l'a emporté sur sa fonction publique. A la limite, celle-ci n'est plus tolérée que comme une nécessité dans les grandes villes, et encore à cause des pauvres. Vivrait-on comme aux heureux temps de l'Age d'or, dans les paisibles campagnes, on pourrait faire l'économie du cimetière commun.

Car chacun a le droit de disposer de son corps. « Si nous pouvons disposer de nos biens, comment ne pourrions-nous pas disposer de nous-mêmes! » La meilleure place pour le « dernier asile » est la propriété familiale. La société « doit inviter l'homme ordinaire à placer sa tombe dans les champs paternels », par opposition aux citoyens illustres dont elle s'empare pour leur élever des tombeaux monumentaux afin de les faire revivre dans la mémoire de la postérité. Mais même ces tombeaux nationaux doivent rester isolés, comme des sépultures privées : « La société doit assigner des lieux *particuliers* à la sépulture des grands hommes, et voisins (...) de l'ancien théâtre de leurs travaux » : Jean-Jacques à Ermenonville, La Fontaine au milieu d'un bois, Boileau dans une promenade.

Chacun chez soi : « Pourquoi le paisible laboureur n'aurait-il pas l'espoir de reposer au milieu des champs qu'il a cultivés? Ah! laissez-lui marquer la place où il s'endormira un jour, soit qu'il préfère le pied du chêne antique (...), soit qu'il veuille être placé auprès d'une épouse (...), d'un père (...), d'un fils [36]. » Des bosquets religieux.

Ce serait d'ailleurs la meilleure manière d'enraciner les hommes dans leur patrie. On aurait pu croire qu'on tiendrait à ses morts parce qu'on tenait à ses champs. L'interprétation n'est pas bonne; c'est le contraire qui est vrai : on tient à ses champs parce qu'on tient à ses morts, et, à la longue, se crée un amour commun et massif de la terre et des morts. Ici, en pleine Convention thermidorienne, en plein Directoire et Consulat, dans une élite gorgée de philosophie des Lumières, méfiante, sinon hostile, à l'égard de l'Église, de son influence et de son histoire, nous assistons à la naissance du concept barrésien, péguyste, maurrassien, mais d'abord positiviste, de la patrie charnelle. La parenté est évidente. « Combien les champs lui deviendront plus chers », quand ils contiendront les tombeaux de ses pères. « Voulez-vous rappeler les hommes à des mœurs plus pures, aux véritables affections d'où dérive l'amour de la patrie, non point cet amour enthousiaste et délirant qui ne se nourrit que d'abstractions, que de chimères orgueilleuses [le jacobinisme, peut-être?], mais cet amour simple et vrai qui fait chérir la patrie comme une divinité protectrice, qui maintient autour de nous l'ordre et la tranquillité. Attachez les hommes au sol qui les a vus naître [en particulier en y enterrant leurs défunts]. Celui qui chérit le champ paternel tiendra plus à la patrie par ce simple lien que le philosophe orgueilleux. » « Tels sont les éléments dont se compose le véritable amour de la patrie. Nous tenons à nos champs parce que nous en tirons la subsistance de nos familles. Le hameau nous est cher parce qu'il renferme la maison paternelle, le temple où nous allons prier, la place où nous allons converser avec nos amis. Nous tenons à notre province parce que notre hameau en fait partie et la grande patrie enfin ne nous intéresse que parce qu'elle renferme le cercle entier de nos affections et qu'elle est pour nous l'appui protecteur. » « Les sépultures particulières nous rattacheront encore aux champs paternels par un sentiment de reconnaissance et d'honneur. » On ne vendra plus les champs qui contiennent des tombeaux. On les défendra contre l'ennemi. « Ainsi, les sépultures particulières réuniront le double avantage de nous attacher à la famille, à la propriété, à la patrie [36]. »

Ces citations ont été extraites du mémoire de J. Girard. Celui d'Amaury Duval suggère la même politique, avec moins d'arguments sociologiques : « Je n'ai pas besoin de dire qu'après l'exposition publique dans le Temple, chaque famille aura le droit de disposer de celui qu'elle a perdu. Elle pourra le faire transporter dans les terres qu'il possédait, et lui élever même les plus fastueux monuments. » A. Duval rêve pour lui-même d'une sépulture particulière, mais sans ces fastueux monuments qu'il méprise et dont il redoute la vogue, c'est pourquoi il les exclut du cimetière commun. Il reposera dans la nature : « Lorsque je serai de retour dans ma patrie, je veux, dans le petit champ que me laissera mon père, creuser moi-même le lieu de ma sépulture. Je le placerai sous les peupliers qu'il a plantés et que je crois encore voir, sur le bord du petit ruisseau qui mouille leurs racines. Autour fleuriront le lilas, les violettes. Là, plusieurs fois chaque jour, je conduirai mes amis et même celle qui alors sera ma compagne bien-aimée (...). Comme ce lieu leur sera cher [à nos enfants] s'ils ont nos goûts, s'ils ont mon âme, souvent ils baiseront après ma mort les arbres voisins : c'est sous leur écorce qu'aura filtré la matière qui composait mon corps. » La dissolution dans la nature n'est plus le retour au néant qu'y voyaient les libertins du XVIIIe siècle, mais une sorte de métempsycose : c'est toujours le même être cher sous d'autres formes, végétales. La nature, mais pas n'importe quelle nature, la campagne paternelle est faite de la matière des morts, parents et amis, elle les reproduit indéfiniment.

La cérémonie publique au Temple, l'inhumation au cimetière commun ou dans le champ paternel étant réglées, reste le deuil. On entendait par ce mot à la fois les condoléances et le genre de vie imposé par l'usage aux survivants. Il avait été contesté par ce même milieu de philosophes où se recrutaient les rédacteurs de l'arrêt du Parlement de 1763 que dénonçait le *Mémoire des curés de Paris* de la même date.

C'est aussi pour répondre à l'arrêt que l'abbé Coyer avait écrit *Étrennes aux morts et aux vivants,* en 1768. Né en 1707, ancien jésuite (il avait quitté la Compagnie en 1736), précepteur d'un Turenne, aumônier général de la cavalerie, auteur d'un plan d'*Éducation publique* et d'un *Traité de la noblesse marchande,* il représente bien les idées de l'intelligentsia éclairée [37]. Il est hostile au deuil qui maintient dans l'usage une « image cruelle de la mort », vieille de plusieurs siècles, alors qu'il faudrait au contraire « rendre une mort agréable ». Et je comprends que Madeleine Foisil [38] ait été tentée de voir dans les philosophes de la fin du XVIIIe siècle les précurseurs de cette modernité du milieu du XXe, où la mort n'est plus ni horrible ni agréable, mais absente. La mort de l'abbé Coyer est « agréable » comme celle des La Ferronays et des Brontë ; elle annonce à la fois la mort romantique du XIXe siècle et la mort interdite d'aujourd'hui, suggérant par cette commune origine quelque secrète relation entre les deux. Les romantiques aimaient et souhaitaient la mort, et, si chrétiens et catholiques qu'ils aient été, ils ne la craignaient pas. Ils auraient pu faire leur la remarque de Coyer, négation ou plutôt inversion du vieil *ars moriendi* : « La crainte qu'on témoigne doit être relative au genre de vie qu'on a mené, et les âmes privilégiées ont plus de raison pour désirer la fin de leur pèlerinage que pour la redouter. » On touche ici du doigt la complexité de cette culture où confluent un christianisme réformé, un rationalisme hostile aux Églises, une tendance hédoniste et les ferments du romantisme.

Quand il traite des coutumes du deuil, il faut voir quel ton persifleur il adopte : « C'est quand on est dans l'affliction qu'on doit chercher à s'en tirer par l'aspect d'objets capables d'égayer les yeux et l'imagination. [Dans les analyses de G. Gorer dont il sera question au chapitre suivant, la veuve passera la journée de l'enterrement de son mari à jardiner avec ses enfants.] Nous allons au contraire enterrer notre douleur dans les crêpes et dans des appartements semblables à des jeux de paume [allusion, je suppose, au dépouillement des appartements pendant le grand deuil]. N'est-ce pas un préjugé déraisonnable? De ce qu'un homme est mort, il ne s'ensuit pas que les autres doivent mourir avec lui (...). La vraie douleur se concentre dans le cœur [un argument que j'ai souvent entendu aujourd'hui] sans être attachée aux habillements lugubres dont l'usage nous est propre. »

Il est bien possible que Coyer ait eu des disciples, au moins à Paris, et que le relâchement des usages que nous avons observé dans les convois de la fin du siècle se soit accompagné d'un abandon parallèle du deuil. Mais on assiste à un revirement : A. Duval dit qu'on « déserte » les appartements des morts; Girard voudrait « *rétablir l'usage presque oublié du deuil* (...), que la reconnaissance en prolongeât le terme. En France le deuil était généralement fixé au terme d'une année. Dans quelques provinces on le prolongeait encore de six mois. Aujourd'hui tout est changé, le deuil n'est plus qu'une coquetterie sentimentale [39] ».

Il n'était plus permis en 1800 de parler du deuil avec le ton léger et persifleur de l'abbé Coyer en 1767. Des plages nouvelles d'affectivité ont été découvertes dans l'intervalle, par la grande marée de l'Histoire. Habitués à la lenteur séculaire des changements psychologiques, nous sommes surpris par l'émergence extraordinairement rapide d'une sensibilité nouvelle. Sans doute avait-elle cheminé souterrainement, et d'ailleurs les changements dans les rapports familiaux à la fin du XVIIe siècle l'annonçaient déjà (cf. J. L. Flandrin), mais tout a basculé très vite pendant le dernier tiers du XVIIIe siècle.

Nous avons vu au chapitre précédent non seulement le retour aux grands deuils, mais encore leur affectation de spontanéité; on n'obéit pas à des usages, on suit l'élan de sa douleur, et on va plus loin ou autrement que l'usage. Ainsi, même dans l'aristocratie, la veuve n'accepte plus de rester recluse à la maison pendant l'office, elle y assiste, d'abord en cachette dans un coin de l'église et des tribunes. Demain elle mènera le deuil, invisible sous les voiles et les crêpes, comme l'usage est déjà entré dans les mœurs de la bourgeoisie.

Des morts vitrifiés...

Les mémoires que je viens d'analyser expriment l'opinion de gens sérieux, équilibrés, raisonnables, dignes de considération et représentatifs de la sensibilité générale.

Le sujet était à la mode. Aussi parut-il, en même temps que cette littérature respectable, des factums que nous trouvons un peu fous et que les contemporains jugeaient déjà ainsi. Mais ce genre de folie doit avoir du sens.

Pierre Giraud ne paraît pas être le premier venu. Il est l'architecte du Palais de justice, il est intervenu au risque de sa vie pour sauver des victimes de l'an II, il a déjà composé en l'an IV et déposé au département de la Seine en l'an VII un projet de cimetière. Il le reprit dans un petit ouvrage publié en 1801 à l'occasion du concours de l'Institut : *les Tombeaux ou Essai sur les sépultures,* « ouvrage dans lequel l'Auteur rappelle les coutumes des anciens peuples, cite *sommairement* celles observées par les Modernes [elles ne sont pas intéressantes, à cause de l'Église], donne des procédés pour dissoudre les chairs, calciner les ossements humains, les convertir en une substance indestructible et en composer les médaillons de chaque individu ». Nous avons parlé tout à l'heure de la dissolution dans la nature. Le procédé proposé ici consiste à substituer la science à la nature afin de mieux conserver le souvenir des morts.

La technique n'est pas nouvelle : elle se rattache à la littérature *de miraculis mortuorum* du XVIIe siècle. L'inventeur cité par Giraud, Becker, était déjà connu de Thouret qui en parle dans son *Rapport sur les exhumations des Innocents.* Le « gras » des grandes fosses devenait ensuite un véritable verre, on pouvait donc passer des momies en gras à des momies en verre! Becker est l'auteur d'une *Physica Subterranea,* publiée à Francfort, en 1669 et rééditée à Leipzig en 1768. Il a expérimenté que la terre de la décomposition de l'homme est la plus vitrifiable, « qu'elle produit un très beau verre, mais il n'en révélera point le procédé parce qu'il craindrait de commettre un sacrilège ». Giraud commente ainsi le texte du chimiste : « Dans le temps où le célèbre Becker écrivait, sa faiblesse était excusable. » La vitrification réalisée naturellement par le séjour dans les grandes fosses peut être obtenue par l'industrie de l'homme. Ainsi pourra-t-on « venger [les mânes sacrés] pour toujours des outrages du temps et du caprice des hommes ».

« Puisse l'humanité entière se pénétrer profondément de cette vertu constante : que tout individu qui ne respecte pas les morts est bien près d'assassiner les vivants. »

Le cimetière prévu par Giraud dérive du type des projets de 1770-1780 : une enceinte, avec un portique, autour d'une pyramide centrale; là s'arrête la similitude puisque le soubassement de la pyramide est un four crématoire et que les colonnes du portique sont en verre, le verre « [provenant] d'ossements humains puisés dans les anciens cimetières abandonnés (...). Si l'on éprouvait quelques difficultés à faire un aussi noble emploi de ces restes précieux de l'humanité, alors on substituerait des os d'animaux domestiques ». Sous la galerie, des monuments également de verre : médaillons et plaques commémoratives.

Le four crématoire est composé de « quatre chaudières capables de contenir 1, 2, 3 et 4 cadavres immergés dans une lessive caustique dite des savonniers (...). Les matières animales, réduites en gelée, puis en cendres, sont susceptibles d'être placées derrière le médaillon représentant l'individu et même d'être ajoutées à la matière vitrifiable ». En appendice du projet, on trouve le « Procédé pour faire une bonne lessive, dite

des savonniers, propre à dissoudre les chairs humaines » et « L'art de
vitrifier les ossements », par Dartigues.

Le verre obtenu est une forme nouvelle du corps humain, rendu incorruptible et impérissable. C'est une matière brute. Qu'en faire? « Le premier
moyen, celui qui flatte le plus une imagination religieuse (...) [consisterait
à] couler avec ce verre un petit buste dans un creux qui aurait été fait du
vivant de la personne et qui serait son portrait. Il ne faut qu'un cœur pour
sentir ce qu'aurait de consolant pour une âme tendre la possession d'un
buste d'une matière agréable, qui renfermerait l'inappréciable avantage
d'être le portrait et la substance identique d'un père, d'une mère, d'une
épouse, d'un enfant, d'un ami, de tout être qui nous fut cher. » Malheureusement le verre n'est pas assez fluide. La meilleure technique consisterait à
« faire en bas-relief le portrait qu'on voudrait avoir, de mouler en creux
sur ce bas-relief et ensuite de couler le verre sur ce creux ».

Ces médaillons seraient exposés dans les galeries, avec les épitaphes.
On imagine l'effet sur les visiteurs : « Combien d'enfants seraient naturellement détournés, dès leur plus tendre jeunesse, de la route du crime
et même de la dissipation à la seule vue des médaillons de leurs vertueux
ancêtres. »

Il doit y avoir assez de verre pour faire deux médaillons, l'un pour le
cimetière, l'autre portatif qui suivrait la famille dans ses déplacements,
comme une *mourning picture*. « Je voudrais encore que celui des enfants
qui aurait le mieux mérité de ses parents, de ses semblables et de la
patrie, fût l'héritier naturel des ossements, cendres ou médaillons de ses
aïeux. Qu'il pût les emporter partout comme un meuble, à la charge d'en
répondre au reste de la famille et de les lui représenter toutes les fois
qu'elle le demanderait. »

Le seul inconvénient est que cette chaîne d'opérations est coûteuse.
Que faire alors pour les pauvres qui ne pourront pas la payer? Notre
auteur n'est pas pris au dépourvu, son ingéniosité est sans bornes. « Les
personnes peu fortunées, qui ne pourraient pas faire les frais de la vitrification et qui cependant désireraient au moins le squelette de l'objet de
leur affection, pourraient le réclamer, et on le leur délivrerait en payant le
coût de la dissolution des chairs... » Quelques-uns ne paieraient même pas
ce prix ou n'éprouveraient pas le besoin de garder à la maison les squelettes de leurs chers disparus. Ces os ne seraient pas perdus pour autant :
« Les squelettes non réclamés seraient portés dans les catacombes [sous
les galeries] et les résidus des chairs déposés dans l'une des 8 fosses du
champ du Repos. Après un an écoulé, leurs ossements seraient convertis
en verre pour ajouter à la composition des monuments indiqués sous la
galerie. C'est ainsi que de la chose même on formerait un ensemble
intéressant et que l'on parviendrait en peu d'années [grâce au grand
nombre des pauvres squelettes non réclamés] à terminer un monument
unique en son genre. »

Malgré son enthousiasme, P. Giraud avait quelque doute sur le sort de son projet; aussi s'offrait-il lui-même comme sujet d'expérience. « Je suis si convaincu du bien infini qui résulterait de l'exécution de ce projet que, si elle n'a pas lieu avant ma mort, j'ai recommandé d'avance (...) de me faire servir d'exemple en traitant avec un savonnier ou un chirurgien pour séparer mes os du reste de ma dépouille, de mettre le feu aux chairs et aux graisses, et de réunir les cendres qui en proviendront avec mon squelette dans ce tombeau *que j'ai fait construire tout exprès dans mon jardin,* en attendant que mes descendants puissent faire convertir mes os en verre. »

Il arrive qu'une caricature spirituelle en dise plus que bien des commentaires pompeux sur des faits ordinaires. La caricature est ici involontaire et l'humour absent, le tableau n'en est pas moins significatif. Le but de toute cette extravagance est de soustraire à « l'horreur du tombeau » et à la corruption les restes des êtres chers, et de faire coïncider dans un même objet l'image de leurs traits et la matière de leur corps. L'idée n'aurait paru absurde ni au prince de Sangro, dans son cabinet napolitain du XVIIIe siècle, ni à Frankenstein. Mais ceux-ci poursuivaient, comme les alchimistes de la Renaissance, le principe de l'être. P. Giraud, lui, cherche la présence de l'autre. Il a eu seulement le malheur, pour sa propre vraisemblance, de confondre les langages de deux temps qui se séparaient : le temps où le cadavre promettait à qui l'ouvrirait les secrets de la vie, le temps où le cadavre donnait à qui le contemplait l'illusion d'une présence.

Le décret du 23 prairial an XII
(12 juin 1804)

Pendant toute la seconde moitié du XVIIIe siècle, on n'a cessé de se préoccuper de la sépulture des morts. Les raisons apparentes de s'y intéresser ont varié, non pas l'intérêt ni le sérieux. La sépulture, qui était un acte religieux et ecclésiastique, est d'abord devenue une opération relevant de la police, de la santé publique et, enfin, elle est redevenue un acte religieux, mais d'une religion sans confession ni Église, une religion du souvenir et, à la limite, de formes non chrétiennes de la survie. Ce long débat a eu en France une conclusion officielle. Le décret du 23 prairial an XII (12 juin 1804) devait assurer, à quelques modifications près, jusqu'à nos jours, la réglementation des cimetières et des funérailles. L'administration, sous tous les régimes, n'a cessé de réduire la portée morale et religieuse du décret, pour le ramener à une simple mesure d'hygiène collective, ce qu'il n'était certes pas dans l'esprit de ses inspirateurs. Plus qu'un texte réglementaire, il est une sorte d'acte de fondation d'un culte nouveau, le culte des morts. Seulement, on ne s'en aperçoit que si on le situe au terme d'un demi-siècle d'inquiétude et de réflexion.

Le décret confirme définitivement l'interdiction d'enterrer dans les églises et dans les villes, à au moins 35 à 40 m des limites urbaines.

Ensuite il va plus loin que les projets de 1801 qui conservaient le principe des anciennes fosses aux pauvres. Il pose le principe que les corps ne seront jamais superposés, mais toujours juxtaposés. C'est donc un changement complet des habitudes. Les sépultures particulières, jusqu'ici réservées à ceux qui payaient, étaient désormais la règle commune : même les sépultures des pauvres devaient être séparées les unes des autres (on revint ensuite sur ce principe pour des raisons d'économie; on supprima pour les pauvres la séparation entre les sépultures, tout en maintenant l'obligation du cercueil : finies les serpillières et les bières banales). Les pauvres furent, donc, et sont encore (?), enterrés les uns à côté des autres (et non plus les uns au-dessus des autres) dans une tranchée continue. La distance entre les fosses et leur profondeur étaient précisées exactement. Aucune fosse ne devait être ouverte ni réutilisée avant un délai de cinq ans. « En conséquence, les terrains destinés à former les lieux de sépulture seront *cinq fois plus étendus* que l'espace nécessaire pour y déposer le nombre présumé des morts qui peuvent y être enterrés chaque année. » En raison de cette disposition, les cimetières allaient s'étendre et occuper les grandes surfaces caractéristiques des paysages urbains du xixᵉ siècle.

Ce cimetière sera un jardin : « On y fera des plantations en prenant des précautions convenables pour ne pas gêner la circulation de l'air. »

Dans ce cimetière commun on pourra acheter le lieu d'une sépulture et y édifier un monument. Mais il est intéressant de noter qu'il s'agit d'une permission, soumise à des restrictions, d'où le mot de concession : « Lorsque l'étendue des lieux consacrés aux enterrements le permettra, il pourra y être fait des concessions de terrain aux personnes qui désireront y posséder une place distincte et séparée pour y fonder leur sépulture et celle de leurs parents ou successeurs et y construire des caveaux, monuments ou tombeaux. Les concessions ne seront néanmoins accordées qu'à ceux qui offriront de faire des fondations ou donations en faveur des pauvres et des hôpitaux, indépendamment d'une somme qui sera donnée à la commune... » C'est le principe de la concession perpétuelle. Sans doute pensait-on qu'elle serait l'exception, comme les sépultures d'église étaient encore l'exception sous l'Ancien Régime. Aussi les assimilait-on aux fondations pieuses des testaments traditionnels. Et c'est vrai qu'au début, les usagers, si j'ose dire, ne furent pas très nombreux à réclamer ce qui paraissait encore un privilège. Pour des raisons financières et de prestige, quand on créa le nouveau cimetière du Père-Lachaise, on voulut en faire un cimetière de luxe, réservé aux concessions perpétuelles. Lanzac de Laborie remarque, mais en 1906 : « *Chose à peine croyable,* la partie aisée de la population parisienne ne témoigna rien moins que de l'empressement à adopter le nouveau cimetière », attitude « expliquée par l'éloignement (...) et par ce fait que l'usage des concessions perpétuelles n'était point encore entré dans les mœurs [39] ». Il était seulement recommandé par des sortes de prophètes, initiateurs du culte des morts, auteurs et lecteurs des projets et mémoires analysés ici.

Mais les fidèles de la base se rallieront vite. Les réticences du début rendent encore plus significatif l'engouement qui suivit.

Les concessions permanentes deviendront si nombreuses qu'elles posèrent très vite un problème d'occupation des cimetières, dans la première moitié du XIXe siècle : « Les concessions perpétuelles, dont le nombre et la proportion croissaient en raison de la progression de la fortune publique et de la diminution du prix de l'argent, réduisaient chaque jour les surfaces disponibles [40]. » A la fin du XIXe siècle, elles occupaient les trois quarts de la superficie des cimetières parisiens. Les concessions de 5 ans et les tranchées gratuites étaient refoulées et réduites à un espace minimum, et les concessions perpétuelles, au lieu de rester l'exception, s'étendirent à des conditions sociales modestes.

Une autre habitude s'imposa dont l'extension n'était pas non plus prévue par les inspirateurs du décret de prairial. Celui-ci reconnaît le droit « à chaque particulier, sans besoin d'autorisation, de faire placer sur la fosse de son parent ou de son ami [on notera dans les textes de la fin du XVIIIe et du début du XIXe siècle la place maintenue à l'ami à côté du parent, place qu'il avait dans les testaments des XVIIe-XVIIIe siècles. L'ami disparaîtra ensuite au profit exclusif de la famille] une pierre sépulcrale ou autre signe indicatif de sépulture, ainsi qu'il a été pratiqué jusqu'à présent ».

L'usage de la pierre sépulcrale, ou, comme dit un auteur de manuel sur les enterrements, de « l'entourage », s'est rapidement étendu : au Père-Lachaise, en 1804, on place 113 pierres tumulaires récupérées dans des cimetières supprimés de Paris.

En 1805 on place 14 pierres nouvelles, puis :

1806	19
1807	26
1808	51
1810	76
1811	96
1812	130
1813	242
1814	509
1815	635
1814-1830	30 000 (1 879 par an)

Un auteur de 1889, ancien conservateur de cimetière, écrit : « Il est à présumer que l'on ne prévoyait pas en 1804 [au temps du décret de prairial] l'extension que prendrait ce mode de sépulture (...). Cet accroissement extraordinaire était hors de prévision [41]. »

D'une part, il devint humiliant de ne pas posséder une concession de longue durée, la concession perpétuelle étant même assimilée à une propriété, soustraite cependant au commerce et transmise seulement par héritage. D'autre part, chaque emplacement fut couvert par un monument et, dans certains pays comme la France et l'Italie, souvent volumineux. On répugna à laisser une tombe anonyme et invisible.

Les habitudes qui s'installent dans les cimetières à la suite du décret de prairial sont le contraire de celles de l'Ancien Régime. La personnalisation du lieu de la sépulture est devenue la règle absolue, depuis qu'il n'y a plus de superposition des corps.

La propriété héréditaire de la sépulture, qui n'existait que dans les cas rares de concessions de chapelles, s'étend à toute la classe moyenne et en deçà. Le monument, qui était l'exception, devient la règle.

On retrouve dans ces dispositions les idées des auteurs de projets et de mémoires des années 1800 concernant le cimetière commun. Ils recommandaient aussi la sépulture privée à la maison. Le décret de prairial les suivit encore sur ce point : « Toute personne pourra être enterrée dans sa propriété pourvu que lad. propriété soit hors et à distance prescrite de l'enceinte des villes et des bourgs. » Dans ce cas, aucune autorisation n'est exigée, celle, discrétionnaire, de l'autorité municipale sera cependant introduite par la réglementation et soumise aux contrôles du préfet. Au début du XIXe siècle, chaque homme a donc le choix de se faire enterrer soit au cimetière commun, soit dans sa propriété.

Restait à organiser la cérémonie elle-même et à désigner qui en serait chargé. Les projets de 1800 avaient prévu un culte laïque, c'est-à-dire confié à des magistrats et non à des prêtres; on y décrivait des gestes qui sont restés de nos jours dans les enterrements laïcs, comme l'offrande de « fleurs et de brindilles vertes » jetées dans la fosse.

Avant prairial an XII, on avait essayé d'améliorer les conditions du convoi en le confiant à une entreprise privée dont les prétentions furent bientôt trouvées excessives. Le décret de prairial rendit donc aux fabriques le monopole des pompes funèbres. Un nouveau décret en 1806 réglementa les prix, institua une division graduée en classes, à l'indignation du sénateur Grégoire qui inscrivit sur son exemplaire : « Scandale de divisions en classes pour des êtres qui devant Dieu arrivent seulement avec leurs bonnes et mauvaises actions [42]. »

Les fabriques sous-traitèrent à Paris à une entreprise commerciale. Plus tard, les municipalités héritèrent du monopole des fabriques et de la propriété des cimetières. Au contraire des États-Unis, il n'y eut donc pas en France de cimetières privés : tous étaient — et sont encore — publics. Cela aurait pu être autrement. Cette municipalisation est due à une double méfiance, à l'égard de l'Église et à l'égard de l'entreprise commerciale.

Mais la France s'orientait vers la restauration du catholicisme et sa reconnaissance comme religion d'État. Aussi toutes les ébauches d'un culte civique, national et municipal, en dehors des Églises, qui avaient été proposées depuis les années 1770 furent-elles abandonnées au profit d'un retour aux usages traditionnels d'avant la Révolution. L'enterrement redevenait religieux. Un décret du 18 août 1811, spécial à Paris, prévoyait que le transport à l'église était la règle, sauf contrordre écrit. Déjà, dès 1802, les grands enterrements avaient réapparu, ressuscitant les fastes de l'Ancien Régime à la satisfaction des Parisiens, qui y allaient comme au spectacle et pensaient que ces parades feraient marcher le commerce. « On a enterré aujourd'hui (9 février 1802) l'ex-duc de Bouillon avec un faste qu'on n'avait pas vu depuis longtemps. Cinquante pauvres, couverts de drap noir et un flambeau à la main [c'est le convoi de jadis, mais sans les ordres mendiants et les prêtres habitués], escortaient le char funèbre attelé de six chevaux et suivi de dix voitures drapées et vingt voitures bourgeoises »; les voitures étaient l'innovation, due à l'éloignement des cimetières extra-urbains. La belle-mère de Junot eut droit à trois cents pauvres, plus cinquante domestiques [43].

Est-ce là, comme nous serions tentés de le croire, un retour aux traditions religieuses, aux fastes ecclésiastiques de l'Ancien Régime ? Les contemporains du début du XIXᵉ siècle pensaient exactement le contraire. Pour l'auteur d'un guide du Père-Lachaise, publié en 1836, le temps de l'Église était bien plutôt celui des funérailles bâclées et le culte des morts est une nouveauté de l'époque révolutionnaire [44] : « Autant autrefois l'on apportait peu d'ordre, de respect et de décence dans le convoi du pauvre, autant aujourd'hui l'on y met de zèle, de recueillement et de retenue. » Du temps du clergé, on disait vite les prières, on empilait les morts dans les fosses. « Cet ordre de choses dégoûtant a heureusement cessé d'attrister nos yeux. (...) Cette maudite Révolution que nos écrivassiers du jour accusent de tout le mal qui s'est fait depuis quarante ans, sans lui tenir compte d'un peu de bien qu'elle a pu faire, est encore la cause du changement survenu à Paris dans cette partie si intéressante de l'ordre civil. »

La sépulture privée au XIXᵉ siècle

Jacques Delille mourut le 1ᵉʳ mai 1813. Son corps resta exposé pendant six jours au Collège de France sur un lit de parade, *le visage légèrement peint,* la tête couronnée de lauriers.

Dans ses poèmes *Des jardins,* il avait célébré le tombeau dans la nature :

> Venez ici, vous tous dont l'âme recueillie
> Vit des tristes plaisirs de la mélancolie.
> Voyez ce mausolée où le bouleau pliant,
> Lugubre imitateur du saule d'Orient,
> Avec ses longs rameaux et sa feuille qui tombe
> Triste et les bras pendants vient pleurer sur la tombe.

Et si, dans votre jardin, vous n'avez ni amis ni parents à enterrer, qu'à cela ne tienne, adoptez la tombe d'un pauvre paysan.

> Rougirez-vous d'orner leur humble sépulture?
> Pour consoler leur vie, honorez donc leur mort,
> D'une pierre moins brute honorez son tombeau,
> Tracez-y ses vertus et les pleurs du hameau...

Vous aménagerez là un charmant lieu de promenade :

> ... Souvent un charme involontaire
> Vers les enclos sacrés appellera vos yeux.

Le tombeau est l'ornement indispensable d'un jardin, le but d'une méditation. C'est là que Delille a prévu qu'il reposerait, et non pas dans un cimetière public. Il confie à son épouse :

> Écoute donc, avant de me fermer les yeux,
> Ma dernière prière et mes derniers adieux.
> Je te l'ai dit : au bout de cette courte vie
> Ma plus chère espérance et ma plus douce envie
> C'est de dormir au bord d'un clair ruisseau
> A l'ombre d'un vieux chêne ou d'un jeune arbrisseau.

Ce sera dans la campagne :

> Dans le repos des champs, placez mon humble tombe.

Ce vœu n'est pas d'un antichrétien : le lieu choisi a été bénit comme un cimetière :

> Que ce lieu ne soit pas une profane enceinte,
> Que la religion y répande l'eau sainte.

Il y aura une croix, devenue le signe du tombeau :

> Et que de notre foi le signe glorieux...
> M'assure de mon réveil glorieux!

Si on parcourt la littérature, on est persuadé que chacun souhaitait être enterré dans sa propriété. Le cimetière commun serait alors devenu la sépulture des pauvres et des malheureux citadins qui n'ont ni champs ni jardins loin des villes.

Nous connaissons encore aujourd'hui en France quelques cas de ces tombes domestiques. L'une subsiste dans la banlieue d'Aix-en-Provence :

c'est celle de Joseph Sec, un ancien charpentier devenu promoteur immobilier qui avait fait fortune, et avait fait construire son futur tombeau près de sa maison : un monument extraordinaire, un mausolée dont l'origine maçonnique de l'iconographie a été démontrée par M. Vovelle[45].

L'idée de Chateaubriand était « d'acheter un morceau de terre de vingt pieds de longueur sur douze de large à la pointe occidentale du Grand Bé. « J'aurais entouré cet espace d'un mur à fleur de terre, lequel aurait été surmonté d'une simple grille de fer... Dans l'intérieur je ne voulais placer qu'un socle de granit taillé dans les roches de la grève. Ce socle aurait porté une petite croix de fer. Du reste point d'inscription, ni nom ni date. (...) Je désire que M. le curé de Saint-Malo bénisse le lieu de mon futur repos, car avant tout, je veux être enterré en terre sainte[46]. »

Bien entendu, cette pratique de l'inhumation privée n'est pas une initiative française. Elle a dû commencer beaucoup plus tôt en Angleterre, limitée sans doute à l'aristocratie. C'est ainsi que la famille Howard fit édifier, dès 1729, dans le jardin de son château, un « mausolée » sur le modèle du Tenpietto de Bramante, à San Pietro in Montorio. Elle devient au contraire commune au XVIIIe siècle dans les colonies anglaises d'Amérique, et d'abord en Virginie[47]. Chaque famille était enterrée dans sa plantation. En 1771, Jefferson a laissé des plans pour sa tombe dans son jardin de Monticello où elle est toujours. La tombe de Washington, à Mount Vernon, a dû servir de modèle aux nombreux amateurs de paysages funéraires de campagne. De Virginie, l'usage a gagné la Nouvelle-Angleterre où le *churchyard* avait été d'abord la règle.

Il subsiste encore aujourd'hui quelques-uns de ces petits cimetières familiaux, *in situ*. Ils ont été en général submergés par les *suburbs* des XIXe-XXe siècles. On en découvre un à Hyattesville dans les *suburbs* de Washington : cimetière de la famille Deakins, dont la plus ancienne tombe est celle d'un soldat de la guerre de l'Indépendance (1746-1824). Mais beaucoup ont été détruits par les occupants postérieurs, ou bien leurs *headstones,* souvent belles, ont été transportées dans les *churchyards,* afin d'assurer leur conservation.

On doit se demander comment il se fait que cet usage a disparu au cours de la première moitié du XIXe siècle, en France. Il existe pourtant trois régions au moins où cet usage s'est maintenu jusqu'à nos jours. Deux sont protestantes (Charentes et Cévennes) et une catholique (la Corse).

On explique d'habitude les sépultures protestantes dans les champs par le refus, après la Révocation de l'édit de Nantes, d'enterrer les protestants dans le cimetière catholique, le seul autorisé. Mais l'explication ne vaut pas pour la Corse dont un écrivain du pays, Angelo Rinaldi, disait encore en 1971 : « Je suis d'un pays où l'on bâtit des tombeaux à grands frais au bord des routes comme on s'achète une voiture pour manifester l'éclat de son rang[48]. » Or il ne s'agit pas en Corse d'une coutume ancienne. Avant la Révolution, on y enterrait dans les églises et à côté, comme partout ailleurs. C'est à l'époque de Joseph Sec et de Delille qu'on a changé d'habitude. Ce qui est remarquable est qu'on l'ait conservée.

Non loin de Bordeaux, au milieu des vignes de l'Entre-deux-mers, sur les bords de la route, on rencontre un tombeau enclos d'une grille, une colonne brisée : tombeau de la famille X, 1910. Parmi les offrandes, un souvenir de première communion. Une famille protestante? Convertie? Une famille catholique suivant l'usage protestant, parce qu'il est celui des notables?

Mais en vérité cet usage des pays protestants français est-il spécifiquement protestant? Ne nous trompons-nous pas en faisant de cet usage une suite sans hiatus des enterrements clandestins du XVIIIe siècle? Les protestants avaient au début du XIXe siècle le même choix que les catholiques entre le cimetière communal et la sépulture privée, et s'ils ont choisi la sépulture privée, comme beaucoup d'autres, c'est pour les mêmes raisons, avec peut-être, en plus, le souci qui leur était propre de ne pas être mêlé aux catholiques (les cimetières n'ont été « neutralisés » qu'en 1881). Pour la Corse le problème reste entier — Corse et pays protestants sont donc des survivances.

Partout ailleurs, en Angleterre, aux États-Unis, la sépulture privée a été également abandonnée. La principale raison est la précarité de la conservation de la tombe en cas de changement de propriétaire, cas de plus en plus fréquent dans une période de mobilité sociale comme le XIXe siècle en France et plus encore aux États-Unis.

L'administration, qui n'a jamais apprécié le droit à la sépulture privée reconnu par le décret de prairial, a fait pression sur les municipalités pour une application restrictive. Toutefois les maires fermaient les yeux. L'auteur de *Jacquou le Croquant* nous raconte que le curé Bonal, un curé qui n'était pas dans les bonnes grâces du clergé réactionnaire du début du XIXe siècle, a voulu être enterré « au bout de l'allée [du jardin de sa maison], sous ce gros marronnier qui avait été planté le jour de sa naissance par son père ». Le rapprochement entre la naissance et la mort, la terre natale et la sépulture, est l'un des thèmes fréquents de l'époque romantique. Ce n'était pas tout à fait légal, mais le maire « n'est pas homme à s'inquiéter d'un petit accroc à la loi que peut-être même il ignore ».

C'est seulement en 1928 (décret du 15 mars) que le préfet a été substitué au maire pour l'autorisation d'inhumer hors du cimetière public. Celui-ci délègue d'office son pouvoir aux municipalités là où la coutume était générale et existait depuis longtemps. Ailleurs, il la refuse habituellement, sauf dans des cas exceptionnels. Mais l'opinion s'en était déjà détournée. Aujourd'hui je connais le cas d'une vieille veuve dont le mari avait été enterré dans une tombe de famille, dans les Charentes, en plein champ. La pauvre femme pendant des années eut toutes les peines du monde à y parvenir, et, par les pluvieuses journées d'automne, elle s'en retournait,

crottée et éreintée. Elle subissait aussi les pressions des nouveaux propriétaires du champ que le tombeau gênait comme une enclave. Elle a
finalement demandé le transfert de la tombe à un cimetière d'une ville
afin de la visiter plus confortablement.

C'est la même raison qui avait été invoquée, un siècle plus tôt en Nouvelle-Angleterre, pour la création d'un cimetière privé de plusieurs familles
à Newhaven : on considérait que les tombes privées à la maison n'avaient
pas de bonnes conditions d'entretien et de conservation, et étaient menacées de disparaître. Le culte des morts a ramené la tombe privée au cimetière public, « sûr et inviolable [49] ».

La disposition des lieux permettait quelquefois de situer la tombe à la
fois dans son jardin et dans le cimetière, quand les deux étaient contigus.
Ainsi le tombeau du général Chanzy est-il bien situé dans la propriété
de famille, à Buzancy, mais il ouvre sur le cimetière. Il est encastré dans
la clôture. Il en est de même de la famille de George Sand dont le château
de Nohan était mitoyen de l'église. La partie du jardin réservée aux
sépultures familiales apparaît alors comme une annexe du cimetière public.

La visite au cimetière

Le cimetière public va donc concentrer toute la piété pour les morts. Il
devient au XIXᵉ siècle, selon le mot d'un historien américain, S. French,
« une institution culturelle », je dirai même religieuse.

En réalité, cela a commencé plus tôt en Angleterre. En effet, nous
savons (chapitre 6) que, dès le XVIIIᵉ siècle, il y existait des cimetières de
plein air avec des tombes visibles, des monuments. On y pratiquait aussi
l'élégie, le poème en l'honneur d'un défunt. Elle était imprimée sur une
feuille volante, et il paraît même qu'on l'épinglait sur le catafalque
pendant les obsèques. Elle tenait à la fois de l'épitaphe développée et de
l'éloge funéraire. Elle correspond à ce que nous appelions en France « le
tombeau littéraire » [50].

The Elegy de Thomas Gray, écrite en 1749, se rattache en apparence
à ce genre. Toutefois le défunt paraît anonyme, le poème n'est pas de circonstance, visiblement l'auteur a emprunté la forme du genre comme un
moyen d'expression.

Il a remplacé le thème traditionnel de la tombe ou du mort par celui
du cimetière de campagne, le *country churchyard*. Le cimetière et sa
poésie font leur entrée dans la littérature. Sans doute avaient-ils leur
place dans le théâtre baroque, mais pour exprimer l'horrible, la fascination
ou la peur de l'horrible. Ici le cimetière est un lieu de sérénité et d'apaisement. Il participe de la paix du soir quand l'homme quitte les champs et
la nature s'assoupit.

Si on laisse de côté la fin du poème, c'est-à-dire l'élégie proprement
dite, l'éloge du défunt, un jeune promeneur solitaire, sans beaucoup d'intérêt pour notre sujet, nous pouvons distinguer quatre thèmes. Le premier
est la nature. Le petit cimetière est situé dans la nature, à l'heure de
l'angélus du soir.

> *... All the air a solemn stillness holds.*

Le poète reste seul dans le crépuscule :

> *... And leaves the world to darkness and to me.*

Les tombes sont enfouies dans le gazon, sous les ormeaux et les yeuses.

Le deuxième thème est celui du regret de la vie : un thème traditionnel,
mais traité de manière nouvelle. La vie regrettée est celle d'une communauté villageoise tout entière. Elle se résume dans la formule : travail-
famille-nature (et non pas encore patrie!).

Nature : les morts ne jouiront plus de la nature, ils ne respireront plus
les senteurs du petit matin, ils n'entendront plus le cri du coq, etc. Travail :
ils ne connaîtront plus le plaisir de conduire leur attelage, de vaincre la
terre opiniâtre, etc. Famille : ils ne s'assiéront plus au coin du feu, leurs
femmes ne prendront plus soin d'eux, les enfants ne se précipiteront plus
pour les accueillir à leur retour *(their sire's return)* et ne monteront plus
sur leurs genoux pour le droit envié de les embrasser.

Le troisième thème est celui de l'*aurea mediocritas* de la voie moyenne,
une sobriété qui pourrait bien ressembler au bonheur. Nous y trouvons
l'écho lointain de l'*ubi sunt,* du *contemptus mundi,* de la vanité de la
richesse et des honneurs, mais à l'envers, en négatif. Le poète reconnaît
bien que « les chemins de la gloire ne mènent qu'à la tombe », mais c'est
pour exalter les valeurs d'une destinée obscure, d'un égal éloignement des
grandes actions et des crimes. Ses paysans sont hors de l'histoire :

> *They kept the noiseless tenor of their way.*

Le dernier thème est celui de la tombe, de sa poésie, de la communication entre les vivants et les morts. D'abord le cimetière est la terre des
ancêtres : une idée que nous avons vainement cherchée en France dans
les documents de la seconde moitié du XVIIIᵉ siècle, et qui y apparaît seulement vers 1800. Elle est ici condensée en deux vers superbes, à l'accent
barrésien :

> *Each in his narrow cell forever laid*
> *The rude forefathers of the hamlet sleep.*

Des hommes simples et pauvres qui ne savaient pas toujours lire, mais
qui avaient leur dignité. Pas de trophées sur les tombes; elles n'étaient
pourtant pas nues, chacune avait son *memorial* orné d'une sculpture
maladroite et d'une épitaphe avec le nom, la date, une élégie et un texte
de l'Écriture, tracée par « quelque muse illettrée » : des *headstones.*

Ces monuments ont deux buts. L'un est traditionnel et didactique :

apprendre à mourir au *rustic moralist*. L'autre est une invitation au passant, non plus à prier Dieu pour ces morts-là, mais à les pleurer, et voilà qui est tout à fait nouveau : *la visite au cimetière*.

Car les morts n'ont pas perdu toute sensibilité, ils dorment et, dans leur sommeil, ils ont besoin de nous, leurs âmes, *« the parting souls »*, espèrent un cœur aimant, mais aussi leurs yeux clos sous la terre réclament des larmes. La tombe n'est pas vide : « Du fond de la tombe la nature élève sa plainte. » Le feu de la vie couve sous les cendres :

> E'en from the tomb the voice of Nature cries,
> E'en in our ashes live their wonted fires.

Mémoire et âme immortelle d'une part, vague survivance souterraine d'autre part : les premières pourraient se passer de la tombe, l'autre fait de la tombe le lieu d'une présence physique. Tous les deux se combinent, et c'est sur la tombe qu'on viendra se souvenir, se recueillir, prier, pleurer.

Le cimetière du XIXe siècle est devenu un but de visite, un lieu de méditation. Delille dit à sa femme :

> Toi viens me voir dans mon asile sombre,
> Là parmi les rameaux balancés mollement
> La douce illusion te montrera mon ombre
>   Assise sur mon monument.
> Là quelquefois, plaintive et désolée,
> Pour me charmer encore dans mon triste séjour
> Tu viendras visiter au déclin d'un beau jour
> [depuis T. Gray, c'est la bonne heure]
> Mon poétique mausolée.
> Et si jamais tu te reposes
> Dans ce séjour de paix, de tendresse et de deuil,
> Des pleurs versés sur mon cercueil
> Chaque goutte en tombant fera naître des roses.

Un peu plus tard, Lamartine visitera le tombeau d'Elvire dans l'espoir qu'il réussira à la revoir — illusion ou réalité?

> Viens guider mes pas vers la tombe
> Où ton rayon s'est abaissé [il s'agit de la lune];
> Où chaque soir mon genou tombe [une visite quotidienne]
> Sur un saint nom presque effacé.

Les disparus peuvent réapparaître partout, en particulier dans les maisons où ils ont vécu, qu'ils ont aimées, dans leur ancienne chambre. Mais au XIXe siècle, ils ont une nette préférence pour le cimetière, qu'ils abandonneront au XXe pour la chambre. Les pasteurs de la littérature américaine de consolation, encore en 1873, vont au cimetière évoquer leurs morts. « Le révérend Mr Cuyler, après avoir passé un après-midi au cimetière de Greenwood, de New York, sur la tombe de son fils,

" Little Georgie ", adressa à son fils un adieu qui n'avait rien de définitif : " L'air était aussi silencieux que les innombrables dormants qui
m'entouraient. Me tournant vers le lieu sacré où gisait mon précieux
mort, je lui dis comme autrefois *good night.* " Greenwood n'était pour lui
" qu'un grand et très beau dortoir [51] ". »

Rien ne nous permet de croire qu'Edgar Linton, l'un des personnages
de *Wuthering Heights,* eût l'intention de faire réapparaître sa femme, à
la différence de son rival Heathcliff, mais il passait cependant ses soirées
et même une partie de ses nuits au cimetière, « le plus souvent le soir ou
tôt le matin, avant que d'autres personnes n'arrivent. (...) Il se souvenait
d'elle, il rappelait son souvenir avec un amour ardent et tendre, plein
d'espoir, il aspirait au monde meilleur où, il n'en doutait pas, elle était
partie ». Le jour anniversaire de sa mort, il restait jusqu'après minuit.

A l'extrême fin du siècle, en France, les personnages de Léon Bloy
séjournent une partie de leur vie au cimetière. Certes ils ne passent pas
pour très équilibrés. Mais la vie n'est pas faite seulement de conduites
raisonnables, et j'ai connu un vieux garçon, marié sur le tard, qui allait
tous les jours sur la tombe de sa mère, y conduisait sa femme, et le
dimanche y promenait le bébé.

La Femme pauvre, de Léon Bloy (1897) : « Elle passait des journées
dans les églises ou sur la tombe de l'infortuné Garcougnal son bienfaiteur
dont la mort l'avait jetée dans la misère. »

Léopold et Clotilde vont au cimetière de Bagneux où est enterré leur
enfant. « C'est toujours pour eux un apaisement de s'y promener. Ils
parlent aux morts et les morts leur parlent à leur manière. Leur fils Lazare
et leur ami Marchenais sont là et les deux tombes sont *cultivées* par
eux avec amour. Quelquefois ils vont s'agenouiller dans un autre cimetière où sont enterrés Garcougnal et L'Isle de France. Mais c'est un
long voyage souvent impossible, et le grand dortoir de Bagneux qui n'est
qu'à dix minutes de leur maison leur plaît surtout parce qu'il est celui
des pauvres. Les lits à perpétuité y sont rares et les hôtes, chaque cinq
ans démaillotés de leurs planches, sont jetés pêle-mêle dans un ossuaire
anonyme. D'autres indigènes les talonnent, pressés à leur tour de s'abriter sous la terre. Les deux visiteurs espèrent bien qu'avant ce délai, avant
l'échéance de cet autre terme de loyer, il leur sera possible de donner une
dernière demeure plus stable à ceux qu'ils ont tant aimés. » Ils sont
pourtant des catholiques d'une orthodoxie absolue et agressive qui
croient à la résurrection des morts! « Eux-mêmes, il est vrai, peuvent
mourir d'ici là. Que la volonté de Dieu soit faite! Il restera toujours la
résurrection des morts qu'aucun règlement ne saurait prévoir ni empêcher. » Leur foi cependant ne diminue pas leur sollicitude pour « les
dernières demeures stables ». Ce catholique « intégriste », comme on dirait
aujourd'hui, visitait les cimetières avec la piété des hommes des Lumières,
les révolutionnaires qu'il détestait, près d'un siècle auparavant. *Plu-*

sieurs fois par semaine, Léopold va de l'une à l'autre de leurs sépultures favorites, les désherbe, les fleurit, « joyeux de trouver une rose nouvelle, une capucine (...), les arrosant d'une main très lente et oubliant l'univers, s'attardant des heures, surtout auprès de la petite tombe blanche de son enfant, auquel il parle avec tendresse [comme, une vingtaine d'années plus tôt, le père de " Little Georgie " dans le *Greenwood cemetery*], auquel il chante à demi-voix le *Magnificat* ou l'*Ave Maris Stella* ».

L'épigraphie parlait le même langage que les auteurs de livres. Depuis les XVIᵉ-XVIIᵉ siècles, mais surtout au XVIIIᵉ, nous avons noté une tendance à ajouter le regret à l'éloge, à la biographie et à la généalogie (chapitre 5). Pendant la première moitié du XIXᵉ siècle, les épitaphes sont, comme au siècle précédent, longues, bavardes et personnelles.

Il reste assez de tombes de l'époque dans les nouveaux cimetières créés à partir de l'an XII, pour lire directement sur la pierre le discours des survivants. Les contemporains, de leur côté, se sont aussi intéressés à cette littérature épigraphique, non pas, comme leurs prédécesseurs de l'Ancien Régime, pour des raisons généalogiques, mais parce qu'elle flattait le goût du temps pour la sentimentalité en général, et le macabre en particulier. Les auteurs de guides de cimetières en recueillirent une petite collection.

En voici quelques-unes extraites du *Véritable Conducteur aux cimetières du Père-Lachaise, Montmartre, Montparnasse et Vaugirard.* Paru en 1836, les épitaphes recueillies datent, par conséquent, du premier tiers du siècle. « Nous ferons ici, pour la dixième fois, la remarque assez singulière que la majeure partie des épitaphes que nous rencontrons sont presque toutes consacrées à des épouses ou à des enfants. »

Comme dans les vers de Lamartine, cités plus haut, l'ombre du mort est censée hanter le bosquet funéraire, le morceau de nature autour de la tombe :

> Pour la première fois tu nous fuis, ô ma mère!
> L'impitoyable mort a glacé ta paupière,
> Mais ton ombre tressaille au milieu des cyprès;
> Tes enfants t'ont rendu l'époux que tu pleurais (1821).

La présence de cette ombre invite les vivants à la visiter et à l'entretenir.

Une longue épitaphe est consacrée à un enfant de 4 ans, mort en 1823 :

> Dans ce triste tombeau, tu dors, ô mon enfant!
> Écoute c'est ta mère! Ô ma seule espérance!
> Réveille-toi, jamais tu ne dors si longtemps.

Un autre enfant de 12 ans :

> Va compléter la céleste phalange,
> Alphonse, Dieu t'appelle, il lui manquait un ange.

Ces épitaphes parisiennes ont bien le même style, la même inspiration, le même espoir de retrouvailles célestes que la littérature de consolation américaine. La plupart du temps une phrase fait allusion à la réunion prochaine et souhaitée du survivant et du défunt :

Je vis pour la pleurer et la joindre au tombeau...

Il fit élever ce modeste tombeau en mémoire de sa digne et respectable épouse dans l'intention d'y être réuni pour l'éternité (1820).

Il arrivait à l'épitaphier de manifester sur la pierre dure une vieille haine de famille. Ainsi ce père malheureux de 1819 proclamait-il *coram populo* que sa fille était morte « victime d'un hymen malheureux ». Le gendre, furieux de cette publicité, obtint de la justice la réforme de l'inscription.

Quand il s'agissait non plus d'une femme ou d'un enfant, mais d'un homme, les mérites de la profession étaient associés aux vertus domestiques, les regrets des subordonnés à ceux de la famille.

Ainsi ce loueur de cabriolets était-il pleuré à la fois par sa famille et ses cochers :

Oh le meilleur des fils, des époux le plus tendre,
Des pères le phénix, puisses-tu nous entendre!
Tes parents, *tes amis et tes subordonnés*
Vivront et mourront tous tes affectionnés.
Ils pleurent avec nous, ils humectent ta cendre,
Mais nos larmes hélas! ne doivent te surprendre,
Crois, notre cher Bagnard, à nos vives douleurs.
Ah! ton dernier soupir repose dans nos cœurs.

Il s'agissait là d'un petit entrepreneur; l'épitaphe d'un grand industriel, M. Lenoir-Dufresne, mort le 22 avril 1806, est plus concise, mais plus « sublime » : « Plus de 5 000 ouvriers qu'alimenta son génie, qu'encouragea son exemple, sont venus pleurer sur sa tombe un père et un ami. »

A leur manière naïve et bavarde, qu'aujourd'hui nous sommes tentés de trouver ridicule et hypocrite (« un seul être vous manque, pastichait Giraudoux, et tout est *re*peuplé »), les épitaphes du XIXe siècle traduisent un sentiment réel et profond que l'historien n'a pas le droit de railler. Reconnaissons que le latin leur imposait une autre sobriété quand il était encore employé comme dans cette tombe romaine de 1815 (Santo Eustacio à Rome) : *Quos amor et pietas junxit dum vita manebat, aeternum coeli jungat et alta domus.* (Que ceux que l'amour et la piété ont unis pendant leur vie soient toujours unis dans la demeure céleste.)

Pendant un long millénaire, par un mélange de pudeur et d'indifférence, on avait hésité devant cet étalage, sauf cependant au moment même de la mort, au cours du premier Moyen Age et, plus tard encore, dans les cultures méridionales et rurales : le moment des pleureurs. Depuis le

XIIIe siècle, ces manifestations excessives avaient été refoulées et ritualisées. Au contraire, depuis le XVIIIe siècle au moins, on sent monter le besoin de crier sa douleur, de l'afficher sur la tombe qui devient alors ce qu'elle n'était pas, le lieu privilégié du souvenir et du regret.

Tout au long du XIXe et du début du XXe siècle ce sentiment subsiste, mais le style change peu à peu : plus de longs poèmes en vers, plus d'interminables éloges, moins de détails personnels. Mais toujours les mêmes apostrophes. Le genre s'est vulgarisé au fur et à mesure que le nombre s'est accru de ceux qui ont tenu à inscrire leur au revoir sur la tombe de leurs morts. Les commerçants tombiers ont alors proposé aux familles des formules toutes faites, qui exprimaient de manière forcément conventionnelle et banale des sentiments pourtant authentiques et personnels : « Regrets éternels », peints sur des plaques émaillées qu'on posait simplement sur le tombeau, accompagnées parfois de la photo du défunt et de quelque apostrophe filiale ou parentale. Nos cimetières d'aujourd'hui en sont pleins, et en France, en Italie, en Espagne, en Allemagne, l'habitude n'en est pas perdue dans les milieux populaires.

Elle témoigne d'un sentiment d'autant plus fort qu'il n'est plus encouragé par les Églises. Au XIXe siècle, celles-ci avaient admis et assimilé l'attachement des vivants à leurs morts et aux manifestations funéraires. Les tombeaux ont été décorés comme de petites chapelles, encombrées d'objets de piété, de croix, de cierges, de « Souvenirs de Lourdes » et de « première communion ». Le culte des morts paraissait aux prêtres naturel chez un bon chrétien, et les épitaphes redondantes et pathétiques étaient interprétées comme autant de témoignages de foi, composées, d'ailleurs, dans le style de la littérature religieuse du temps. Quelques prêtres, cependant, et parmi les plus réactionnaires, s'inquiétèrent alors au nom de l'orthodoxie. Ils soupçonnaient, avec raison, le déisme des Lumières dans ces démonstrations trop laïques. Mgr Gaume vers 1880 [52] manifestait déjà de la mauvaise humeur contre ces épitaphes « où la niaiserie le dispute au naturalisme ». Mais cette rhétorique était trop liée à la piété envers les morts pour qu'on attaquât l'une et pas l'autre. C'est seulement au milieu du XXe siècle que les clergés n'ont plus hésité à brûler ce qu'ils avaient autrefois admis et même encouragé. Ainsi, en 1962, en Angleterre, une femme de soixante-quinze ans fut contrainte par un tribunal de l'Église anglicane d'effacer sur la tombe de son mari ces mots, pourtant bien faibles par comparaison à l'éloquence romantique : « A jamais dans mes pensées. »

« Je pensais l'inscription convenable, fit-elle observer. Mon mari était tout pour moi. » Mais le Révérend D. S. Richardson, qui faisait fonction de procureur, a répondu :« En cette époque de paganisation des obsèques, il est nécessaire que l'Église adopte une ferme attitude chrétienne. *Nous estimons que de fortes expressions d'affection ou d'affliction sont déplacées* [53]. »

A la même époque, en France, un prêtre catholique réunissait une collection d'épitaphes de ce genre dans le but d'en montrer le ridicule et, au-delà, le paganisme. La sentimentalité du XIXᵉ siècle était ainsi tournée en dérision et même dénoncée comme le masque de la vanité bourgeoise et de l'esprit de classe. Dans l'annonce publicitaire, l'éditeur, également catholique, n'avait pas hésité devant le jeu de mots : « la réalité dépasse l'affliction ». Pour les lecteurs étrangers : l'affliction = la fiction [54]. L'alliance spontanée du XIXᵉ siècle entre le culte laïque des morts et les clergés des Églises est aujourd'hui remise en cause.

Le *rural cemetery*. Le cimetière bâti

Les cimetières nouveaux étaient devenus des lieux de visite où parents et amis aimaient se recueillir sur la tombe de leurs morts. Il fallut donc les adapter à cette fonction et les prévoir en conséquence. Deux modèles furent alors créés, assez proches l'un de l'autre dans l'esprit des promoteurs, mais leurs différences devaient augmenter ensuite au point de caractériser deux grandes aires culturelles.

Le premier est bien connu, c'est le Père-Lachaise; le terrain de Mont-Louis avait été acquis en 1803 pour remplacer le cimetière de Sainte-Marguerite. Bien entendu il était alors situé hors de Paris, et il fut conçu à l'image des champs Élysées, comme un jardin anglais ondulé et boisé, où les beaux monuments étaient noyés dans la verdure. On y transporta quelques dépouilles illustres, comme celles présumées d'Abélard et d'Héloïse; dès le début, le Père-Lachaise, avec les autres cimetières nouveaux de Montmartre et de Montparnasse, figura dans les guides de Paris parmi les curiosités de la capitale. Encore aujourd'hui, il a conservé son charme romantique dans sa partie ancienne, la plus escarpée. Son histoire est bien connue et se trouve dans tous les ouvrages sur Paris. Il est l'aboutissement normal, au début du XIXᵉ siècle, des réflexions et des projets qui se sont succédé pendant la seconde moitié du XVIIIᵉ siècle et que nous avons analysés plus haut.

Le second modèle est américain et un peu postérieur, en 1831. C'est Mount Auburn dans le Massachusetts. Son histoire était moins connue que celle du Père-Lachaise. Elle nous est bien contée dans une contribution au recueil *Death in America* de D.E. Stannard : « The cemetery as a cultural institution : the establishement of Mount Auburn and the Rural cemetery Movement », par S. French [55].

Dès les premières décennies du XIXᵉ siècle, les Américains de la Nouvelle-Angleterre se préoccupèrent de la situation de leurs cimetières, de l'indécence des sépultures, de ses dangers pour l'hygiène publique, comme les Français du XVIIIe siècle. Des particuliers se réunirent pour créer des cimetières privés qui échapperaient à la fois aux inconvénients de l'enterrement dans la propriété et à ceux du cimetière public, l'un et l'autre exposés aux violations. Le cimetière n'était pas, comme en France, un monopole municipal. Ils purent donc constituer des sociétés civiles pour créer et gérer le cimetière comme une *non profit institution,* assurée de l'ordre et de la pérennité.

Très vite les premières raisons de décence et d'hygiène cédèrent le pas à un grand dessein, celui de transformer le séjour des morts en une « institution culturelle » pour les vivants qui aimeraient le visiter et y méditer.

C'est alors que le mot de *cemetery* s'imposa à la place de *churchyard* ou de *graveyard.* Comme on le dit dans le discours d'inauguration de 1831, « il peut servir à quelques-uns des plus hauts desseins de la religion et de l'humanité. Il peut donner des leçons que personne ne peut refuser d'entendre, que chaque vivant doit écouter. Il est une école de religion et de philosophie ».

Ce cimetière est donc d'abord philosophique. Il enseigne que la mort n'est pas seulement destruction, « mais qu'elle concourt à un autre but qui est la reproduction : le cycle de la création et de la destruction est éternel » (1831).

C'est pourquoi le cimetière est un paysage naturel. On l'appelle *« rural cemetery »,* et le nom servira à désigner tous les cimetières créés à l'imitation de Mount Auburn.

Ensuite ce cimetière est patriotique et civique, cette fonction étant rappelée avec insistance dans les discours d'inauguration; comme le dit S. French, il doit donner « un sens de la continuité historique, des racines sociales », ou selon le mot d'un orateur de 1848, le *sense of perpetual home.* « Personne n'oubliera jamais le lieu où son père, ses amis sont enterrés, si ce lieu a le charme qui touche le cœur et satisfait le goût, et la terre qui les contient n'aurait-elle aucun attrait, elle sera toujours chère aux vivants pour cette raison » (1855).

Le *rural cemetery* est enfin une école de morale : il rendra chacun plus sage et plus sérieux, en particulier les jeunes.

A vrai dire, les desseins des fondateurs du *rural cemetery* n'étaient pas si éloignés des faiseurs de projets et de plans français du début du XIXe siècle, et Mount Auburn n'est pas très différent du Père-Lachaise dans ses premières conceptions. L'un et l'autre sont des jardins avec des monuments. Mais ils vont se séparer et donner naissance à deux lignées différentes.

Le rapport entre la nature et les monuments va changer en sens contraire. Dans l'ancien Mount Auburn comme dans les *rural cemeteries* de l'époque, les tombes étaient soit des stèles néo-classiques, des *head-stones,* souvent groupées à l'intérieur d'une clôture métallique comme dans les *country churchyards* ou dans les cimetières privés, soit des monuments sculptés à personnages réalistes, semblables à ceux qu'on élevait à partir du milieu du siècle dans les cimetières français et italiens : bustes d'hommes, enfants endormis, enlacés par une mère triste, anges, femmes en prière [56]...

En réalité, au début, les *rural cemeteries* ressemblaient beaucoup au Père-Lachaise et aux cimetières européens : les monuments criblaient le tissu végétal comme des trous de mite. Mais au cours de la seconde moitié du XIXe siècle et au début du XXe, l'évolution s'est faite en Amérique au profit de la nature et au détriment de l'art. On renonça aux clôtures métalliques qui hérissaient le cimetière. On préféra les *headstones*, qu'on croyait indigènes, aux monuments qu'on jugeait prétentieux. Cela se fit petit à petit. Au XXe siècle, on en arriva à remplacer même les modestes *headstones* et *footstones* par une discrète plaque de pierre ou de métal qui marquait simplement l'emplacement de la tombe.

Dès lors, aucun volume n'arrêtait plus le regard et n'interrompait la continuité du gazon. On passa ainsi du *rural cemetery* du XIXe siècle au *lawn cemetery* du XXe, c'est-à-dire à la grande pelouse où les petites plaques funéraires sont à peine perceptibles.

Ainsi, en Amérique, le cimetière avait-il de moins en moins l'apparence d'un *churchyard*, et de plus en plus celle d'un jardin. C'est pourquoi, d'ailleurs, il servit de modèle aux parcs urbains comme Central Park à New York [57] (1856).

Au Père-Lachaise, au contraire, c'est la nature qui a reculé devant l'art. A l'origine, les espaces de parc étaient étendus comme à Mount Auburn, mais les monuments y étaient sans doute déjà plus voyants.

Si, dans la partie la plus ancienne et la plus haute, au relief mouvementé, le dessin et l'esprit du parc ont été sauvegardés, dans les zones plus plates et plus basses, les tombes furent serrées les unes contre les autres, et rien là ne ressemble moins à un parc.

L'occupation par la pierre était déjà avancée vers le milieu du siècle, si bien que les contemporains réalisèrent très bien l'opposition entre les deux modèles, les partisans du *rural cemetery* reprochant au Père-Lachaise la prétention de ses monuments.

Mount Auburn a été tout de suite imité en Amérique et en Angleterre (Abney Park à Londres, en 1840), étendant à une grande aire géographique le type du *rural cemetery* où la tombe s'efface dans le paysage au point de se confondre avec la pelouse. Il est assez remarquable que ce modèle continue — ou retrouve et reconstitue — le *churchyard* de Thomas Gray qui a été ainsi réhabilité. Une jolie peinture du nouveau musée de Brest représente la visite à la tombe de Shelley dans le merveilleux cimetière protestant de Rome, à la piazza Ostiense : oasis romantique dans la ville baroque et classique, un *rural cemetery* en miniature.

La visite au cimetière n'est pas un thème inconnu de la peinture américaine. Au musée Walters de Baltimore, un tableau naïf du milieu du

siècle montre des passants dans un *lawn cemetery*, aux stèles dressées [58].
Notons aussi que Mount Auburn a été représenté en lithographie et en
peinture, par exemple dans une belle toile de Thomas Chambers.

Le modèle du *rural cemetery* domine en Angleterre et en Amérique du
Nord. Le Père-Lachaise tardif et les cimetières parisiens de Montmartre
et de Montparnasse qui lui ressemblent servirent plus ou moins de modèle
aux nouveaux cimetières urbains de l'Europe continentale, qui subissaient aussi d'autres influences, comme celle du *campo santo* italien où
persiste le souvenir du cloître. Dans toute cette grande aire géographique,
catholique et aussi protestante, les monuments de pierre, petits et grands,
ont envahi l'espace disponible.

Ces cimetières bâtis inspirèrent plus les sculpteurs de monuments qui
les ornaient que les peintres. Ceux-ci préféraient le cimetière de campagne
ou le *rural cemetery*. C'est pourquoi l'image la plus populaire du genre
dans l'art du XIXᵉ siècle en France a été celle du pèlerinage collectif de la
Toussaint : familles en deuil qui s'empressent sous la petite pluie d'automne, ou, dans la gravure, la prière des veuves devant le tombeau vide des
marins péris en mer, après la messe du dimanche en Bretagne.

La différence entre les deux aires géographiques pourrait tenir à une différence d'attitude devant la nature. En Amérique, en Angleterre, la nature
émeut toujours et ses liens avec la mort sont réels et profonds. En France,
au contraire, si la nature a pu toucher un temps, au XVIIIᵉ siècle et au
début du XIXᵉ, c'est par accident; elle est ensuite redevenue indifférente et
le sentiment a été tout entier absorbé par le monument. Le cimetière est
donc une petite ville de pierre aux maisons serrées, où deux cyprès de circonstance ont l'allure insolite de balais de cabinets : telle est bien souvent,
au moins au nord de la Loire, l'allure des cimetières de campagne français
quand ils ont été tranférés, selon la loi, hors du village, dans une sorte de
banlieue triste.

Il n'est pas facile aujourd'hui à un Français ou à un « continental » de
comprendre la relation qu'entretenait avec la nature un homme de la fin
du XVIIIᵉ siècle. Il a tendance à la soupçonner de littérature, d'esthétisme,
et pour tout dire, car c'est aujourd'hui l'injure par excellence, de romantisme.

Un texte de *Jacquou le Croquant* (1899) nous montre ce sentiment à
l'état naissant chez un Français né en 1836. Eugène Leroy se fait le
témoin des idées de son temps dans un milieu républicain, hostile à
l'Église. Dans son livre, la mort et l'enterrement occupent une place importante, ses paysans les tiennent pour des moments forts qu'il faut décrire
si l'on veut être un observateur fidèle. « La Bertille se désolait que sa
mère fût enterrée sans prières », parce qu'elle ne pouvait pas les payer.
La mère de Jacquou fut repoussée par le curé à la porte de l'église,
sous prétexte qu'elle était une huguenote : sa dépouille fut jetée dans un
trou (*imblocata*, aurait-on dit au Moyen Age). Plus tard, Jacquou profite

d'un enterrement auquel il assiste « pour aller vers l'endroit où ma mère était enterrée. Que dirai-je? Ça n'y fait rien, n'est-ce pas, que par-dessus les six pieds de terre qui recouvrent les os d'une pauvre créature [il n'y avait aucun monument de pierre] il y ait des fleurs ou des herbes sauvages, mais [cela nous fait tout de même quelque chose] nous nous laissons facilement prendre par les yeux sans écouter la raison. Aussi, lorsque je vis ce coin plein de pierres (...) envahi par les ronces (...) je restai là un instant, tout triste, regardant fixement ce lieu abandonné d'où toute trace de sépulture de ma pauvre mère avait disparu. Et en m'en allant je passai près d'une tombe brisée par le temps (...) et je me dis combien c'était chose vaine que de chercher à perpétuer la mémoire des morts [vaine, mais pourtant indéracinable]. La pierre dure plus longtemps qu'une croix de bois, mais le temps qui détruit tout la détruit aussi ». Nous retrouvons ici le thème ancien de la Vanité. Plus nouveau et, je pense, plus ressenti est ce qui suit : « Ne faut-il pas enfin que le souvenir du défunt se perde dans cette *mer immense et sans rive* des millions de milliards d'êtres humains disparus depuis les premiers âges. » Image de « la mer sans cesse recommencée », que nous avons notée dans les poèmes d'Emily Brontë, dans le journal d'Albert de La Ferronays. « Dès lors l'abandon à la nature qui recouvre tout de son manteau vert vaut mieux que ces tombeaux où la vanité des héritiers se cache sous le prétexte d'honorer les défunts. » C'est presque le langage des partisans américains du *rural cemetery* dans leurs réquisitoires contre le Père-Lachaise. L'homme du XIXᵉ siècle ne supporte pas l'abandon des morts comme s'ils étaient des animaux; il veut méditer à la place des sépultures qu'il faut donc pouvoir reconnaître, si discret que soit le signe. Alors, si l'on renonce à l'art, la solution est celle du *rural* ou du *lawn cemetery* où l'art demande à la nature de prendre sa place.

La tombe visible a de moins en moins de sens dans le *rural cemetery*. Elle en est au contraire chargée dans l'Europe continentale. Nous avons déjà vu, au chapitre 5, que la croix, jadis rare, s'était répandue partout, croix de pierre, croix de bois, image symbolique de la mort et d'une mort plus ou moins (selon les opinions) distinguée de la mort biologique, entourée d'un halo d'espoir et d'incertitude.

Les premiers monuments funéraires qui voulaient en imposer ont été imités soit des belles tombes d'églises, soit des quelques édifices privés qu'on trouvait dans les cimetières, les unes et les autres s'inspirant alors de l'Antiquité et du néo-classicisme : stèles à urnes, pyramides, obélisques, colonnes complètes ou brisées, et aussi pseudo-sarcophages.

Ces types subsistèrent longtemps. L'art funéraire du XIXᵉ siècle est très divers; il répugne aux conventions massives de la coutume, que le Moyen Age et les Temps modernes avaient au contraire acceptées.

Cependant, un type nouveau est né au début du XIXᵉ siècle, qui devint très populaire, au point de se maintenir jusqu'à la fin du siècle au moins : la tombe-chapelle. On se rappelle qu'aux XVIIᵉ et XVIIIᵉ siècles (chapitre 5) les chapelles latérales servaient de chapelle aux vivants et de tombeaux aux morts; le cercueil était enterré juste en dessous dans un caveau voûté, mais il pouvait y avoir, en outre, un monument dans la chapelle. Celle-ci constituait, en réalité, le vrai tombeau visible.

Il n'existait pas (sauf de très rares exceptions comme certaines chapelles privées de château — celle des La Trémoille à Niort — ou des chapelles de confrérie) de chapelles funéraires en dehors des églises.

Alors quand on n'a plus pu enterrer dans les églises, on a eu l'idée de transporter la chapelle latérale funéraire dans le cimetière et d'en faire un tombeau. L'une des premières a été construite au Père-Lachaise vers 1815 : c'est « la chapelle sépulcrale de la famille Greffulhe », décrite et reproduite dans les guides de l'époque. Ce monument remarquable était comme une petite église. On prit vite l'habitude d'avoir sa chapelle au cimetière, une chapelle miniaturisée, aux dimensions normales d'une concession perpétuelle. Il en existe des quantités, elles se sont répandues et vulgarisées dans la seconde moitié du XIXe siècle : une petite *cella* avec un autel surmonté d'une croix, recouvert d'une nappe, de chandeliers et de vases en porcelaine. Devant l'autel un ou deux prie-Dieu; les noms des défunts et les épitaphes sont sur les murs intérieurs de la *cella,* elle-même fermée d'une grille, à l'origine vitrée. La chapelle est généralement de style néo-gothique; sur son fronton est inscrit : Famille X. Car, comme les chapelles latérales des églises, ces tombes n'étaient pas individuelles, mais familiales. Le tombeau n'est presque plus, même en apparence, ce monument commémoratif qui perpétuait un souvenir; il est devenu un lieu de visite et de pèlerinage, organisé pour la prière et la méditation, avec de quoi s'asseoir ou au moins s'agenouiller.

Dans les tombeaux-chapelles, il n'y a pas de place privilégiée pour le portrait, sauf quand le mort est illustre, comme le général Chanzy, figuré alors en gisant à la mode médiévale et tourné vers l'autel de sa chapelle.

Portraits et scènes de genre

Dans la seconde moitié du XIXe siècle, au contraire, les statues portraits deviennent très fréquentes et s'organisent parfois en véritables scènes de genre. Les plus pathétiques sont alors les tombes d'enfants ou d'adolescents. Elles sont nombreuses, car la mortalité des enfants et des jeunes était encore élevée, mais, à les regarder aujourd'hui comme à lire la littérature américaine de consolation de la même époque, on sent combien elle était devenue douloureuse. Ces petits êtres longtemps négligés étaient reproduits comme des personnages illustres, avec un réalisme et un mouvement qui donnaient au visiteur éploré l'illusion de leur présence.

Au cimetière de Nice (qui est un merveilleux musée funéraire, les tombes les plus anciennes — et les plus menacées — sont de 1835), une fillette de huit ans accueille au ciel son petit frère qui est venu la rejoindre dans l'au-delà. Les deux enfants, grandeur nature, se tendent les bras, et le petit garçon en chemise s'élance vers sa sœur qui l'attend (fin du XIXe, début du XXe siècle). J'ai retrouvé la même scène datant de la même époque, au cimetière de San Miniato, au-dessus de Florence, à se demander si elles ne sont pas dues au même artiste ou si le thème n'était pas banal : Emma et Bianca se retrouvent au ciel. Elles courent l'une vers l'autre, les bras également tendus. Mais la plus petite est entourée de roses, et à moitié transformée en rose. Une première inscription nous apprend que les deux petites filles sont parties de ce monde à peu de temps d'intervalle. Une deuxième, à côté, donne la parole à Emma et à Bianca qui recommandent à leurs parents de ne pas pleurer, parce qu'elles sont maintenant parmi les anges au ciel où elles chantent la gloire de Dieu et prient pour les survivants.

Ces petites filles, dira-t-on, provenaient de familles riches qui pouvaient payer de bons sculpteurs et obéissaient à des convenances de classe. Mais on trouve des témoignages populaires du même sentiment. Au cimetière d'Aureilhan, dans les Landes de Gascogne, près de la petite église, à gauche en entrant, on est frappé par une toute petite statue d'enfant, maladroite ou naïve, sans pierre tombale : l'enfant est à genoux et tient une couronne dans ses deux mains, comme une offrande. Il n'y a pas de date, mais l'œuvre est sans doute de la fin du siècle dernier ou du début de celui-ci.

Une autre scène, assez souvent représentée au XIXe siècle sur les tombes par les sculpteurs, est la mort au lit. Cette image, très rare avant la fin du XVIIIe siècle, doit être rapprochée de la grande exaltation des derniers moments, telle que nous l'avons trouvée chez les Brontë, les La Ferronays : à Santa Maria Novella, à Florence, une tombe de 1807 met en scène une jeune fille. Celle-ci n'est plus morte, elle est déjà entrée dans l'au-delà, elle se dresse sur son lit et tend les bras vers l'éternité bienheureuse qui lui est promise. Elle a vaincu la mort, dont le squelette et la faux la guettaient à côté : *transitum vici*.

C'est la bonne mort. A Saint-Clément à Rome, une tombe de 1887 figure le comte de Basterot étendu sur son lit de mort. Une femme pleure qui représente la faiblesse humaine, tandis qu'un ange, un *putto,* souriant, prend la main qui s'abandonne : il symbolise l'immortalité.

La revue *Traverses* a illustré la couverture de son premier numéro (1975) d'une superbe photo de Gilles Ehrmann prise dans quelque *campo santo* du XIXe, meilleure ou plus parlante que l'original [59]. Nous devons être à peu près à la fin du siècle. Le moment est celui du dernier soupir, la famille est groupée autour du lit, le mourant est calme, apaisé, sa femme est penchée sur lui, tout près de son visage qu'elle fixe avec intensité. Une fille appuie sa tête sur l'oreiller dans un geste de tendresse. Elle seule ne regarde pas le mourant, sans doute la plus jeune. Une autre tend les deux mains en avant, comme pour serrer une dernière fois le père qui s'en va. Dans le fond un gendre, avec la tristesse de circonstance, et aussi la discrétion du presque étranger.

Quelles que soient les variations du goût et de la mode, c'est de la très belle sculpture! Celle-ci n'a cependant pas le monopole de la tombe. En cette seconde moitié du XIXᵉ siècle, des artistes locaux n'ont pas figuré les défunts dans des scènes aussi animées et pathétiques, mais avec l'immobilité des naïfs. Il existe à Loix-en-Ré (île de Ré) une sépulture de famille de cette époque qu'on appelle dans le pays « le célèbre tombeau », le tombeau Fournier. Il est bien en effet digne de la célébrité! Il est constitué d'un pilier central surmonté d'une figure nue, agenouillée, les mains jointes, elle-même recouverte d'un petit édicule pseudo-gothique. Autour du pilier central quatre stèles, comme des autels romains, reliées au pilier central par de longs bras sculptés. Sur le pilier central et les stèles périphériques sont gravées des épitaphes et par devant, sont posés des bustes ou statues des membres de la famille. Le père est superbe : il a les bras croisés et tient d'une main un carnet et de l'autre un crayon. A côté, une simple pierre et une croix pour la fidèle servante.

Fournier est encore un notable, quoique local. Au XXᵉ siècle, le rôle de la statuaire a diminué et même dans les grandes familles la mode du portrait a passé. A la chapelle de la famille d'Orléans à Dreux, fondée par Louis-Philippe, les tombes les plus récentes sont nues. En revanche, la photo a permis au portrait, abandonné par les classes supérieures, de gagner les milieux populaires : une photo rendue inaltérable grâce à l'émail. En France, je me demande si les plus anciennes images de ce genre ne seraient pas celles des soldats de la guerre de 1914, « morts au champ d'honneur ». Leur héroïsme les avait plus particulièrement sortis de l'anonymat. L'usage devint ensuite général, plus fréquent cependant sur les tombes de femmes et de jeunes, objets d'une sollicitude particulière déjà remarquée par le guide de 1836 du Père-Lachaise. Il est particulièrement répandu dans les cimetières méditerranéens où les tombes sont souvent en surface comme les tiroirs d'une commode et où chaque tiroir est illustré. On va de l'un à l'autre comme on tourne les pages d'un album de photos.

Paris sans cimetière?

On pouvait penser, au début du XIXᵉ siècle, que la question des sépultures avait été définitivement réglée en France, grâce aux trois décisions de créer de nouveaux cimetières hors des villes, de juxtaposer les sépultures au lieu de les superposer, et de concéder aux morts un droit prolongé d'occupation du sol.

Les autres pays suivirent la même politique d'abandon des anciennes pratiques funéraires au profit des nouvelles : création de Nécropolis à Glasgow en 1833 sur le modèle du Père-Lachaise, d'Abney Park à Londres en 1840 sur le modèle de Mount Auburn, commission anglaise *ad hoc* qui déposa son rapport en 1851, création ensuite d'une série de cimetières hors de Londres...

En fait le problème devait se reposer à Paris à la fin du XIXe siècle, mais dans un climat sentimental très différent de celui du XVIIIe et la mesure de cette différence permet d'évaluer le changement des mentalités.

Assez tôt, les administrateurs chargés de la police, comme on disait autrefois, se préoccupèrent de la situation. Un mémoire du préfet de la Seine de 1844 [60] expose les difficultés consécutives au décret de l'an XII qu'il aimerait bien pouvoir modifier. Il s'attaque au « système » de la concession perpétuelle « dont les effets ne pouvaient être prévus à l'origine » et à la pression « d'une population toujours croissante et [hélas!] chaque jour plus portée, *même parmi les classes les moins aisées* [je souligne], au culte des sépultures ». Ce système aboutit à geler le terrain à la fois par la durée des concessions et par l'encombrement des monuments ou « entourages ». Les Innocents avaient supporté un empilement de plusieurs siècles; dans les nouveaux cimetières, après une trentaine d'années, il n'y avait déjà plus de place. La raison en était l'extraordinaire engouement pour les tombeaux visibles et durables.

D'autre part, la ville avait galopé et regagné les cimetières qu'on avait pris tant de soin à repousser. En 1859, les communes suburbaines furent annexées à la capitale, si bien que le Père-Lachaise, les cimetières du début du siècle se trouvèrent à l'intérieur du Paris actuel des 20 arrondissements. Catastrophe pour l'administration : la situation de l'Ancien Régime se trouvait reconstituée, les morts étaient revenus au milieu des vivants.

Situation intolérable pour le préfet et les administrateurs qui avaient hérité les préoccupations de leurs prédécesseurs du XVIIIe siècle, les parlementaires, et leur état d'esprit.

C'est pourquoi le préfet Haussmann voulut recommencer l'opération des Innocents, fermer les cimetières créés vers 1800 et prendre des précautions pour éloigner le nouveau cimetière à une distance telle qu'il ne risquerait plus d'être rattrapé par le développement urbain. Il proposa Méry-sur-Oise, à une trentaine de kms de Paris. Trop loin pour les chevaux des corbillards, il devait être réuni à Paris par un chemin de fer qu'on a eu vite fait d'appeler le train des morts.

On se rappelle ce qui a été dit au début de ce chapitre : à la fin du XVIIIe siècle, les Innocents ont été déménagés brutalement dans l'indifférence générale. Le culte des morts n'était pas encore né. En 1868, le seul projet de fermeture (et non pas de déménagement) soulève une tempête. Le petit peuple de Paris « aime à visiter les cimetières avec sa famille (...). C'est sa promenade préférée dans ses jours de repos. C'est sa consolation dans ses jours de détresse ».

L'opinion tout entière s'émeut. Une lettre au *Siècle* (7 janvier 1868) exprime le sentiment général : « Les instincts populaires se révoltent à la pensée que les morts seront transportés par douzaines dans les wagons de chemin de fer. (...) Ils seront traités comme de simples colis [61]. »

L'administration parisienne revient à la charge au début de la IIIe République, de 1872 à 1881, rencontrant toujours la même opposition. On garde le souvenir de ces débats au conseil municipal dans la presse, dans des brochures. « Paris n'est pas une ville sceptique, écrivait-on en 1889; le culte des morts [l'expression est devenue courante] s'y est perpétué d'âge en âge. La preuve : sous l'Empire on voulut créer une immense nécropole à Méry-sur-Oise. Tous les Parisiens indignés protestèrent parce que, suivant l'usage ancien [pas si ancien que cela], ils ne pouvaient plus accompagner à pied leurs chers morts aux champs de repos où on les eût conduits en chemin de fer. »

L'administration abandonne la partie quand elle s'aperçoit que les savants ne la soutiennent plus. En 1879, le Conseil municipal charge une commission d'experts, dans la tradition des médecins et des parlementaires du XVIIIe siècle, d'examiner dans quelle mesure et pour combien de temps on pouvait assainir les cimetières actuels. On s'attendait bien à de nouvelles dénonciations des foyers de pestilence!

Or, la réponse des ingénieurs ruine tout simplement un siècle d'arguments scientifiques; elle assure que « les prétendus dangers du voisinage des cimetières sont illusoires, (...) que la décomposition des corps est complètement opérée dans la période légale de cinq ans ».

Des expériences avaient déjà été faites dès 1850, qui renversaient les idées acquises [62]. Guérard, qui avait examiné l'eau d'un puits du cimetière de l'Ouest, s'aperçut qu'elle pouvait « produire de bons effets ». « Au lieu d'être crue comme la matière calcaire ou sol devait le faire supposer, elle [grâce à certains produits de la décomposition] dissolvait le savon, cuisait les légumes. Elle était limpide, inodore et de bon goût. »

M. le professeur Colin, de l'école vétérinaire d'Alfort, tua des animaux en leur inoculant le charbon et des liquides septiques [63]. Il les enterra à de faibles profondeurs (10 à 30 cm). « Puis il a parqué des animaux pendant une durée de 4 à 15 jours sur le sol où ils étaient enfouis. Ces animaux étaient pesés toutes les 24 heures. Les adultes restèrent stationnaires. Les jeunes progressaient dans les limites habituelles. »

M. Miguel « a établi que, contrairement à l'opinion de plusieurs auteurs, la vapeur d'eau qui s'élève du sol, des fleurs et des masses en putréfaction est toujours micrographiquement pure. (...) Les gaz qui proviennent de matières enfouies en voie de décomposition sont toujours exempts de bactéries ». « En ce qui concerne les cimetières de Paris, la saturation du sol par la matière cadavérique n'existe ni au point de vue des gaz ni au point de vue des solides [64]. »

« Si le sol de Paris n'est donc pas empoisonné pas plus que son atmosphère... », c'est grâce « à la merveilleuse puissance d'épuration que possède la terre, qu'on peut considérer comme un filtre permanent ».

Nous sommes loin du temps où les légumes des voisins des Innocents étaient instantanément corrompus par l'air, où les fossoyeurs mouraient comme des mouches. « Les fossoyeurs aussi [comme les vidangeurs, les tanneurs, les corroyeurs], loin d'être plus que les autres hommes sujets aux maladies quelconques ou à contracter dans l'exercice de leurs métiers des affections spéciales, ont été réputés de tout temps, à tort ou à raison, comme jouissant d'une sorte d'immunité envers les maladies épidémiques [65]. »

« On peut donc sans crainte s'approcher des modestes croix plantées en terre, pour y lire parfois la naïve expression de la douleur du pauvre, sans être obligé de parfumer son mouchoir ou de retenir son haleine comme ont coutume de le faire certaines personnes délicates [66]. »

Les cimetières ne sont plus insalubres : les « ingénieurs » l'ont démontré. Sans doute ont-ils travaillé avec l'objectivité scientifique. Mais il se trouvait que leur science coïncidait avec l'opinion de leur temps, une opinion pas seulement morale, religieuse aussi.

L'alliance des positivistes et des catholiques pour garder les cimetières dans Paris

La polémique autour du projet de Méry nous éclaire sur ce qu'était devenu dans les mentalités le culte des morts. Cette littérature exprime deux opinions différentes, mais coalisées dans le même combat : celle des « positivistes » et celle des catholiques. Nous allons les analyser successivement.

Qu'appelait-on positivistes? Des disciples d'Auguste Comte, mais non pas de purs théoriciens, les animateurs d'un mouvement de philosophie politique qui s'adressaient sinon aux masses, du moins aux élites populaires ou bourgeoises, et les invitaient à une action à la fois civique et religieuse.

Dès 1869 l'un d'eux, le Dr Robinet [67], répondait à Haussmann dans un livre au titre significatif : *Paris sans cimetière*. Alors « Paris ne serait plus une ville et la France serait décapitée ». « Il n'y a pas de cité sans cimetière. » En 1874, Pierre Laffitte, « directeur du positivisme », publiait ses *Considérations générales à propos des cimetières de Paris*, où il affirmait que le cimetière « constitue l'une des institutions fondamentales de toute société quelconque ». « Toute société résultant de l'évolution continue d'une suite de générations liées entre elles, suppose un passé, un présent et un avenir. » A côté de la Maison commune, « le cimetière [et non pas la tombe] est l'expression du passé » (Laffitte).

« L'homme, dit avec une émotion certaine le Dʳ Robinet, prolonge au-delà de la mort ceux qui ont succombé avant lui, (...) il continue de les aimer, de les concevoir, de *les entretenir* [je souligne] après qu'ils ont cessé de vivre et il institue pour leur mémoire un *culte* [je souligne] où son cœur et son intelligence s'efforcent de leur assurer la perpétuité (...). Cette propriété de la nature humaine (...) nous fait assez affectueux et assez intelligents pour aimer des êtres qui ne sont plus, *pour les arracher au néant et pour leur créer en nous-mêmes cette seconde existence* qui sans doute est la seule véritable immortalité. » Je pense qu'on ne peut pas mieux exprimer le sentiment de la France laïque du xixᵉ et du début du xxᵉ siècle. L'intensité du souvenir, son entretien constant avaient créé dans l'âme des vivants une seconde existence des morts, moins active mais aussi réelle que la première. Laffitte souligne : *« La tombe prolonge l'action moralisatrice de la famille au-delà de l'existence objective des êtres qui en font partie. »*

D'où le culte des tombeaux, « il est indépendant au fond de l'état des dogmes et de la forme des gouvernements. Il a surgi du plus profond de notre nature comme le principe qui nous sépare le plus de l'animalité (...), le sceau de l'humanité ». Ici Robinet développe une idée de Vico.

Laffitte, reprenant A. Comte en vulgarisateur, expose les avatars historiques de ce sentiment originel.

La première étape fondamentale est le fétichisme. « La mort n'est que le passage de la vie mobile à la vie immobile », nous dirions sédentaire. « La conservation des restes s'impose alors... on n'y voit pas la mort, pas plus que le cadavre, être le sujet de cette sorte d'horreur propre aux populations théologiques » et chrétiennes. La tombe est alors « le signe représentatif et frappant de ceux que nous avons perdus. Et par conséquent encore, si le souvenir de nos morts est une condition de toute existence sociale comme développant le sentiment de la continuité, la tombe reste une institution nécessaire ».

Un fétichisme spontané subsiste toujours en nous. C'est sur lui « qu'est fondée la conservation des objets qui nous rappellent des personnes aimées et respectées », des souvenirs, bracelets en cheveux, plus tard photographies... « Dans le signe matériel, il y a pour nous et pour toute l'espèce humaine [mais plus particulièrement pour l'Occident chrétien du xixᵉ siècle, et c'est comme analystes de ce sentiment séculaire et passager que les positivistes de 1860-1880 nous intéressent] signe et animation du signe lui-même. » Comment le tombeau ou le souvenir font-ils revivre le disparu, le désincarné? : « L'esprit scientifique qui débute méconnaît tout cela, mais l'esprit scientifique complet et réel, qui embrasse et comprend tout, rend raison et utilise cette disposition de notre nature. »

252 La mort de toi

Il faut donc incorporer le fétichisme dans le positivisme. Celui-ci « sanctionne la grande inspiration qui a fait de la tombe non seulement une institution personnelle ou de famille, mais aussi une institution sociale, par la fondation du cimetière qui lui donne un caractère collectif. Alors le culte des morts prend un caractère public, ce qui en accroît immensément l'utilité, car la tombe développe le sentiment de la continuité dans la famille, et le cimetière le sentiment de la continuité dans la cité et dans l'Humanité ».

C'est pourquoi le cimetière « doit être (...) institué dans la cité elle-même, de manière a y permettre le culte des morts qui est un élément civique de premier ordre », ce qui est exactement le contraire des idées des parlementaires de 1763, de Loménie de Brienne, du clergé philosophique du XVIIIᵉ siècle. Combien nous paraît-il fade et équivoque, le *Mémoire des curés de Paris* de 1763, à côté de la théorie positiviste des cimetières et de leur place dans la cité! Plus d'un demi-siècle d'évolution et de méditation a néanmoins précédé et préparé cette théorie qui exprime et conceptualise l'opinion la plus répandue et la plus commune.

Les fidèles du positivisme savaient que, depuis les belles époques fétichiques, le culte des morts s'était dégradé par la faute des théismes et des Églises. L'époque théologique marque un recul sur « la spontanéité fétichique ». « La théorie théologique consiste à mettre la tombe et le cadavre sous la protection des dieux infernaux et à obtenir leur respect par la crainte de la colère divine » (Laffitte).

Nos auteurs soulignent la responsabilité du catholicisme dans la désaffection du culte des morts : « Quant au catholicisme, il n'a fait que continuer le polythéisme et même, il faut le remarquer, sa préoccupation de salut éternel était bien autrement intense que celle du polythéisme. Il *a plutôt poussé à l'abandon des morts* [je souligne] » (Laffitte).

Un auteur de 1889, ancien conservateur du cimetière de Marseille, Bertoglio, s'étonne aussi de l'indifférence de l'Église médiévale : « Nous sommes fondés à croire qu'il [le clergé] s'en est intentionnellement abstenu [de révérence à l'égard des cimetières], persuadé que l'horreur du champ commun devait augmenter le nombre de ceux qui sollicitaient une place dans les caveaux des monuments dédiés à Dieu. »

C'est le peuple de Paris, la grand-ville, qui a le premier réhabilité ses morts : « Les progrès frappants qui se sont accomplis en France surtout depuis deux générations dans le culte des morts sont dus à l'admirable influence de Paris. Car, comme nous l'avons constaté, le théologisme, surtout monothéique, ne pousse nullement par lui-même au culte des morts ni aux soins spéciaux des cimetières; au fond, qu'*importent les soins à donner aux tombes de ceux dont la destinée est réglée pour l'éternité.* » (Je souligne.) On retrouve ici le reproche fait constamment à l'Église depuis la fin du XVIIIᵉ siècle. Non seulement le culte des morts n'a pas été favorisé par les grandes confessions, mais encore il augmente quand l'audience de celles-ci diminue. Quand Dieu est mort, le culte des morts peut devenir la

seule religion authentique. Il est « d'observation constante qu'il y a deux
générations, les cimetières étaient très peu soignés en France, et que,
dans le Midi, si catholique à ce qu'on prétend [à l'attention de M. Vovelle],
l'abandon était presque absolu (...). Un grand et profond changement s'est
accompli (et il prend tous les jours plus d'extension) dans le soin des cimetières et le culte des morts. Eh bien, c'est à Paris, il y a à peu près deux
générations, que ce mouvement a commencé. Ce développement croissant
et admirable du culte des morts dans la grande cité religieuse de l'Occident
(religieuse, mais non pas théologique) a fini par frapper tous les observateurs. Mais ce qui les a frappés encore plus, c'est cette contradiction apparente entre l'émancipation théologique croissante de Paris [sa déchristianisation?] et le culte croissant des morts. A mesure que Dieu est de plus
en plus éliminé et même oublié, le culte des morts s'étend sans cesse et
pénètre les plus modestes existences ». (Je souligne.) Il faut reconnaître
l'exactitude de cette analyse historique : depuis le milieu du xviiie siècle,
elle correspond à tout ce que nous avons constaté d'autre part. *En un
siècle, le culte des morts est devenu la religion commune à tous les Français, la grande religion populaire.*

Toutefois, les positivistes ont conscience d'un danger; l'un d'entre eux,
un ingénieur, J.-F.-E. Chardouillet, appelle ce danger en 1881 « l'industrialisme heureux ». Il s'inquiète du développement trop rapide des villes,
de Paris en particulier : enrichissement brutal, confesse Laffitte, abandon
des traditions de vie commune. Nous voyons naître ici, dans des milieux
rationalistes et novateurs de techniciens, ingénieurs, artisans, une inquiétude devant les formes nouvelles de la vie industrielle : « Il en résulte, dit
Laffitte, une immense ville, constituée au centre surtout par des riches et
circonscrite essentiellement par les pauvres [le modèle de la ville du
xixe siècle et du début du xxe, qui, avec l'automobile, sera inversé après la
Première Guerre mondiale], disposition aussi dangereuse politiquement
et socialement qu'elle est véritablement immorale (...). L'un des graves
inconvénients de cette extension est à présent d'avoir fait surgir et donné
prétexte à la question des cimetières. »

« Le sentiment de la continuité a donc été atteint par ces bouleverse-
ments, et par suite, le niveau humain a baissé. » « Voilà comment la question des cimetières de Paris se lie intimement à celle de sa transformation », à son gigantisme [68].

L'ingénieur Chardouillet va plus loin dans son livre *les Cimetières sont-
ils des foyers d'infection?* (non évidemment!). Il établit une corrélation
entre l'expulsion des cimetières, l'industrialisation et une idée du bonheur;
une analyse sans doute alors prématurée, mais qui pourrait être vrai
pour notre temps. L'ingénieur était-il prophète? « Que l'on cesse d'avancer que les cimetières sont de véritables foyers d'infection. » Ce n'est
pas pour cela qu'on veut éloigner les cimetières du regard; qu'on ait
le courage d'avouer la vraie raison : « Que l'on dise, si l'on n'a pas le cou-

rage de le supporter, que le spectacle de la mort est attristant, que, dans une vie d'*industrialisme heureux,* on n'a pas le temps de s'occuper des morts. » Mais les effets moraux de l'industrialisme heureux sont encore évitables : « Nous espérons que, dans une question de cette importance, le point de vue hygiénique étant écarté, les considérations du *parfait bien-être matériel de l'industrialisme actuel* (je souligne) céderont le pas au progrès moral (...) que nous procure à tous le culte de nos morts vénérés. »

Comme conclusion de ces échanges d'idées, P. Laffitte adressait le 29 mai 1881 au Conseil municipal de Paris une adresse qui résumait la théorie positiviste d'une religion familiale, civique et populaire des morts : « Pour la seconde fois [après la tentative d'avril 1879], le Conseil municipal de Paris va être appelé à voter sur une des questions les plus graves qui puissent être soumises à ses délibérations, celle de l'établissement d'une nécropole définitive pour la capitale à Méry-sur-Oise, hors du département de la Seine, à sept lieux du centre de la ville. Pour la seconde fois, les soussignés, appartenant au groupe positiviste, viennent adjurer les représentants des intérêts de la cité de lui conserver ses lieux de sépulture. » L'adresse était signée : P. Laffitte, directeur du positivisme, F. Magnin, ouvrier menuisier, I. Finance, peintre en bâtiment, Laporte, ouvrier mécanicien, Bernard, comptable, Gaze, président du Cercle d'études sociales et professionnelles des cuisiniers de Paris [69].

Les catholiques étaient unis aux positivistes dans ce combat contre ceux que nous appellerions aujourd'hui les technocrates de l'administration.

Les bons républicains critiquaient cette alliance contre nature. P. Laffitte s'en défendait sans peine. Il constate que les catholiques demandent « actuellement » — ils ne l'ont pas toujours fait ! — pour Paris le maintien de ses lieux de sépulture. « Nous affirmons que pour les républicains sérieux [les catholiques en 1881 n'étaient pas réputés républicains] la considération de se trouver d'accord avec eux sur ce point essentiel ne doit aucunement les faire changer d'avis. » D'ailleurs « la sagesse sacerdotale (...) corrige par une connaissance empirique de la nature humaine » les risques théologiques de la doctrine catholique — c'est déjà du Maurras ! De sorte que, si l'archevêque de Paris a pris en main la défense des cimetières, ses raisons « sont purement humaines ou positives ».

Les catholiques avaient en effet adopté à leur tour le culte des morts et le défendaient comme s'ils l'avaient toujours pratiqué, comme s'il était un aspect traditionnel de leur religion.

Il existait en 1864 une *Œuvre des sépultures,* qui avait pour but, non seulement de dire des messes pour les âmes, mais aussi d'aider les familles à enterrer les morts, à payer les concessions et à entretenir les tombeaux. « La religion compte au nombre des œuvres les plus méritoires la sépulture des morts [objet, depuis très longtemps, déjà, des confréries] et le soin des tombeaux [70] [un souci nouveau]. »

Le culte de la tombe est désormais considéré comme un élément du christianisme. « C'est pour lui (le chrétien) une consolation de voir de quels soins religieux les nations civilisées entourent la cendre des morts, et dans ce culte de la tombe il trouve un gage assuré du respect que la religion inspire pour la vie des hommes. »

Je n'insisterai pas sur les arguments, car ils sont à peu près les mêmes que ceux des positivistes, avec, en plus, quelques références à la tradition chrétienne. Mais le lecteur qui m'a suivi jusqu'ici sera surpris par la désinvolture avec laquelle les auteurs catholiques de cette époque concevaient l'histoire récente des attitudes devant la sépulture. Cette désinvolture a un sens : l'Église a alors christianisé (ou catholicisé) une dévotion qui lui était plutôt étrangère, comme elle avait assimilé pendant le premier Moyen Age des cultes païens. Elle l'a fait spontanément, prouvant ainsi qu'elle n'avait encore rien perdu de sa capacité de créer des mythes et d'y croire.

Dans son livre, *le Cimetière au XIXᵉ siècle,* écrit vers 1875 dans le style fulminant des clercs de ce temps, Mᵍʳ Gaume veut que dans le christianisme antique on enterrait dans les églises. Il y avait bien les catacombes! Monseigneur écarte l'argument : « L'usage d'enterrer à l'entrée des villes [c'est-à-dire en dehors] ne fut pas de longue durée, du moins parmi les chrétiens. » Des terrains suffisants furent achetés ou donnés, et les corps des fidèles déposés dans la terre qui environnait le saint édifice », et d'abord à l'intérieur des églises. Pas un mot des interdictions du droit canon. Au IXᵉ siècle, on réserva les églises aux grands. Ensuite « peu à peu l'usage primitif se rétablit, et, presque sans distinction, on enterra dans les églises et les chapelles (...). Mais *si* [je souligne] les temples, leurs cloîtres, leurs caveaux ne suffisaient pas à la sépulture de nombreuses populations, l'Église (...) voulut toujours que leurs tombes fussent rapprochées autant que possible des édifices sacrés ». L'enterrement *ad sanctos* est présenté comme une règle absolue, un usage immuable, et l'auteur le confond avec la vénération de la tombe au XIXᵉ siècle. Il y a pour lui identité entre les deux sentiments. Ce jumelage du culte divin et de la piété pour le lieu où « reposent » les morts a duré, selon lui, pendant tout le Moyen Age et l'Ancien Régime. « C'est au dernier siècle que commence la guerre contre les cimetières. Fils de leur éducation païenne, les sophistes de cette honteuse époque [les philosophes] demandèrent à grands cris l'éloignement des cimetières des habitations des vivants. L'intérêt de la santé publique fut le masque dont ils se couvrirent (...). Le déplacement des cimetières, réclamé par les impies du siècle dernier, n'était alors, comme aujourd'hui, qu'un vain prétexte (...). Sous le voile de la salubrité publique, se cachait un blâme pour l'Église catholique », coupable d'imprévoyance. « L'éloignement des cimetières était un bon moyen d'éteindre promptement le sentiment de la pitié filiale envers les morts. (...) Séparer le cimetière de l'église, c'était rompre une des plus belles et des

plus salutaires harmonies que la religion ait pu établir. Dans un petit
espace se trouvaient réunies les trois Églises, l'Église du ciel, l'Église de la
terre, l'Église du Purgatoire, quelle touchante leçon de fraternité! »

Avec le décret de prairial an XII, « par ces deux traits de plume, l'esprit
païen abolit la coutume séculaire ». On peut penser que le culte ancien
s'était reconstitué dans ce qu'un autre auteur catholique appellera, après
la laïcisation, « le cimetière réhabilité »; réhabilité par les pieuses visites.
Notre monseigneur l'admet implicitement, mais le danger réapparaît avec
le projet de Méry-sur-Oise. C'est la franc-maçonnerie qui demande « l'éloignement du cimetière à dix lieues de la capitale avec l'établissement d'un
chemin de fer des morts ». Ses adversaires lui opposaient les usages
anciens. Il s'irrite alors de l'influence de l'Antiquité sur les épitaphes :
« Et on s'obstine à nier l'influence désastreuse des études classiques. » « En
fait, le cimetière au XIXᵉ siècle est le dernier théâtre de la lutte acharnée du
satanisme contre le christianisme. » La révolution, ou la philosophie,
« foule aux pieds tout ce qu'il y a de plus sacré, de plus touchant et de
plus moral, non seulement parmi les chrétiens, mais parmi les païens eux-
mêmes [clin d'œil aux incroyants de bonne foi]. Que devient le culte des
ancêtres, la piété filiale envers les morts, lorsque, pour aller prier sur leurs
tombes, il faut faire exprès un voyage plus ou moins long (...). Or tout
peuple qui oublie ses morts est un peuple ingrat ».

Les colères ecclésiastiques s'apaiseront. Le chrétien ne doit plus déser-
ter les cimetières même laïcisés : « Réhabilitons nos cimetières. Bien qu'ils
ne soient plus consacrés selon les règles de l'Église, allons en ce mois de
novembre nous souvenir que chaque tombeau bénit est comme une dalle
sacrée, égarée dans un temple païen, et qu'il est d'autant plus digne de nos
prières qu'on prétend nous en séparer. Allons avec plus de zèle orner des
sépultures, *multiplions nos visites* (je souligne) afin de protester contre
l'oubli qu'on veut nous imposer. » La lutte n'est pas seulement contre
l'athéisme, la laïcité, mais contre l'oubli des morts dont le culte est
commun à toute la société du XIXᵉ siècle [71].

Les monuments aux morts

Dans les pages précédentes, j'ai mis l'accent, comme d'ailleurs les
contemporains, sur l'aspect privé et familial du culte des morts. Mais dès
le début, celui-ci avait un autre aspect, national et patriotique; les premiers
projets de cimetière de 1765-1780 prétendaient déjà donner une représentation de la société entière et de ses hommes illustres. Les régimes révolutionnaires français ont retenu l'idée et ils ont consacré l'abbaye parisienne
de Sainte-Geneviève à un Panthéon des gloires nationales : il existe tou-

jours, mais il n'est plus guère visité par les Français comme un sanctuaire. Pendant les deux premiers tiers du XIXe siècle, il me semble que l'aspect privé, que nous avons analysé avec quelques détails, l'a emporté, sans d'ailleurs que la fonction collective ait été complètement négligée.

Celle-ci réapparaît avec une émotion véritable, ce qui n'a jamais été le cas du Panthéon, sauf pour les funérailles de Marat, dans les tombeaux des soldats morts à la guerre. Leur sort, autrefois, n'était guère enviable : les officiers étaient enterrés dans l'église voisine du champ de bataille, ou ramenés dans la chapelle familiale, où leur héroïsme était commémoré par une longue épitaphe. Ainsi, la chapelle de l'hôpital de Lille a conservé une liste des officiers morts de leurs blessures au XVIIe siècle : c'était déjà un mémorial qui répondait au sentiment d'honneur dans une société militaire en train de se constituer. Les soldats étaient, eux, enfouis sur place, après avoir été dépouillés de leurs vêtements, de leurs objets personnels. Une absoute collective et bâclée faisait la différence avec la voirie. Une gouache du XVIIIe siècle du musée de Grasse représente la scène, après la bataille.

Il y avait bien eu dans l'histoire quelques tentatives d'honorer les soldats tués, sur le site de leur mort. Les plus anciennes sont équivoques. Le 6 janvier 1477, Charles le Téméraire périssait misérablement avec ses Bourguignons dans les marais près de Nancy. Or c'est son adversaire, le duc de Lorraine, qui fit construire à l'emplacement du combat et de la fosse des morts une chapelle, Notre-Dame-de-Bon-Secours : Notre-Dame avait délivré Nancy de ses ennemis. En 1505, la chapelle reçut une Vierge de Miséricorde; celle-ci devint bientôt un objet de vénération, et la chapelle un lieu de pèlerinage pour les Lorrains. Stanislas Leszczynski la restaura et y fit ériger les somptueux tombeaux de lui-même et de sa femme. Le site était plutôt celui d'une victoire providentielle que d'une sépulture collective. Et très vite la piété a oublié les origines de la fondation au profit du culte populaire de la Vierge de Miséricorde. Le souvenir des tués s'effaçait vite dans la mémoire peu touchée des vivants.

Encore pendant les guerres de Napoléon III, les cadavres des soldats étaient traités avec la même indifférence que ceux des fosses communes de l'Ancien Régime. Les corps qui n'avaient pas été transportés par leurs camarades et rapidement récupérés par leur famille étaient toujours enfouis sur place, et ces inhumations massives soulevaient les mêmes craintes d'insalubrité que les sépultures des Innocents à la fin du XVIIIe siècle. Ainsi après la bataille de Sedan qui entraîna la chute de Napoléon III, « les fosses remplies jusqu'à fleur de terre commencèrent à dégager de pestilentielles exhalaisons. Le gouvernement belge, dont les populations toutes voisines étaient le plus en danger, envoya sur les lieux une commission qui (...) ne trouva rien de plus expéditif, de plus sûr et économique que l'emploi du feu ». On fit appel à un chimiste, très sûr de lui, qui ne devait certainement pas être « positiviste », M. Creteur. Il ouvrit les fosses, y répandit du goudron et l'enflamma à l'huile de pétrole. Une heure suffit. C'était toutefois dommage d'avoir attendu si longtemps : la dépense n'aurait pas dépassé quinze centimes si l'incinération avait été faite aussitôt après la bataille. Les Allemands aussi voulaient purifier les champs de bataille de la Lorraine annexée. « Il semble qu'ils aient éprouvé plus de répulsion pour cette manière de se débarrasser des morts, car, comme ils commandaient encore à Sedan lorsque M. Creteur y pratiqua ses opérations, ils manifestèrent leur intention formelle de s'opposer à la crémation des cadavres de leurs compatriotes (...) et M. Creteur, malgré l'appui du gouvernement et des populations, dut s'abstenir [72]. » Le Dr F. Martin, à qui j'emprunte ces citations, aurait, lui, préféré une inhumation plus décente et aussi efficace. « Avec un mètre d'épaisseur de terre, un semis de luzerne, puis une plantation de jeunes acacias, on pare à tous les inconvénients. A deux couches de cadavres, on peut ensevelir sans danger ni difficultés sérieuses 20 000 hommes dans un hectare. » Pourquoi s'en priver? En outre, on peut ajouter à l'hommage de la nature reconstituée celui de l'Art et élever un monument.

Sans doute les premiers soldats tués qui ont été honorés d'un tombeau-mémorial ont été les victimes des guerres civiles de la Révolution française : monument de Lucerne aux Suisses massacrés le 10 août 1792, chapelle expiatoire et cimetière de Picpus à Paris. Mais le monument le plus significatif est celui de Quiberon. Les émigrés qui avaient tenté de débarquer furent fusillés et enterrés sur place, selon l'usage. A la Restauration, le champ de l'inhumation a été acheté, retiré de la culture, et transformé en lieu de recueillement. Cependant les os avaient été enlevés et déposés dans un couvent voisin, dans une chapelle où furent gravés les noms des fusillés. L'ossuaire est visible par une ouverture : quelque chose d'intermédiaire entre les charniers des cimetières à momies du XVIIIe siècle et les ossuaires de la guerre de 1914. La tombe sur le lieu du martyre est objet d'un culte non plus familial et privé, mais collectif.

Les tombeaux deviennent des monuments, les monuments sont forcés d'être des tombeaux. Rémusat nous raconte comment en juillet 1837 les restes des morts parisiens des Trois Glorieuses ont été transférés sous la colonne commémorative de l'événement.

Cependant on ne sera pas surpris que ce soit en France après 1870 que le souvenir ait été plus précisément entretenu et les morts vénérés. On sait en effet l'énorme traumatisme qui secoua alors la société française. La sensibilité collective avait été blessée pour longtemps, jusqu'à la « revanche » de 1914. Certes, cela n'a pas empêché au début d'enterrer sans beaucoup d'égards les soldats tués, mais aussi avec un peu de honte. On ne s'en est pas vanté. En revanche, et c'est une nouveauté, on a eu l'idée de dresser des tableaux d'honneur, sur pierre ou métal, comme jadis à Quiberon, de les afficher, le plus souvent à l'église (par exemple à l'église de Noyon), et quelquefois au cimetière. Il existe un monument aux morts de 1870 au Père-Lachaise : un tombeau vide qui fait fonction de mémorial.

Il est très significatif que l'église et le cimetière aient été les deux lieux d'accueil des premiers monuments aux morts. L'église, parce que les catholiques et le clergé assimilaient discrètement à des martyrs les morts d'une guerre aussi juste et parce qu'elle considérait comme sa vocation d'honorer les morts et d'entretenir leur culte. Le cimetière, parce qu'il était le lieu où les vivants se souvenaient, et en réalité, une sorte de concurrence de l'église, depuis le temps où la loi l'en avait séparé.

En 1902, on comptait 350 000 visiteurs dans les cimetières de Paris, le jour de la Toussaint. Un « républicain » souligne ici l'unanimité du sentiment national à l'égard des morts et notamment des morts des guerres : « Relevons (...) dans ce mouvement (de pèlerinage aux cimetières) quelques-unes des manifestations principales, pour juger mieux si la *superstition* a quelque part dans cette universelle commémoration. (...) Ce sont d'abord les stations auprès de tous les monuments qui portent quelque nom célèbre et populaire de l'État, de l'art ou de la littérature, ou qui révèlent quelque grande et généreuse pensée. Ce sont les survivants de nos combats mémorables [les anciens de la guerre de 1870, des guerres coloniales] et jusqu'à ceux de nos guerres civiles [révolutions, Commune de Paris], oublieux en ce jour de leurs divergences d'opinions, qui viennent saluer les restes de leurs compagnons d'autrefois. Ce sont les autorités locales elles-mêmes qui viennent rendre hommage à tous les héros [73]. »

La guerre de 1914 a donné au culte civique des morts « de nos combats mémorables » une diffusion et un prestige qu'il n'avait jamais connus auparavant. On ne supportait plus l'idée d'enfouir ou de brûler les morts au champ d'honneur. Des cimetières, conçus d'ailleurs comme des paysages-architectures, leur furent consacrés, avec leurs alignements infinis de croix identiques; car la croix fut choisie comme le signe commun de la mort et de l'espoir, même par ceux qui jusqu'alors ne l'avaient pas adoptée, comme les Américains.

Et dans chaque commune de France, dans chaque arrondissement de Paris, on érigea aux soldats tués un tombeau, un tombeau vide : le *Monument aux morts,* en général face à la mairie. Il a disputé à l'église la fonction d'ombilic. Il a vraiment été, presque jusqu'à nos jours, le signe du sentiment national unanime.

L'Arc de Triomphe que Napoléon Ier avait élevé au carrefour de l'Étoile est aussi devenu un tombeau, depuis qu'on y a inhumé un soldat inconnu. L'anniversaire de la victoire de 1918, au lieu d'être célébré comme un jour de triomphe, est devenu un jour des morts. Dans chaque ville ou village, les autorités locales, les associations patriotiques se réunissent autour du tombeau vide, du monument aux morts. Les clairons sonnent, comme aussi le même jour à l'église, le chant funèbre : « Pour elle [la patrie], un Français doit mourir. » Là où il n'y a pas de monument aux morts, il n'y a plus de commémoration possible et partant plus de fête.

Cette confluence du culte des morts et du sentiment national au XIXᵉ siècle finissant et au début du XXᵉ se retrouve aussi bien aux États-Unis qu'en France. Si Washington datait plutôt du XVIIᵉ-XVIIIᵉ siècle, cette capitale serait, comme Paris, une ville de statues royales : statues des présidents de l'Union. Elle s'est étendue au XIXᵉ et au début du XXᵉ siècle, c'est pourquoi elle est une ville de tombeaux vides, mémorials de ses hommes d'État, comme l'obélisque funéraire de Washington qui la domine de loin. C'est la volonté des descendants de Washington qui a maintenu sa tombe dans sa plantation de Virginie : les Américains, eux, auraient souhaité qu'elle fût transportée au Capitole. Les gigantesques tapis verts que l'architecte de la capitale, le major L'Enfant, a dessinés, sont ponctués par les mémorials de Lincoln, de Jefferson, celui-ci très récent, datant de l'ère rooseveltienne : véritables mausolées conçus à la manière des grands monuments classiques. Du haut lieu d'Arlington, les tombes descendent en nappe sur la ville. Le cimetière où sont enterrés les gloires nationales, les grands serviteurs de l'Union, forme le fond du paysage urbain.

Ce sont ces sites funéraires que des foules d'Américains visitent chaque année du printemps à l'automne, comme les catholiques vont en pèlerinage à Saint-Pierre de Rome.

Le cas d'un cimetière de campagne : Minot

Dans les pages précédentes, nous n'avons guère quitté les grandes villes. C'est là qu'est née et que s'est développée la religion nouvelle des morts. Qu'en a-t-il été des campagnes? Quelques villages ont imité les villes et déplacé leur cimetière en dehors de l'agglomération, et le cimetière ancien a été effacé et recouvert par la place qui s'étend près de l'église. Beaucoup d'autres, au contraire, ont conservé leur cimetière en son ancien lieu, à côté de l'église, mais dans ce cas, aucune tombe ne remonte plus haut que les premières décennies du XIXᵉ siècle, preuve qu'un cimetière nouveau, établi d'après les règles nouvelles, a remplacé l'ancien, au même endroit.

Ce qui s'est passé, nous pouvons le suivre grâce à une excellente étude de Françoise Zonabend sur un cimetière du Châtillonnais, à Minot[74] : Cette étude nous montre comment se combinent dans un village de campagne les différents modèles que j'ai distingués dans ce livre, du très ancien Moyen Age à nos jours.

Il y a d'abord la nécropole mérovingienne, antérieure aux pratiques d'enterrement *ad sanctos*, par conséquent hors de l'agglomération primitive. Une chapelle y fut érigée. Un *castrum* fut élevé à côté. C'était un vaste espace, comme la nécropole de Civaux en Poitou. Les populations environnantes y étaient enterrées, comme, sans doute, elles avaient été baptisées dans la chapelle *. Une nouvelle église, dédiée à saint Pierre, fut construite en 1450 dans l'agglomération voisine de Minot, et alors la nécropole d'origine mérovingienne fut abandonnée au profit de l'église et de sa cour. Cependant, on persista longtemps à enterrer dans un des coins du vieux cimetière les victimes des pestes, parce qu'il fallait justement les éloigner des maisons.

A partir du xvᵉ siècle s'installa à Minot, tardivement on le voit, le modèle classique du couple médiéval et moderne de l'église et de sa cour-cimetière. Autour de l'église et du cimetière, la cure, la grange aux dîmes, les fours banaux, la halle, l'auditoire pour la justice seigneuriale et les assemblées des habitants. Le château était à l'écart, à la place du *castrum* et de l'ancienne nécropole abandonnée.

Les châtelains étaient enterrés dans le chœur de l'église Saint-Pierre, devant l'autel.

Les registres paroissiaux examinés par F. Zonabend signalent au xviiᵉ siècle des sépultures de notables (un notaire royal, la veuve d'un échanson de Mᵍʳ le Prince) à l'extérieur de l'église, mais contre ses murs : l'endroit privilégié, occupé par des enfeus ou par des galeries. Les prêtres avaient leur place au pied de la grande croix hosannière, la seule croix du cimetière. Les autres sépultures étaient sans signes visibles, dispersées n'importe où dans le champ. Le champ avait été évidemment béni le jour de la dédicace de l'église, il n'était pas clos et resta même déclos jusqu'au milieu du xixᵉ siècle. « Ouvert à tous venants, gens et bêtes, de vastes proportions [nous avons distingué, au chapitre 2, deux types de cimetière : l'aître-charnier, à galeries, et le cimetière-place ou foirail, comme à Antigny], situé sur la place du village [et se confondant avec elle] auprès des autres édifices publics, le cimetière était au centre de la vie paroissiale. Non loin des sépultures on se réunissait, on marchandait, on dansait, le troupeau s'égarait parfois entre les tombes. Les morts étaient étroitement associés à la vie. » Je retrouve ici, sans solliciter l'auteur, qui de son côté ignorait ma périodisation, mon premier modèle de la mort apprivoisée et du « Nous mourrons tous ». On ne sera pas surpris de l'absence, dans cette communauté rurale, du deuxième modèle : la mort de soi.

Mais nous voyons à la fin du xviiᵉ siècle arriver le prêtre tridentin et réformateur. Il a réduit le cimetière à ses dimensions actuelles et il a décidé de le faire clore : en réalité la clôture ne fut effective qu'en 1861, mais la volonté existait déjà de séparer le cimetière de la place commune,

* Cela rappelle Saint-Hilaire avec sa petite église et son cimetière ancien, à côté de Marville, dans la Meuse (chapitre 5).

262   *La mort de toi*

d'en faire un espace à part, interdit aux animaux, vidé de tous les objets qui l'encombraient, débarrassé de toutes les réunions profanes qui s'y faisaient. Il s'agissait de rendre à l'église — autant qu'au cimetière et en même temps — sa décence compromise. On avait pris autrefois, au Moyen Age, l'habitude de maçonner contre l'église des dépôts pour les coffres et mobiliers qu'on voulait mettre à l'abri en temps de troubles; le nouveau curé fit disparaître ces restes du droit d'asile. Il eut en revanche l'idée d'aménager un espace spécial pour la sépulture des petits enfants, ces petits anges. On reconnaît bien là les influences purificatrices, la volonté de dépouillement, qui ont marqué les XVIIe et XVIIIe siècles et que j'ai groupées avec d'autres caractères moins moraux (mais, à la fin, concordants) sous le titre de « la mort proche et lointaine » (troisième partie).

Le cimetière de l'enquête ethnologique de F. Zonabend n'est plus celui de l'Ancien Régime, sans être non plus tout à fait celui d'aujourd'hui. Il correspond partiellement à mon quatrième modèle : celui de l'invasion de l'affectivité et du culte des morts.

Certes, il est resté à côté de l'église. Le conseil municipal a refusé de le déplacer hors des murs. « Il a été question de l'emmener à Fontaine-Condrez, mais alors on n'irait pas souvent. » C'est, en petit, la résistance au « chemin de fer des morts » d'Haussmann et au projet de Méry-sur-Oise.

Toutefois, s'il n'a pas été déplacé physiquement, il a été moralement mis à distance, éloigné de la vie quotidienne par le respect nouveau qu'on lui portait. On n'ose plus danser sous les halles comme autrefois, parce qu'elles sont trop proches des morts : « C'est pas bien, faut respecter. » Les vieux s'étonnent de cette rigueur qu'ils n'approuvent pas. Comme le dit F. Zonabend : « Au lieu d'une tranquille cohabitation, on trouve aujourd'hui matière à conflit [si la salle des fêtes est trop proche du cimetière], *la familiarité avec le sacré est devenue séparation respectueuse, distanciation.* » (Je souligne.) A Paris, dans les grandes villes, le culte des morts avait succédé à une période intermédiaire, longue et confuse, où la familiarité médiévale s'était insensiblement changée en indifférence brutale. Ici on est passé directement de l'ère de la familiarité à celle du respect, si l'on tient pour trop superficielle l'action des curés réformateurs des XVIIe-XVIIIe siècles. Ce respect des XIXe-XXe siècles s'est accompagné d'une distance et d'une crainte : une vieille maison contiguë à l'église resta longtemps sans acquéreur. « C'était trop près du cimetière », disait-on. La crainte est née avec le respect. Le respect s'atténuera, la crainte augmentera... Mais n'anticipons pas. « Cet enfermement des morts, observe bien F. Zonabend, ce désir confus de les éloigner dans l'espace (...) [ne] correspondent [pas] à une désaffection du cimetière ou à une indifférence envers le souvenir des morts. » Je dirais volontiers : au contraire! L'ancienne familiarité ne connaissait pas le culte du souvenir, la visite à la tombe. « *Quotidiennement* (je souligne) les vieux viennent se recueillir sur la tombe d'un conjoint ou d'un enfant. (...) Les femmes s'y promènent le dimanche ou certains beaux soirs d'été (...). Passant de tombe en tombe, les aînés lisent les inscriptions et rappellent la vie des défunts : c'est lors de ces promenades que se forge la mémoire de la communauté, que se transmet à tous l'histoire des familles du village. »

Car l'espace des morts est divisé en « portions familiales », selon le mot d'un instituteur de 1912, rapporté par F. Zonabend. Chaque tombeau est l'envers d'une maison. On dit « vers *chez* nos tombes », comme on dit « vers *chez* nous » ou « chez la maison ». « On désigne l'ensemble des tombes d'une famille par la même locution générique " chez " qui qualifie la maison. » J'ai moi aussi fait la même observation [75]. Une vieille blanchisseuse, dans une petite ville de la région parisienne, avait préparé un beau tombeau pour elle et sa famille qui n'avaient peut-être pas de maison en propre. Le jour où elle se brouilla avec son gendre, elle le chassa de son tombeau, comme de *chez* elle.

« Parfois, dit F. Zonabend, figure dans l'acte de vente de la maison une clause portant obligation pour les nouveaux propriétaires d'entretenir les tombes des prédécesseurs. » Ces tombes-maisons étaient groupées en portions familiales, en gros par lignées. Le cimetière est une image schématique de la société, classé par groupes familiaux. Une telle organisation de l'espace est tout à fait remarquable parce qu'elle est absolument nouvelle : le cimetière de l'Ancien Régime ignorait ces relations de parenté, les morts y étaient indistinctement remis à l'Église et aux saints.

La communauté rurale a eu alors la force de créer un système de symboles si semblable aux codes des cultures traditionnelles qu'on est tenté de le confondre avec eux et de le croire aussi ancien, alors qu'il date seulement du XIXe siècle.

Nous reconnaissons dans ce village châtillonnais notre modèle parisien du culte des morts. Celui-ci n'a donc pas été limité aux grandes villes, il a gagné toutes les campagnes, où on a de la peine à admettre sa nouveauté, tant il y revêt une apparence traditionnelle. Avec sa théorie du fétichisme et du culte des morts, le positivisme a donné une cohérence conceptuelle à une collection de sentiments banals, d'opinions communes qui avaient envahi nos sociétés depuis la fin du XVIIIe siècle, et les avaient pénétrées profondément.

Cependant il y a dans la description des coutumes funéraires de Minot quelque chose qui ne correspond plus du tout à notre modèle parisien et qui me paraît même en contradiction avec le fameux décret de prairial : on n'a pas cessé à Minot de superposer les corps, non pas, certes, dans l'entassement des fosses communes qui n'ont jamais dû exister au village, mais dans l'intimité reconstituée de la petite enfance. « La maman, on l'a mise sur la maman, l'Albert [fils] on l'a mis sur la maman et quand la fille [petite-fille] de Germain est morte, on l'a remise dessus. » Une belle accumulation à faire frémir les philosophes hygiénistes de 1800.

C'est que, autre grande différence avec la situation créée par le décret de

prairial, le lieu des sépultures de Minot n'est pas concédé individuellement.
Il est un bien communal dont chacun avait une jouissance temporaire.
Ce n'est pas autre chose que l'état de l'Ancien Régime, le maire et la
commune jouant le rôle du curé et de la fabrique. Comme autrefois, la
sépulture n'est pas une propriété définitive, elle n'est d'ailleurs même pas
une propriété. On a donc retrouvé dans ce cimetière des XIXe-XXe siècles
des caractères très anciens qui coexistent sans aucune intolérance avec
les innovations du XIXe siècle. Comme les cimetières anciens, celui-ci est
en perpétuel remaniement. Pour enterrer un nouveau défunt, on « relève
une tombe » (il n'y avait pas encore de caveau au moment de l'enquête),
ce qui est interdit par les règlements. Le fossoyeur explique : « Pour relever, je rouvre la tombe, si je rencontre un cercueil intact, je ne touche à
rien et je mets l'autre dessus [selon le vœu du défunt]. Mais le plus souvent
je trouve des ossements, des machines en métal, du bois, je relève tout ça,
je mets tout dans un coin, en petit tas, et puis quand le nouveau cercueil
est descendu, je remets tout bien dessus. » La maman n'est donc pas exactement par-dessus, mais par-dessous! Il fallait, pour faciliter ce remue-
ménage, que les corps soient rapidement consommés; aussi parle-t-on à
Minot le vieux langage du Moyen Age jusqu'au XVIIe siècle. « Il n'est pas
souhaitable de rester intact, c'est le signe que le rituel funéraire n'a pas été
correctement accompli ou la marque d'un destin hors du commun : le
défunt est soit un saint, soit un damné. »
     Il s'ensuit un mélange d'ossements incompatible avec le nouveau respect
témoigné d'autre part. Le prédécesseur de l'actuel fossoyeur « creusait les
fosses n'importe où, et quand il trouvait des os, il les mettait sur une tombe
à côté; il posait les têtes sur les monuments [comme dans la première version de l'*Ego in Arcadia* de Poussin]; les gens qui venaient pour l'enterrement, ils voyaient tout ça ». Ils en riaient. Et F. Zonabend de conclure : « Il
existe à Minot un langage de la mort; on en parle sans embarras, sans réticence; on décrit avec simplicité la destination terrestre des corps. Le
silence n'a pas ici, comme dans la ville, parmi d'autres groupes sociaux,
enseveli cette ultime étape du cycle de vie. Au village la mort reste familière, toujours présente. »
     C'est qu'il y a eu ici comme une greffe du modèle romantique sur le
modèle archaïque. Celui-ci n'a pas disparu tout à fait. Celui-là n'a pas
développé toutes ses conséquences. Le cimetière médiéval a été réhabilité,
et non pas détruit, par la religion à la fois séculière et chrétienne du
XIXe siècle. La familiarité naïve et légère qu'il supposait entre les vivants
et les morts a changé de sens : elle est devenue plus consciente et plus
rituelle, un langage symbolique et coutumier qui permet d'exprimer publiquement, mais discrètement, sans pathétique et sans improvisation, les
nouveaux rapports de sentiments entre les membres d'une même famille,
entre les familles d'une même communauté.
     Nous avons parlé au présent, parce que c'était le temps grammatical de

l'enquête. Mais ce présent devient un passé sous les yeux des enquêteurs : le cimetière, c'est décidé, sera morcelé et vendu en concessions, comme n'importe quel cimetière urbain du xixᵉ siècle. On ne relèvera plus les tombes. Enfin des caveaux seront souvent amenés tout d'un bloc de Dijon, « comme une fosse septique ». Voici le mot de la fin, mélancolique, de F. Zonabend : « Les défunts seront alors totalement isolés, protégés de la terre qu'autrefois, morts après morts, ils façonnaient, ils fécondaient. »

« Chez soi »

Le culte des cimetières et des tombeaux est la manifestation liturgique de la sensibilité nouvelle qui, à partir de la fin du xviiiᵉ siècle, rend intolérable la mort de l'autre. Il dure encore aujourd'hui, au moins en France, en Italie, et en particulier dans les milieux populaires. Deux faits divers illustrent cette fidélité en France.

L'un a été recueilli dans *l'Aurore* du 19 septembre 1963. Il se situe dans un village de haute Provence qui va être évacué pour permettre l'installation par l'armée d'un champ de tir : « Mon père, quand il a appris ça, il en est mort, et il n'a pas voulu qu'on l'enterre ici pour ne pas rester seul dans le cimetière abandonné. Vous m'enverrez à X, a-t-il dit, je ne veux pas rester ici. »

L'autre fait divers est tiré du *Monde* du 30 avril 1963 : le sergent Aimé Druon a été tué en Indochine le 18 janvier 1952. Une loi de 1946 a prévu le transfert gratuit et la restitution par l'armée aux familles du corps des combattants et victimes de la guerre : l'opinion publique française, après la Seconde Guerre mondiale, a répugné à confier ses soldats morts à de grandes nécropoles nationales comme celles de 1914-1918, elle préfère les conserver dans les tombeaux de famille.

Dans le cas qui nous intéresse, le corps du sergent a été disputé par deux familles, celle des parents naturels et celle qui l'avait recueilli à l'âge de 15 ans, sans l'adopter légalement. La cour d'appel de Douai en 1959 rejeta la demande des parents d'adoption, quoique l'enquête judiciaire ait montré que les camarades de combat du mort les considéraient « comme les véritables [parents] et qu'il ne correspondait qu'avec eux ». En avril 1963, la cour de cassation a cassé le jugement. Il se pourrait donc que le corps ait été rendu aux parents d'adoption.

Ainsi pendant plus de dix ans, deux familles ont mené une bataille de procédure avec tout ce que cela comporte de frais, pour obtenir la disposition d'un cadavre et pouvoir l'enterrer « chez eux ».

Fait remarquable, le culte des morts, l'attachement qu'il porte au corps est passé du vieil Occident dans d'autres cultures contemporaines. L'histoire extraite d'un article de Josué de Castro, « Sept pieds de terre et un cercueil », nous le prouve [76]. « En 1955, Joao Firmino, métayer du domaine nommé Galilée, fondait la première des ligues paysannes dans le Nordeste du Brésil. Son principal objectif n'était pas, comme beaucoup le croient, d'améliorer les conditions de vie des campagnards (...) ni de défendre les intérêts de ce résidu humain broyé par la roue du destin comme la canne est broyée par la roue des moulins. Au début, les ligues avaient pour objectif de défendre les intérêts des morts et non ceux des vivants, les intérêts des paysans morts de faim et de misère (...), leur donner le droit de disposer de sept pieds de terre pour y reposer leurs ossements (...) et le droit de faire descendre leur corps dans sa tombe à l'intérieur d'un cercueil de bois qui leur appartînt, pour pourrir lentement avec lui. » Le cercueil était auparavant collectif, comme les cercueils de charité de l'Ancien Régime, et servait seulement aux transports. « Pourquoi, demande J. de Castro, cette volonté désespérée de posséder en propre un cercueil où se faire enterrer alors que, de leur vivant, ces déshérités du sort n'avaient jamais été propriétaires de rien? » Et la réponse de J. de Castro vaut peut-être bien également pour les pauvres et les humbles de l'Europe occidentale du XIXe siècle, si avides aussi de posséder un cercueil et une tombe à eux * : « Pour les pays du Nordeste, c'est la mort qui compte et non pas la vie, puisque pratiquement la vie ne leur appartient pas. » La possession de leur mort est « leur droit d'échapper un jour à l'étreinte de la misère et des injustices de la vie ». La mort leur rend la dignité.

---

* Et pour les esclaves et les pauvres de la Rome antique : « Quand un homme du peuple avait pu parer à la nécessité la plus urgente, celle du pain quotidien, les deux besoins les plus impérieux qui venaient ensuite étaient celui des banquets [l'indispensable superflu] (...) et *celui des tombeaux* », P. Veyne, *Le Pain et le Cirque*, 1976, p. 291.

CINQUIÈME PARTIE

LA MORT INVERSÉE

12

La mort inversée

Où la mort se cache

Encore au début du XXe siècle, mettons jusqu'à la guerre de 1914, dans tout l'Occident de culture latine, catholique ou protestante, la mort d'un homme modifiait solennellement l'espace et le temps d'un groupe social qui pouvait s'étendre à la communauté tout entière, par exemple au village. On fermait les volets de la chambre de l'agonisant, on allumait les cierges, on mettait de l'eau bénite; la maison se remplissait de voisins, de parents, d'amis chuchotants et graves. Le glas sonnait à l'église d'où sortait la petite procession qui portait le Corpus Christi...

Après la mort, un avis de deuil était affiché à la porte (remplaçant l'ancienne exposition à la porte du corps ou du cercueil, usage déjà abandonné). Par l'huis entrebâillé, la seule ouverture de la maison qui n'était pas fermée, entraient tous ceux que l'amitié ou la bienséance obligeaient à une dernière visite. Le service à l'église rassemblait toute la communauté, y compris les retardataires qui attendaient la fin de l'office pour se présenter, et après le long défilé des condoléances, un lent cortège salué par les passants accompagnait le cercueil au cimetière. Et les choses ne s'arrêtaient pas là. La période du deuil était remplie de visites : visites de la famille au cimetière, visites des parents et amis à la famille... Puis, peu à peu, la vie reprenait son cours normal, et il ne restait plus que les visites espacées au cimetière. Le groupe social avait été atteint par la mort, et il avait réagi collectivement en commençant par la famille la plus proche, en s'étendant jusqu'au cercle plus large des relations et des clientèles. Non seulement chacun mourait en public comme Louis XIV, mais la mort de chacun était un événement public qui émouvait, aux deux sens du mot, étymologique et dérivé, la société tout entière : ce n'était pas seulement un individu qui disparaissait, mais la société qui était atteinte et qu'il fallait cicatriser.

Tous les changements qui ont modifié les attitudes devant la mort pendant un millénaire n'ont pas altéré cette image fondamentale, ni le rapport permanent entre la mort et la société : la mort a toujours été un fait social et public. Elle l'est encore restée aujourd'hui dans de vastes aires de l'Occident latin, et il n'est pas sûr que ce modèle traditionnel soit condamné à disparaître. Mais il n'a plus le caractère de généralité absolue qui avait été le sien, quelles que fussent la religion et la culture. Un type absolument *nouveau* de mourir est apparu au cours du xxᵉ siècle, dans quelques-unes des zones les plus industrialisées, les plus urbanisées, les plus techniquement avancées du monde occidental — et sans doute n'en voyons-nous que le premier âge.

Deux traits sautent aux yeux de l'observateur le moins attentif : sa nouveauté, bien sûr, son opposition à tout ce qui a précédé, dont il est l'*image inversée,* le négatif : la société a expulsé la mort, sauf celle des hommes d'État. Rien n'avertit plus dans la ville que quelque chose s'est passé : l'ancien corbillard noir et argent est devenu une banale limousine grise, insoupçonnable dans le flot de la circulation.

La société ne fait plus de pause : la disparition d'un individu n'affecte plus sa continuité. Tout se passe dans la ville comme si personne ne mourait plus.

Le second caractère n'est pas moins surprenant. Certes, la mort a changé en un millénaire, mais avec quelle lenteur! Si lents étaient les petits changements, étalés sur plusieurs générations, que les contemporains ne les percevaient pas. Aujourd'hui, un renversement complet des mœurs s'est fait, ou paraît s'être fait, en une génération. Dans ma jeunesse, les femmes en deuil disparaissaient sous les crêpes et les grands voiles noirs. Dans la bourgeoisie, les petits enfants qui avaient perdu leur grand-mère étaient habillés en violet. Ma mère a porté, depuis 1945, pendant la vingtaine d'années qui lui resta à vivre, le deuil d'un fils tué à la guerre. Et aujourd'hui...

La rapidité et la brutalité du changement l'ont rendu conscient. Ces phénomènes, que les mémoires du passé ne saisissaient pas, sont devenus tout d'un coup connus et discutés, objets d'enquêtes sociologiques, d'émissions de télévision, de débats médicaux et judiciaires. Chassée de la société, la mort rentre par la fenêtre, elle revient aussi vite qu'elle a disparu.

Changement rapide et brutal, cela est sûr, mais est-il si récent qu'il paraît au journaliste, au sociologue, à nous-mêmes, éblouis par l'accélération du tempo?

Le début du mensonge

Dès la seconde moitié du xixᵉ siècle, quelque chose d'essentiel a changé dans la relation entre le mourant et son entourage.

Évidemment, la découverte par l'homme que sa fin était proche a toujours été un moment désagréable! Mais on apprenait à le surmonter.

L'Église veillait qui faisait obligation au médecin de jouer le *nuncius mortis :* la mission n'était pas souhaitée, et il fallait le zèle de « l'ami spirituel » pour réussir là où « l'ami charnel » hésitait. L'avertissement, quand il n'était pas spontané, faisait partie des procédures coutumières.

Or, dans la seconde moitié du XIXᵉ siècle il va devenir de plus en plus coûteux, un conte de Tolstoï extrait du recueil des *Trois Morts* paru en 1859 nous montre comment [1].

La femme d'un riche homme d'affaires est atteinte de tuberculose, comme il se doit à l'époque. Les médecins l'ont condamnée. Le moment est donc venu de l'avertir. On ne saurait s'y dérober, ne serait-ce que pour lui permettre de prendre « ses dernières dispositions ». Mais voilà qui est nouveau : les répugnances de l'entourage à ce devoir ont augmenté. Le mari ne veut à aucun prix « lui parler de son état », et il donne ses raisons : « Ce serait la tuer. » « Quoi qu'il puisse arriver, ce n'est pas moi qui lui en parlerai. » La mère de la mourante recule aussi. La moribonde, en effet, ne parle que de nouvelles cures, elle paraît tenir à la vie et on redoute ses réactions. Il faut pourtant se décider. Alors on mobilise une vieille cousine, parente pauvre, et mercenaire, qui se dévoue. « Assise auprès de la malade, elle s'efforçait par une conversation adroitement menée de la préparer à l'idée de la mort. » Mais la malade tout à coup d'interrompre et de dire : « Ah ma chère!... n'essayez pas de me préparer. *Ne me considérez pas comme une enfant.* » Je sais tout. « Je sais que je n'en ai plus pour longtemps. » Peut commencer alors le scénario classique de la bonne mort en public, qui avait été un moment perturbé par les difficultés nouvelles de l'avertissement.

A l'origine de ce sentiment, même quand il grince sous le trait amer de Tolstoï, il y a l'amour de l'autre, la crainte de lui faire mal et de le désespérer, la tentation de le protéger en le laissant dans l'ignorance de sa fin proche. Si on ne conteste pas encore qu'il doit savoir, on se refuse à faire la sale besogne soi-même : à un autre de s'en charger. Le prêtre en France était tout prêt, car l'avertissement se confondait avec sa préparation spirituelle à la dernière heure. Aussi bien son arrivée dans la chambre passera-t-elle pour être le signe même de la fin, sans qu'il faille en dire plus.

De son côté, et c'est bien décrit par Tolstoï, le malade n'a pas vraiment besoin d'être averti. Il sait déjà. Mais son aveu public détruirait l'illusion qu'il souhaite prolonger encore quelque temps, à défaut de quoi il serait alors traité en moribond et obligé de se comporter comme tel. C'est pourquoi il se tait.

Chacun est donc complice d'un mensonge qui commence alors, et qui, en s'étendant par la suite, va pousser la mort dans la clandestinité. Le mourant et son entourage jouent entre eux la comédie du « rien n'est changé », de « la vie continue comme avant », du « tout est encore possible ». C'est la deuxième étape d'un processus de prise en charge du mourant par la famille qui a commencé beaucoup plus tôt dans les classes supérieures, dès la fin du XVIIIe siècle, quand le mourant a renoncé à imposer par un acte de droit ses dernières volontés et les a confiées directement à ses héritiers, c'est-à-dire leur a fait confiance.

Une relation nouvelle s'était établie, qui rapprochait par le sentiment le mourant et son entourage, mais l'initiative, sinon le pouvoir, restait encore au mourant. Ici la relation subsiste, mais elle s'est inversée, et le mourant s'est mis sous la dépendance de l'entourage. L'héroïne de Tolstoï a beau protester contre la façon dont on la traite comme une enfant, elle s'est placée elle-même dans la position d'un enfant. Un jour viendra, plus tard, où le mourant acceptera cette mise en tutelle, soit qu'il la subisse, soit qu'il la souhaite. Alors, et c'est la situation actuelle, il sera admis que le devoir de l'entourage est de maintenir le mourant dans l'ignorance de son état. Combien de fois n'avons-nous pas entendu dire d'un époux, d'un enfant, d'un parent : « J'ai du moins la satisfaction qu'il (ou elle) ne s'est jamais senti mourir. » Le « ne pas se sentir mourir » a remplacé le « sentant sa mort prochaine ».

On s'est donc installé dans la dissimulation. Ces prouesses d'imagination ont inspiré à Marc Twain le conte où il décrit le réseau de mensonges entretenu par deux vieilles filles généreuses pour cacher à chacune des deux grandes malades qu'elles soignent, une mère et son enfant de seize ans, que l'autre se meurt [2].

Cette dissimulation a pour effet pratique d'écarter ou de retarder tous les signes qui alertaient le malade, et en particulier la mise en scène de l'acte public qu'était la mort autrefois, à commencer par la présence du prêtre. Même dans les familles les plus religieuses et pratiquantes, on a pris l'habitude au début du XXe siècle de n'appeler le prêtre que si son apparition au chevet du malade ne pouvait l'impressionner, soit que celui-ci ait perdu conscience, soit qu'il fût carrément mort. L'extrême-onction n'était même plus le sacrement des mourants, mais celui des morts! Cette situation existait déjà en France dans les années 1920-1930. Elle a été renforcée dans les années 50.

Fini le temps de la procession solennelle du Corpus Christi, précédé de l'enfant de chœur faisant tinter sa clochette! Fini, et depuis longtemps, le temps de son accueil pathétique par le mourant et son entourage. On comprend que le clergé en ait eu assez, à la longue, d'administrer des cadavres, et qu'il ait enfin refusé de se prêter à cette comédie, même si elle était inspirée par l'amour. Sa révolte explique en partie pourquoi l'Église d'après Vatican II a substitué au nom traditionnel de l'extrême-onction celui de « sacrement des malades », et pas toujours pour les malades terminaux : il arrive maintenant qu'on le distribue à l'église en série à des vieillards parfaitement valides. Par là, l'Église va plus loin que rappeler l'obligation d'avoir toute sa conscience quand on reçoit les onctions; le sacrement est détaché de la mort dont il n'est plus la préparation directe. Elle admet ainsi implicitement sa propre absence au moment de la mort, l'inutilité « d'appeler le prêtre » alors, mais nous verrons que la mort a cessé d'être un moment.

Au XIX⁰ siècle, la disparition des clauses pieuses du testament avait accru l'importance du dialogue ultime : l'heure des derniers adieux, des dernières recommandations, en confidence ou en public. Cet échange intime et solennel a été supprimé par l'obligation de tenir le mourant dans l'ignorance. Celui-ci finissait par partir sans avoir rien dit. C'est presque toujours ainsi que sont morts les grands vieillards, même conscients et pieux, dans les années 50-60, en France, avant l'arrivée massive des modèles de l'Amérique et de l'Europe du Nord-Ouest. « Elle ne nous a même pas dit adieu », murmurait au chevet de sa mère un fils pas encore habitué à ce silence têtu, et peut-être aussi à cette nouvelle pudeur.

Le début de la médicalisation

Mais poursuivons la lecture de Tolstoï, et passons maintenant à *la Mort d'Ivan Ilitch* qui est de vingt-cinq ans postérieur au récit précédent³. Nous entrons dans un monde nouveau, un monde en début de « médicalisation ». Ivan Ilitch est un homme de quarante-cinq ans, marié depuis dix-sept ans à une femme médiocre. Il a eu quatre enfants, il lui en reste un, les trois autres sont morts en bas âge, sans d'ailleurs qu'il en ait été très affecté. Il a mené la vie banale et grise d'un fonctionnaire capable et ambitieux, obsédé d'avancement, soucieux de se montrer *« comme il faut »* (en français dans le texte). Il porte bien une petite médaille avec l'inscription inattendue en Russie : *Respice finem,* un petit *memento mori* à la manière de l'Occident de la fin du XV⁰ au XVII⁰ siècle. Mais sa religion paraît superficielle et n'altère pas son égoïsme. « Existence facile, agréable, joyeuse, toujours correcte, approuvée par la société », mais détériorée par les soucis d'argent et les scènes de ménage qu'ils provoquent. Le succès vient cependant avec une promotion, le choix consécutif d'une nouvelle maison où il pourra recevoir « la meilleure société », « des gens importants ».

C'est alors que commence le mal : mauvaise haleine, point de côté, nervosité. Cela vaut de consulter; le recours au médecin est devenu dans les années 80 une démarche nécessaire et grave, ce qu'elle n'était pas cinquante ans plus tôt, du temps des La Ferronays. C'est seulement *in extremis* que la femme d'Albert de La Ferronays s'est préoccupée de savoir le nom de la maladie de son mari. Tout en restant objets d'attention, la maladie et la santé n'étaient pas encore reliées nécessairement à l'action et au pouvoir du médecin. *Le Journal d'un bourgeois de Paris,* sous la Révolution française⁴, montre à quel point on pouvait avoir alors le souci de son corps : chaque jour, le rédacteur notait à la fois le temps qu'il faisait et son état physiologique, s'il se mouchait ou crachait, s'il avait la fièvre : la nature extérieure et la nature intérieure. Mais jamais il n'a l'idée de consulter, ou de noter qu'il a consulté, un médecin ou un chirurgien, alors qu'il en compte plusieurs parmi ses bons amis. Il se soigne lui-même, c'est-à-dire qu'il fait confiance à la nature.

Dans les romans de Balzac, le médecin joue un rôle social et moral considérable, il est, avec le curé, le tuteur des humbles et le conseiller des riches comme des pauvres. Il soigne un peu, mais il ne guérit pas, il aide à mourir. Ou bien il prévoit un cours naturel qu'il ne lui appartient pas de modifier : quand Albert de La Ferronays aura passé trente ans, croit-on, il guérira naturellement. Il sera malade jusqu'alors... et peut-être le médecin ajoute-t-il *in petto* : s'il survit! Cependant, quand la maladie s'aggrave et qu'on sent son impuissance, on fait appel à une personnalité qui n'est plus un donneur de soins et de bonnes paroles, mais un homme de science, qui arrive de Paris, dans une voiture à l'attelage rapide, comme un *deus ex machina*. Peut-être la science pourra-t-elle tenter l'impossible? Le médecin paraît alors l'ultime recours, réservé aux riches. Il n'est que bien rarement et très tard celui qui dévoile la nature et le nom de la maladie. On s'intéresse aux signes (fièvre, expectorations), on soigne (saignée, lavement), on ne cherche pas à situer le cas dans une classification. D'ailleurs il n'y a pas encore de cas : seulement une série de phénomènes.

Pour Ivan Ilitch, sa maladie est tout de suite un cas qui a une unité et doit avoir un nom. Lequel? C'est au médecin à le dire, et on saura alors si c'est grave ou pas. Car il y a des catégories dangereuses et d'autres bénignes. Cela dépend du diagnostic.

A partir de cette première consultation, Ivan Ilitch s'accroche au médecin comme un parasite. Sa pensée épouse les hésitations du médecin. « La vie d'Ivan Ilitch n'était pas en cause, mais il s'agissait d'un débat entre le rein flottant et l'appendice. » Il essaie d'interpréter le discours du praticien, de deviner ce qu'il cache. « Il conclut du résumé du docteur que cela allait mal; pour le docteur, pour tout le monde peut-être, cela n'avait pas d'importance, pour lui personnellement, cela allait fort mal. » Son destin dépend désormais du diagnostic, un diagnostic difficile qui n'est pas encore fait.

Revenu chez lui, il raconte la visite à sa femme qui joue l'indifférence et l'optimisme. Elle est sotte et égoïste, mais une autre, plus affectueuse, aurait eu le même comportement apparent : l'essentiel est de rassurer. « Il poussa un profond soupir, lorsqu'elle sortit : Eh bien! dit-il, il se peut que ce ne soit rien, en effet. »

Désormais Ivan Ilitch est entré dans le cycle médical. « Depuis sa visite au docteur... [son] principal souci était de suivre strictement ses recommandations concernant l'hygiène et les médicaments et d'observer attentivement sa douleur [les symptômes nécessaires au diagnostic]. Les intérêts d'Ivan Ilitch se concentrent sur les malades et la santé. » Il s'intéresse aux malades dont le cas ressemble au sien. Il lit les traités de médecine, multiplie les consultations. Au long de ce parcours, l'inquiétude s'insinue en lui avec la connaissance, ou l'incertitude de la connaissance. « Il s'efforçait de se persuader qu'il allait mieux, et il parvenait à *se mentir* [je souligne] tant que rien ne venait le troubler. » Mais vienne quelque désagrément à la maison, au bureau, et l'inquiétude vague reparaît.

Son inquiétude ou sa satisfaction dépendent alors de deux variables : la connaissance du mal et l'efficacité des soins. Il surveille les effets du traitement et son humeur en suit les hauts et les bas. Une connaissance assurée donne la sécurité. Le médecin vient-il à douter si l'appendice ou le rein est en cause, et Ivan Ilitch désespère et s'en remet à quelque charlatan qui guérit à l'aide d'icônes, lui, le haut fonctionnaire instruit et raisonnable. Sa maladie enferme Ivan Ilitch comme un écureuil dans sa cage.

Les progrès du mensonge

Sur ces entrefaites, la douleur augmente. « Il était impossible de s'y tromper, quelque chose de terrible se passait en lui, quelque chose de nouveau et de plus important que tout ce qui était arrivé jusque-là à Ivan Ilitch. *Et il était le seul à le savoir.* » (Je souligne.) Il ne se laisse pas aller, et garde sa souffrance secrète, de crainte à la fois d'inquiéter son entourage et de donner à la chose qu'il sent gonfler en lui plus de consistance en la nommant. De même que le diagnostic enlève de l'inquiétude, la confidence risque d'en ajouter. Puissance des mots dans la solitude morale où le malade s'installe! « Ceux qui l'entouraient ne le comprenaient pas ou ne voulaient pas le comprendre et s'imaginaient que tout allait comme par le passé. » Il importe en effet d'écarter les occasions de manifester son émotion, les échanges pathétiques; il faut maintenir un climat de banalité quotidienne : à cette condition, le malade pourra garder son moral. Il a besoin de toutes ses forces pour y parvenir. Ne l'affaiblissons pas.

On s'installe donc dans la comédie : « Ses amis se mettent à railler ses craintes comme si cette chose atroce et épouvantable, cette chose inouïe qui s'était installée en lui, le rongeait sans cesse et l'entraînait irrésistiblement on ne sait où, n'était qu'un amusant sujet de plaisanterie. » Sa femme fait semblant de croire qu'il est malade parce qu'il ne prend pas bien ses médicaments, qu'il ne suit pas son régime. Elle le traite comme un enfant.

Cela aurait pu durer encore longtemps si un jour, par hasard, Ivan Ilitch n'avait surpris une discussion entre sa femme et son beau-frère, à propos de son état : « Ne vois-tu pas qu'il est mort », s'écrie brutalement le beau-frère. C'est une nouveauté. Ilitch ne savait pas, ni sans doute sa femme, qu'on le voyait ainsi. Va-t-il s'effondrer ? Non, il réagit d'abord comme s'il n'avait pas entendu vraiment le sens de l'avertissement. Il se retire sans manifester sa présence, « il s'en retourna chez lui, s'étendit et se mit à réfléchir ». A réfléchir à quoi ? A la mort qu'il porte sur lui et que tout le monde peut voir ? Pas du tout : au rein flottant, « le rein, le rein flottant », se répète-t-il, comme pour couvrir le bruit de la petite phrase venimeuse qui s'est infiltrée en lui. « Il se rappela tout ce que lui avaient expliqué les médecins, comme il [le rein] s'était détaché et comme il flottait. Et par un effort d'imagination il essayait de le saisir, de le maintenir en place, de le fixer. »

Il se lève et va sur-le-champ voir un nouveau médecin. Voilà sa réaction : il refuse la mort en la masquant par la maladie.

« Dans son imagination s'opérait la guérison tant désirée de son appendice (...), le fonctionnement de ses organes se rétablissait. » Il sentait qu'il allait mieux.

Ainsi l'avertissement a-t-il été, cette fois, donné par hasard, mais il y en aura toujours un de cette sorte, l'isolement du malade n'est jamais si hermétique qu'il ne puisse intercepter quelque signe. Les médecins d'aujourd'hui le savent et comptent sur le hasard pour leur éviter d'intervenir directement. L'avertissement a été refoulé, mais il fait son chemin dans la conscience investie, et il suffit d'un retour de la douleur pour que l'illusion se dissipe et que la vérité crève les yeux. Ivan Ilitch comprend tout d'un coup que c'est la mort : « Le rein, l'appendice, songea-t-il. Non il ne s'agit pas de cela, mais de la vie... et de la mort. » « C'est la mort, et moi je pense à l'appendice ! (...) Oui, je vivais et ma vie s'en va, elle s'en va et je ne puis la retenir. Oui, pourquoi me mentir à moi-même ? N'est-il pas évident pour tout le monde, et pour moi, que je meurs et que ce n'est plus qu'une question de semaines, de jours, à l'instant même peut-être ? » Il en était là de ses réflexions quand sa femme entre... Elle sait, mais ne sait pas qu'il sait. Depuis que son frère lui a ouvert les yeux elle montre à Ivan Ilitch « une expression singulièrement triste et douce qui ne lui était pas coutumière ». Les deux êtres pourraient alors se rencontrer dans une vérité partagée. Mais Ivan Ilitch n'a plus la force de franchir le mur qu'il a lui-même élevé avec la complicité de sa famille et de ses médecins. « Désespéré, haletant, il se laissa retomber sur le dos, attendant la mort », et il se contente de dire à sa femme, pour expliquer son attitude égarée : « Ce... n'est... rien... j'ai... renversé... » « A quoi bon parler, elle ne comprendrait rien. » Le mensonge s'est définitivement abattu entre eux.

Le médecin se prête à la comédie. « Il semble dire [lui aussi] : " vous vous inquiétez à tort. Nous allons arranger cela ". » Encore après une dernière consultation de grands spécialistes, et malgré l'aggravation de l'état, « tout le monde avait peur de dissiper soudain le mensonge correct et de faire aussi clairement apparaître la réalité ».

Commence alors une longue nuit où Ivan Ilitch doit assumer en silence les souffrances et les laideurs du mal physique, et l'angoisse métaphysique. Personne ne l'aide dans la traversée du tunnel, sauf le jeune moujik qui le soigne. « Le principal tourment d'Ivan Ilitch était le mensonge, ce mensonge admis on ne sait pourquoi par tous, qu'il n'était que malade et non pas mourant, et qu'il n'avait qu'à rester calme et se soigner pour que tout s'arrangeât [persistance de la convention qui traite le malade en enfant, corollaire du refus d'admettre la gravité de son état]. Tandis qu'il *savait bien* que, quoi qu'on fît, on n'aboutirait qu'à des souffrances encore plus terribles et à la mort. Et ce mensonge le tourmentait ; il souffrait de ce qu'on ne voulût pas admettre ce que tous voyaient fort bien, ainsi que lui-même, de ce qu'on mentît en l'obligeant lui-même à prendre part à cette tromperie. Ce mensonge qu'on commettait à son sujet à la veille de sa mort, ce mensonge *qui rabaissait l'acte formidable et solennel de sa mort* (...) était devenu atrocement pénible à Ivan Ilitch. » Chose étrange! il est bien des fois sur le point de leur crier, tandis qu'ils arrangent autour de lui leurs petites histoires : « " Assez de mensonges, vous savez et je sais moi-même que je meurs! Cessez donc au moins de mentir! " Mais il n'eut jamais le courage d'agir ainsi. » Il est lui-même prisonnier du personnage qu'il s'est laissé imposer et qu'il s'est imposé à lui-même. Le masque est collé par l'usage, il ne peut plus l'arracher. Il est ainsi condamné au mensonge. Comparons cette phrase écrite dans les années 1880 : « Ce mensonge qui rabaissait l'acte formidable et solennel de sa mort », aux dernières paroles du père F. de Dainville à son confrère le père Ribes, en 1973, alors qu'il gisait, hérissé de tubes dans un service de réanimation intensive : *« On me frustre de ma mort* [5]. *»* Combien elles paraissent proches, à presque un siècle d'intervalle!

La mort sale

L'autre phénomène nouveau qui apparaît dans les descriptions de Tolstoï, après le recouvrement de la mort par la maladie et l'institution du mensonge autour du mourant, est la mort sale et inconvenante.

Dans les longs récits de mort des La Ferronays ou des Brontë, la saleté des grandes maladies terminales n'apparaît jamais. Pudeur victorienne qui répugnait à évoquer les excrétions du corps, et aussi une bonne accoutumance aux mauvaises odeurs, à l'enlaidissement de la douleur.

Chez Tolstoï, la mort est sale. Elle l'était déjà, et c'est assez remarquable, dès 1857 chez Flaubert, qui ne nous fait grâce d'aucune nausée, d'aucune sanie de Mme Bovary, moribonde défigurée. Les nausées furent si soudaines « qu'elle eut à peine le temps de saisir son mouchoir sous l'oreiller. (...) Charles observa qu'il y avait au fond de la cuvette [où elle avait vomi] une sorte de gravier blanc attaché aux parois de la porcelaine. (...) Il lui posa la main sur l'estomac, elle jeta un cri aigu. (...) Elle devenait plus pâle que le drap où elle enfonçait ses doigts crispés. (...) Des gouttes suintaient sur sa figure bleutée (...), ses dents claquaient, ses yeux agrandis regardaient vaguement autour d'elle (...). Peu à peu ses gémissements furent plus forts. Un hurlement sourd lui échappa. (...) Ses lèvres se serrèrent davantage. Elle avait les membres crispés, le corps couvert de taches brunes et son pouls glissait sous ses doigts. *Puis elle se mit à crier horriblement.* [Et l'agonie est décrite sans aucune concession.] Emma, le menton contre la poitrine, ouvrait démesurément les paupières et ses pauvres mains se traînaient sur les draps avec ce geste hideux et doux des agonisants qui semblent déjà vouloir se recouvrir du suaire (...). Sa poitrine aussitôt se mit à haleter rapidement. La langue tout entière lui sortit de la bouche; ses yeux en roulant pâlissaient comme deux globes de lampe qui s'éteignent... »

L'agonie d'Emma Bovary est brève. La maladie d'Ivan Ilitch est au contraire longue, et les odeurs, la nature des soins la rendent dégoûtante et, ce qu'elle n'était jamais chez les La Ferronays, les Brontë, Balzac, inconvenant, incorrecte. « L'acte atroce de son agonie était rabaissé par son entourage, il le voyait bien, au niveau d'un simple désagrément, d'une *inconvenance* presque (à peu près comme on agit envers un homme qui répand une mauvaise odeur en entrant dans un salon), et cela au nom de cette " correction " qu'il avait servie toute son existence. »

C'est que la propreté est devenue une valeur bourgeoise. La lutte contre la poussière est le premier devoir d'une ménagère victorienne. Les missionnaires chrétiens imposent à leurs catéchumènes la propreté du corps autant que celle de l'âme dont elle est le signe. Et encore aujourd'hui, la chasse aux cheveux longs des jeunes gens se réclame à la fois de l'hygiène et de l'ordre moral. Un garçon propre a des chances d'avoir de bonnes idées : il est *sain.*

Pendant la seconde moitié du XIXe siècle, d'une manière assez générale, la mort cesse d'être toujours vue comme belle, on en souligne même les aspects dégoûtants. Certes, les poètes macabres du XVe et du XVIe siècle, Ronsard et d'autres, avaient éprouvé un sentiment de répulsion devant la décrépitude de la vieillesse, les ravages de la maladie, de l'insomnie qui creuse les traits, des dents qui tombent, des haleines mauvaises, mais ils amplifiaient seulement le thème du déclin en un temps où une imagination plus brutale et plus réaliste découvrait le cadavre décomposé et l'intérieur ignoble de l'homme. Cet intérieur paraissait plus répugnant que l'extérieur du vieillard et du malade.

Cependant, au XVIIIe et début du XIXe siècle, le beau patriarche de Greuze a remplacé le vieillard décrépit de la fin du Moyen Age : il est plus conforme au thème romantique de la belle mort. Mais à la fin du XIXe siècle, on voit refluer les images hideuses de l'ère macabre qui avaient été refoulées depuis le XVIIe siècle, avec cette différence que tout ce qui avait été dit au Moyen Age de la décomposition après la mort est désormais reporté sur l'avant-mort, sur l'agonie.

La mort ne fait plus seulement peur à cause de sa négativité absolue, elle soulève le cœur, comme n'importe quel spectacle nauséabond. Elle devient *inconvenante,* comme les actes biologiques de l'homme, les sécrétions de son corps. Il est *indécent* de la rendre publique. On ne tolère plus de laisser n'importe qui entrer dans une chambre qui sent l'urine, la sueur, la gangrène, où les draps sont souillés. Il faut en interdire l'accès, sauf à quelques intimes, capables de surmonter leur dégoût, et aux indispensables donneurs de soins. Une nouvelle image de la mort est en train de se former : la mort laide et cachée, et cachée parce que laide et sale.

A partir des ébauches déjà consistantes de Flaubert et de Tolstoï, le thème va se développer dans trois directions, si différentes qu'on a de la peine à admettre leur origine commune. La première direction aboutit à un modèle exceptionnel et scandaleux qui aurait été limité à une littérature de contestation, si les guerres et les révolutions de 1914 à nos jours ne l'avaient pas proposé avec quelque vraisemblance aux combattants. C'est un modèle d'hommes de lettres et de soldats.

Chez Flaubert et Tolstoï, la maladie était sale dans une mort due à la maladie. Dans le modèle des écrivains de la guerre comme Remarque, Barbusse, Sartre ou Genet, l'idée de la mort, la peur qu'elle inspire, ouvrent les sphincters et reconstituent ainsi en pleine santé du corps les réalités sordides de la maladie. La cellule du condamné à mort ou du supplicié devient aussi nauséabonde que la chambre du grand malade. Le modèle est dû à l'impossibilité d'appliquer les conventions de la belle mort patriotique, celle du jeune tambour du pont d'Arcole, aux hécatombes du XXe siècle, aux massacres des grandes guerres, aux chasses à l'homme, aux lentes tortures fatales. Les héros présumés « chient dans leur froc », et les vrais héros sont d'abord occupés à ne pas en faire autant (*le Mur* de Sartre).

Dans la littérature dramatique des années 1960, l'officier des *Paravents* de Jean Genet meurt sous les flatulences de ses soldats et l'ermite de l'Anglais Saunders, en lâchant ses propres vents. Le modèle aboutit dans la littérature au scandale et au défi. Mais il appartient aussi à un folklore d'anciens combattants dont les écrivains se sont peut-être inspirés.

Le transfert à l'hôpital

La seconde direction indiquée par Tolstoï aboutit à la mort cachée de l'hôpital, commencée très timidement dans les années 1930-1940, généralisée à partir de 1950.

Au début du xxᵉ siècle, il n'était pas toujours facile de défendre la chambre du mourant contre les sympathies maladroites, les curiosités indiscrètes, et tout ce qui restait encore fort dans les mentalités de participation publique à la mort. C'était difficile tant que la chambre restait dans la maison, petit monde privé en dehors des disciplines bureaucratiques, les seules vraiment efficaces. Et pourtant les occupants de la maison eux-mêmes, famille et serviteurs, subissaient moins bien la promiscuité de la maladie. Plus on avance dans le xxᵉ siècle, plus cette promiscuité devient lourde. Les progrès rapides du confort, de l'intimité, de l'hygiène personnelle, des idées d'asepsie, ont rendu chacun plus délicat : sans qu'on n'y puisse rien, les sens ne supportent plus les odeurs et les spectacles qui, encore au début du xixᵉ siècle, faisaient partie, avec la souffrance et la maladie, de la quotidienneté. Les séquelles physiologiques sont sorties de la quotidienneté pour passer dans le monde aseptisé de l'hygiène, de la médecine et de la moralité, au début confondues. Ce monde a un modèle exemplaire, l'hôpital et sa discipline cellulaire.

En outre le poids des soins et des répugnances avait été jadis supporté et partagé par toute une petite société de voisins, d'amis, plus étendue dans les classes populaires et à la campagne, mais existant encore dans les bourgeoisies urbaines. Or, cette petite société participante n'a cessé de se contracter, pour se limiter, à la fin, aux plus proches parents, et même au couple seul, enfants exclus. Enfin dans les villes du xxᵉ siècle, la présence d'un grand malade dans un petit appartement rendait héroïque la poursuite simultanée des soins et du métier.

D'ailleurs les progrès tardifs de la chirurgie, des traitements médicaux longs et exigeants, le recours aux appareils lourds ont conduit plus souvent le grand malade à séjourner à l'hôpital. Dès lors, et sans qu'on l'avoue toujours, ce dernier a offert aux familles l'asile où elles ont pu cacher le malade inconvenant, que ni le monde ni elles-mêmes ne pouvaient plus supporter, se déchargeant sur d'autres, en toute bonne conscience, d'une assistance d'ailleurs maladroite, afin de continuer une vie normale.

La chambre du mourant est passée de la maison à l'hôpital. Dû à des causes techniques médicales, ce transfert a été accepté par les familles, étendu et facilité par leur complicité. L'hôpital est désormais le seul lieu où la mort peut échapper sûrement à une publicité — ou à ce qui en reste — dès lors considérée comme une inconvenance morbide. C'est pourquoi il devient le lieu de la mort solitaire : dans son enquête de 1963 sur les attitudes anglaises, G. Gorer a montré qu'un quart seulement des *bereaved* de son échantillon avaient assisté à la mort de leur proche parent[6].

La mort de Mélisande

Après la mort sale et la mort à l'hôpital, une troisième direction nous amène de Tolstoï à Maeterlinck, à Debussy et à leur commentateur d'aujourd'hui, V. Jankélévitch. Une mort pudique et discrète, mais pas honteuse, aussi éloignée de la mort de Socrate et d'Elvire que de celle du héros du *Mur* : la mort de Mélisande.

Jankélévitch n'aime pas la belle mort des romantiques. « Chez les musiciens romantiques [car la musique est un de ses moyens favoris d'atteindre le fond des choses] qui font honneur surtout à la majesté de la mort, *l'inflation et l'emphase* [je souligne] gonflent l'instant jusqu'à en faire une éternité. (...) La grande fête funèbre avec ses cortèges solennels et ses pompes permet à l'instant de déborder de son instantanéité, de *rayonner comme un soleil* autour de sa pointe aiguë. Au lieu d'un instant imperceptible, il y a un *glorieux* instant. » Oui, c'est bien cela, et V. Jankélévitch a aussi bien vu le rapport historique entre cette glorification de la mort et une eschatologie anthropomorphique qui « peuple le néant avec des ombres, rend la fenêtre mortelle aussi transparente qu'une nuit claire, fait de l'au-delà un pâle *duplicatum* de l'en-deçà, imagine je ne sais quels échanges absurdes entre vivants et revenants[7] ».

Nous retrouvons aussi chez Jankélévitch le sentiment désormais banal d'inconvenance de la mort, que nous avons découvert chez Tolstoï. Mais cette inconvenance a changé de nature : elle n'est pas nausée devant les signes de la mort qu'il n'ignore pas; elle n'est pas quelque chose qui ne se fait pas, qui choque la bienséance et qu'il faut cacher : elle s'est transformée en *pudeur*. « L'espèce de pudeur que la mort inspire tient en grande partie à ce caractère impensable et inénarrable de l'état létal. Car il y a pudeur de la cessation métempirique, comme il y a une pudeur de la continuation biologique. Si la répétition des besoins périodiques a quelque chose d'indécent, le fait qu'un caillot de sang interrompe soudain la vie est à son tour *inconvenant* [je souligne]. » Cette inconvenance, adoucie en pudeur, lui semble à l'origine de l'interdit contemporain qui frappe la mort. La relation est très intéressante pour l'historien. « Le mot tabou de la mort n'est-il pas entre tous la monosyllabe imprononçable, innommable, inavouable, qu'un homme moyen, adapté à l'entre-deux, se doit d'envelopper pudiquement dans des circonlocutions bienséantes et bien-pensantes. » Il ne faut pas beaucoup pousser le sens pour supposer une relation entre l'interdit contemporain et l'emphase romantique (« les circonlocutions »), première tentative pour masquer la réalité innommable. La première tentative a utilisé la rhétorique, et la seconde, au XXᵉ siècle, le silence.

L'inconvenance d'Ivan Ilitch est donc devenue pudeur, et le modèle de la mort pudique est celle de Mélisande. Elle n'est pas une mort solitaire. Il y a du monde dans la chambre sur la mer, le vieux roi plein de sagesse et d'éloquence; il parle beaucoup; intarissable, comme les vrais vivants. Et pendant son discours Mélisande meurt, sans qu'il s'en soit aperçu : « Je n'ai rien vu... je n'ai rien entendu... Si vite, si vite... tout d'un coup... Elle s'en va sans rien dire. »

Mélisande fut sans doute l'une des premières à partir, comme dit Jankélévitch, « *pianissimo*, et pour ainsi dire sur la pointe des pieds ». « Mourir ne fait pas de bruit. Un arrêt du cœur ne fait pas de bruit. Pour Debussy, poète du *pianissimo* et de l'extrême concision, l'instant fut vraiment la minute fugitive [8]. » Pour Debussy hier, pour Jankélévitch et pour les intellectuels agnostiques d'aujourd'hui, mais aussi pour certains de nos contemporains, hommes moyens, croyants ou pas, qui mettent leur courage dans leur silence.

C'était au début des années 1960. Un fils confiait sa préoccupation au prêtre qui assistait sa mère, septuagénaire, atteinte d'un cancer avancé. Il n'avait pas conscience de l'évolution des sentiments devant la mort, de la montée de l'interdit; il gardait le souvenir de la mort manifeste et encore publique de ses grands-parents, à laquelle il avait assisté vers 1930-1940. Et il s'inquiétait du silence où sa mère paraissait s'abriter. Rien ne permettait de penser qu'elle savait son état. Il ne comprenait pas ce silence, et ne le comprit jamais tout à fait. Il rappelait au confesseur la mission traditionnelle du *nuncius mortis*. Mais le prêtre, un ancien médecin, lui répliqua : « On voit que vous n'avez pas l'expérience des vieilles femmes, comme j'en ai connu à l'asile, qui passent leur temps à geindre et à pleurer parce qu'elles vont mourir. » Il pensait qu'il fallait respecter cette décision de silence, qu'elle était courageuse, et qu'il y avait des moyens de dialoguer à mots couverts, sans rompre la complicité du secret. Plus tard, après sa mort, on trouva en effet des papiers qui prouvaient que la vieille dame n'avait aucune illusion. A son chevet, son fils se plaignit : « Elle ne nous a pas dit adieu », comme le vieux roi soupirait après le dernier soupir de Mélisande : « Elle s'en va sans rien dire. »

Les derniers moments restaient encore traditionnels

A l'époque où Tolstoï écrivait, la bourgeoisie commençait donc à découvrir l'inconvenance de la mort sous l'emphase romantique. Il était encore trop tôt pour que les répugnances l'emportassent sur les usages de publicité, et réussissent à isoler le mourant jusqu'à son dernier souffle, comme cela s'est passé ensuite, en particulier à l'hôpital. Aussi, à la fin du XIXe siècle, un compromis s'est-il établi entre la mort publique du passé, et ce qui allait devenir la mort cachée, compromis qui devait durer pendant le premier tiers du XXe siècle, et qui est assez exactement la mort d'Ivan Ilitch.

Dans la solitude où le mensonge l'enfermait comme dans une retraite studieuse, Ivan Ilitch réfléchissait. Il repassait le film de sa vie, il pensait à sa mort qu'il ne parvenait pas à admettre et qui s'imposait peu à peu comme une certitude.

Sans doute aujourd'hui encore où le silence s'étend jusqu'au bout, les moribonds suivent-ils le même cheminement qu'Ivan Ilitch.

Des enquêtes sociologiques récentes montrent que la croyance dans la survie diminue beaucoup plus vite que la foi en Dieu chez les populations de culture chrétienne, et surtout chez les jeunes. Et cependant, les observations faites entre 1965 et 1972 sur 360 *mourants* ont établi que 84 % d'entre eux admettaient une possibilité de survie contre seulement 33 % dans l'échantillon-témoin[9]. Sans doute est-ce pendant cette période silencieuse de récapitulation que l'espoir d'un au-delà réapparaît.

Cette période est longue chez Ivan Ilitch. Il souffre, mais ne le montre pas. Il s'enfonce dans sa solitude et son rêve, et ne communique plus avec son entourage. Il se tourne contre le mur, couché sur le côté, une main sous sa joue, reproduisant d'instinct la pose d'anciens moribonds, quand ils en avaient fini avec les hommes. Ainsi gisaient les juifs de l'Ancien Testament; ainsi dans l'Espagne du XVIe siècle, reconnaissait-on à ce signe les marranes mal convertis; ainsi mourut Tristan : « Il se tourna vers la muraille. » Aujourd'hui, les infirmières des hôpitaux de Californie étudiés par B.G. Glaser et A.L. Strauss ne voient plus dans ce geste ancestral qu'un refus inamical de communiquer avec elles[10].

Et c'est vrai que l'attitude d'Ivan Ilitch passe à l'agressivité. Son état empire, sa souffrance augmente. Un matin, sa femme arrive, parle de remèdes, il se retourne et lui répond *avec un regard de haine :* « Au nom de Christ, laissez-moi mourir en paix. » Les psychologues médicaux qui, comme E. Kubler-Ross, étudient le comportement des mourants ont reconnu l'existence de cette phase d'agressivité qu'ils souhaitent canaliser et utiliser. Ivan Ilitch renvoie alors femme, enfant, médecin, et s'abandonne à la douleur qu'auparavant il s'efforçait de cacher. « Il a crié sans s'arrêter trois jours de suite, c'était à ne plus y tenir », avoue sa femme à un ami. Et puis survient l'accalmie, reconnue aussi par les médecins comme un phénomène général. « Immédiatement avant la mort le besoin d'analgésiques [diminue] », observent aujourd'hui les médecins chez les mourants. « Beaucoup de malades montrent alors une brève rémission, une vitalité accrue, redemandent de la nourriture avec plaisir,

et leur état général paraît s'améliorer » (G. Witzel). Ivan Ilitch, durant
son cheminement solitaire, réalise, comme le mourant de l'*ars moriendi*
du xve siècle, que « sa vie n'avait pas été ce qu'elle aurait dû être »,
mais il se persuade « que cela pouvait être encore réparé ».

Emma Bovary a aussi connu un répit semblable. Elle « parut saisie de
joie » à voir le prêtre. « Sans doute retrouvait[-elle] au milieu d'*un apaisement extraordinaire,* la volupté perdue de ses premiers élancements
mystiques, avec des visions de béatitude éternelle. » Le prêtre lui admi-
nistra l'extrême-onction. « Son visage avait une expression de sérénité,
comme si le sacrement l'avait guérie. »

De même, quand Ivan Ilitch sort de son silence agressif de plusieurs
jours ou semaines, il rouvre les yeux, se retourne vers son entourage, voit
son fils qui lui baise la main, sa femme « la bouche ouverte, ses joues et
son nez mouillés de larmes ». La situation est alors renversée par rapport
à ce qu'elle était au début du xixe siècle. C'est lui qui a pitié d'eux. Il
comprend qu'il doit s'en aller. Il demande qu'on fasse sortir son fils, car
la vue de la souffrance et de la mort peut impressionner les enfants, et
leur présence à ce spectacle hideux et comme obscène n'est plus admise.
(Quand Emma Bovary avait réclamé sa petite fille : « J'ai peur, dit la
petite en reculant [quand sa mère voulut embrasser sa main]. (...) Assez!
qu'on l'emmène! s'écria Charles... »)

Ivan Ilitch dit encore à sa femme : « J'ai pitié de toi aussi. » Il veut
ajouter « pardon », mais ne peut plus rien dire. Son agonie dure deux
heures. Tolstoï nous assure qu'il était dans la joie! Toute cette dernière
période de la mort, à quelques détails près comme la sortie des enfants,
est conforme au modèle romantique.

La contradiction psychologique des deux modèles de la mort cachée
et de la mort publique, juxtaposés ici avant et pendant l'agonie, apparaît bien dans l'attitude des survivants. Pendant la première phase, ils
ont joué la comédie et caché la vérité à Ivan Ilitch. Ils auraient dû
persévérer et regretter qu'Ivan Ilitch ait eu ensuite assez de conscience pour connaître sa mort et en suivre la dernière étape. C'est d'ailleurs ce qu'on souhaitera au milieu du xxe siècle : « Nous avons au moins
la satisfaction qu'il ne s'est pas vu mourir », sous-entendu : l'angoisse
mortelle lui a été ainsi épargnée.

Au contraire, la femme d'Ivan Ilitch, le jour des condoléances, répond
avec empressement à un visiteur demandant si Ivan Ilitch a gardé connaissance : « Oui, jusqu'au dernier instant... *Il nous fit ses adieux* [je souligne.
Nous n'en sommes pas encore à Mélisande] un quart d'heure avant la
fin, et il demanda même de faire sortir Valadi. »

Des funérailles très discrètes

Dès le début du XXe siècle, le dispositif psychologique était donc en place qui retirait la mort de la société, lui enlevait son caractère de cérémonie publique, en faisait un acte privé, réservé d'abord aux proches, d'où, à la longue, la famille elle-même fut écartée quand l'hospitalisation des malades terminaux devint générale.

Subsistaient encore deux périodes de communication entre le mourant — ou le mort — et la société : les derniers moments où le mourant reprenait l'initiative qu'il avait perdue, et le deuil. Le second grand événement dans l'histoire contemporaine de la mort est le rejet et la suppression du deuil. Il a été pour la première fois complètement analysé par G. Gorer Le sujet lui avait été inspiré par une série d'expériences personnelles.

Il avait perdu presque en même temps son père et son grand-père. Son père était mort dans la catastrophe du Lusitania en 1915, il ne put donc le voir, comme c'était alors l'usage. Il ne vit d'ailleurs son premier cadavre qu'en 1931. Il fut encore soumis aux conventions du deuil, quoique celles-ci aient commencé, dit-il, à s'atténuer pendant la guerre à cause de la trop grande mortalité du front, et aussi parce que les femmes travaillaient à la place des hommes. La mort d'une belle-sœur et, en 1948, celle d'un ami lui firent connaître la situation nouvelle des survivants, leur comportement et celui de la société à leur égard. Il comprit que la fonction sociale du deuil changeait et que ce changement révélait une transformation profonde de l'attitude devant la mort. C'est alors qu'il publia en 1955 dans *Encounter* son fameux article : *Pornography of Death,* où il montrait que la mort était devenue honteuse et interdite comme le sexe à l'époque victorienne, auquel elle succédait. Un interdit s'était substitué à un autre.

En 1961, son frère mourut d'un cancer. Il s'était remarié et laissait une femme et des enfants. G. Gorer s'occupa de l'enterrement, de sa belle-sœur et de ses neveux, et il fut encore une fois frappé par le rejet des conduites traditionnelles en la circonstance et par ses effets nocifs. Il a raconté tout ce drame dans son livre. Il décida alors d'étudier le phénomène non plus en mémorialiste mais en sociologue, d'une manière scientifique. Il entreprit en 1963 une enquête sur le deuil qui constitue le matériau de son grand livre : *Death, Grief and Mourning*[11].

Il constate d'abord que la mort s'est éloignée; non seulement on n'est plus présent au lit de mort, mais l'enterrement a cessé d'être un spectacle familier : parmi les personnes interrogées, 70 % n'avaient pas assisté à un enterrement depuis cinq ans. Les enfants ne suivent même plus l'enterrement de leurs parents. G. Gorer dit de ses neveux : « La mort de leur père a été à peine marquée dans leur vie, elle a été traitée comme un secret, car ce n'est pas avant bien des mois qu'Elizabeth [sa belle-sœur] put supporter d'en parler et d'en entendre parler. » Aussi quand G. Gorer revint chez

sa belle-sœur après l'incinération de son frère, elle lui raconta très naturellement qu'elle avait passé une bonne journée avec les enfants, qu'ils
avaient tous pique-niqué et qu'ensuite ils avaient tondu la pelouse.

Ainsi, les enfants restent écartés; ils ne sont pas informés, ou bien on
leur dit que le père est parti en voyage, ou encore que Jésus l'a pris. Jésus
est devenu une sorte de saint Nicolas dont on se sert pour parler aux
enfants de la mort sans croire en lui.

Une enquête de 1971 de la revue américaine *Psychology Today* provoquait la lettre suivante d'une femme de vingt-cinq ans : « J'avais douze
ans quand ma mère mourut de leucémie. Elle était encore là le soir quand
j'allai me coucher. Le lendemain matin, mes parents étaient partis. Mon
père revint, nous prit, mon frère et moi, sur ses genoux et éclata en sanglots. Il nous dit : " Jésus a pris votre mère. " Après, nous n'en avons
jamais plus parlé. Cela nous faisait à chacun trop de mal [12]. »

Dans la plupart des sondages, le taux de croyance en la vie future est
compris entre 30 et 40 %. C'est seulement une indication tant il est difficile
de serrer dans les mots d'un questionnaire des notions plus senties que
définies. La croyance diminue chez les jeunes tandis que nous avons vu
qu'elle augmente chez les grands malades.

Il est assez frappant de retrouver en 1963, dans l'enquête de Gorer, et
seulement chez les vieillards, l'eschatologie anthropomorphique du
XIXe siècle. Des « enquêtés » revoient leurs morts et leur parlent. « Les
morts nous regardent et nous donnent aide et conseil. Juste avant de
mourir mon père vit notre mère debout au pied de son lit. » « Il a été tué
dans l'Air Force, mon plus jeune garçon. Mais il revient souvent et il me
parle. Un jour, au lit où elle pensait à lui, et s'inquiétait de lui, une voix
lui répondit : " *It is all right, Mum* ", et je pensai alors : Dieu Merci,
il est bien, mais il est parti. Je pense toujours que je le reverrai un jour.
C'est ce qui me permet de continuer. » Le paradis est « un endroit où on
n'a plus de souci, et où nous retrouverons nos parents et amis ».

On remarque aussi la disparition complète de l'enfer; même ceux qui
croient au diable limitent son action à l'ici-bas et ne croient pas à la damnation éternelle. Cela ne nous étonnera pas; nous l'avons déjà remarqué
au moins dès le début du XIXe siècle.

Les réponses de l'enquête montrent aussi l'abandon par le clergé de son
rôle ancien : non pas qu'on l'écarte, c'est lui maintenant qui est réticent.

Mais le grand phénomène mis en valeur par l'enquête de Gorer est le
déclin du deuil, à commencer par les solennités des funérailles.

L'incinération l'emporte désormais sur l'inhumation : sur 67 cas,
40 incinérations et 27 enterrements. Mais le plus remarquable est le sens
donné au choix. Choisir l'incinération signifie qu'on refuse le culte des
tombeaux et des cimetières, tel qu'il s'était développé depuis le début du
XIXe siècle. « On a le sentiment que le mort est plus complètement et
définitivement liquidé que dans le cas de l'enterrement. » Aussi certaines

personnes interrogées la refusent comme *too final.* Cette attitude n'est pas commandée par la nature même de l'acte (les Anciens vénéraient les cendres de leurs défunts), mais par opposition au tombeau. En effet, malgré les efforts des directeurs de crématoires, les familles des incinérés se dérobent en général à ériger un monument. Sur les 40 incinérations de l'enquête, une seule s'accompagne d'une plaque commémorative, et 14, d'une inscription sur le *book of remembrance,* offert à la consultation des visiteurs. Mais il n'y a pas de visiteurs... Certains, et c'est encore plus radical, font disperser les cendres.

Au contraire, le cimetière reste le lieu du souvenir et de la visite. Sur 27 enterrés, 4 seulement n'ont pas de monuments. Le survivant va sur la tombe pour la fleurir et se souvenir.

On se tromperait, cependant, en interprétant la disparition du corps consumé comme un signe d'indifférence et d'oubli. Le parent de l'incinéré refuse à la fois la matérialisation du lieu, son lien avec le corps qui inspire de la répugnance, et le caractère public du cimetière. Mais il admet la nature absolument personnelle et privée du regret. Aussi au culte de la tombe s'est-il substitué un culte du souvenir à la maison : « Je ne suis pas quelqu'un à continuer à aller au cimetière. Je crois dans l'aide aux vivants [opposition fréquente, dans les nouvelles mentalités religieuses, de l'acte utile à la contemplation ou à la liturgie]. Les jours d'anniversaire, je mets un bouquet de fleurs devant leurs photographies » (une femme de quarante-quatre ans). Après l'incinération, « je pense que c'est la fin. Je veux dire que vous pouvez conserver mieux leur mémoire à la maison que là où ils sont enterrés. Je vous dirai une chose que je fais toujours — peut-être est-ce absurde —, je lui offre toujours pour Noël une azalée; je sens qu'elle est toujours à la maison » (une femme de trente-cinq ans). Le culte peut tendre d'ailleurs à la momification : la maison ou la chambre du défunt est laissée dans l'état exact où elle était de son vivant. Ainsi un grand désespoir est-il parfaitement compatible avec la négligence du tombeau, qui reste parfois le lieu haï du corps.

Il y a donc désormais deux manières de cultiver le souvenir : l'une, traditionnelle depuis la fin du XVIIIᵉ siècle, sur la tombe, qui recule plus vite en Angleterre que sur le continent, et l'autre, à la maison. Un sociologue canadien, Fernand Dumont, rapporte à propos de son père une anecdote qui doit se situer au début du XXᵉ siècle : « Dans mon enfance, nous récitions à la maison une longue prière en famille. (...) Après la séance, (...) mon père restait [seul] quelque temps à genoux, la tête enfoncée dans ses mains. Cela m'intriguait chez un homme qui n'avait jamais été " pieux " au sens où on l'entend d'habitude. A une question que je lui posais à ce propos (...), mon père m'a confessé qu'il s'adressait alors fréquemment à son père depuis longtemps décédé [13]. »

L'indécence du deuil

Après les funérailles et l'enterrement, le deuil proprement dit. La douleur du regret peut subsister au cœur secret du survivant; la règle est
aujourd'hui dans presque tout l'Occident qu'il ne doit jamais la manifester
en public. Exactement le contraire de ce qu'on exigeait de lui auparavant.
Aujourd'hui en France, depuis moins d'une décennie (vers 1970), le
défilé des condoléances à la famille, à la fin du service religieux, est
supprimé. De même, en province, l'annonce de la mort, qui subsiste, est
accompagnée de la formule sèche, presque incivile : « la famille ne
recevra pas », moyen d'éviter les visites coutumières des voisins, amis
lointains, avant les funérailles.

Mais, en général, l'initiative du refus n'appartient pas à la famille des
survivants. Celle-ci, en se repliant sur elle-même, affirme l'authenticité
de sa peine, qui ne souffre aucune comparaison avec la sollicitude des
bonnes relations, et adopte le comportement discret que la société
exige d'elle.

G. Gorer distingue trois catégories d'endeuillés : celui qui réussit à
dérober complètement sa peine, celui qui la cache aux autres et la garde
pour lui-même, celui qui la laisse librement apparaître. Dans le premier
cas, l'endeuillé s'oblige à faire comme si rien ne s'était passé, à poursuivre
sa vie normale sans aucune interruption : occupez-vous, *keep busy,* lui
ont dit ses interlocuteurs rares et pressés, le médecin, le prêtre, quelques
amis... Dans le second cas, *presque* rien ne transparaît à l'extérieur et le
deuil subsiste en privé, « comme on se déshabille ou on se repose en privé »
(G. Gorer). Le deuil est *extension of modesty.* C'est sans doute l'attitude
la mieux approuvée par le sens commun, qui devine qu'il faut tolérer
quelque défoulement pourvu qu'il reste secret. Dans le dernier cas, l'endeuillé obstiné est impitoyablement exclu comme un fou.

G. Gorer lui-même a eu l'occasion d'éprouver le jugement de la société
après la mort de son frère : « Plusieurs fois je refusai des invitations à des
cocktails, en expliquant que j'étais en deuil. Les gens alors me répondaient
avec embarras, comme si je leur avais dit quelque obscène incongruité.
Vraiment j'avais l'impression que si, pour décliner leur invitation, j'avais
allégué quelque équivoque rendez-vous, j'aurais été mieux compris, et
j'aurais reçu un jovial encouragement. Au contraire ces gens, pourtant
bien élevés, murmuraient quelques mots et se dépêchaient de s'en aller. »
Ils ne savaient pas comment se comporter dans une situation devenue
insolite. « Ils n'avaient pas d'indications tirées d'un rituel sur la manière
de se comporter à l'égard d'une personne qui disait qu'elle était en deuil.
(...) Ils redoutaient, je pense, que je me laisse aller et m'abandonne à
ma peine, les entraînant alors dans un accès déplaisant d'émotion. »

La mort est exclue

En effet, le passage de la quotidienneté, radoteuse et calme, à l'intériorité pathétique ne se fait pas spontanément et sans aide. La distance des langages est trop grande. Il faut, pour établir la communication, l'intermédiaire d'un code reçu d'avance, d'un rituel qu'on apprend, par l'usage, dès l'enfance. Ainsi existait-il autrefois des codes pour toutes les occasions de manifester aux autres des sentiments généralement inexprimés, pour faire sa cour, pour mettre au monde, pour mourir, pour consoler les endeuillés. Ces codes n'existent plus. Ils ont disparu à la fin du XIXe siècle et au XXe. Alors les sentiments qui veulent jaillir hors de l'ordinaire, ou bien ne trouvent pas leur expression et sont refoulés, ou bien déferlent avec une violence insupportable, sans plus rien pour les canaliser. Dans ce dernier cas, ils compromettent l'ordre et la sécurité nécessaires à l'activité quotidienne. Il convient donc de les réprimer. C'est alors que les choses de l'amour d'abord, de la mort ensuite, ont été frappées d'interdit. Cet interdit s'imposait dès lors que les vannes et les quais qui, depuis des millénaires, canalisaient ces forces sauvages étaient abandonnés. Un modèle naquit, en particulier dans les *public schools* anglaises, de courage viril, de discrétion et de bonne éducation, qui interdisait l'allusion publique aux sentiments romantiques, et ne les tolérait que dans le secret du donjon familial.

Comme le dit G. Gorer, « aujourd'hui, la mort et le deuil sont traités avec la même pruderie que les pulsions sexuelles, il y a un siècle ». Il faut donc apprendre à les dominer : « Aujourd'hui, on admet, semble-t-il, comme tout à fait normal que des hommes et des femmes sensibles et raisonnables puissent parfaitement se dominer pendant leur deuil à force de volonté et de caractère. Ils n'ont donc plus besoin de le manifester publiquement [comme c'était aux temps où ils n'avaient pas la volonté de le contrôler et de le retenir], tout juste était-il toléré qu'ils le fissent en privé et furtivement, comme un équivalent de la masturbation [14]. »

Il est bien évident que la suppression du deuil n'est pas due à la frivolité des survivants, mais à une contrainte impitoyable de la société ; celle-ci refuse de participer à l'émotion de l'endeuillé : une manière de refuser, en fait, la présence de la mort, même si on admet en principe sa réalité. C'est, à mon avis, la première fois que le refus se manifeste aussi ouvertement. Depuis quelque temps, il montait des profondeurs où il avait été enfoui, vers la surface, sans encore l'atteindre, depuis la peur de la mort apparente, depuis que, par amour de l'autre, on lui cachait sa fin, et que, par dégoût du malade, on la cachait aux autres. Désormais, il s'étale en plein jour, comme un trait significatif de notre culture. Maintenant, les larmes du deuil sont assimilées aux excrétions de la maladie. Les unes et les autres sont répugnantes. La mort est exclue.

Une situation nouvelle apparaît donc, vers le milieu du xxᵉ siècle, dans les parties les plus individualisées et les plus embourgeoisées de l'Occident. On est convaincu que la manifestation publique du deuil, et aussi son expression privée trop insistante et longue, sont de nature morbide. La crise de larmes devient crise de nerfs. Le deuil est une maladie. Celui qui le montre prouve sa faiblesse de caractère. Cette attitude de dénigrement commence en pointillé dans le sarcasme post-romantique, mêlé encore aux croyances romantiques, chez Mark Twain, par exemple, que les démonstrations théâtrales agacent mais émeuvent aussi, et qui se défend par l'humour des sentiments surannés. Elle est devenue aujourd'hui commune. La période du deuil n'est plus celle du silence de l'endeuillé au milieu d'un entourage empressé et indiscret, mais celle du silence de l'entourage même : le téléphone ne sonne plus, les gens vous évitent. L'endeuillé est isolé par une quarantaine.

Il n'est d'ailleurs plus le seul objet d'exclusion. Le refus de la mort a dépassé la personne des endeuillés et l'expression du deuil pour s'étendre à tout ce qui touche à la mort et qui devient infectieux. On peut dire que le deuil ou ce qui lui ressemble est une maladie contagieuse qu'on risque d'attraper dans la chambre d'un mourant ou d'un mort, même s'ils sont indifférents, dans un cimetière, même s'il ne contient aucune tombe chère. Il y a des lieux qui donnent le deuil comme d'autres donnent la grippe.

Il est très remarquable qu'au moment même où cette attitude a émergé, les psychologues l'ont tout de suite estimée dangereuse et anormale. Jusqu'à nos jours, ils n'ont pas cessé d'insister sur la nécessité du deuil et les dangers de sa répression, telle qu'elle commençait à être organisée. Freud et Karl Abraham se sont donné du mal pour montrer que le deuil était différent de la mélancolie. Aujourd'hui les études se multiplient sur le sujet : Colin Murray Parkes, et tout récemment Lily Pincus dans deux beaux livres bourrés de cas [15].

Or, leur appréciation du deuil et de son rôle est exactement à l'opposé de celle de la société. Celle-ci considère le deuil comme morbide tandis que, pour les psychologues, c'est la répression du deuil qui est morbide et cause de morbidité.

Cette opposition montre la force du sentiment qui pousse à exclure la mort. En effet, toutes les idées des psychologues et des psychanalystes sur la sexualité, le développement de l'enfant, ont été vite vulgarisées et assimilées par la société, tandis que leurs idées sur le deuil ont été complètement ignorées et tenues à l'écart de la vulgate que diffusent les média. La société était prête à accueillir les unes, mais repoussa les autres. Son refus de la mort n'a pas été une seconde émoussé par la critique des psychologues.

Sans le vouloir, les psychologues ont fait de leurs analyses du deuil un document d'histoire, une preuve de relativité historique. Leur thèse est que la mort d'un être cher est une déchirure profonde, mais qui guérit naturellement, à condition qu'on ne fasse rien pour retarder la cicatrisation. L'endeuillé doit s'habituer à l'absence de l'autre, annuler la libido, encore obstinément fixée sur le vivant, « intérioriser » le défunt. Les troubles du deuil surviennent quand ce transfert ne se fait pas : « momification » ou au contraire inhibition du souvenir. Peu importent ici ces mécanismes. Ce qui nous intéresse est que nos psychologues les décrivent comme faisant partie, de toute éternité, de la nature humaine; comme un fait naturel, la mort provoquerait toujours chez les plus proches un traumatisme tel que, seule, une série d'étapes permettrait de guérir. Il appartient à la société d'aider l'endeuillé à franchir ces étapes, car il n'a pas la force de le faire tout seul.

Mais ce modèle qui paraît naturel aux psychologues ne remonte pas plus haut que le XVIIIe siècle. C'est le modèle des belles morts romantiques et des visites au cimetière, que nous avons appelé « la mort de toi ». Le deuil du XIXe siècle répond bien, avec trop de théâtre certes — mais ce n'est pas si grave —, aux exigences des psychologues. Ainsi les La Ferronays ont eu toutes les possibilités de se débarrasser de leur libido, d'intérioriser leur souvenir, et ils ont eu tous les secours qu'ils pouvaient attendre de leur entourage.

Ces torrents de deuil ne sauraient être arrêtés sans risque au XXe siècle. C'est bien ce qu'ont compris les psychologues. Mais l'état auquel ils se réfèrent n'est pas un état de nature : il date seulement du XIXe siècle. Avant le XVIIIe siècle le modèle était au contraire différent, et c'est celui-ci qui pourrait, si l'on veut, par sa durée millénaire et son immobilité, être rapproché d'un état de nature.

Dans cet autre modèle, l'affectivité n'occupait pas la place qu'elle a prise au XIXe siècle. Ce n'est pas que la mort d'un être aimé n'y fût pas ressentie. Le premier choc était amorti par l'empressement traditionnel du groupe qui assistait à la mort, mais souvent, il était ensuite vite surmonté : il n'était pas rare qu'un veuf se remariât quelques mois plus tard. Cela ne signifiait pas qu'il avait oublié, mais bien que le regret était vite apaisé.

Le seuil d'apaisement rapide était parfois dépassé et l'endeuillé ne parvenait plus à surmonter son chagrin : cas aberrants, qui annoncent d'ailleurs le modèle du XIXe siècle et la grande révolution du sentiment; ainsi H. de Campion ne supportait plus de demeurer dans la maison pleine de souvenirs de son épouse morte en couches en 1659; il n'y revint qu'un an plus tard, inconsolable [16].

En général, si on était malheureux, on ne perdait pas la tête pour autant. D'une part, toute l'affection disponible chez chaque individu n'était pas concentrée sur un très petit nombre de têtes (le couple et les enfants), elle était plutôt répartie sur un groupe plus étendu de parents et d'amis. La mort de l'un, même parmi les plus proches, ne détruisait pas toute la vie affective; des substitutions restaient possibles. Enfin la mort n'était jamais la surprise brutale qu'elle devint au XIXe siècle, *avant* les progrès spectaculaires de la longévité. Elle faisait partie des risques quotidiens. Dès l'enfance, on s'y attendait plus ou moins.

Dans ces conditions, l'individu n'était pas terrassé comme au XIXe siècle. Il n'attendait pas autant de la vie. La prière de Job appartenait au moins autant à une sagesse populaire, à une résignation banale, qu'à une piété ascétique. La mort prenait ce que la vie avait donné : c'est la vie! Ainsi pourrions-nous transposer très banalement le beau poème.

L'individu n'était pas anéanti et pourtant le deuil existait, un deuil ritualisé. Le deuil médiéval et moderne était plus social qu'individuel. Le secours du survivant n'était ni son seul but ni son but premier. Le deuil exprimait l'angoisse de la communauté visitée par la mort, souillée par son passage, affaiblie par la perte d'un de ses membres. Elle vociférait pour que la mort ne revienne plus, pour qu'elle s'écarte, comme les grandes prières litaniques devaient détourner les catastrophes. La vie s'arrêtait ici, se ralentissait là. On prenait son temps pour des choses apparemment inutiles, improductives. Les visites du deuil refaisaient l'unité du groupe, recréaient la chaleur humaine des jours de fête; les cérémonies de l'enterrement devenaient aussi une fête d'où la joie n'était pas absente, où le rire avait souvent vite fait de l'emporter sur les larmes.

C'est ce deuil qui a été chargé, au XIXe siècle, d'une autre fonction, sans qu'il y apparaisse. Il a gardé encore quelque temps son rôle social, mais il est apparu de plus en plus comme le moyen d'expression d'une peine immense, la possibilité pour l'entourage de partager cette peine et de secourir le survivant. Cette transformation du deuil a été telle qu'on a très vite oublié combien elle était récente : elle devint bientôt une nature, et c'est comme telle qu'elle servit de référence aux psychologues du XXe siècle.

On comprend alors ce qui se passe sous nos yeux. Nous avons tous été, de gré ou de force, transformés par la grande révolution romantique du sentiment. Elle a créé entre nous et les autres des liens dont la rupture nous paraît impensable et intolérable. C'est donc cette première génération romantique qui a la première refusé la mort. Elle l'a exaltée, hypostasiée, et, en même temps, elle a fait, non pas de n'importe qui, mais de l'être aimé, un immortel inséparable.

Cet attachement dure toujours, malgré quelque apparence de relâchement, qui tient surtout à un langage plus discret, à plus de pudeur, la pudeur de Mélisande. Et en même temps, pour d'autres raisons, la société ne supporte plus la vue des choses de la mort, et par conséquent ni celle du corps du mort, ni celle des proches qui le pleurent. Le survivant est donc écrasé entre le poids de sa peine et celui de l'interdit de la société.

Le résultat est dramatique, et les sociologues ont en particulier souligné le cas des veufs. La société fait le vide autour d'eux, vieux ou jeunes, mais plus encore s'ils sont vieux (ils cumulent alors deux répulsions). Ils n'ont plus personne à qui parler du seul sujet qui leur importe, du disparu. Il ne leur reste qu'à mourir à leur tour, et c'est ce qu'ils font souvent, sans nécessairement se suicider. Une enquête de 1967 dans le pays de Galles a montré que la mortalité des parents proches d'un défunt était de 4,76 %, la première année après le décès, contre 0,68 % dans l'échantillon témoin, alors que, la deuxième année, elle devenait juste un peu supérieure au témoin (1,99 contre 1,25). La mortalité des veufs montait, elle, à 12,2 % la première année contre 1,2 de l'échantillon témoin, c'est-à-dire qu'elle était dix fois plus forte [17].

Le triomphe de la médicalisation

Tout se passe comme si le modèle romantique, tel qu'il existait au milieu du XIXᵉ siècle, subissait une série de démantèlements successifs. Il y eut d'abord, à la fin du XIXᵉ siècle, ceux qui modifièrent la première période du mourir, celle de la très grave maladie, pendant laquelle le malade est tenu dans l'ignorance et mis à l'écart : le cas d'Ivan Ilitch. Il y eut ensuite, au XXᵉ siècle, à partir de la guerre de 1914, l'interdiction du deuil et de tout ce qui dans la vie publique rappelle la mort, au moins la mort considérée comme normale, c'est-à-dire non violente. L'image de la mort se contracte comme le diaphragme d'un objectif photographique qui se ferme. Restait le moment même de la mort qui, à l'époque d'Ivan Ilitch et pendant longtemps encore, avait gardé ses caractères traditionnels : révision de la vie, publicité, scène des adieux.

Cette dernière survivance a disparu depuis 1945 en raison de la médicalisation complète de la mort. C'est le troisième et dernier épisode de l'inversion.

Le fait essentiel est le progrès bien connu des techniques chirurgicales et médicales qui mettent en œuvre un matériel complexe, un personnel compétent, des interventions fréquentes. Les conditions de leur pleine efficacité ne sont réunies qu'à l'hôpital, du moins l'a-t-on cru avec conviction jusqu'à nos jours. L'hôpital n'est pas seulement un lieu de haut savoir médical, d'observation et d'enseignement, il est lieu de concentration de services auxiliaires (laboratoires pharmaceutiques), d'appareils raffinés, coûteux, rares, qui donnent au service un monopole local.

Dès qu'une maladie paraît grave, le médecin a tendance à expédier son patient à l'hôpital. Le progrès de la chirurgie a entraîné celui des procédés de réanimation, d'atténuation ou de suppression de la souffrance et de la sensibilité. Ces procédés n'ont plus été seulement appliqués avant, pendant ou après une opération, ils ont été étendus à toutes les agonies, afin d'en soulager les peines. Par exemple le moribond était hydraté et alimenté par perfusions intraveineuses, ce qui lui évitait les souffrances de la soif. Un tube reliait sa bouche à une pompe qui aspirait ses mucosités et l'empêchait d'étouffer. Les médecins et les infirmières administraient des calmants dont ils pouvaient contrôler les effets et varier les doses. Tout cela est aujourd'hui bien connu et explique l'image pitoyable, désormais classique, du mourant hérissé de tubes.

Par une pente insensible et rapide, le mourant quelconque était assimilé à un opéré grave. C'est pourquoi on a cessé, surtout dans les villes, de mourir chez soi — comme d'y naître. Dans la ville de New York, en 1967, 75 % des décès avaient lieu à l'hôpital ou dans des institutions analogues, contre 69 % en 1955 (60 % dans l'ensemble des États-Unis). La proportion n'a cessé depuis d'augmenter. A Paris, il est courant qu'un vieillard cardiaque ou pulmonaire soit hospitalisé pour finir doucement. On pourrait parfois donner les mêmes soins, en prenant une infirmière à domicile, mais ils sont moins bien remboursés — quand ils le sont — par la Sécurité sociale, et ils imposent à la famille une fatigue et des charges qu'elle ne peut plus supporter (lessives, présence, navette chez le pharmacien, etc.), en particulier quand la femme travaille et qu'il n'y a plus d'enfant, de sœur, de cousine, ou de voisine disponible.

La mort à l'hôpital est une conséquence à la fois du progrès des techniques médicales d'adoucissement de la peine, et de l'impossibilité matérielle, dans l'état des règlements, de les appliquer à la maison.

Rappelons enfin ce qui a été dit au début de ce chapitre de l'inconvenance de la grande maladie, de la répugnance physique qu'elle provoque, du besoin de la cacher aux autres et à soi-même. Dans sa conscience morale, la famille confond son intolérance inavouée aux aspects sordides de la maladie, avec les exigences de la propreté et de l'hygiène. Dans la plupart des cas, et surtout dans les grandes villes comme Paris, elle n'a rien tenté pour retenir ses mourants ni pour inspirer une législation sociale moins favorable à leur départ.

L'hôpital n'est donc plus seulement un lieu où l'on guérit et où l'on meurt à cause d'un échec thérapeutique, c'est le lieu de la mort normale, prévue et acceptée par le personnel médical. En France cela n'est pas vrai des cliniques privées qui ne veulent pas effrayer leur clientèle, et aussi, peut-être, leurs infirmières et leurs médecins, par le voisinage de la mort. Quand celle-ci arrive, et qu'on n'a pas pu l'éviter, on renvoie en hâte le cadavre, à peine expiré, à la maison où il est censé avoir trépassé aux yeux de l'état civil, du médecin légiste et du monde.

Cette « expédition » n'est pas possible dans les hôpitaux publics, qui risquent dès lors d'être encombrés de grands vieillards incurables et de moribonds maintenus en vie. Aussi pense-t-on, en certains pays, leur réserver des hôpitaux spécialisés dans la mort douce et sa préparation, où leur seraient évités les inconvénients d'une organisation hospitalière et médicale conçue dans un autre but, celui de guérir à tout prix. C'est une nouvelle conception de « l'hospice » dont le modèle est l'hospice de Saint Christopher, dans la banlieue de Londres.

Aujourd'hui, Ivan Ilitch serait soigné à l'hôpital. Peut-être aurait-il été
guéri, et il n'y aurait plus de roman...

Ce transfert a eu d'énormes conséquences. Il a précipité une évolution
qui avait commencé, nous l'avons vu, à la fin du xixe siècle, et il l'a
poussée jusqu'à ses plus extrêmes conséquences.

La mort a changé de définition. Elle a cessé d'être l'instant qu'elle était
devenue depuis le xviie siècle environ, mais dont elle n'avait pas auparavant la ponctualité. Dans les mentalités traditionnelles, l'instantanéité
était atténuée par la certitude d'une continuation : pas nécessairement
l'immortalité des chrétiens (des chrétiens d'autrefois!), mais un prolongement atténué, toujours quelque chose. A partir du xviie siècle, la
croyance plus répandue dans la dualité de l'âme et du corps et dans leur
séparation à la mort a supprimé la marge de temps. Le trépas est devenu
instant.

La mort médicale d'aujourd'hui a reconstitué cette marge, mais en
gagnant sur l'en-deçà, et non plus sur l'au-delà.

Le temps de la mort s'est à la fois allongé et subdivisé. Les sociologues
ont la satisfaction de pouvoir désormais lui appliquer leurs méthodes
classificatoires et typologiques. Il y a la mort cérébrale, la mort biologique,
la mort cellulaire. Les signes anciens, comme l'arrêt du cœur et de la
respiration, ne suffisent plus. Ils sont remplacés par une mesure de l'activité cérébrale, l'électro-encéphalogramme.

Le temps de la mort est allongé au gré du médecin : celui-ci ne peut
pas supprimer la mort, mais il peut en régler la durée, de quelques heures
qu'elle était autrefois, à quelques jours, à quelques semaines, à quelques
mois, voire quelques années. Il est devenu, en effet, possible de retarder le
moment fatal, les mesures prises pour calmer la douleur ont aussi pour
effet secondaire de prolonger la vie.

Il arrive que ce prolongement devienne un but, et que l'équipe hospitalière refuse d'arrêter les soins qui entretiennent une vie artificielle. Le
monde se rappellera l'agonie shakespearienne de Franco, au milieu de ses
vingt docteurs. Le cas le plus sensationnel est sans doute celui de Karen
Ann Quinlan, une jeune Américaine de vingt-deux ans, qui, à l'heure où
j'écris, est maintenue en vie depuis maintenant plus de treize mois, par un
respirateur, nourrie et préservée des infections par des perfusions. On
est certain qu'elle ne reprendra jamais sa conscience. L'hôpital persiste,
malgré la pression de la famille et même malgré une décision de justice,
à l'entretenir. La raison en est qu'elle n'est pas en état de mort cérébrale,
c'est-à-dire que son électro-encéphalogramme n'est pas plat. Il ne nous
appartient pas ici de discuter le problème d'éthique que soulève ce cas
rare d' « acharnement thérapeutique ». L'intéressant est que la médecine
peut ainsi permettre à un presque mort de subsister presque indéfiniment.
Pas seulement la médecine : la médecine *et* l'hôpital, c'est-à-dire toute
l'organisation qui fait de la production médicale une administration et

une entreprise, obéissant à des règles strictes de méthode et de discipline.

Le cas de Karen Ann Quinlan est un cas limite, exceptionnel, dû en particulier à la persistance d'une activité cérébrale. Il est courant que les soins soient arrêtés quand la mort cérébrale *(brain death)* est constatée. Les médecins cessent l'alimentation, ou encore la défense contre l'infection, permettant à la vie végétative de s'éteindre à son tour. En 1967 on découvrit avec indignation que dans un hôpital d'Angleterre on affichait au pied du lit de certains vieillards : NTBR, c'est-à-dire, à ne pas réanimer [18].

La durée de la mort dépend ainsi d'une concertation entre la famille, l'hôpital, voire la justice, ou d'une décision souveraine du médecin : le mourant, qui avait déjà pris l'habitude de s'en remettre à ses proches (il leur confiait des vœux qu'il ne leur imposait plus dans son testament), abdiqua peu à peu, abandonnant à sa famille la direction de la fin de sa vie et de sa mort. La famille, à son tour, s'est déchargée de cette responsabilité sur le thaumaturge savant qui possédait les secrets de la santé et de la souffrance, qui savait mieux que personne ce qu'il fallait faire et à qui revenait, par conséquent, de choisir en toute souveraineté.

On a remarqué que le médecin est à la maison moins secret et moins absolu qu'à l'hôpital. C'est qu'à l'hôpital il appartient à une bureaucratie qui tient sa puissance de sa discipline, de son organisation, de son anonymat. Dans ces conditions, a paru un nouveau modèle de la mort médicalisée, la mort à l'hôpital, un *style of dying*.

La mort a cessé d'être admise comme un phénomène naturel nécessaire. Elle est un échec, un *business lost* [19] (R.S. Morrison). C'est l'opinion du médecin qui la revendique comme sa raison d'être. Mais il n'est lui-même qu'un porte-parole de la société, plus sensible et plus radical que la moyenne. Quand la mort arrive, elle est considérée comme un accident, un signe d'impuissance ou de maladresse, qu'il faut oublier. Elle ne doit pas interrompre la routine hospitalière, plus fragile que celle d'un autre milieu professionnel. Elle doit donc être discrète : « sur la pointe des pieds ». Quel dommage que Mélisande n'ait pas fini à l'hôpital. Elle aurait été une bonne mourante, que médecins et infirmières auraient dorlotée, dont ils auraient gardé le souvenir. Sans doute est-il souhaitable de mourir sans s'en apercevoir, mais il convient aussi de mourir sans qu'on s'en aperçoive.

Une mort trop apparente, trop théâtrale, trop bruyante, même — et surtout — si elle reste digne, suscite dans l'entourage une émotion qui n'est pas compatible avec la vie professionnelle de chacun, et encore moins avec celle de l'hôpital.

La mort a donc été aménagée pour concilier un phénomène accidentel, parfois inévitable, avec la sécurité morale de l'hôpital.

Le personnel hospitalier a défini un *acceptable style of facing death* (Glaser and Strauss) : la mort de celui qui fait semblant qu'il ne va pas mourir. Il dissimulera d'autant mieux qu'il ne le sait pas lui-même. Son ignorance est donc plus nécessaire qu'au temps d'Ivan Ilitch. Elle est pour lui un facteur de guérison, et pour l'équipe soignante une condition de son efficacité.

Ce que nous appelons aujourd'hui la bonne mort, la belle mort, correspond exactement à la mort maudite d'autrefois, la *mors repentina et improvisa*, la mort inaperçue. « Il est mort cette nuit dans son sommeil : il ne s'est pas réveillé. Il a eu la plus belle mort qu'on peut avoir. »

Or, aujourd'hui, une mort si douce est devenue rare, en raison des progrès de la médecine. Il faut donc rapprocher par quelque habileté la mort lente de l'hôpital de la *mors repentina*. Le moyen le plus sûr est sans doute l'ignorance du malade. Mais cette stratégie est parfois déjouée par son habileté diabolique à interpréter les attitudes du médecin, des infirmières. Alors instinctivement, inconsciemment, ceux-ci obligent le malade, qu'ils dominent et qui cherche à leur plaire, à feindre l'ignorance. Dans certains cas le silence se transforme en une connivence; dans d'autres cas, la crainte d'une confidence ou d'un appel interdit toute communication.

La passivité du mourant est entretenue par les calmants, en particulier à la fin, quand les souffrances, devenues intolérables, arrachent des « cris horribles », ceux d'Ivan Ilitch et de Mme Bovary. La morphine a raison des grandes crises, mais elle diminue aussi une conscience que le malade ne récupère plus que par intermittence.

Tel est l'*acceptable style of facing death*. Le contraire est l'*embarrassingly graceless dying* [20], la mauvaise mort, la mort laide, sans élégance ni délicatesse, la mort perturbatrice. Elle est toujours le fait d'un malade qui sait. Dans un premier cas, il se révolte, crie, devient agressif. Dans l'autre cas, qui n'est pas moins redouté par l'équipe soignante, il accepte sa mort, se concentre sur elle, et se retourne contre le mur, se désintéresse du monde où l'entoure, ne communique plus avec lui. Médecins et infirmières, à leur tour, refusent ce refus, qui les élimine et décourage leurs efforts. Ils y reconnaissent l'image détestée de la mort, phénomène de nature, alors qu'ils en ont fait un accident surmontable de la maladie ou qu'il faut croire surmontable.

Dans le cas, heureusement, le plus fréquent, de la bonne mort, on arrive à ne plus savoir où on en est de la mort ou de la vie. C'est d'ailleurs le but recherché. Ainsi D. Sudnow nous raconte-t-il qu'une jeune stagiaire, dans un hôpital américain, ne parvenait pas à faire boire au chalumeau un grand blessé. Elle appelle à l'aide la monitrice. « *Well, honey! Of course! He won't respond, he's been dead for twenty minutes.* » C'eût été une belle mort pour tout le monde si la jeune stagiaire n'avait pas alors piqué une crise de nerfs [21].

Dans les hôpitaux de pauvres, on profite de cette indétermination pour choisir le moment le plus favorable à certains actes : ainsi ferme-t-on les yeux des mourants un peu avant leur mort, c'est plus facile. Ou encore on s'arrange pour qu'ils meurent plutôt au petit matin, juste avant le départ de l'équipe de nuit : conduites désinvoltes et caricaturales, dans des services mal surveillés et sans prestige, hospices de vieillards abandonnés. Elles rendent cependant manifestes par leurs traits grossiers des aspects de la « bureaucratisation » et du *management of death* qui sont inséparables de l'institution hospitalière et de la médicalisation de la mort, et qui se retrouvent partout. La mort n'appartient plus ni au mourant — d'abord irresponsable, ensuite inconscient — ni à la famille, persuadée de son incapacité. Elle est réglée et organisée par une bureaucratie dont la compétence et l'humanité ne peuvent l'empêcher de traiter la mort comme sa chose, une chose qui doit la gêner le moins possible, dans l'intérêt général. « La société, dans sa sagesse, a produit des moyens efficaces de se protéger des tragédies quotidiennes de la mort, afin de pouvoir poursuivre ses tâches sans émotion ni obstacle [22] » (S. Levine et N. A. Scotch).

Le retour de l'avertissement. Le rappel à la dignité.
La mort aujourd'hui

Telle était la situation à la fin des années cinquante. Elle a changé, notamment dans le monde anglo-saxon, sur un point, d'ailleurs essentiel : l'ignorance du mourant. L'attitude du début du XXᵉ siècle subsiste toujours en France. En 1966, la revue *Médecine de France* publiait un entretien entre le philosophe Jankélévitch et les médecins J.-R. Debray, P. Denoix, P. Pichat. « Le menteur est celui qui dit la vérité, affirmait Jankélévitch, je suis contre la vérité, passionnément contre la vérité. » (Position qui s'accompagne d'un scrupuleux respect de la vie et de sa prolongation : « Dussiez-vous prolonger la vie du malade de vingt-quatre heures, cela vaut la peine. Il n'y a pas de raison de l'en priver. Pour un médecin, vivre c'est un bien, quel que soit cet être : un être diminué, un pauvre être infirme. »)

Robert Laplane cerne la complexité du problème : « M. Denoix a eu raison de souligner qu'il existe des cas dans lesquels la vérité doit être dite pour soulager le malade. J'ai dit que le malade ne demande au fond qu'à *ne pas être confronté avec sa vérité : c'est exact dans la majorité des cas,* mais il nous arrive aussi [à nous médecins], reconnaissons-le, de fuir cette vérité, de nous retrancher derrière notre autorité, de jouer à cache-cache... Il existe des médecins qui ne disent jamais rien. Ce mensonge de facilité, très souvent, prend la forme du silence. »

Aux États-Unis, on assiste, au contraire, depuis quelques années, à un renversement complet des attitudes. Un tel changement n'est pas dû à l'initiative du corps médical : il lui a été plutôt imposé par un milieu paramédical de psychologues, de sociologues, plus tard de psychiatres, qui ont pris conscience de la grande pitié des mourants et ont alors résolu de défier l'interdit. Cela ne fut pas sans peine. Quand Feifel, avant 1959, voulut, sans doute pour la première fois, interroger des mourants sur eux-mêmes, les autorités hospitalières s'indignèrent, le projet leur paraissait *cruel, sadistic, traumatic.* Quand Elizabeth Kübler-Ross, en 1965, chercha, à son tour, des mourants à interroger, les chefs de service auxquels elle s'adressait protestèrent : des mourants? mais ils n'en avaient pas! Il ne pouvait y en avoir dans un service bien organisé et bien à jour : c'était le cri du cœur.

Cette résistance du milieu hospitalier ne parvint pas à arrêter l'intérêt et la sympathie de quelques pionniers qui firent rapidement école. La première manifestation fut le livre collectif édité par H. Feifel, en 1959, *The Meaning of Death* [23]. Dix ans plus tard, un autre ouvrage collectif, *The Dying Patient,* contenait une bibliographie de trois cent quarante titres postérieurs à 1955 et seulement de langue anglaise, sur « le mourir », laissant de côté les funérailles, le cimetière, le deuil. Le volume de cette littérature donne une idée du mouvement qui secouait le petit monde des sciences humaines et qui finissait par toucher la forteresse médicale et hospitalière. Une femme a certainement joué un rôle essentiel dans cette mobilisation, parce qu'elle était médecin et sut s'imposer à ses pairs, malgré bien des découragements et des humiliations : Elizabeth Kübler-Ross, dont le beau livre, *On Death and Dying,* paru en 1969, a secoué l'Amérique et l'Angleterre, où il a été tiré à plus d'un million d'exemplaires [24].

Le courant d'opinion, né de la pitié, pour le mourant aliéné, s'est orienté vers l'amélioration du mourir, en rendant au mourant sa dignité négligée.

Exclue du savoir médical, sauf dans des cas de médecine légale, considérée comme un échec provisoire de la science, la mort n'avait pas été étudiée pour elle-même; on l'avait écartée comme un thème de philosophie qui ne ressortissait pas à la science. Les recherches récentes tentent de lui rendre une réalité, de la réintroduire dans les études médicales où elle avait disparu depuis la fin du XIXᵉ siècle.

Le médecin qui avait été longtemps, avec le prêtre, le témoin et l'annonceur de la mort, ne la connaît plus qu'à l'hôpital. La pratique de la médecine non hospitalière ne donne plus l'expérience de la mort. Désormais le médecin mieux informé pourra, croit-on, mieux préparer ses malades, et sera moins tenté de se réfugier dans le silence.

C'est la dignité de la mort qui fait question. Cette dignité exige d'abord qu'elle soit reconnue, non plus seulement comme un état réel, mais comme un événement essentiel, un événement qu'il n'est pas permis d'escamoter.

Une des conditions de cette reconnaissance est que le mourant soit informé de son état. Très rapidement, les médecins anglais et américains ont cédé à la pression, sans doute parce qu'ils purent ainsi partager une responsabilité qu'ils commençaient à trouver insupportable.

Sommes-nous dès lors à la veille d'un changement nouveau et profond devant la mort? La règle du silence commencerait-elle à devenir caduque? Le 29 avril 1976, une chaîne de télévision américaine projetait un film d'environ une heure, intitulé *Dying,* qui eut un grand retentissement, en particulier dans la presse, quoique beaucoup d'Américains refusèrent de le voir ou affectèrent de l'ignorer.

Le réalisateur, M. Roemer, a observé la mort dans l'Amérique post-industrielle, comme un ethnologue étudiant une société sauvage. Il vécut longtemps avec sa caméra dans l'intimité de grands malades cancéreux et de leurs familles. Le document qui en résulte est extraordinaire et bouleversant. Mieux que toute la littérature publiée pendant ces dernières années, il indique l'état actuel de l'opinion.

Un trait est commun aux quatre cas présentés et correspond bien à ce que nous savons d'autre part : le malade et la famille sont très exactement *avertis* par le médecin du diagnostic et de l'évolution probable de la maladie.

Le premier cas est réduit au monologue devant l'écran d'une jeune femme de trente à quarante ans qui raconte la maladie et la mort de son mari. Ils savaient tous deux à quoi s'en tenir. Or la conscience que les époux avaient de la situation, loin de les traumatiser, leur a permis de s'épanouir pendant cette période, de resserrer leur communion. Les tout derniers jours, dit-elle à peu près, si surprenant que cela paraisse, ont été les plus beaux et les plus heureux de sa vie. A plus d'un siècle d'intervalle, il me semble entendre Albert ou Alexandrine de La Ferronays : je reconnais là, en plein XXe siècle, le modèle romantique de la belle mort.

Le quatrième et dernier cas est la longue passion d'un pasteur noir d'une soixantaine d'années. Cette fois-ci la caméra nous fait vivre dans son intérieur modeste, au milieu d'une famille nombreuse et unie : sa femme, dont les gestes les plus simples ont la noblesse naturelle d'une grande tragédienne, ses enfants mariés, ses petits-enfants, encore très jeunes. Il a un cancer du foie. Nous assistons à la consultation pendant laquelle le médecin lui révèle ainsi qu'à sa femme qu'il est condamné : nous devinons le mouvement rapide de leurs pensées, mélange de tristesse et de résignation, de pitié et de tendresse, de foi aussi. Nous sommes le dimanche dans l'église quand le révérend fait ses adieux à la communauté paroissiale qui hache son sermon de brèves mélopées à la manière africaine. Nous le suivons quand son fils l'emmène en pèlerinage au pays de son enfance, dans le Sud profond, sur la tombe de ses parents. Nous sommes à son chevet quand la mort approche, dans la chambre pleine de monde, au milieu de toute la famille réunie, petits et grands, et quand les enfants viennent embrasser une dernière fois son visage creusé, mais paisible. Nous allons enfin à la cérémonie des funérailles, à l'église, où la communauté défile devant le cercueil ouvert, au milieu des larmes et des chants. Nous ne pouvons pas nous tromper, c'est la mort apprivoisée, familière et publique.

Les deux autres cas n'ont plus rien de commun avec les modèles anciens ou connus. Ils caractérisent au contraire la mort très nouvelle d'aujourd'hui, chez de jeunes adultes, dans le milieu aisé des *golden suburbs*.

D'abord celui d'une jeune fille d'une trentaine d'années, demeurant chez sa mère et atteinte d'un cancer du cerveau. Son crâne rasé est défoncé par l'opération qu'elle a subie, son corps à moitié paralysé, son élocution difficile. Elle nous parle cependant très librement, d'une manière presque détachée, de sa vie, de la mort qu'elle attend de jour en jour : elle n'en a pas peur, il faut bien mourir, peu importe quand, pourvu que ce soit dans l'inconscience du coma.

Elle nous impressionne par son courage, mais plus encore par une absence complète d'émotion, comme si la mort était chose quelconque, sans importance. Ce *mors ut nihil* ressemble à l'*omnia ut nihil* du XVIIe siècle (chapitre 7), à cette différence près que le *nihil* a perdu son sens tragique et qu'il est devenu tout ordinaire.

La malade serait très seule sans la présence muette et empressée de sa mère : en empirant, le mal la ramène à l'état de dépendance d'un petit enfant ou d'un petit animal nourri à la cuillère et qui ne sait plus qu'ouvrir la bouche. Hors de la complicité qui soude la mère et la fille au-delà des larmes, des confidences, s'étend la solitude des belles maisons vides et des grands jardins déserts. Personne, absolument personne.

L'autre cas se passe dans un milieu semblable, chez un homme du même âge, atteint aussi de cancer au cerveau, mais marié, père de deux garçons d'une dizaine d'années. Sa femme, très traumatisée (et peut-être impressionnée par le regard de la caméra), s'efforce d'éviter toute émotion et affecte un comportement réaliste et efficace. Un soir, elle téléphone de chez elle à son mari alors à l'hôpital, pour l'informer qu'elle a pu retenir une concession au cimetière, d'un ton détaché, comme s'il s'agissait d'une réservation d'hôtel : elle n'a même pas pris le soin d'éloigner les enfants qui continuent de jouer, comme s'ils n'entendaient rien...

En fait, elle est, la malheureuse, derrière cette façade, prête à craquer. Un jour, n'en pouvant plus, elle va chez le médecin — avec la caméra — pour lui crier sa révolte : son mari, trop affaibli, est devenu indifférent et n'intervient plus dans la vie familiale. Et pourtant, cette interminable prolongation lui interdit à elle de se remarier, de redonner un autre père à ses enfants, et demain il sera peut-être trop tard! On devine son désir, que le médecin refuse d'entendre.

Nous revoyons, dans les dernières images, le malade après son dernier traitement hospitalier, revenu dans la belle maison et le beau jardin, enfermé dans un silence dont il ne sortira plus. La communication muette qui existait dans le cas précédent entre la mère et la fille est absente. La solitude est ici absolue.

Le fait nouveau révélé par *Dying* n'est pas tant cette solitude, que la volonté de divulguer les choses de la mort et d'en parler naturellement, au lieu de les cacher. Mais la différence est, en réalité, moins grande qu'il ne paraît, et l'exhibition atteint le même but que le silence de l'interdit : étouffer l'émotion, désensibiliser le comportement. Et alors, l'impudeur de *Dying* paraît plus efficace que la honte de l'interdit. Elle réussit mieux à supprimer toute possibilité de communiquer, elle assure le plus parfait isolement du mourant. Les deux attitudes, en réalité très voisines, répondent également au malaise provoqué par la persistance de la mort dans un monde qui élimine le mal : le mal moral, l'enfer et le péché, au XIXe siècle, le mal physique, la souffrance et la maladie, au XXe (ou XXIe) siècle. La mort devrait suivre le mal auquel elle avait toujours été liée dans les croyances, et disparaître à son tour : or elle persiste, et même ne recule plus. Sa persistance apparaît alors comme un *scandale* devant lequel on a le choix entre deux attitudes : l'une est celle de l'interdit qui consiste à faire comme si elle n'existait pas en la chassant hors de la vie quotidienne. L'autre est celle de *Dying* : l'accepter comme un fait technique, mais la réduire à l'état d'une chose quelconque, aussi insignifiante que nécessaire.

Toutefois, même dans ce dernier cas, certains pensent que l'état du mourant décrit par *Dying* est devenu intolérable à force d'insignifiance. Il convient de le rendre supportable, soit en laissant reparaître la dignité naturelle, celle de Mélisande, soit grâce à une préparation qui s'apprend comme un art et qu'enseigne E. Kübler-Ross à l'université de Chicago. Là des étudiants peuvent entendre et voir, sans être vus, derrière une glace sans tain, les moribonds — consentants — qui s'entretiennent de leur condition avec des hommes de cœur et de science, nouveaux maîtres du mourir.

Ainsi parviendra-t-on à atténuer quelques effets du passage de la mort dans le monde des techniques, mais qu'on en adoucisse la dureté ne fera pas sortir.

Dans le débat d'idées contemporain, ceux que de tels adoucissements ne satisfont pas et qui, à la limite, les rejettent comme d'équivoques compromis sont alors conduits à contester la médicalisation de la société. Tel est le cas d'Ivan Illich, qui a le courage d'aller jusqu'au bout de sa logique. Pour lui, la médicalisation de la mort est un cas particulier, mais particulièrement significatif et grave, de la médicalisation générale. Pour lui, l'amélioration de la mort passe nécessairement par sa démédicalisation et par celle de la société tout entière[25].

Mais Ivan Illich est un homme seul. Dans l'ensemble, le débat ouvert en 1959 par Feifel reste confiné à une intelligentsia, il est vrai étendue, avec, de temps en temps, des poussées vers un grand public qui laisse monter, à ces rares occasions, un fond de malaise et d'inquiétude.

Il est très remarquable que la reprise du discours sur la mort n'ait pas ébranlé la détermination de la société à repousser l'image réelle de la mort. J'ai des exemples très récents montrant la persistance du refus du deuil. Une jeune femme européenne et vivant aux États-Unis, ayant perdu subitement sa mère, partit l'enterrer dans son pays, mais elle dut revenir le plus tôt qu'elle put, étourdie et blessée, pour retrouver son mari et ses enfants; elle souhaitait au début qu'on l'entourât, mais le téléphone ne sonna pas. Comme la belle-sœur de G. Gorer elle était en quarantaine : le deuil à l'envers. Attitude très inhabituelle dans une société prompte à la pitié et toujours disponible.

On désire améliorer la mort à l'hôpital et on en parle volontiers, mais à condition qu'elle n'en sorte pas. Il existe pourtant une faille dans l'enceinte médicalisée, par où la vie et la mort, si soigneusement séparées, pourraient bien se rejoindre dans un flot de tempête populaire : c'est la question de l'euthanasie et du pouvoir d'arrêter ou de prolonger les soins.

Aujourd'hui personne ne se sent encore vraiment concerné par sa propre mort. Mais l'image d'Épinal du mourant hérissé de tubes, respirant artificiellement, commence à percer la cuirasse des interdits et à ébranler une sensibilité longtemps paralysée. Il se pourrait que l'opinion s'émût, qu'elle s'emparât alors du sujet avec la passion qu'elle a montrée dans d'autres combats de la vie, notamment concernant l'avortement. Beaucoup de choses seraient changées. C'est ce que suggère Cl. Herzlich. « Allons-nous (...) assister à une résurgence plus large des problèmes de la mort, débordant les cercles d'experts et éventuellement porteuse de mouvements sociaux aussi importants que l'avortement? (...) Nous savons aujourd'hui que, dans certains cas du moins [Franco, Karen Ann Quinlan...], les hommes meurent [ou non] parce que l'on a décidé [à l'hôpital] qu'il était temps pour eux. Vont-ils exiger de mourir quand ils voudront mourir [26]? » Nous n'en savons encore rien, mais que la question puisse être ainsi posée est significatif. Le modèle le plus récent de la mort est lié à la médicalisation de la société, c'est-à-dire à l'un des secteurs de la société industrielle où le pouvoir de la technique a été le mieux accueilli et est encore le moins contesté. Pour la première fois, on a douté de la bienfaisance inconditionnelle de ce pouvoir. C'est à cet endroit de la conscience collective qu'un changement pourrait bien intervenir dans les attitudes contemporaines.

La géographie de la mort inversée

Nous avons décrit le modèle de la mort inversée et ses progrès successifs dans le temps. Il possède cependant un espace géographique et un espace social bien à lui.

Il a certes une préhistoire dans la société bourgeoise, européenne et cosmopolite de la fin du XIXᵉ siècle, à laquelle appartenait la noblesse russe, malgré sa forte ethnicité. C'est pourquoi nous l'avons découvert chez Tolstoï. Mais il prend sa consistance actuelle dans les États-Unis et l'Angleterre du XXᵉ siècle. C'est là qu'il s'enracine, parce qu'il y a trouvé les conditions les plus favorables à son développement.

L'Europe continentale se présente, au contraire, comme un môle de résistance où persistent les attitudes anciennes. Depuis une ou deux décennies, l'interdit de la mort inversée s'est étendu au-delà de son berceau, dans de vastes provinces de la mort traditionnelle et romantique. Il serait intéressant de dessiner la frontière actuelle : une bonne partie de l'Europe du Nord-Ouest a été gagnée. Des *funeral homes* à la mode américaine apparaissent même sur les bords de la Méditerranée française.

En revanche, des parties de sa zone d'origine échappaient encore à l'interdit au moment de l'enquête de Gorer : l'Écosse presbytérienne, où les corps des morts à l'hôpital sont toujours ramenés à la maison pour une cérémonie très traditionnelle. Ce qui prouve combien il serait faux de faire du modèle anglo-saxon un modèle protestant, opposé à un modèle traditionnel catholique.

L'espace social est aussi bien circonscrit que l'espace géographique. L'enquête de Gorer, en 1963, a montré son caractère bourgeois ou *middle class*. Le deuil était au contraire plus porté dans la classe ouvrière.

Aux États-Unis, une enquête de l'université de Chicago, portant notamment sur la signification de la mort, commentée par J.W. Riley [27], montre également de grandes différences selon les classes sociales. L'image traditionnelle de la *requies,* du repos, qu'on croyait bien disparue, était choisie par 54 % de l'échantillon. En 1971, dans une enquête de la revue *Psychology Today* auprès de ses lecteurs qui appartiennent à l'intelligentsia libérale américaine, elle atteignait tout juste 19 %. La différence entre les deux chiffres est due au poids de la classe ouvrière.

Un autre thème de la même enquête de Chicago était la nature active ou passive de l'attitude devant la mort. Il est facile de distinguer deux catégories : les plus riches et plus instruits qui sont à la fois actifs (ils font des testaments, ils souscrivent des assurances sur la vie) et non concernés (ils prennent des précautions pour leur famille, mais ces précautions leur permettent d'oublier). En revanche, les classes populaires hésitent à prendre des engagements qui impliquent leur disparition; elles sont passives et résignées, mais pour elles la mort est restée quelque chose de présent et de grave qui ne dépend pas du fait qu'on l'ait acceptée ou non : on reconnaît là les signes de « la mort autrefois ».

Cette répartition géographique et sociale permet d'établir quelques corrélations. Il est assez remarquable que le berceau de l'interdit contemporain corresponde à la zone d'extension du *rural cemetery,* et qu'en revanche, le môle de résistance coïncide avec les cimetières urbanisés, où les tombes monumentales, parfois illuminées, le soir, se serrent le long des allées comme les maisons d'une rue. Au cours du précédent chapitre

(chapitre 11), nous avons reconnu dans cette opposition une différence d'attitude existentielle et quasi populaire devant la nature. Les cimetières ruraux témoignent d'une religion de fait de la nature, les cimetières urbanisés d'une indifférence de fait. Une croyance vague mais puissante dans la continuité et la bonté de la nature a, me semble-t-il, pénétré la pratique religieuse et morale dans les pays de culture anglaise et rendu populaire l'idée que la souffrance, le malheur et la mort devaient et pouvaient être éliminés.

Une seconde corrélation apparaît entre la géographie de la mort inversée et celle de ce qu'on peut appeler la seconde révolution industrielle, c'est-à-dire celle des cols blancs, des grandes villes et des techniques raffinées.

Dans le chapitre précédent, nous avons trouvé sous la plume d'un positiviste des années 1880 le terme « d'industrialisme heureux » pour définir et dénoncer un refus hédoniste de la mort qui semble annoncer le milieu du xxᵉ siècle. Saint-simoniens et positivistes pressentaient une relation entre le progrès des techniques, celui du bonheur et l'élimination maximum de la mort hors de la vie quotidienne. Mais dans les années 1880, la relation était théorique, ou elle n'apparaissait que dans des cas isolés et extrêmes, et il fallait une grande perspicacité pour l'apercevoir.

Elle a gagné de la réalité en même temps qu'augmentait l'influence de la technique, non seulement sur l'industrie et la production, mais sur la vie publique et privée tout entière à partir du premier tiers du xxᵉ siècle — un peu auparavant aux États-Unis. L'idée s'est alors répandue qu'il n'y avait plus de limite au pouvoir de la technique, ni dans l'homme ni dans la nature. La technique grignote le domaine de la mort jusqu'à l'illusion de la supprimer. La zone de la mort inversée est aussi celle de la plus forte croyance dans l'efficacité de la technique et de son pouvoir de transformer l'homme et la nature.

Notre modèle de la mort aujourd'hui est donc né et s'est développé là où se sont succédé deux croyances : d'abord la croyance dans une nature qui paraissait éliminer la mort, ensuite la croyance dans une technique qui remplacerait la nature et éliminerait la mort plus sûrement.

Le cas américain

Du seul point de vue des attitudes devant la mort, l'aire culturelle ainsi constituée n'est pas homogène, même dans son berceau anglo-saxon. Il existe une grande différence entre l'Angleterre et les États-Unis.

En Angleterre, le but était l'effacement le plus complet de la mort à la

surface apparente de la vie : suppression du deuil, simplification des funérailles, incinération des corps et dispersion des cendres. Quelques résis-
tances subsistent dans l'Écosse presbytérienne, chez les catholiques
romains et les juifs orthodoxes, et aussi chez quelques individus considérés comme aberrants (on en trouve dans les récits de Lily Pincus). Dans
l'ensemble le but a été atteint. La mort a été proprement et parfaitement
évacuée.

Aux États-Unis et aussi au Canada, l'élimination est moins radicale;
la mort n'a pas tout à fait disparu du paysage urbain. Non pas qu'on y
voie quelque chose qui ressemble aux anciens cortèges des enterrements,
mais de grandes enseignes n'hésitent pas à afficher en pleine rue le mot
qu'on croyait interdit : *funeral home, funeral parlour.*

Les choses se sont passées comme si tout un côté de sa culture poussait l'Amérique à effacer les traces de la mort, et un autre la retenait et
maintenait la mort à une place encore bien visible. Le premier courant,
nous le connaissons, nous venons de l'analyser ici même, c'est celui qui
étend dans le monde contemporain l'interdit ou l'insignifiance de la mort.
Le second ne saurait être autre, nous allons le voir, que le vieux courant
romantique transformé : la mort de toi.

Entre ces deux tendances contradictoires, il fallut bien qu'un compromis
s'établisse. Le temps de la mort a été partagé entre elles. L'interdit règne
comme en Angleterre jusqu'à la mort incluse, et il reprend après la
sépulture, le deuil étant aussi proscrit. Mais entre la mort et la sépulture,
il est levé, et l'ancien rituel subsiste, méconnaissable d'ailleurs sous ses
remaniements. Si méconnaissable qu'il a trompé les observateurs les plus
perspicaces comme R. Caillois [28] ou les plus traditionalistes comme
E. Waugh *(The Loved One).* Ils n'y ont vu que modernité, alors que
celle-ci n'est qu'un vernis sur un fond ancien.

L'analyse des usages funéraires américains est facile, car les funérailles
sont une industrie et les chefs de cette industrie, les *Funeral Directors,*
parlent facilement. Leurs propos ont été honnêtement rapportés par
J. Mitford dans son livre *The American Way of Death,* quoique avec
une intention critique [29]. A les lire, on s'aperçoit qu'ils dérivent directement de la littérature de consolation du milieu du XIXe siècle que nous
avons étudiée au chapitre 10 (Les belles morts), en nous appuyant sur le
recueil édité par D. Stannard : *Death in America* et sur la contribution
d'A. Douglas à ce livre. Les *Funeral Directors* ont pris le relais des pasteurs de ce temps-là.

Prenons l'exemple du cercueil. Celui-ci n'avait pas été autrefois l'objet
d'une grande considération sauf dans des cas très particuliers : cercueils
vaguement anthropomorphes de l'Angleterre de la fin du XVIe siècle, cer-
cueils-sarcophages des Habsbourg à Vienne, toujours de plomb, cercueils
polonais du XVIIIe siècle, décorés parfois de portraits peints du défunt.
Encore est-il que la plupart des cercueils de plomb étaient de simples

coffres destinés seulement à assurer une meilleure conservation et à permettre un transport à longue distance sans intention esthétique.

Or, l'un des livres utilisés par Ann Douglas a pour titre *Agnes and the Key of the Little Coffin by Her Father* [30] (1857). Ce *little coffin* n'est pas un cercueil comme les autres. On ne donne plus aux cercueils d'enfants des formes géométriques banales. « Ils ressemblent, dit notre auteur, à quelque chose d'autre qu'un cercueil, et non pas à ce qui ne ressemble à rien d'autre qu'à un cercueil. » Il a plaisante apparence : « Vous voudriez bien un modèle de ce genre pour y ranger des objets de maison. » Il ferme avec une serrure à clé, et non pas avec les sinistres vis et écrous. Il n'est pas en bois, mais en métal. Bref, ce cercueil s'appelle toujours un *coffin,* mais c'est déjà un coffret sculpté, décoré, un *casket.*

Le vieux cercueil d'autrefois appartenait à l'arsenal macabre traditionnel, tant chez les puritains que chez les catholiques, avec le squelette, la tête de mort, la faux, le sablier, la bêche du fossoyeur. Il avait joué le rôle de *memento mori.* Son symbolisme devenait insupportable dans un monde où la mort prétendait ne plus être redoutable, mais belle et fascinante.

D'autre part, le luxe du nouveau cercueil, le *casket,* compensait la banalité de la tombe, réduite à une petite plaque de pierre, ou plus petite encore de bronze, dans les cimetières-pelouses qui commençaient à remplacer les *rural cemeteries.* Comme la tombe hier, le cercueil aujourd'hui devait être un objet d'art. Il ne faut plus rien de triste autour de la mort. C'est là une attitude du XIXe siècle romantique, qui annonce celle du XXe siècle technicien, à ceci près qu'elle est encore associée au regret des vivants : le deuil n'était pas alors incompatible avec l'embellissement de la mort heureuse. Heureux les morts, mais malheureux les vivants, privés de leurs êtres les plus chers, jusqu'au jour tant attendu (en principe) de l'éternelle réunion.

C'est aussi vers la même époque que l'embaumement réapparut. Si j'interprète bien ce que dit J. Mitford [31], l'embaumement aurait été souvent utilisé pendant la guerre de Sécession, pour le rapatriement des soldats tués, les familles aisées n'admettant plus les enfouissements collectifs sur le champ de bataille. L'embaumement permettait, comme au Moyen Age, de transporter les corps. On rapporte qu'un certain Thomas Holmes traita ainsi quatre mille vingt-huit soldats en quatre ans au prix de cent dollars par cadavre. On peut supposer que l'embaumement a paru alors une façon, non seulement de transporter, mais d'honorer les restes d'un être cher, et que la pratique a persisté après la guerre tant cette société était attachée à ses disparus et désirait communiquer toujours avec eux.

Cette piété a donc été renforcée par la guerre de Sécession, le premier des grands massacres de l'ère contemporaine. Aux besoins qu'elle suscitait, répondit la création d'une industrie nouvelle. Les choses de la mort occupaient une telle place dans la sensibilité de la fin du XIXe siècle qu'elles devinrent l'un des objets de consommation les plus appréciés et les plus profitables. Le phénomène est général à tout le monde occidental. En France, les compagnies de pompes funèbres ont remplacé alors les crieurs, les confrères et les fabriciens de l'Ancien Régime. Mais leur action a été plus discrète qu'outre-Atlantique (une discrétion qui n'a pas nui à leur prospérité); aux États-Unis elles ont plus franchement adopté les méthodes tapageuses du commerce avec tout ce que cela comporte de compétition et de publicité. Ainsi pouvait-on lire en 1965 dans les autobus de New York des panneaux vantant les services d'une de ces sociétés et invitant les voyageurs à les utiliser.

La profession a changé à la fin du XIXe siècle. Les premiers entrepreneurs, *undertakers,* étaient sans doute des artisans, ou des loueurs de voitures, qui assuraient le déplacement et procuraient le cercueil. Ils devinrent des hommes d'affaires importants, les *Funeral Directors* dont on a déjà parlé. Cependant, tout en prospectant le marché de la mort, comme n'importe quel marché économique, et tout en adoptant les mœurs du capitalisme, ils s'affirmèrent, dès le début, comme des sortes de prêtres ou de médecins, investis d'une fonction morale. La *National Funeral Directors Association,* créée en 1884, adopta un code déontologique dès sa création[32] qui affirmait qu'« il n'y a sans doute aucune autre profession que celle de *Funeral Director,* après celle du ministère sacré, où un degré aussi élevé de moralité soit aussi absolument nécessaire. Les hauts principes moraux sont les seuls certains ».

On le voit, les *Funeral Directors* succédaient tout simplement aux pasteurs et auteurs des livres de consolation analysés par A. Douglas. Ils abandonnaient aux spirites les échanges avec l'au-delà et se chargeaient des cérémonies matérielles qui exprimaient une volonté de prolonger la présence des morts. A cette époque, semble-t-il, les Églises, même protestantes, commencèrent à juger excessive la part prise par les morts dans le sentiment religieux. Cette retraite servit les *Funeral Directors* : ils se glissèrent à la place des prêtres et exploitèrent des besoins psychologiques négligés.

Puis, avec une agilité remarquable, ils utilisèrent les indications des psychologues du deuil; ceux-ci insistaient depuis Freud, nous l'avons vu, sur la nécessité naturelle du deuil et des réconforts collectifs que la société bourgeoise des grandes villes refusait aux survivants. Alors les *Funeral Directors* ont suppléé à la société défaillante. Ils ont voulu être des *Doctors of Grief,* avec une vocation de *Grief Therapy.* A eux revenait désormais le soin d'apaiser la peine des familles en deuil. Ils ont dévié le deuil, de la vie quotidienne d'où il était exclu, vers la courte période des funérailles où il était encore admis.

Ils furent ainsi amenés à aménager un espace spécial, entièrement consacré à la mort, à une mort non plus honteuse et clandestine comme celle de l'hôpital, mais visible et solennelle. L'église n'avait jamais été le lieu de la mort. Les morts y passaient et parfois y restaient, non sans irriter les clercs épurateurs. Sa destination première était le culte divin, la seconde étant d'accueillir la communauté aux moments où elle se reconstituait, aux étapes de la vie et de la mort.

L'espace laïque réservé à la mort s'appelle *Funeral Home, Funeral Parlour.* Cette spécialisation soulagea à la fois le clergé, la famille, les médecins ou infirmières déchargés, grâce à elle, du mort à l'église, à la maison, à l'hôpital. On lui assurait une place où il continuerait à recevoir les égards que la société lui refusait et que les Églises hésitaient à lui rendre. Cette maison des morts pouvait être associée à un cimetière, comme à Los Angeles. En effet, aux États-Unis les cimetières sont privés, appartiennent à des associations sans profit comme les églises, ou à des entreprises commerciales. Il existe aussi des cimetières municipaux, mais ceux-ci sont restés souvent jusqu'ici réservés aux pauvres (« le champ du potier »).

Le *Funeral Home* n'a pas à se cacher. Son nom est bien apparent. Parfois, à l'entrée de la ville ou du quartier, une grande affiche proclame ses avantages avec un « poster » du *Funeral Director.*

Dans cet espace, les rites ont évolué dans les dernières décennies sous l'influence des idées dominantes, mais sans rupture avec l'esprit du XIXe siècle.

Les usages du XIXe siècle (le *casket,* l'embaumement, la visite au défunt) ont été conservés, auxquels on a ajouté des usages nouveaux, apportés par les émigrés récents d'origine méditerranéenne et byzantine : l'usage de découvrir le visage du défunt jusqu'à la mise en terre, ce qui permet la vente de très ingénieux *caskets* à ouverture supérieure. Mais l'ensemble de ces usages a été mis au goût d'un temps où la mort a cessé d'être belle et théâtrale pour devenir invisible et irréelle.

Toute l'action a été concentrée sur la visite au mort : *viewing the remains.* Souvent le mort est simplement exposé dans la chambre du *Funeral Home* comme à la maison et on vient le voir une dernière fois, selon le rite traditionnel dont le lieu a été seulement déplacé. Parfois il est présenté dans une mise en scène, comme encore vivant, à son bureau, dans son fauteuil et pourquoi pas? le cigare à la bouche. Image caricaturale, plus fréquente au cinéma et dans la littérature que dans la réalité. Mais, même en dehors de ces cas exceptionnels et peu représentatifs, on cherche toujours à effacer par l'artifice du *mortician* les signes de la mort, à maquiller le mort pour en faire un presque vivant.

Il est très important, en effet, de donner l'illusion de la vie. Elle permet au visiteur de surmonter son intolérance, de se comporter vis-à-vis de lui-même et de sa conscience profonde comme si le mort n'était pas mort, et qu'il n'y avait aucune raison de ne pas l'approcher. Il a pu ainsi tricher avec l'interdit.

L'embaumement sert donc moins à conserver et à honorer le mort, qu'à maintenir quelque temps les apparences de la vie, pour protéger le vivant.

La même intention de concilier les traditions de la mort et les interdits de la vie a animé les propriétaires de cimetières comme Forest Lawn (Los Angeles). Le cimetière reste ce qu'il était au XIXᵉ siècle, le lieu paisible et poétique où les morts sont déposés, où on les visite, le beau parc où on se promène, où on communique avec la nature. En outre, on en fera un lieu de la vie, un théâtre d'activités diverses, à la fois musée, centre commercial d'art et de souvenirs, lieu de célébrations sereines et joyeuses, baptêmes et mariages.

La location du *Funeral Home,* les préparations du corps, les accessoires sont chers, leur vente assure de bons profits à une industrie bien organisée. Aujourd'hui, cette situation soulève bien des critiques, et pas seulement aux États-Unis. On dénonce l'exploitation commerciale de la mort et de la peine, et aussi de la superstition et de la vanité.

Dans les tableaux vivants du *Funeral Parlour,* l'opinion a reconnu les effets du refus systématique de la mort dans une société vouée à la technique et au bonheur. Elle n'a pas toujours vu ce que ces rites d'apparence futuriste contenaient de traditionnel, par exemple la visite au défunt et celle de la tombe au cimetière. Dans cette société qui a exclu la mort, la moitié des défunts d'une année, en 1960, avaient retenu leur tombe de leur vivant (comme ils avaient souscrit une assurance sur la vie, c'est-à-dire en s'empressant ensuite d'oublier). Sans doute les *Funeral Directors* redoutent-ils que se généralise, comme en Angleterre, l'incinération, une opération beaucoup moins rentable pour eux, mais ils sont soutenus dans leur opposition par la répugnance de l'opinion.

Les aspects les plus ridicules et les plus irritants du rituel américain, comme le maquillage et la simulation de la vie, traduisent la résistance des traditions romantiques aux pressions des interdits contemporains. Les entrepreneurs ont seulement utilisé cette résistance à leur profit et présenté des solutions mercantiles dont l'extravagance rappelle certains projets français des années 1800.

Leurs adversaires, J. Mitford, l'intelligentsia américaine, ont proposé une réforme des funérailles qui les simplifierait et supprimerait en même temps les survivances traditionnelles et perverties, et les spéculateurs qui les ont exploitées. On s'inspire, non pas des rites religieux d'autrefois, mais du modèle anglais d'aujourd'hui, la version la plus radicale de la mort inversée : étendre l'usage de l'incinération, réduire la cérémonie sociale à un *Memorial Service.* Au *Memorial Service,* les amis et parents du défunt se réunissent, en l'absence de son corps, pour prononcer son éloge, réconforter sa famille, se livrer à quelques considérations philosophiques et, le cas échéant, prononcer quelques prières.

De leurs côtés, dans ces dernières années, les Églises essaient de réaliser le compromis que des extravagances mercantiles ont dévié. Les clercs ont en commun avec les intellectuels incroyants des *Memorial Associations* la méfiance à l'égard des superstitions, que celles-ci concernent le corps ou une survie trop réaliste. Ils répugnent à une sentimentalité qu'ils jugent déraisonnable et non chrétienne. Toutefois celle-ci a été assez puissante pour soutenir l'industrie des funérailles.

Aujourd'hui même, c'est sous sa variété américaine que le modèle de la mort inversée s'introduit en France. Des « Athanées » s'installent près des cimetières, ils veulent être une maison comme les autres, qu'aucun signe distinctif ne permet de reconnaître sinon le ronronnement inhabituel de l'air conditionné, une différence avec le modèle tapageur américain. Ailleurs, au contraire, dans l'Europe du Nord-Ouest, c'est la variété anglaise qui progresse : on la suit au progrès de l'incinération.

Dans un cas, il n'y a plus dans toute la société qu'un lieu pour la mort : l'hôpital. Dans le second, il en existe deux, l'hôpital et la maison des morts.

Conclusion

Cinq variations
sur quatre thèmes

J'ai dit ailleurs, dans l'Introduction des *Essais sur l'histoire de la mort,*
comment j'ai été amené progressivement à choisir et à établir (sans prétention d'exhaustivité) certains corpus documentaires : littéraires, liturgiques,
testamentaires, épigraphiques, iconographiques... Mais je ne les ai pas
exploités séparément et successivement — quitte à tirer ensuite un bilan
général —, je les ai interrogés simultanément selon un questionnaire que
les premiers sondages m'avaient suggéré : l'hypothèse, déjà proposée par
Edgar Morin, était qu'il existait une relation entre l'attitude devant la
mort et la conscience de soi, de son degré d'être, plus simplement de son
individualité. C'est ce fil qui m'a dirigé à travers la masse compacte et
encore énigmatique des documents : il a tracé l'itinéraire que j'ai suivi
jusqu'au bout. C'est en fonction des questions ainsi posées que les données
stockées dans les corpus ont pris une forme et un sens, une continuité et
une logique. Telle a été la grille qui a permis de déchiffrer des données
autrement inintelligibles ou isolées, sans relations entre elles.

Dans le petit livre américain *Western Attitudes toward Death* et dans
sa version française des *Essais sur l'histoire de la mort,* je me suis tenu
à ce seul système d'interrogation et d'explication. Je l'ai encore conservé
dans la présentation générale de ce livre-ci. Il a inspiré les titres de trois
des cinq parties : « Nous mourrons tous », « La mort de soi », « La mort
de toi », titres suggérés par V. Jankélévitch dans son livre sur la mort.

Mais cette première lecture a elle-même créé une meilleure familiarité avec les données, qui a un peu brouillé l'hypothèse d'origine, soulevé
à son tour d'autres problèmes et ouvert d'autres perspectives. La conscience de soi, du destin... n'était plus la seule grille possible. D'autres systèmes d'interrogation et d'explication apparurent en cours de route, aussi
importants que celui que j'avais choisi comme directeur, et qui auraient
aussi bien servi à ordonner à sa place la matière informe des corpus. Je
les ai laissés émerger à la surface de mon exposé, comme je les découvrais
dans l'analyse des documents, à mesure que je progressais dans la
recherche et la réflexion. J'espère que le lecteur a pu les repérer au passage.

Aujourd'hui, au terme de ce trop long itinéraire, les certitudes du départ
ont perdu leur exclusivité. A l'heure de conclure, voyageur délivré aux

étapes de ses bagages, je me retourne sans plus d'arrière-pensées, et je parcours d'un seul regard le paysage millénaire, comme l'astronaute voit la terre de son observatoire interplanétaire. Et cet immense espace me paraît alors ordonné par les simples variations de quatre éléments psychologiques. L'un est celui qui a dirigé notre enquête, la conscience de soi (1). Les autres sont la défense de la société contre la nature sauvage (2), la croyance dans la survie (3) et celle dans l'existence du mal (4).

Tentons de montrer, pour finir, comment la succession des modèles distingués au cours de ce livre *(nous mourrons tous* ou *la mort apprivoisée, la mort de soi, la mort longue et proche, la mort de toi, la mort inversée)* s'explique par les variations de ces paramètres, numérotés de 1 à 4.

I

Les quatre paramètres apparaissent tous dans le premier modèle de *la mort apprivoisée,* et contribuent également à le définir.

Paramètre 1. Pas plus que la vie, la mort n'est un acte seulement individuel. Aussi, comme chaque grand passage de la vie, est-elle célébrée par une cérémonie toujours plus ou moins solennelle, qui a pour but de marquer la solidarité de l'individu avec sa lignée et sa communauté.

Trois moments forts donnent à cette cérémonie son sens majeur : l'acceptation par le mourant de son rôle actif, la scène des adieux et la scène du deuil. Les rites de la chambre, ou ceux de la plus ancienne liturgie, expriment la conviction qu'une vie d'homme n'est pas une destinée individuelle, mais un chaînon du phylum fondamental et ininterrompu, continuité biologique d'une famille ou d'une lignée, qui s'étend au genre humain tout entier, depuis Adam, le premier homme.

Une première solidarité soumettait ainsi l'individu au passé et au futur de l'espèce. Une seconde le plongeait dans sa communauté. Celle-ci était réunie autour du lit où il gisait, et ensuite, elle manifestait tout entière dans les scènes de deuil l'inquiétude que provoquait le passage de la mort. Elle était affaiblie par la perte d'un de ses membres. Elle proclamait le danger qu'elle ressentait; il lui fallait reconstituer ses forces et son unité par des cérémonies dont les dernières avaient toujours un caractère de fête, même joyeuse.

La mort n'était donc pas un drame personnel, mais l'épreuve de la communauté chargée de maintenir la continuité de l'espèce.

Paramètre 2. Si la communauté craignait le passage de la mort et éprouvait ainsi le besoin de se ressaisir, ce n'était pas seulement parce que la perte d'un de ses membres l'affaiblissait, c'était aussi parce que la mort, celle d'un individu ou celle, répétée, d'une épidémie, ouvrait une brèche dans le système de protection élevé contre la nature et sa sauvagerie.

Depuis les plus vieux âges, l'homme n'a pas reçu le sexe et la mort comme des données brutes de la nature. La nécessité d'organiser le travail, d'assurer l'ordre et la moralité, condition d'une vie paisible en commun, conduisit la société à se mettre à l'abri des poussées violentes et imprévisibles de la nature : la nature extérieure des saisons folles et des accidents soudains, le monde intérieur des profondeurs humaines, assimilé pour sa brutalité et son irrégularité à la nature, le monde des délires passionnels et des déchirements de la mort. Un état d'équilibre fut obtenu et maintenu grâce à une stratégie réfléchie qui refoulait et canalisait les forces inconnues et formidables de la nature. La mort et le sexe étaient les points les plus faibles du mur d'enceinte, parce que la culture y prolongeait la nature, sans discontinuité évidente. Aussi furent-ils soigneusement contrôlés. La ritualisation de la mort est un cas particulier de la stratégie globale de l'homme contre la nature, faite d'interdits et de concessions. Voilà pourquoi la mort n'a pas été laissée à elle-même et à sa démesure, mais, au contraire, emprisonnée dans des cérémonies, transformée en spectacle. Voilà aussi pourquoi elle ne pouvait être une aventure solitaire, mais un phénomène public engageant la communauté tout entière.

Paramètre 3. Le fait que la vie ait une fin n'est pas exclu, mais celle-ci ne coïncide jamais avec la mort physique, et dépend des conditions mal connues de l'au-delà, de la densité de la survie, de la persistance des souvenirs, de l'usure des renommées, de l'intervention des êtres surnaturels... Entre le moment de la mort et celui de la fin de la survie, il existe un intervalle que le christianisme, comme les religions de salut, a étendu à l'éternité. Mais dans la sensibilité commune, la notion d'immortalité infinie importe moins que celle d'une rallonge. Dans notre modèle, la survie est essentiellement une attente *(et expecto),* et une attente dans la paix et le repos. Là les morts attendent, selon la promesse de l'Église, ce qui sera la véritable fin de la vie, la résurrection dans la gloire et la vie du siècle à venir.

Les morts vivent d'une vie atténuée dont le sommeil est l'état le plus souhaitable, celui des futurs bienheureux qui ont pris la précaution d'être enterrés près des saints.

Leur sommeil peut être troublé à cause de leur propre impiété passée, des maladresses ou des perfidies des survivants, des lois obscures de la nature. Ces morts alors ne dorment pas, ils errent et reviennent. Les vivants tolèrent bien la familiarité des morts dans les églises, les places et les marchés, mais à la condition qu'ils reposent. Toutefois, il n'est pas possible d'interdire ces retours. Il faut alors les régler, les canaliser. Aussi la société leur permet-elle de revenir, seulement certains jours prévus par la coutume, comme le carnaval, en prenant soin de contrôler leur passage et d'en conjurer les effets. Les morts appartiennent au flux de la nature à la fois refoulé et canalisé : le christianisme latin du premier Moyen Age a affaibli le risque ancien de leur retour en les installant au milieu des vivants, au centre de la vie publique. Les larves grises du paganisme devinrent les gisants reposant dont le sommeil avait peu de chance d'être troublé grâce à la protection de l'Église et des saints, et plus tard, grâce aux messes et prières dites à leur intention.

Cette conception de la survie comme un repos ou un sommeil paisible a duré beaucoup plus longtemps qu'on ne croirait. Elle est sans doute une des formes les plus tenaces des vieilles mentalités.

Paramètre 4. La mort peut bien être apprivoisée, dépouillée de la violence aveugle des forces naturelles, ritualisée, elle n'est jamais éprouvée comme un phénomène neutre. Elle reste toujours un *mal-heur.* Cela est remarquable dans les vieux langages romans, la douleur physique, la peine morale, la détresse du cœur, la faute, la punition, les revers de la fortune s'expriment par le même mot dérivé de *malum,* soit seul, soit associé avec d'autres ou modifié, comme le malheur, la maladie, la malchance, le Malin. C'est plus tard qu'on s'est efforcé de mieux séparer les divers sens. A l'origine il n'y avait qu'un seul mal dont les aspects variaient : la souffrance, le péché et la mort. Le christianisme l'expliquait d'un coup et tout ensemble par le péché originel. Aucun mythe n'a sans doute eu de racines plus profondes dans les mentalités communes et même populaires : il répondait à un sentiment absolument général de la présence constante du mal. La résignation n'était donc pas soumission, comme c'est aujourd'hui, comme c'était sans doute chez les épicuriens ou les stoïciens, à la nature bonne, à une nécessité biologique — mais la reconnaissance d'un mal inséparable de l'homme.

II

Telle est la situation d'origine, définie par une certaine relation entre les quatre unités psychologiques que nous avons distinguées. Elle a ensuite changé dans la mesure où l'un ou plusieurs de ces éléments de base ont varié.

Le second modèle, *la mort de soi,* s'obtient assez simplement par un déplacement du sens du destin vers l'individu.

On se rappelle que le modèle a d'abord été limité à une élite de *litterati,* de riches, de puissants, à partir du xie siècle, et plus tôt encore dans le monde à part, organisé et exemplaire, des moines et chanoines. Dans ce milieu, le rapport traditionnel entre soi et les autres s'est une première fois renversé : le sens de son identité l'a emporté sur la soumission au destin collectif. Chacun se séparait de la communauté et de l'espèce dans la conscience qu'il prenait de lui-même. Il s'est entêté à rassembler les molécules de sa biographie, mais seule l'étincelle de la mort lui a permis de les souder en un bloc. Une vie ainsi unifiée acquérait une autonomie qui la mettait à part; ses rapports avec les autres et avec la société s'en trouvèrent modifiés. Les amis charnels devinrent soumis et possédés comme des objets, et réciproquement les objets inanimés furent désirés comme des êtres vivants. Sans doute le bilan de la biographie devait-il être arrêté à l'heure formidable de la mort, mais il fut bientôt reporté au-delà, sous la pression d'une volonté d'être plus, que la mort n'atteignait pas. Ces hommes décidés ont alors colonisé l'au-delà comme les Nouvelles Indes, à coups de messes et de fondations pieuses. L'instrument essentiel de leur entreprise, qui leur a permis d'assurer la continuité entre l'en-deçà et l'au-delà, a été le testament. Il servit à la fois à sauver l'amour de la terre et à investir au ciel, grâce à la transition d'une bonne mort.

Triomphe de l'individualisme en cette époque de conversions, de pénitences spectaculaires, de mécénats prodigieux, mais aussi d'entreprises profitables, à la fois réfléchies et audacieuses, en définitive époque de jouissances inouïes et immédiates et d'un fol amour de la vie.

Voilà pour le paramètre 1. Il était inévitable qu'une telle exaltation de l'individu, même si elle fut plus empirique que doctrinale, ait fait varier le paramètre 3, la nature de la survie. La passion d'être soi et d'être plus, manifestée pendant la vie, atteignit par contagion la survie. L'individu fort du second Moyen Age ne pouvait se satisfaire de la conception apaisée mais inactive de la *requies*. Il cessa d'être *homo totus* prolongé et assoupi. Il devint double, d'une part corps jouisseur ou souffrant, d'autre part âme immortelle que la mort délivre. Le corps disparut alors sous réserve d'une résurrection admise comme un dogme imposé, mais étranger à la sensibilité commune. En revanche, l'idée d'une âme immortelle, siège de l'individu, déjà cultivée depuis longtemps dans le monde des clercs, s'étendit de proche en proche, du XIe au XVIIe siècle, gagna à la fin presque toutes les mentalités, sauf quelques poches souterraines. Cette nouvelle eschatologie provoqua le remplacement du mot mort par des périphrases banales comme « il rendit l'âme » ou « Dieu ait son âme ».

Cette âme alerte ne se contentait plus de dormir du sommeil de l'attente, comme l'*homo totus* de jadis — ou comme le pauvre. Son existence ou plutôt son activité immortelle traduisait la volonté de l'individu d'affirmer son identité créatrice dans l'un et l'autre monde, son refus de la laisser dissoudre dans quelque anonymat biologique ou social : une transformation de la nature de l'être humain qui est peut-être bien à l'origine de l'essor culturel de l'Occident latin, à la même époque.

Le modèle de la mort de soi diffère donc du modèle antérieur, et encore souvent contemporain, de la mort apprivoisée, par la variation de deux paramètres, celui de l'individu (1) entraînant celui de la survie (3).

Les deux autres paramètres (2) et (4) n'ont au contraire guère bougé.

Leur relative immobilité a défendu le modèle contre un changement trop brutal. Elle l'a assuré d'une stabilité séculaire qui peut faire illusion et laisser croire que les choses sont demeurées dans le même état traditionnel.

Le sens du mal (paramètre 4) est en effet resté semblable à ce qu'il avait toujours été. Il était nécessaire à l'économie du testament et à l'entretien d'un amour de la vie, fondé en partie sur la conscience de sa fragilité. C'est évidemment un élément capital de permanence.

La défense contre la nature, le paramètre (2), aurait pu être affectée par les variations du sens de l'individu et de la survie. Elle a bien été menacée, mais son équilibre a été restauré d'autre part. Voici comment cela s'est passé.

Le désir d'affirmer son identité et de transiger sur les jouissances de la vie a donné une importance nouvelle et formidable à l'*hora mortis,* comme dit la seconde partie de l'*Ave Maria,* prière pour la bonne mort, qui date de la fin de cette période. Cette importance aurait pu, aurait dû bouleverser les relations du mourant et des survivants ou de la société, rendre la mort pathétique comme à l'époque romantique, et solitaire comme celle d'un ermite, anéantir le rituel apaisant que les hommes avaient opposé à la mort naturelle.

La mort aurait pu alors devenir sauvage, même désespérée, à force de pathétique et de peur de l'Enfer. Il n'en a rien été en fait, parce qu'un cérémonial nouveau et contraire est venu compenser ce que l'individualisme et ses angoisses avaient menacé.

La scène de la mort au lit, qui avait auparavant constitué l'essentiel de la cérémonie, subsiste avec juste parfois un peu plus de pathétique, jusqu'aux XVIIᵉ-XVIIIᵉ siècles, époque où le pathétique reculera sous l'influence d'une attitude mixte d'acceptation et d'indifférence. Une série de cérémonies vont s'intercaler entre la mort au lit et la sépulture : le convoi — qui est devenu une procession ecclésiastique — , les services à l'église, le corps présent, œuvre du mouvement réformateur urbain de la fin du Moyen Age et des ordres mendiants. La mort n'a pas été abandonnée à la nature d'où les Anciens l'avaient retirée pour l'apprivoiser; elle a été, au contraire, encore plus dissimulée, car aux rites nouveaux s'est ajouté un fait qui peut paraître négligeable mais dont le sens est considérable : le visage du cadavre qui était exposé aux regards de la communauté, et qui l'est resté longtemps dans les pays méditerranéens, et l'est encore aujourd'hui dans les cultures byzantines, a été recouvert et enfermé sous les masques successifs du suaire cousu, du cercueil et du catafalque ou « représentation ». L'enveloppe du mort est devenue, dès le XIVᵉ siècle au moins, un monument de théâtre comme on en dressait pour le décor des Mystères ou des Grandes Entrées.

Le phénomène de l'occultation du corps du cadavre et de son visage intervient à la même époque que les tentatives des arts macabres pour

représenter la corruption souterraine des corps, l'envers de la vie, un
envers d'autant plus amer que cette vie était aimée. Ces tentatives seront
passagères, l'occultation du cadavre sera, au contraire, définitive. Les
traits du mort, qui avaient été auparavant tranquillement acceptés, furent
désormais interceptés, parce qu'ils risquaient d'émouvoir, c'est-à-dire de
faire peur. La défense contre la nature sauvage laissa bien percer alors une
peur nouvelle, mais celle-ci fut aussitôt surmontée grâce à l'interdit qu'elle
avait provoqué en réponse : une fois le cadavre escamoté par le catafalque
ou la « représentation », l'ancienne familiarité avec la mort était rétablie et
tout se passait comme avant.

L'occultation définitive du corps mort et l'usage très prolongé du testament sont donc bien les deux éléments les plus significatifs du modèle de
la mort de soi. La première compense le second et maintient l'ordre traditionnel de la mort, menacé par le pathétique et les nostalgies de l'individualisme testamentaire.

III

Ce modèle de la mort de soi, avec tout ce qu'il conservait des défenses
traditionnelles et du sens du mal, a duré dans la réalité des mœurs jusqu'au
XVIIIe siècle. Toutefois, de profondes modifications se préparent à partir
du XVIe siècle, un peu dans les mœurs vécues et les idées claires, beaucoup
dans le secret de l'imaginaire. Cela est à peine perceptible et pourtant très
grave. Un immense changement de la sensibilité commence à cheminer.
Un début d'inversion — lointaine et imparfaite annonce de la grande
inversion d'aujourd'hui — fut alors esquissé dans les représentations de la
mort.

Celle-ci, dans ce qu'elle avait auparavant de proche, de familier, d'ap-
privoisé, s'est peu à peu éloignée du côté de la sauvagerie violente et
sournoise, qui fait peur. Déjà, on vient de le voir, l'ancienne familiarité
n'avait été maintenue que grâce aux interventions tardives du second
Moyen Age : rites plus solennels, camouflage du cadavre sous la
« représentation ».

A l'époque moderne, la mort, dans ce qu'elle avait alors de lointain,
a été rapprochée et elle a fasciné, elle a provoqué les mêmes curiosités
étranges, les mêmes imaginations, les mêmes détours pervers que le sexe
et l'érotisme. C'est pourquoi nous avons appelé ce modèle différent des
autres, *la mort longue et proche,* d'après un mot de Mme de La Fayette,
cité par M. Vovelle.

Ce qui variait dans l'obscurité de l'inconscient collectif est ce qui
n'avait guère bougé depuis des millénaires, le deuxième paramètre, la
défense contre la nature. La mort, apprivoisée jadis, préparait son retour

à l'état sauvage : un mouvement à la fois lent et brutal, discontinu, fait de secousses violentes, de longues poussées imperceptibles, de retours en arrière, ou qui paraissent tels.

A première vue, il peut sembler surprenant que cette période d'ensauvagement soit aussi celle de la croissance rationnelle, de l'invention de la science et de ses applications techniques, de la foi dans le progrès et son triomphe sur la nature.

C'est pourtant alors que les digues patientes, élevées depuis des millénaires pour contenir la nature autrement que par la science moderne, ont sauté à deux endroits très rapprochés et bientôt confondus : la brèche de l'amour et celle de la mort. Au-delà d'un certain seuil, la souffrance et le plaisir, l'agonie et l'orgasme sont réunis en une seule sensation, qu'illustre le mythe de l'érection du pendu. Ces émotions de bord d'abîme inspirent le désir et la peur. Une première forme de la grande peur de la mort apparaît alors et alors seulement : la peur d'être enterré vivant, qui implique la conviction qu'il existait un état mixte et réversible, fait de vie et de mort.

Cette peur aurait pu se développer et s'étendre, et, associée à d'autres effets de la civilisation des Lumières, faire naître avec plus d'un siècle d'avance notre culture. Ce n'est pas la première fois qu'à la fin du XVIIIe siècle on a l'impression de toucher au XXe. Mais non, quelque chose s'est produit que l'uchronie ne pouvait prévoir et qui rétablit la chronologie réelle.

IV

Si la pente allait bien du XVIIIe au XXe siècle, il y paraît à peine à l'observateur ingénu. La continuité existe en profondeur, mais elle ne remonte à la surface qu'exceptionnellement. C'est que dans le XIXe siècle où triomphent les techniques de l'industrie, de l'agriculture, de la nature et de la vie, nées de la pensée scientifique de la période antérieure, le romantisme — le mot est commode — fait surgir une sensibilité de passions sans limites ni raison. Une série de réactions psychologiques parcourent l'Occident et le bouleversent comme il ne l'avait jamais été. Les lumières clignotent au banc de contrôle, les aiguilles des enregistreuses se couchent. Tous nos quatre paramètres varient fortement.

L'élément déterminant est le changement du premier paramètre, celui de l'individu. Jusqu'à présent il avait varié entre deux limites : le sens de l'espèce et d'un destin commun *(nous mourrons tous)* et le sens de sa biographie personnelle et spécifique *(la mort de soi)*. Au XIXe siècle, ils s'affaiblissent l'un et l'autre au profit d'un troisième sens, auparavant confondu avec les deux premiers : le sens de l'Autre, et pas de n'importe quel

Autre. L'affectivité, jadis diffuse, s'est désormais concentrée sur quelques êtres rares dont la séparation n'est plus supportée et déclenche une crise dramatique : *la mort de toi*. C'est une révolution du sentiment, aussi importante pour l'histoire générale que celle des idées ou de la politique, de l'industrie ou des conditions socio-économiques, de la démographie : toutes révolutions qui doivent avoir entre elles des rapports plus profonds qu'une simple corrélation chronologique.

Un type original l'emporte alors sur toutes les autres formes de sensibilité, celui de vie privée, bien exprimé par l'anglais *privacy*. Il a trouvé sa place dans la famille « nucléaire », remodelée par sa nouvelle fonction d'affectivité absolue. La famille s'est substituée à la fois à la communauté traditionnelle et à l'individu de la fin du Moyen Age et du début des Temps modernes. C'est en cela que la *privacy* s'oppose aussi bien à l'individualisme qu'au sens communautaire et exprime un mode de relation très particulier et original.

Dans ces conditions, la mort de soi n'avait plus de sens. La peur de la mort, germée dans les fantasmes du XVIIe et du XVIIIe siècle, fut déviée de soi vers l'autre, l'être aimé.

La mort de l'autre suscitait un pathétique autrefois refoulé; les cérémonies de la chambre ou du deuil, qui étaient auparavant opposées comme une barrière à un excès d'émotion — ou d'indifférence —, furent déritualisées et réinventées comme l'expression spontanée de la peine des survivants. Mais ceux-ci déploraient la séparation physique avec le trépassé et non plus le fait de mourir. Au contraire, la mort a alors cessé d'être triste. Elle est exaltée comme un moment désirable. *Elle est la beauté.* La nature sauvage a pénétré le donjon de la culture, où elle a rencontré la nature humanisée et s'est fondue avec elle dans le compromis de la beauté. La mort n'est plus familière et apprivoisée comme dans les sociétés traditionnelles, mais elle n'est pas non plus absolument sauvage. Elle est devenue pathétique et belle, belle comme la nature, comme l'immensité de la nature, la mer ou la lande. Le compromis de la beauté est le dernier obstacle inventé pour canaliser le pathétique démesuré qui avait emporté les anciennes digues. Un obstacle qui est aussi bien une concession : il donne au phénomène qu'on avait voulu diminuer un extraordinaire éclat.

Mais la mort n'aurait pu apparaître sous les traits de la beauté suprême si elle n'avait alors cessé d'être associée au mal. La très antique relation d'identité entre la mort, le mal physique, la peine morale et le péché commence à se disloquer : notre quatrième paramètre. Le mal, longtemps immobile, s'apprête à se retirer, et il déserte d'abord le cœur et la conscience de l'homme qu'on croyait être son siège originel et inexpugnable. Énorme faille dans le continuum mental! Phénomène aussi grave que celui du retour de la nature sauvage à l'intérieur de la nature humanisée, l'un étant d'ailleurs lié à l'autre, comme si le mal et la nature avaient été échangés.

La première enceinte qui est tombée dès le XVIIIe siècle (le XVIIe en Angleterre?) est la croyance à l'Enfer et au lien entre la mort et le péché ou la peine spirituelle — le mal physique n'étant pas encore contesté. La pensée savante et la théologie ont posé le problème dès le XVIIIe siècle au moins. Au début du XIXe siècle, c'était chose faite tant dans les cultures catholiques que puritaines : la crainte de l'Enfer avait cessé. Il n'était plus pensable que les chers disparus pussent courir un tel risque. Tout au plus, chez les catholiques, subsistait encore une procédure de purification : le passage par le Purgatoire, qu'abrégeait la pieuse sollicitude des survivants.

Aucun sentiment de culpabilité, aucune crainte de l'au-delà ne retient de céder à la fascination de la mort, transformée en beauté suprême.

S'il n'y a plus d'Enfer, le Ciel aussi a changé : c'est notre troisième paramètre, la survie. Nous avons suivi le lent passage du sommeil de l'*homo totus* à la gloire de l'âme immortelle. Au XIXe siècle, triomphe une autre représentation de l'au-delà. Celui-ci devient surtout le lieu des retrouvailles de ceux que la mort a séparés et qui n'ont jamais accepté cette séparation. Il est la reconstitution des sentiments de la terre, débarrassés de leurs scories, assurés de l'éternité. Tel est le Paradis des chrétiens ou le monde astral des spirites, des métapsychistes. Mais tel est aussi bien le monde de souvenirs des incroyants et libres penseurs qui nient la réalité d'une vie après la mort. Dans la piété de leur fidélité, ils entretiennent la mémoire de leurs disparus avec une intensité qui équivaut à la survie réaliste des chrétiens ou des métapsychistes. La différence des doctrines peut être grande entre les uns et les autres. Elle devient faible dans la pratique de ce qu'on peut appeler le culte des morts. Ils ont tous construit le même château à la ressemblance des demeures de la terre, où ils rencontreront — si c'est en rêve ou en réalité, qui le saura? — les êtres qu'ils n'ont jamais cessé d'aimer passionnément.

V

Ainsi, au XIXe siècle, le paysage psychologique a-t-il été complètement bouleversé. La nature et les rapports des quatre éléments qui le composaient n'étaient plus les mêmes qu'autrefois. La situation ainsi obtenue ne devait pas durer plus d'un siècle et demi, ce qui est peu. Mais le modèle qui succéda, le nôtre que nous avons appelé *la mort inversée,* ne remet pas en cause la tendance profonde et le caractère structural des changements du XIXe siècle. Il les continue, même s'il paraît les contredire dans ses effets les plus spectaculaires. Tout se passe comme si, au-delà d'un seuil de croissance, les tendances du XIXe siècle avaient provoqué des phénomènes inverses.

Le modèle de la mort aujourd'hui reste déterminé par le sentiment de *privacy,* mais devenu plus rigoureux, plus exigeant.

Pourtant on dit souvent qu'il faiblit.

C'est qu'on lui demande la perfection de l'absolu et qu'on ne tolère aucun des compromis que la société romantique acceptait encore sous sa rhétorique — pour parler comme aujourd'hui, sous son « hypocrisie ». La confiance entre les êtres doit être totale ou nulle. On n'admet plus d'intermédiaire entre la réussite ou l'échec. Il est possible que l'attitude devant la vie soit dominée par la certitude de l'échec. En revanche, l'attitude devant la mort est définie dans l'hypothèse impossible de la réussite. C'est pourquoi elle n'a plus de sens.

Elle se situe donc dans le prolongement de l'affectivité du XIXᵉ siècle. La dernière trouvaille de cette inventive affectivité a consisté à protéger le mourant ou le grand malade contre sa propre émotion en lui cachant jusqu'au bout la gravité de son état. De son côté, le mourant, quand il devinait le jeu pieux, y répondait par la complicité, pour ne pas décevoir la sollicitude de l'autre. Les relations autour du mourant étaient dès lors déterminées par le respect de ce mensonge d'amour.

Pour que le mourant, son entourage et la société qui les surveillait consentissent à cette situation, il fallait que le bienfait de la protection du mourant l'emportât sur les joies de la dernière communion avec lui. N'oublions pas, en effet, qu'au XIXᵉ siècle la mort était devenue, grâce à sa beauté, l'occasion de l'union la plus complète entre celui qui partait et ceux qui restaient : la dernière communion avec Dieu et — ou — avec les autres était le grand privilège du mourant. Pendant longtemps, il ne fut pas question de le lui retirer. Or, la protection par le mensonge — quand elle était maintenue jusqu'à la fin — supprimait cette communion et ses joies. Le mensonge, même réciproque et complice, enlevait la liberté et le pathétique aux communications de la dernière heure.

C'est qu'en vérité l'intimité de ces dernières communications était déjà empoisonnée par la laideur de la maladie, puis par le transfert à l'hôpital. La mort devint sale, et ensuite médicalisée. L'horreur et la fascination de la mort avaient été un moment fixées sur la mort seulement apparente, puis sublimées par la beauté de la dernière communion. Mais l'horreur revint, sans la fascination, sous la forme dégoûtante de la grande maladie et des soins qu'elle réclamait.

Quand cédèrent les dernières défenses traditionnelles contre la mort et le sexe, la médecine aurait pu relayer la communauté. Elle le fit contre le sexe, comme en témoigne la littérature médicale sur la masturbation. Elle le tenta aussi contre la mort en l'enfermant dans un laboratoire scientifique, à l'hôpital d'où les émotions devaient être bannies. Dans ces conditions mieux valait s'entendre en silence dans la complicité d'un mensonge réciproque.

On conçoit donc bien que le sens de l'individu et de son identité, ce qu'on désigne quand on parle aujourd'hui de la propriété de sa mort, ait été vaincu par la sollicitude familiale.

Mais comment expliquer la démission de la communauté? Bien plus, comment en est-elle venue à renverser son rôle et à interdire le deuil qu'elle avait mission de faire respecter jusqu'au xxᵉ siècle? C'est qu'elle se sentait de moins en moins impliquée dans la mort d'un de ses membres. D'abord parce qu'elle ne pensait plus nécessaire de se défendre contre une nature sauvage désormais abolie, humanisée une fois pour toutes par le progrès des techniques, médicales en particulier. Ensuite, elle n'avait plus un sens de solidarité suffisant, elle avait en effet abandonné la responsabilité et l'initiative de l'organisation de la vie collective; au sens ancien du terme, elle n'existait plus, remplacée par un immense agglomérat d'individus atomisés.

Mais, encore une fois, si cette disparition explique une démission, elle n'explique pas le retour en force d'autres interdits. Cet agglomérat massif et informe que nous appelons aujourd'hui la société est, nous le savons bien, maintenu et animé par un système nouveau de contraintes et de surveillances (« Surveiller et punir », de Michel Foucault), elle est, en outre, parcourue par des courants irrésistibles qui la mettent en état de crise et lui imposent une unité passagère d'agressivité ou de refus. L'un de ces courants a dressé la société de masse contre la mort. Plus précisément, il l'a conduite à avoir *honte* de la mort, plus de honte que d'horreur, à faire comme si la mort n'existait pas. Si le sens de l'autre, une forme du sens de l'individu, poussé jusqu'à ses extrêmes conséquences est la première cause de la situation actuelle de la mort, la honte — et l'interdit qu'elle entraîne — en est la seconde.

Or cette honte est la conséquence directe de la retraite définitive du mal.

On avait commencé, dès le xviiiᵉ siècle, à rogner le pouvoir du Malin, à contester sa réalité. L'Enfer avait été abandonné, au moins au bénéfice des parents et amis chers, le seul monde qui comptât. Avec l'Enfer disparurent le péché et toutes les variétés du mal spirituel et moral : on ne les considérait plus comme des données du vieil homme, mais comme des erreurs de la société qu'un bon système de surveillance (et de punition) éliminerait. Le progrès général de la science, de la moralité et de l'organisation conduirait tout doucement au bonheur. Pourtant, restait encore, en plein xixᵉ siècle, l'obstacle du mal physique et de la mort. Il n'était pas question de l'éliminer. Les romantiques le contournèrent ou plutôt l'assimilèrent. Ils ont embelli la mort, porte d'un au-delà anthropomorphe. Ils ont conservé l'immémoriale coexistence avec la maladie, la souffrance et l'agonie : elles éveillaient la pitié et non la répugnance. Tout commença par la répugnance : avant qu'on ait pensé au pouvoir d'abolir le mal physique, on a commencé à ne plus tolérer sa vue, ses râles, ses odeurs.

Alors la médecine a diminué la souffrance, elle parvint même à la supprimer complètement. Le but entrevu au xviiiᵉ siècle était presque atteint. Le mal cessait de coller à l'homme, de se confondre avec lui, comme le croyaient les religions et notamment le christianisme. Certes, il existait encore, mais hors de l'homme, dans des espaces marginaux que la moralité et la politique n'avaient pas encore colonisés, dans des déviances qu'elles n'avaient pas encore redressées : guerres, crimes, non-conformité, qui seront un jour éliminés par la société, comme la maladie et la souffrance l'avaient été par la médecine.

Mais alors, s'il n'y a plus de mal, que faire de la mort? A cette question, la société propose aujourd'hui deux réponses, l'une banale, l'autre aristocratique.

La première est un massif aveu d'impuissance : ne pas admettre l'existence d'un scandale qu'on n'a pas pu empêcher, faire comme s'il n'existait pas, et par conséquent contraindre sans pitié l'entourage des morts à se taire. Un lourd silence est ainsi étendu sur la mort. Quand il se rompt, comme parfois dans l'Amérique du Nord, aujourd'hui, c'est pour réduire la mort à l'insignifiance d'un événement quelconque dont on affecte de parler avec indifférence. Dans les deux cas, le résultat est le même : ni l'individu ni la communauté n'ont assez de consistance pour reconnaître la mort.

Et, cependant, cette attitude n'a pas anéanti la mort, ni la peur de la mort. Au contraire, elle a laissé revenir sournoisement les vieilles sauvageries, sous le masque de la technique médicale. La mort à l'hôpital, hérissée de tubes, est en train de devenir aujourd'hui une image populaire plus terrifiante que le transi ou le squelette des rhétoriques macabres. C'est qu'une corrélation apparaît entre « l'évacuation » de la mort, dernier réduit du Mal, et le retour de cette même mort ensauvagée. Elle ne nous surprendra pas ici : la croyance dans le Mal était nécessaire pour apprivoiser la mort. La suppression de l'une a rendu l'autre à l'état sauvage.

C'est pourquoi une petite élite d'anthropologues, plus psychologues ou sociologues que médecins ou prêtres, a été frappée par cette contradiction. Ils se proposent moins, selon leurs termes, d' « évacuer » la mort que de l' « humaniser ». Ils veulent conserver une mort nécessaire, mais alors acceptée et non plus honteuse. Même s'ils recourent à l'expérience des anciennes sagesses, il n'est pas question de revenir en arrière, de retrouver le Mal aboli une fois pour toutes. On se propose toujours de réconcilier la mort avec le bonheur. La mort doit seulement devenir la sortie discrète, mais digne, d'un vivant apaisé, hors d'une société secourable que ne déchire plus ni ne bouleverse trop l'idée d'un passage biologique, sans signification, sans peine ni souffrance, et enfin sans angoisse.

Notes

Chapitre 6

1. A. Corvisier, *Les Danses macabres, Revue d'histoire moderne et contemporaine,* 1969, p. 537-538.

2. Ce chapitre était écrit quand ont paru dans *Annales ESC* 1976, n° 1, les articles de R. Chartier sur « Les arts de mourir (1450-1600) », p. 71-75, et de D. Roche, « La mémoire de la mort », p. 76-119.

3. A. Tenenti, *Il senso,* p. 268, n. 47, 49; p. 269, n. 55, p. 242-243.

4. Bellarmin, *De arte bene moriendi, Opera omnia,* Paris, 1875, Francfort, 1965, t. VIII, p. 551-622.

5. Cité par N. L. Beaty, *The Craft of dying,* Yale University Press, 1970, p. 150.

6. A. Tenenti, *Il Senso, op. cit.,* p. 312, n. 61.

7. N. Z. Davis, *Holbein Pictures of Death and the Reformation at Lyons, Studies on the Renaissance,* vol. VIII, 1956, p. 115.

8. A. Tenenti, *Il Senso, op. cit.,* p. 312, n. 56.

9. J. de Vauzelles, cité par N. Z. Davis, *op. cit.,* p. 115.

10. N. L. Beaty, *op. cit.,* p. 68.

11. A. Tenenti, *Il Senso,* p. 315, n. 107.

12. Érasme, « Le Naufrage », *Premier Livre des Colloques,* trad. Jarl-Priel, Paris, Enseigne du pot cassé, 1934, p. 33-51.

13. N. L. Beaty, *op. cit.,* p. 215.

14. *Miroir de l'âme du pécheur et du juste, op. cit.,* p. 22, p. 60, p. 188.

15. A. Tenenti, *Il senso, op. cit.,* p. 361, n. 99.

16. G. et M. Vovelle, *op. cit.*

17. Ph. Ariès, *Essais sur l'histoire de la mort,* Paris, Éd. du Seuil, 1975, p. 115-122.

18. MC, LXXV, 78 (1652).

19. MC, LXXV, 372 (1690).

20. Cf. *supra,* chap. 3.

21. A. Tenenti, *Il senso, op. cit.,* p. 291.

22. A. Tenenti, *Il senso, op. cit.,* p. 364, n. 124.

23. A. Tenenti, *Il senso, op. cit.,* p. 364, n. 125 (30 novembre 1447).

24. Beaty, *op. cit.*

25. A. Tenenti, *Il senso, op. cit.,* p. 213, p. 227 n. 134, p. 211 et sq., p. 227 n. 137, p. 228 n. 140.

26. Suso, d'après A. Tenenti, *op. cit.*

27. H. de Sponde, *Les Cimetières sacrez,* Bordeaux, 1598.

28. BN, MS. fr., Papiers Joly de Fleury, 1209.

29. Pour l'opposition des deux cimetières d'une même paroisse, voir *supra,* chap. 2, Toulouse, les deux cimetières de la Daurade.

Chapitre 7

1. AN, S 6160, dossier d'Alençon, cité par A. Fleury, *op. cit.*

2. MC, LXXV, 364 (1690).

3. MC, CXIX, 355 (1708).

4. MC, LV, 1156 (1723). Testament du duc de Saint-Simon, 1754 (publié dans *Extraits des Mémoires* par A. Dupouy, Paris, Larousse, 1930, t. IV, p. 199).

5. MC, LXXV, 109 (1660), 94 (1657).

6. MC, LXXV, 66 (1648), CXX, 355 (1708), LXXV, 80 (1652).

7. J. B. Winslaw, *Dissertation sur l'incertitude des signes de la mort et de l'abus des enterrements et embaumements précipités,* Paris, 1740, trad. par J.-J. Bruhier.

8. E. de Martino, *Morte e pianto rituale, op. cit.*

9. AD. Haute-Garonne, SE 11808. Le comte de Latresne contre sa belle-sœur, la marquise de Noë. Testament de 1757.

10. Amsterdam, Musée royal, Dirk Jacoby, *Portrait d'homme à la tête de mort.* J. Molenaer, *Portrait d'une famille* (1635 A3). Les enfants jouent avec des fruits, des animaux, une jeune femme tient une couronne de fleurs et le père de famille une tête de mort.

11. G. Dou, musée de Genève, n. 1949-12.

12. A. Chastel, « L'Art et le sentiment de la mort au XVIIᵉ siècle », *Revue du XVIIᵉ siècle,* nᵒ 36-37, 1957, p. 293.

13. Weber, *Aspects of Death,* Londres, 1918, cité par Th. Spencer, *Death and Elizabethan tragedy,* Cambridge (Mas.), Harvard University Press, 1936.

14. D. E. Stannard, *Puritan Way of Death,* New York, Oxford University Press, 1977. Reproduction de *mourning rings,* fig. 7, p. 114.

15. É. Mâle, *L'Art religieux de la fin du Moyen Age,* Paris, A. Colin, 1931, p. 353.

16. M. Vovelle, *Mourir autrefois,* Paris, Gallimard, coll. « Archives », 1974, p. 163 et sq.

17. Le voyage en Espagne de Saint-Simon, 1721. *Mémoires de Saint-Simon,* éd. A. de Boislisle, Paris, Hachette, coll. « Les grands écrivains de la France », 1927, t. 39, p. 59-62.

18. Bossuet, *Sermon sur la mort pour le Samedi saint,* au collège de Navarre.

19. BN, Papiers Joly de Fleury, *op. cit.*

20. O. Ranum, *Les Parisiens au XVIIᵉ siècle,* Paris, A. Colin, 1973, p. 320.

21. Viviers, AD Haute-Garonne B, procédure 497, communiqué par Y. Castan.

22. F. Burgess, *Churchyard and English Memorials,* Londres, 1963, p. 50.

23. *Ibid.*

24. Ce qui concerne les tombes et les cimetières de Virginie est tiré de la thèse non publiée de Patrick Henry Butler, *On the Memorial Art of Tidewater Virginia,* Johns Hopkins University, juin 1969.

25. P. H. Butler, *op. cit.;* D. Stannard, *Deathin America,* U. of Pennsylvania Press, 1975.

26. Max Fumaroli, « Les Mémoires du XVII\u1d49 siècle », *Revue du XVII\u1d49 siècle,* 1971, nᵒˢ 94-95, p. 7 à 37.

27. R. Balton, Londres, 1635, cité par D. Stannard, *op. cit.*

28. J. Rousset, *La Littérature à l'âge baroque en France,* Paris, J. Corti, 1954, p. 138.

29. Cité par Chateaubriand dans *La Vie de Rancé.*

30. Reproduction du tombeau dans É. Mâle, *L'Art religieux de la fin du XVI\u1d49 siècle,* Paris, A. Colin, 1951, p. 221.

31. A. Bulifon, Guida de Foresteiri, Naples, 1708.

32. Gomberville, *La Doctrine des mœurs,* 1646, p. 100-102.

33. Samuel Steward, cité par D. Stannard, *op. cit.*

34. Erasme, *Les Colloques, op. cit.*

35. Cf. *infra,* chap. 11.

36. Juillet 1758, Montapalach, AD Haute-Garonne B, procédure 360 et 375.

37. F. Lebrun, *Les Hommes et la Mort en Anjou,* Paris-La Haye, Mouton, 1971, p. 480.

38. Reproduit dans E. Hugues, *Histoire de la restauration du protestantisme en France au XVIII\u1d49 siècle,* Paris, 1875, L. II, p. 424. Indiqué par Ph. Joutard.

39. Dans G. Lely, *Sade, étude sur sa vie et son œuvre,* Paris, Gallimard, 1966.

40. J. Potocki, *op. cit.,* p. 235.

Chapitre 8

1. L. C. F. Garmann, *De miraculis mortuorum,* Dresde et Leipzig, 1709.

2. Voir M. Foucault, *Naissance de la clinique,* Paris, PUF, 1963.

3. Ph. Ariès, *Essais sur l'histoire de la mort, op. cit.,* p. 123 sq.

4. E. Brontë, *Wuthering Heights,* Londres, Penguin Books, 1965, p. 65.

5. R. E. Giesey, *op. cit.*

6. L. Stone, *The Crisis of Aristocracy, op. cit.,* p. 579. La paille est probablement une natte de paille.

7. MC, LXXV, 80 (1652).

8. MC, CXIX, 355 (1771).

9. J.-A. Chaptal, *Mes souvenirs,* Paris, 1893, cité par L. Delaunay, *La Vie médicale des XVI\u1d49, XVII\u1d49, XVIII\u1d49 siècles,* Paris, 1935.

10. MC, LXXV, 142 (1669).

11. M. Aymard, « Une famille de l'aristocratie sicilienne », *Revue historique,* janvier-mars 1972, p. 32.

12. Testament olographe du duc de Saint-Simon, *Mémoires,* 1754, Extraits par A. Dupouy, Paris, Larousse, 1930, t. IV, p. 199.

13. Cité par D. E. Stannard, *op. cit.*

14. MC, LXXV, 489 (1712), CV, 1156 (1723).

15. *Journal de Célestin Guittard de Floriban, bourgeois de Paris sous la Révolution,* présenté par R. Aubert, Paris, France-Empire, 1974.

16. Article « Anatomie » de l'*Encyclopédie.*

17. J. Rousset, *op. cit.,* p. 10.

18. A. Chastel, *Revue du XVIIᵉ siècle,* 1957, p. 288-293.

19. Sade, *La Marquise de Ganges,* Paris, Pauvert, 1961, p. 238.

20. I. Ringhieri, *Dialoghi della vita et dello morte,* Bologne, 1550, cité par A. Tenenti, *Il senso, op. cit.,* p. 327 et p. 357, n. 52. Voir aussi A. Chastel, *Le Baroque et la Mort,* IIIᵉ congrès international des études humanistes, Rome, 1955, p. 33-46.

21. Sade, *Juliette,* Paris, Pauvert, 1954, t. IV, p. 21.

22. S. Mercier, *Tableaux de Paris,* Paris, 1789, t. IX, p. 177 et sq., p. 139-141.

23. BN, Papiers Joly de Fleury, *op. cit.*

24. R. de Chateaubriand, *Mémoires d'Outre-Tombe,* éd. E. Biré, Paris, Garnier, 1925, t. II, p. 122.

25. *Journal de Barbier,* Paris, Charpentier, 1857, t. II, p. 453 (mars 1734).

26. Th. Bouts, *Le Martyre de saint Érasme,* Louvain, église Saint-Pierre. On observe la même placidité des bourreaux et des victimes dans le martyre de saint Hyppolite du même peintre à Bruges, dans l'écorchement soigneux du juge prévaricateur de Gérard Dou à Bruges.

27. J. Rousset, *op. cit.,* p. 82-83.

28. J. Rousset, *op. cit.,* p. 88.

29. R. Gadenne, « Les spectacles d'horreur de P. Camus », *Revue du XVIIᵉ siècle* nº 92, p. 25-36.

30. J. Rousset, *op. cit.,* p. 84.

31. Cité par L. Spitzer, « The problem of latin Renaissance Poetry », *Studies in Renaissance,* II, 1955. Indiqué par O. Ranum.

32. Musée de Bologne.

33. Cité par M. Praz, *The Romantic Agony,* Londres, Fontana Library, p. 120.

34. Fuselli, *Brunehilde.*

35. J. Rousset, *op. cit.,* et Th. Spencer, *Death and Elizabethan Tragedy,* Cambridge (Mas.), Harvard University Press, 1936.

36. J. Rousset, *op. cit.*

37. J.-J. Bruhier et J. B. Wislaw, *op. cit.,* l. I, p. 66.

38. J.-J. Bruhier et J. B. Wislaw, *op. cit.*

39. Sade, *Juliette, op. cit.,* l. VI, p. 70 sq., p. 270-271.

40. Potocki, *op. cit.*

41. M. Dunoyer, *Lettres et Histoires galantes, op. cit.,* l. I, p. 275.

42. *Ibid,* p. 313.

43. L. Lenormand, *Des Inhumations précipitées,* Paris, p. 34; E. Bouchot, *Traité des signes de la mort,* Paris, 1883.

44. BN, Papiers Joly de Fleury, *op. cit.*

45. A. P. Scieluna, *The Church of Saint John, op. cit.,* p. 161.

46. *Mémoires de Saint-Simon,* 1721, *op. cit.*

47. Mme Dunoyer, *op. cit.* Voir aussi L. Stone, *The family, sex and marriage in England (1500-1800),* Londres, Weidenfeld and Nicholson, 1977. P. 250, visite de Lord Spencer dans la crypte.

48. Th. Spencer, *op. cit.,* p. 225.

49. J.-C. Herold, *Germaine Necker de Staël,* Paris, Plon, 1962, p. 561, 137, 484; M. Praz, *op. cit.,* p. 139 (la princesse Belgiojoso).

50. M. Vovelle, *L'Irrésistible Ascension de Joseph Sec, bourgeois d'Aix,* Aix, EDISUR, 1975.

51. *Journal de Barbier, op. cit.,* an. 1723.

52. Trad. Hannot B. et Jeman.

53. J. Potocki, *op. cit.,* p. 74-75.

54. Sade, *Juliette, op. cit.,* l. IV, Propos du pape Braschi, t. VI, p. 170, 269.

Chapitre 9

1. Deschambre, *Dictionnaire encyclopédique des sciences médicales,* Paris, 1876, article « Mort ».

2. H. Sauval. *Antiquité, op. cit.,* Le jeune Frison au bras cassé.

3. J.-J. Bruhier et J. B. Wislaw, *op. cit.*

4. J.-J. Bruhier et J. B. Wislaw, *op. cit.,* p. 151. L. G. Stevenson a eu l'idée d'étudier les relations entre la mort apparente et l'anesthésie dans « Suspended Animation and the History of anesthesia », *Bulletin of the History of Medecine,* 49, 1975, p. 482 à 511.

5. Fœderé, *Dictionnaire médical,* Paris, 1813, III, p. 188.

6. Mme Dunoyer, *Lettres et Histoires galantes, op. cit.,* I, p. 177-178.

7. J.-J. Bruhier et J. B. Wislaw, *op. cit.,* p. 49-50.

8. MC, LXXV, 117 (1662), 146 (1669), CXIX, 355 (1768), LXXV, 364 (1690), XLII, 399 (1743), AN S6160 (1696), CXIX (21 juin 1790), XII, 635 (1855).

9. Arrêté du 31 vendémiaire de l'an IX sur l'inspection des morts.

10. *Dictionnaire des sciences médicales* en 60 volumes, Paris, 1818, article « Inhumation ».

11. Deschambre, *Dictionnaire, op. cit.,* articles « Mort » et « Cadavre ».

12. E. Bouchot, *Traité des signes de la mort et des moyens de prévenir les inhumations prématurées,* Paris, 1883, p. 402.

332 · 332 *Notes du chapitre dix*

Chapitre 10

1. Caroly de Gaïx, *Œuvres,* 1912, p. 116.
2. R. de Chateaubriand, *René,* Éd. du milieu du Monde, Genève, p. 143.
3. C. de Gaïx, *op. cit.,* p. 61.
4. Lamartine.
5. P. Craven, *Récit d'une sœur.* Souvenir de famille, 2 vol., Paris, 1867.
6. Mme F. de La Ferronays, *Mémoires,* Paris, 1899.
7. Mme F. de La Ferronays, *op. cit.,* p. 212.
8. P. Craven, *op. cit.,* t. I, p. 224.
9. *Ibid.,* t. I, p. 35.
10. *Ibid.,* t. I, p. 61 et 63.
11. *Ibid.,* t. I, p. 99 et 103.
12. *Ibid.,* t. I, p. 308.
13. *Ibid.,* t. I, p. 335.
14. *Ibid.,* t. I, p. 365.
15. *Ibid.,* t. II, p. 21-22.
16. *Ibid.,* t. II, p. 125.
17. *Ibid.,* t. I, p. 446.
18. *Ibid.,* t. II, p. 317.
19. *Ibid.,* t. II, p. 327 et s.
20. *Ibid.,* t. II, p. 400-403.
21. Lamartine, « Le Crucifix », *Nouvelles Méditations poétiques* (22e Méditation).
22. P. Craven, *op. cit.* t. II, p. 414-415.
23. C. de Gaïx, *op. cit.*
24. C. de Gaïx, *op. cit.* p. 252-253.
25. Charlotte Brontë, *Jane Eyre,* Penguin Books, p. 108-114.
26. Emily Brontë, *Poèmes,* Paris, Gallimard, 1963 (trad. P. Leyris), p. 144 (1844), p. 163 (1844), p. 42 (1837), p. 71 (1839), p. 73 (1839), p. 109 (1841), p. 24 (1836), p. 48 (1838), p. 207 (1845). Charlotte Brontë, Patrick Branwell Brontë, *Écrits de jeunesse (choix),* éd. établie par R. Bellour, Paris, Pauvert, 1972.
27. Mario Praz, *Romantic Agony, op. cit.*
28. Emily Brontë, *Wuthering Heights,* Penguin Books; introduction, p. 14.
29. *Ibid.,* p. 319-322.
30. L.O. Saum, *Death in Pre-Civil War America,* dans D. E. Stannard, *op. cit.,* p. 30-48.
31. A. Douglas, *Heaven our home : Consolation litterature in the Northern US, 1830-1880,* dans D. E. Stannard, *op. cit.,* p. 49-68.
32. L.O. Saum, *op. cit.,* p. 47.
33. Charlotte Brontë, *Jane Eyre, op. cit.,* p. 346.
34. *Ibid.,* p. 444.

35. Cf. *supra*, ch. 5.

36. C. Brontë, *Jane Eyre, op. cit.*, déclaration d'Helen Burns.

37. Maurice Lanoire, *Réflexions sur la survie*, Paris, Nouvelle Édition Debresse, 1971; *Transcendances* (ronéotypé, 1975).

38. AN, MC, LXXV, 95 (1657).

39. Gilbert Grimaud, dans Ch. Barthélémy, *Liturgie sacrée*, Paris, 1854, t. V, p. 290.

40. AN, MC, LXXV, 94 (1657).

41. G. et M. Vovelle, « Vision de la mort et de l'au-delà en Provence du XVᵉ au XXᵉ siècle », *Cahiers des Annales*, A. Colin, 1970.

42. Fénelon, *Lettres spirituelles*, n° 224, 12 nov. 1701, *Œuvres complètes*, 1851, LVIII, p. 591. cité par V. Jankélévitch, *La Mort, op. cit.*

43. Michelet, *La Sorcière* (introduction de R. Mandrou), Paris, Julliard, 1964, p. 33.

44. *Ibid.*, p. 93-95.

45. AN, MC, LXXV, 987 (1811).

46. AN, MC, CXIX, 355 (1774).

47. AN, MC, CXIX, 355 (1778).

48. AN, MC, CXIX, 355 (1775).

49. AN, MC, XII, 635 (1844).

50. Voir *infra*, ch. 12.

Chapitre 11

1. F. C. Garmann, *De miraculis mortuorum, op. cit.*

2. Ph. Ariès, *Essais, op. cit.*, p. 116.

3. *La Grande et Nécessaire Police*, A Paris chez Nicolas Alexandre, 1619 (extraits dans Dʳ Gannal, *Les Cimetières de Paris*, Paris, 1884, t. I).

4. Cité par M. Foisil, voir note 6.

5. Abbé Porée, *Lettres sur la sépulture dans les Églises*, Caen, 1745.

6. M. Foizil, « Les attitudes devant la mort au XVIIIᵉ siècle : sépultures et suppressions des sépultures dans le cimetière parisien des Saints-Innocents », *Revue historique*, avril-juin 1974, n. 510, p. 303-330.

7. BN, Papiers Joly de Fleury, 1207.

8. Les documents du fonds Joly de Fleury comme la littérature médicale utilisée ici sont maintenant exploités par plusieurs historiens américains : R.A. Etlin, *Landscapes of Eternity : Funerary Architecture and the Cemetery, 1793-1881; Oppositions* n° 7, 1976; « L'air dans l'architecture des Lumières », *Dix-huitième Siècle* n° 9, 1977; O. et C. Hannaway, « La fermeture des Innocents : le conflit entre la Vie et la Mort », *Dix-huitième Siècle* n° 9, 1977.

9. O. et C. Hannaway, *op. cit.*

10. Maret, *Mémoire sur l'usage où l'on est d'enterrer les morts dans les églises et dans l'enceinte des villes*, Dijon, 1773, p. 36.

11. P. Toussaint Navier, *Réflexions sur le danger des exhumations précipitées et sur les abus des inhumations dans les églises, suivies d'observations sur les plantations*

d'arbres dans les cimetières, Paris, 1775, Scipion Piattoli (trad. par Vicq d'Azyr); Vicq d'Azyr, *Essais sur les lieux et les dangers des sépultures*, 1778, *Œuvres complètes*, t. VI.

12. Ph. Ariès, *Annales de démographie historique*, 1975, p. 107-113. Repris dans *Essais*, p. 123.

13. T. Navier, *op. cit.*

14. T. Navier, *op. cit.*

15. BN, Papiers Joly de Fleury.

16. BN, Papiers Joly de Fleury, *Mémoire des curés de Paris*.

17. *Réflexions au sujet de l'arrêt des cimetières*, BN, Papiers Joly de Fleury.

18. *Lettre de M. M.*[olé] *à M. J.*[amet le jeune] *sur les moyens de transférer les cimetières hors de l'enceinte des villes*, nov. 1776, Paris.

19. Ordonnance de Mgr Loménie de Brienne, archevêque de Toulouse, 23 mars 1775, dans Dr Gannaĺ, *op. cit.*

20. M. Cadet de Vaux, *Mémoire historique sur le cimetière des Innocents*, lu à l'Académie royale des sciences en 1781, Dr Gannal, *op. cit.*, p. 86 (pièces justificatives); Dr Thouret, *Rapport sur les exhumations du cimetière et de l'église des Saints-Innocents*, lu à la séance du 3 mars 1789 de la Société royale de médecine.

21. S. Mercier, *Tableaux de Paris, op. cit.*, t. X, 190.

22. Maxime du Camp, *Paris*, 1875, t. III; voir M. Agulhon, *Pénitents et francs-maçons, op. cit.*

23. BN, Papiers Joly de Fleury.

24. *Rapport sur les sépultures présenté à l'Administration centrale du département de la Seine par le citoyen Cambry*, an VII (1799).

25. Amaury Duval, *Des sépultures*, Paris, an IX (1801).

26. Mulot, *Vues sur les sépultures à propos d'un rapport sur les sépultures de Daubermesnil*, lu à la tribune des Cinq-Cents le 21 Brumaire an V, Paris, 1801. C'est ce rapport qui fit adopter l'arrêté du département de la Seine du 4 Floréal an VII sur les funérailles.

27. C. Aulard, *Paris pendant la réaction thermidorienne*, Paris, 1898-1902, V, 698-699.

28. *Rapport de l'administration des Travaux publics sur les cimetières*, lu au Conseil général par le citoyen Avril.

29. Rapport fait au Conseil général de la Seine le 15 thermidor an VIII (3 août 1800).

30. *Sépultures publiques et particulières*, an IX.

31. A. Duval, *op. cit.*; J. Girard, auteur de *Praxile (sic), Des tombeaux et de l'influence des institutions funèbres sur les mœurs*, Paris, an IX (1801); Dr Robinet, *Paris sans cimetières*, Paris, 1869.

32. *Sépultures publiques, op. cit.*

33. P. Girard, *op. cit.*

34. A. Duval, *op. cit.*

35. *Sépultures publiques, op. cit.*

36. P. Girard, *op. cit.*

37. G. F. Coyer, *Étrennes aux morts et aux vivants*, Paris, 1768.

38. *Revue historique*, 1974, *op. cit.*

39. L. Lanzac de Laborie, *Paris sous Napoléon. La vie et la mort*, Paris, 1906.

40. Préfecture de la Seine, direction des Affaires municipales, Bureau des cimetières, *Note sur les cimetières de la Ville de Paris*, 1889.

41. Bertoglio, *Les Cimetières*, Paris, 1889.

42. L. Lanzac de Laborie, *op. cit.*

43. C. Aulard, *Paris sous le Consulat*, II, 735.

44. MM. Richard et XXX, *Le Véritable conducteur aux cimetières du Père-Lachaise, Montmartre et Vaugirard*, Paris, 1836.

45. M. Vovelle, *Joseph Sec, op. cit.*

46. Chateaubriand, *Mémoires d'outre-tombe*, éd. Biré, Paris, Garnier, I, XIV, et 445.

47. Le mausolée Howard et sa référence m'ont été signalés par I. Lavin. Le mausolée est reproduit dans J. Summerson, *Architecture in Britain, 1530 to 1830*, Londres, Penguin Books, 1953, pl. 106 et p. 177-178. L. Stone, dans *The family..., op. cit.*, p. 226 et 712, n. 3, signale aussi West Wycombe, Bucks.

48. A. Rinaldi, *La Maison des Atlantes*, cité par J. Piatier dans *le Monde*, 30-31 mai 1971.

49. S. French, *The Cemetery as cultural Institution*, dans D. E. Stannard, *Death in America, op. cit.*, p. 75.

50. J. W. Draper, *The funeral Elegy and the Rise of english Romanticism*, N. Y.,1929.

51. Cuyler, *The Empty Crib*, cité par A. Douglas, *op. cit.*, p. 61.

52. Mgr Gaume, *Le Cimetière au XIXe siècle*, Paris, s.d., fin du xixe siècle.

53. Correspondance de Londres au journal *le Monde* du 18 décembre 1962.

54. P. Ferran, *Le Livre des épitaphes*, Paris, Éd. ouvrières, 1973.

55. Stannard, *op. cit.*, p. 68-91.

56. E. V. Gillon, *Victorian Cemetery Art*, New York, Dover Press, 1972.

57. S. French, *op. cit.*, p. 89.

58. Walters Gallery, Baltimore, n° 1520.

59. La même image a servi à illustrer la couverture de l'édition allemande de mes *Essais sur l'histoire de la mort*, Munich, Hanser, 1976.

60. Mémoire présenté par le préfet de la Seine à l'Hôtel de Ville (sur les cimetières de Paris), 1844.

61. Chenel, *Sur un projet de cimetière et de chemin de fer municipal ou mortuaire*, Paris, 1867.

62. Guérard, *Visite au cimetière de l'Ouest*, Paris, 1850.

63. L. Bertoglio, *Les Cimetières*, Paris, 1889.

64. J.-F.-E. Chardouillet, *Les Cimetières sont-ils des foyers d'infection?*, Paris, 1881.

65. *Ibid.*

66. Bertoglio, *op. cit.*

67. Dr Robinet, *Paris sans cimetière*, Paris, 1869; P. Laffitte, *Considérations générales à propos des cimetières de Paris*, Paris, 1874.

68. P. Laffitte, *op. cit.*

69. J. Brunfaut (un partisan du transfert à Méry-sur-Oise), *La Nécropole de Méry-sur-Oise. De nouveaux services à créer pour les inhumations parisiennes*, Paris, 1876.

70. A. Lenoir (de l'Institut), *Cimetières de Paris. Œuvre des sépultures*, Paris, 1864.

71. Nous avons pris nos exemples à Paris. La même histoire pourrait être écrite dans les grandes villes de province. R. Bertrand a consacré à la même situation, mais à Marseille, son mémoire de maîtrise, sous la direction de P. Guiral. Un résumé en a été donné dans *Les Conférences de l'Institut historique de Marseille*, janvier-février 1970 : « Une contribution à l'histoire du sentiment. Cimetières et pratiques funéraires à Marseille du milieu du XVIIIᵉ siècle à la fin du XIXᵉ », p. 264-267. « Ainsi ce lieu d'horreur du XVIIIᵉ siècle est-il devenu, moins d'un siècle plus tard, objet de fierté et de respect. »

72. Dʳ F. Martin, *Les Cimetières de la crémation*, Paris, 1881.

73. Faucheux (Paris) et Revel (Lyon), *Les Tombes des pauvres*, 1903.

74. F. Zonabend, « Les Morts et les Vivants », *Études rurales*, nº 52, 1973, 23 p.

75. Ph. Ariès, *Essais, op. cit.*, p. 141-142.

76. *Esprit*, 1965, p. 610.

Chapitre 12

1. Tolstoï, *Les Trois Morts*, dans *La Mort d'Ivan Ilich et autres contes*, Paris, Colin, 1958.

2. Mark Twain, *Was it heaven? or hell? (« you hold a lie? »)*, *The Complete Short Stories of Mark Twain*, N. Y., Bantam Books, p. 474-491.

3. Tolstoï, *La Mort d'Ivan Ilich, op. cit.*

4. *Journal d'un bourgeois de Paris sous la Révolution* (Nicolas Guittard), publié par R. Aubert, Paris, France-Empire, 1974.

5. B. Ribes, « Éthique, science et mort », *Études*, novembre 1974, p. 494, cité par Ph. Ariès, *Essais, op. cit.*, p. 208.

6. G. Gorer, *Death, Grief and Mourning in contemporary Britain*, New York, Doubleday, 1965.

7. V. Jankélevitch, *La Mort*, Paris, Flammarion, 1966, p. 229.

8. *Ibid.*, p. 202.

9. L. Witzel, *British Medical Journal*, 1975, nº 2, p. 82.

10. B. G. Glaser, A. L. Strauss, *Awareness of Dying*, Chicago, Aldine, 1965; Ph. Ariès, *Essais, op. cit.*, p. 173.

11. G. Gorer, *op. cit.*; Ph. Ariès, *Essais, op. cit.*, p. 180-189.

12. *Psychology today*, juin 1971, p. 43-72.

13. Dans *Les Religions populaires*, Colloque international 1970, Presses de l'université Laval, Québec, 1972, p. 29.

14. G. Gorer, *op. cit.*, p. 128.

15. C. M. Parkes, *Bereavment Studies of Grief in adult Life*, New York, International Universities, 1973; L. Pincus, *Death in Family*, New York, Vintage Books, 1974.

16. H. de Campion, *Mémoires*, éd. Marc Fumaroli, Paris, Mercure de France, 1967.

17. Rees et Lutkins, « Mortality of Bereavment », *Brit. med. Journal*, 1967, nº 4, p. 13-16, commenté par L. Lasagna, dans *The Dying Patient*, ouvrage collectif sous la direction d'O. G. Brim, New York, Russel Sage Foundation, 1970, p. 80.

18. S. Harsenty, « Les Survivants », *Esprit*, mars 1976, p. 478.

19. R. S. Morrison, dans *The Dying Patient, op. cit.*

20. B. G. Glaser et A. L. Strauss, *op. cit.*

21. *The Dying Patient, op. cit.,* p. 207.

22. *The Dying Patient, op. cit.,* p. 214.

23. H. Feifel, *The Meaning of Death,* New York, Mc Graw-Hill, 1959.

24. E. Kübler-Ross, *On Death and Dying,* New York, Mc Millan, 1969 (trad. fr. *Les Derniers Instants de la vie,* Genève, Gabor et Fides, 1975); V. Thomas, *l'Anthropologie de la mort, op. cit.*

25. Ivan Illich, *La Némésis médicale,* Paris, Seuil, 1975.

26. Cl. Herzlich, « Le Travail de la mort », *Annales ESC,* 1976, p. 214.

27. Dans *The Dying Patient, op. cit.*

28. R. Caillois, *Quatre Essais de sociologie contemporaine,* Paris, Perrin, 1951.

29. J. Mitford, *The American Way of Death,* New York, Simon and Schuster, 1963 (trad. fr., *La Mort à l'américaine,* Paris, Plon, 1965).

30. Boston, 1857, cité par A. Douglas dans *Death in America, op. cit.,* p. 61.

31. J. Mitford, *op. cit.,* p. 200-201.

32. J. Mitford, *op. cit.,* p. 233.

Index thématique

Index des noms [1]

1. On n'a retenu qu'un petit nombre de noms : ceux des principaux pays cités, ceux des œuvres, auteurs, familles ou lieux qui sont le plus fréquemment mentionnés.

Table du Livre I

On trouvera à la fin du deuxième volume un Index thématique et un Index des noms

Table du Livre II

289. Le triomphe de la médicalisation, 293. Le retour de l'avertissement. Le rappel à la dignité. La mort aujourd'hui, 298. La géographie de la mort inversée, 303. Le cas américain, 305.

CET OUVRAGE A ÉTÉ COMPOSÉ ET ACHEVÉ D'IMPRIMER
PAR L'IMPRIMERIE FLOCH À MAYENNE
DÉPÔT LÉGAL : OCTOBRE 1985. N° 8945 (23384)